Einaudi. Stile Li

C000082492

VIHT3N
BAY 20.20
DUB 21.55

Di Wu Ming nel catalogo Einaudi

Wu Ming 2 e Antar Mohamed
Timira

Einaudi

© 2012 by Wu Ming 2 e Antar Mohamed
Published by arrangement with
Roberto Santachiara Agenzia Letteraria, Pavia

© 2012 Giulio Einaudi editore s.p.a., Torino
www.einaudi.it

Si consente la riproduzione parziale o totale dell'opera ad uso personale dei lettori
e la sua diffusione per via telematica, purché non a scopi commerciali
e a condizione che questa dicitura sia riprodotta.

I libri di Wu Ming sono stampati su carta ecosostenibile CyclusOffset,
prodotta dalla cartiera danese Dalum Papir A/S con fibre
riciclate e sbiancate senza uso di cloro. Nel caso si verifichino problemi
o ritardi nelle forniture, si utilizzano comunque carte approvate dal
Forest Stewardship Council, non ottenute dalla distruzione di foreste primarie.
Per maggiori informazioni: www.greenpeace.it/scrittori

Gli autori difendono la gratuità del prestito bibliotecario e sono contrari
a norme o direttive che, monetizzando tale servizio, limitino l'accesso alla cultura.
Gli autori e l'editore rinunciano a riscuotere eventuali royalties
derivanti dal prestito bibliotecario di quest'opera.

ISBN 978-88-06-20592-8

Timira

Questa è una storia vera…

… comprese le parti che non lo sono.

Preludio
Lettera intermittente n. 1

Cara Isabella,
sono passati molti mesi dall'ultima volta che ci siamo visti.
Li conto sulle dita e sono già diciotto, un anno e mezzo pieno
di rivolta e di quello che si usa chiamare la Storia, per poi con-
vincersi che sia un pezzo di carta, o di marmo, e non di vita.
   Gli astronomi hanno scoperto una stella dieci milioni di vol-
te più luminosa del sole. Al tempo dei re babilonesi, le avreb-
bero dato il nome di un dio terribile e smisurato. Al tempo del-
le agenzie di rating, l'hanno battezzata con una sigla: R136a1.
   Sono morti J. D. Salinger, Mario Monicelli e Osama bin La-
den. Sono nati, secondo le statistiche, centonovantotto milioni
e mezzo di esseri umani.
   È nata pure una nuova nazione, la Repubblica del Sud Sudan,
ma l'oroscopo dice che si ammalerà presto, ubriaca di petrolio.
Come il Golfo del Messico, che ha dovuto sorbire in diretta tivú
cinquecento milioni di litri di greggio, serviti dalla piattaforma
Deepwater Horizon. O come il Delta del Niger, dove la sbornia
nera uccide ogni giorno, senza lambire gli schermi del mondo.
   Un terremoto di magnitudo 9 ha cancellato in Giappone
intere città. L'onda di tsunami e le macerie dei sopravvissuti
ci hanno riempito gli occhi per settimane, risvegliando la falsa
memoria di catastrofi già dimenticate. La scossa ha danneggiato
i reattori di una centrale nucleare e nessuno sa dire quanto du-
reranno gli effetti delle radiazioni in fuga. Tra diecimila anni,
tonnellate di scorie radiotossiche saranno forse l'unica traccia

rimasta della nostra civiltà. Chissà se i terrestri del futuro ci chiameranno pazzi o terroristi.

Fino all'anno scorso – ti ricordi? – il terrorista da cartolina era un giovane musulmano, barbuto, con la pelle bruna e il turbante in testa. Oggi è un trentenne norvegese, biondo, cristiano, con un coccodrillo cucito sul cuore. Settantasette persone sono cadute sotto i colpi della sua battaglia contro l'islam e gli stranieri: se di pazzia si tratta, rischia di rivelarsi molto contagiosa. I crociati fibrillano, sbroccano, rimpiangono Bin Laden e lo scontro di civiltà. Sentono l'Armageddon mancare sotto i piedi e ne inseguono disperati una versione casalinga.

Dal Golfo Persico al Nordafrica, uomini e donne, giovani e meno giovani occupano le strade per rovesciare i troni di vecchi tiranni. I terroristi da cartolina si trasformano all'improvviso in eroi ribelli. Gli arrabbiati di mezzo mondo guardano agli egiziani di piazza Taḥrīr.

Una ragazza tunisina ha scritto che il suo popolo ha fatto la storia, ma lei non c'era, stava a Bologna per studiare, cosí ha perso l'occasione e vuole rifarsi in Italia. Sui muri della città, una richiesta urgente fa eco alle sue parole: «Immigrati, salvateci dagli italiani».

Di tutto questo mi piacerebbe parlarti, sedere a quel tavolo sempre ingombro di carte, bollette, giornali, matite, tazze e bicchieri. Accendere il registratore e srotolare il pomeriggio, con la scusa di un romanzo da scrivere insieme. E invece sto qui, nello stanzone caldo di una biblioteca, in mezzo agli studenti che preparano gli esami per la sessione autunnale. Il romanzo è finito, l'ho stampato per intero e adesso non è altro che un plico di fogli in attesa di correzioni, sgorbi di penna, note sul margine e commenti. Ho letto la prima pagina, l'ho girata, e mi sono messo a scriverti nello spazio bianco sul retro.

Erano anni che non usavo la penna per tante parole: i pensieri diventano indelebili troppo in fretta. Fuori c'è un tizio che butta giú un muretto a martellate e il rumore dei colpi spacca le frasi che vorrei mettere in fila. Dovrei tornare a casa, lí c'è silenzio, ma in compenso la posta, Twitter, i siti e l'orto sul balcone mi aprono in testa buchi molto peggiori di un martello.

Otto anni fa, quando tuo figlio si è presentato alla mia porta con una cartelletta rossa, Twitter non c'era ancora e nemmeno il balcone. Stavo in un altro appartamento e il massimo che riuscivo a coltivare era una pianta di fagiolo sul davanzale del bagno.

Eppure, nonostante le distrazioni ridotte al cinquanta per cento, ho accolto Antar con la testa fra le nuvole, non l'ho fatto nemmeno entrare, ho preso la cartelletta e gli ho detto che senz'altro avrei letto i fogli che ci stavano dentro. Altri lavori incombevano, altre pagine, e già m'ero accorto che Antar, quando raccontava di te e di suo zio, aveva la tendenza a tirarla per le lunghe.

Ci eravamo conosciuti in una clinica per malattie mentali. Frequentavamo lo stesso matto: io come amico, lui come educatore. Facevamo i turni per non lasciarlo da solo ed è stato lí, nel parco intorno alla villa, sotto un cedro del Libano colossale, che ho sentito parlare di te per la prima volta.

Era la primavera del 2003 e io ci ho messo cinque anni prima di venirti a trovare, col mio registratore in mano, per dedicare alla tua storia un mercoledí pomeriggio.

A mia parziale discolpa, vorrei dire che la cartelletta rossa non l'ho riposta subito in un armadio. L'ho aperta poche ore dopo, di fianco a un piatto di pasta, e ormai da tre anni me la porto sempre appresso, nella borsa da lavoro. Rispetto ad allora è molto ingrassata di carte, ma i tre documenti originali sono sempre lí e ogni tanto li ripesco, per non dimenticare da dov'è cominciata la nostra amicizia.

Primo: una fotocopia con due brevi articoli, impaginati uno sopra l'altro. Titoli: «Un italiano nero» e «La "negretta" del cinema italiano». Tratti da: «Il Sofà. Periodico di immigrazione in Emilia Romagna».

Secondo: la relazione del dottor Bonvicini Eugenio sull'attività svolta da Giorgio Marincola (Mercurio) durante l'occupazione germanica del suolo nazionale.

Terzo: un volantino distribuito in piazza Maggiore il 25 aprile 2002. «Nell'anniversario della liberazione dal nazifascismo, mentre siamo qui per protestare contro il Lager etnico di via Mattei, vogliamo ricordare Giorgio Marincola attraverso la testimonianza di sua sorella (una signora ultrasettantenne che abita a Bologna)...»

Su un totale di sedici fogli A4, soltanto mezzo riguarda le tue avventure. Tutto il resto gira intorno a tuo fratello Giorgio, come in un depistaggio studiato ad arte.

Ecco perché ci ho messo tanto per capire cosa volesse da me questa cartelletta rossa, ed ecco perché tu ci hai messo altri due anni per capire cosa volesse da te questo sedicente cantastorie dal nome cinese, col suo registratore a cassette sempre a corto di pile, che insisteva a suonare al tuo campanello ogni mercoledí pomeriggio.

Siamo tutti profughi, senza fissa dimora nell'intrico del mondo. Respinti alla frontiera da un esercito di parole, cerchiamo una storia dove avere rifugio.

Prima parte

Non fai una storia per avere vendetta, ma per mettere radici.

OUSMANE SEMBÈNE

Uno

Agenda 1991
di *Isabella Marincola*

Martedí, 1 gennaio
Maria santissima Madre di Dio   *2° giorno*

Era nell'aria da tempo, eppure sembrava impossibile. Le radio straniere, nei programmi per la Somalia, trasmettevano interviste con i rappresentanti all'estero delle forze ribelli: Somali Salvation Democratic Front, United Somali Congress, Somali National Movement. Radio Boscaglia, come chiamiamo qui le dicerie senza controllo, prevedeva la guerra, ma intanto nei corpi lievitava l'apatia, l'indifferenza dello schiavo che si appresta a cambiare padrone. Solo i manutengoli del Vecchio fiutavano l'aria come cani da preda preoccupati di diventare selvaggina.

Gira voce che la signora Baroni, moglie di un somalo ricco e ammanicato, sia svenuta nel bel mezzo di un party, quando un invitato ha scommesso mille dollari sulla fine imminente del regime. Una bottiglia d'aceto aperta sotto il naso è stata sufficiente a rimetterla in piedi. Per la Somalia, invece, non esiste un rimedio altrettanto efficace.

Il famoso *Manifesto* per la democrazia, scritto da intellettuali, politici, uomini onesti e di principio, ha prodotto un solo risultato concreto: l'arresto immediato dei firmatari. Poi, nell'aula del tribunale, gli imputati sono stati assolti e il signor giudice li ha pure pregati di calmare la folla, per evitare disordini.

In giugno, un giovane biologo italiano è morto agli arresti in una caserma di Mogadiscio. I militari giurano che si è impiccato in cella, ma alla favola del suicidio non crede nessuno. Giuseppe Salvo era arrivato in città per un ciclo di conferenze, invitato dall'Università nazionale. Forse ha visto qualcosa che non doveva vedere. Oppure, come tanti somali, è rimasto vittima dei militari senza un vero motivo. L'Italia, nel dubbio, continua a versare miliardi nelle casse della dittatura.

Il 6 luglio, prima di una partita di calcio, il compagno Siad Barre ha tenuto un discorso di fronte a trentamila spettatori. Fischi e urla lo hanno convinto a non farla troppo lunga. Nell'intervallo, i tifosi delle due squadre sono scesi sul campo per la preghiera. Un gesto consueto, da queste parti, ma i pretoriani della Iena erano già nervosi e si sono messi a sparare. Radio Boscaglia dice che i morti sono stati almeno un centinaio.

Da allora, non è passato giorno senza sparatorie, coltellate, rapine. Uscire col buio è diventato pericoloso e chi ha un'arma la usa, senz'altra legge che quella del fucile. Tirare a campare mi è parsa l'unica resistenza su misura per me, in attesa che gli oppositori fiacchino quella di Siad Bocca Larga.

Due giorni fa, il 30 dicembre, ho fatto lezione come al solito e il portafogli vuoto mi ha ricordato le buone abitudini di fine mese.

«Ragazzi, mollate la grana», mi sono raccomandata.

«Sí, sí, te la portiamo oggi pomeriggio, tranquilla».

Ho mangiato un piatto di riso e mi sono addormentata in poltrona.

Verso le 15,30 un crepitare di mitragliatrici ha interrotto il mio pisolino: quelli del Fronte erano entrati in città.

Accidenti a me e a quando ho perso il vizio di farmi pagare in anticipo.

Martedí, 8 gennaio
San Severino abate *9° giorno*

Abitiamo vicinissime a Villa Somalia, il bunker di Siad Barre, tagliate fuori dal resto della città.

Da una parte abbiamo il Fronte che guadagna terreno contro i soldati governativi, dall'altra un esercito di ladri che ti tolgono la vita per mille scellini.

Non ci sono viveri, non c'è luce, si va incontro alla notte con i *fanus*, le lampade a petrolio. Dai rubinetti l'acqua non scende piú, bisogna attingerla al pozzo della moschea. Tutt'intorno, bande di ragazzini armati di coltello scippano i secchi pieni per evitare la fila.

Stamani Hawa, che abita sotto di noi, ha rimediato un po' di riso e una razione di porridge. Voleva portarcene un piatto, ma quando stava per affrontare la scala esterna, un proiettile ha scheggiato il primo gradino. Per non rinunciare al pranzo, abbiamo dovuto calare un paniere dalla finestra. Sembrava la messa in scena di una favola, con la bella principessa reclusa dalla matrigna nella torre del castello. Una favola senza lieto fine, con un vecchio dittatore nella parte del cattivo e i buoni che arrivano, ma non sanno che fare.

Gli stranieri se ne sono andati tutti e buon'ultima si è mossa pure la nostra ambasciata, con un piano di evacuazione per i cittadini italiani.

Io resto qua, non ho alcuna intenzione di finire in un campo profughi o in un qualche alberguccio, anticamera pietosa dell'unica dimora che mi spetterebbe: la suite a mille stelle di una panchina pubblica.

Giovedí, 10 gennaio
Sant'Agatone papa   *11° giorno*

Oggi Hassan, un giovane cugino di mio marito, è venuto a portarci uova, zucchine, mezzo sacco di carbone e una bottiglia d'olio. Nel tragitto dal centro fino a casa nostra lo hanno fermato piú volte, con i kalashnikov spianati e la domanda di rito: «A che gente appartieni?» La risposta giusta non è mai la stessa, cambia con gli interlocutori, come in un quiz a premi con in palio la vita.

«Noi siamo Isaaq», alza le spalle Hassan, e intende dire che la sua *cabila* non è coinvolta nella faida che insanguina le strade, quella tra gli Hawiye dello United Somali Congress e i Darod del compagno Siad.

Strana carneficina per una città che da mille anni mescola marinai persiani, mercanti arabi, orafi indiani, conquistatori europei, schiavi bantu, ingegneri cinesi, somali della costa e della boscaglia.

Strano destino per una nazione che si è sempre vantata di non conoscere le divisioni etniche e religiose di tanti paesi africani.

Strana discendenza, trent'anni dopo, per i padri della patria come Aden Abdulle, che alla stessa domanda di rito: «A che gente appartieni?» ribatteva piccato: «*Soomaali baan ahay*», «Io sono somalo».

In principio, anche *jaalle Siyaad* aveva dichiarato guerra alle divisioni di clan, salvo poi favorire in mille modi quelli della sua grande famiglia. Oggi la figlia maggiore governa la Banca Centrale, i generi sono tutti ministri, i figli comandano le forze armate.

L'esercito del regime si riempie di gloria scassinando, rubando e violentando, mentre il vecchio Bocca Larga, nei suoi penosi messaggi alla radio, parla di «banditi» che attentano all'unità nazionale, fomentati dalle potenze straniere. Promette di riportare l'ordine e convoca i suoi ministri a ripetizione, un giorno qua e uno là, come in una caccia al tesoro.

Domenica, 13 gennaio
Battesimo di Nostro Signore   *15° giorno*

Il maestro egiziano della casa di fronte, strillando come un ossesso, ha richiamato l'attenzione di un gruppo di soldati. Dopo qualche minuto l'ho visto scendere in strada con la valigia in mano e pagare un paio di energumeni per scortarlo, immagino verso l'ambasciata del suo paese. Appena i tre hanno svoltato l'angolo, il resto del drappello ha sfondato la porta del fuggiasco e se n'è uscito con letti, sedie, un frigorifero. Parevano una colonna di formiche operaie.

Siamo sempre barricate in casa, appese a qualche raro «si dice» per farci un'idea della distruzione. Si dice che il municipio sia stato preso d'assalto e che della cattedrale siano rimasti in piedi solo i campanili. Si dice che le strade siano piene di feriti tormentati dai cani, perché perfino la Mezzaluna Rossa ha abbandonato la città. Si dice che il governo e le forze di opposizione abbiano concordato per domani un cessate il fuoco. La radio, intanto, invita a riprendere le normali attività, ma solo chi sa mimetizzarsi tra le macerie può mettere piede oltre il cortile di casa.

Mercoledí, 23 gennaio
Sant'Emerenziana vergine e martire   *25° giorno*

Sparano con i grossi calibri e la casa trema dalle fondamenta. Sembra di stare a Casal Bertone, il 19 luglio del '43,

quando un'ala del nostro condominio crollò sotto le bombe
di un'incursione aerea. Qui a Mogadiscio, per fortuna, ci sono solo mortai e mitragliatrici, niente fortezze volanti B-17
a sganciare morte dal cielo.

Una nube nera sorge da Ceel Gaab, il grande mercato poco distante da qui. Devono aver colpito il deposito di benzina, ma la fumana è di breve durata. Si vede che il grosso
del carburante se l'erano già rubato.

Ascoltiamo la radio come ce lo consentono sei grosse pile, ricaricate al sole sul davanzale, secondo il metodo infal-
libile che ci ha insegnato Hawa. Abbiamo appreso cosí che
già da sei giorni le bombe intelligenti degli Stati Uniti pio-
vono su Baghdad.

La gente si accalca sui sambuchi e cerca di raggiungere il
Kenya, l'Etiopia, addirittura lo Yemen. I soldati disertano e
donne soldato vengono chiamate a riempire i vuoti. Il Fronte si rifiuta di trattare col Vecchio, vogliono solo che lasci
il paese, anche se l'ultimo aereo della flotta se l'è preso un
ministro per scappare in Uganda. Siad Barre se ne sta chiuso nel suo bunker, mentre la città cade in pezzi e soltanto il
cielo sembra immune al massacro.

Eppure si continua a vivere, e alle volte ridiamo dei nostri
sobbalzi, quando un botto piú forte degli altri fa tremare i
vetri e le pareti. La quotidiana incertezza rende piú brevi le
giornate, mentre il black-out elettrico dilata le notti.

Fra uno scoppio e l'altro, complice l'abitudine, stiamo imparando a dormire.

Due
Bologna, 24 gennaio 1991

La sveglia inesorabile delle 7,30 fece il suo dovere, sparando a volume crescente *Nothing Compares 2 U* di Sinéad O'Connor.

Celeste si girò dalla parte opposta e la lasciò cantare. Antar afferrò il messaggio e si trascinò in cucina per preparare il caffè. Sollevò la tapparella e come ogni mattina restò a fissare la strada, le auto in partenza, gli alberi che si sbracciavano dietro file di palazzi. Un cielo limpido invernale dominava Bologna, città famosa per l'università, le torri medioevali, il buon governo comunista e la mortadella. Ma al numero 2 di via Benedetto Marcello le torri non si vedevano, l'università era un miraggio e il supermercato più vicino vendeva solo salumi confezionati. La zona, in compenso, rientrava in quella «periferia dal volto umano» di cui l'amministrazione locale poteva ancora vantarsi. Niente a che vedere col Pilastro, unica erbaccia cattiva tra tanti fiori all'occhiello, fresco teatro di una sparatoria con tre carabinieri ammazzati.

Il sonno arretrato e le cispe negli occhi indirizzarono Antar sulla caffettiera grande. Ormai da tre settimane aveva perso il lavoro ai mercati generali, ma continuava lo stesso a tirare le ore piccole, tra il manuale di Scienza della politica, gli ultimi Tg della notte e i tasti del telefono.

Dall'inizio della battaglia non era più riuscito a chiamare Mogadiscio e non sapeva se i suoi genitori fossero morti o

vivi. Stava incollato al televisore, non perdeva un telegiornale, ma dopo una settimana scarsa nei titoli d'apertura, la Somalia era uscita dallo schermo e al ministero degli Esteri, invece di notizie, gli avevano dato un numero di telefono, quello dell'Unità di crisi.

In attesa del caffè, Antar decise per l'ennesimo tentativo. Borbottò una preghiera, si raccomandò ad Allāh e schiacciò l'indice sui tasti.

– Pronto? Unità di crisi.

– Sí, buongiorno, chiamo per la Somalia.

– Resti in linea, le passo il collega.

Breve attesa, un'occhiata alla moka. Celeste compare in cucina pronta per il lavoro.

– Sí? Crisi Somalia.

– Pronto, salve, chiamo in merito alla famiglia Marincola.

– Marincola? Un attimo che controllo. Come si chiamano le persone?

– Mia madre si chiama Isabella, suo marito Mohamed, e poi c'è un'amica che abita con loro, Bruna Galvani.

Silenzio. Celeste versa i caffè nelle tazze. Fumate snelle spandono l'aroma.

– Senta, qui non risulta nessun Marincola. È suo padre o sua madre che fa cosí di cognome?

– Mia madre, – risponde Antar. – Mio padre si chiama Mohamed Ahmed, è cittadino somalo.

– Ah, ecco, allora guardi: noi ci occupiamo solo dei cittadini italiani.

– Ma infatti mia madre *è* italiana e mio padre è sposato con lei da piú di trent'anni.

– Trenta o dieci per noi è lo stesso, mi dispiace. Riceviamo notizie soltanto sulle persone con passaporto italiano e gli ultimi italiani sono stati evacuati da piú di due settimane. Lei ce li ha i numeri degli alberghi dove sono sistemati?

– Sí, li ho, – risponde Antar sconsolato. – Ma le pare che mia madre non mi avrebbe telefonato, se fosse arrivata in Italia due settimane fa?

– Non so che dirle, magari nello scompiglio... Qui comunque non risulta. Però, ascolti: stasera, sulla Rai, c'è Santoro che fa la trasmissione proprio sulla Somalia, con tanti ospiti, collegamenti, gente che era lí fino all'altro giorno. Magari può provare a chiamare in studio, chissà, potrebbero avere notizie piú fresche.

Antar ringraziò, mise giú la cornetta e strinse fra le dita la tazzina del caffè.

– Allora? – gli domandò Celeste

– Mi hanno consigliato di guardare *Samarcanda*.

– *Samarcanda*?

– Sí, hai presente? Il programma di Santoro.

– Lo so cos'è, *Samarcanda*. Ma che c'entrano i tuoi?

Antar le spiegò quel che gli avevano suggerito.

– È il modello *Chi l'ha visto?* – commentò alla fine. – Ormai le persone scomparse le trovi in televisione.

Celeste cercò qualcosa da aggiungere, ma non trovandolo, spostò il discorso sull'organizzazione domestica.

– Oggi non sono a pranzo, finito il lavoro vado a studiare con Maura. Ho visto che nel frigo c'è poco, tu riesci a fare un po' di spesa? Io tornerò per cena.

Antar la rassicurò: ci avrebbe pensato lui, sia per la spesa che per farle trovare la cena pronta.

Celeste lo salutò con un abbraccio e infilò svelta l'uscio di casa, i libri di architettura nello zaino e le mappe catastali in una cartella di plastica.

Mezz'ora piú tardi l'avrebbe aperta sulla sua scrivania, nella vecchia sede dell'ufficio tecnico comunale.

Benché sul crinale fra i trenta e i quaranta, Celeste era ancora una studentessa lavoratrice: la morte ravvicinata dei

genitori e un matrimonio finito in tribunale, l'avevano costretta piú volte a cambiare futuro. Unica certezza: l'appartamento ereditato da mamma e papà.

Antar viveva con lei da tre anni, ma le dimensioni della casa lo mettevano ancora in soggezione. Centoquaranta
metri quadri, una dimora principesca in confronto ai posti
letto dove si era accampato fin dal suo arrivo in Italia. Tutto quello spazio sembrava messo lí apposta per sfuggire al
suo controllo, per portarlo a spasso da una stanza all'altra,
quando invece avrebbe dovuto studiare.

Antar infatti preferiva andare in biblioteca, ma in quei
giorni senza risposte non riusciva a star lontano dal televisore. L'accese e si ingozzò di notizie.

Gli arsenali missilistici di Saddam Hussein, i segreti di
Gladio, la guerra di Segrate per il controllo della Mondadori,
la lotta all'Aids. Era talmente affamato che riuscí addirittura a mandar giú *Studio Aperto*, il nuovo Tg delle reti Finin-
vest diretto da Emilio Fede. Quattro canali, quattro diversi
conduttori e nemmeno una parola sulla Somalia.

Antar abbassò il volume e in attesa di un'altra infornata
di notiziari, aprí il manuale di Scienza della politica.

*Saranno vivi? Avranno da mangiare? Le ho tentate davvero
tutte per mettermi in contatto con loro?*

Fuori dalla finestra si addensava la nebbia, ma Antar decise
lo stesso di evadere da casa. Aveva bisogno di un diversivo:
una corsa nel parco, la spesa, il giornale. Andò in camera,
sistemò il letto, indossò i pantaloni della tuta, le scarpe da
ginnastica e si precipitò per le scale incontro al freddo pun-
gente, all'ultima periferia e alla campagna non piú coltivata,
pronta per capannoni e centri commerciali.

All'edicola, Nicola il giornalaio era tutto allegria. Si sa che
in tempi di bombe a grappolo la gente acquista piú quotidiani.

– Mi dà «la Repubblica», per favore?

Nonostante la corsa scacciapensieri, Antar non poté trattenersi dallo sfoglio compulsivo a caccia di *somalitudini*.
Ne trovò una sola.
Pagina 16, politica estera. Trafiletto basso.

FUGGE MINISTRO SOMALO

Roma – Ieri un altro ministro somalo, Ahmed Habib Ahmed, responsabile della Cultura e della Pubblica istruzione, ha lasciato il suo paese rifugiandosi in Kenya. È il terzo ministro somalo fuggito dal paese in meno di una settimana. Cinque movimenti d'opposizione al regime di Siad Barre hanno intanto costituito un Comitato di salvezza nazionale, con sede temporanea a Roma. I movimenti che hanno aderito alla proposta estendono l'invito anche al Movimento nazionale somalo (Snm), per contribuire allo sforzo comune nella ricerca di una soluzione politica.

Antar legge e intanto cammina, attraversa la strada, entra nel supermercato come un automa. Piega il giornale alla meglio e lo butta nel carrello, insieme a latte, pasta, formaggio, uova, insalata, pane. Paga con due banconote blu da diecimila lire, e con una busta per mano se ne torna verso casa.
Stivate le scorte alimentari, capisce che per lo studio non è proprio giornata. Buttarsi dalla finestra gli pare prematuro, magari i suoi sono vivi, tornano in Italia e si ritrovano con un figlio in sedia a rotelle. Meglio preparare qualcosa di buono per cena, decide, gli ingredienti per fare i *sambuusi* ci sono tutti, Celeste li adora e sono un'ottima scusa per far passare il pomeriggio.

Alle otto di sera, la voce di Celeste raggiunge Antar sul divano, di fronte al telegiornale di Rai Uno.
– Ma che buon odore, è già pronta la cena?
– Sí, buana. Ho cucinato, lavato le pentole e anche apparecchiato.

– Fantastico. Mi metto comoda e sono da te.

Celeste si infila in camera, socchiude la porta, ma Antar non la molla, la segue anche in bagno, le elenca le ultime notizie, le ultime congetture circa il destino dei suoi genitori.

– Secondo me, c'è di mezzo lo stesso inghippo che ancora devo risolvere per la mia cittadinanza italiana.

– E cioè?

– E cioè che mia madre, quando s'è sposata, ha preso un nome da musulmana, e siccome le piaceva, s'è messa a usarlo anche in altri documenti. Io, per esempio, risulto figlio di Timira Hassan, non di Isabella Marincola, e da questa cazzata nascono giganteschi malintesi burocratici.

– Però all'ambasciata ti registrano col passaporto, no? – domanda Celeste mentre si asciuga le ascelle. – E quello sarà intestato di sicuro a Isabella Marincola.

Antar sbuffa, crolla a sedere sul gabinetto chiuso, non ne può piú di montare e smontare ipotesi.

– Ma allora mi spieghi com'è che nessuno sa niente di mia madre? Hanno portato via tutti e se la sono dimenticata lí?

– Io ne capisco meno di te, figurati. Ma quand'è che inizia *Samarcanda*?

Celeste si spruzza il deodorante e indossa una maglietta pulita.

– Alle ventuno.

– Allora sbrighiamoci, lo sai che non mi piace guardare la tivú mentre mangio.

Passati in cucina, Celeste assaggia i *sambuusi* e il cuoco si merita un bacio. Un attimo dopo, il rumore delle mascelle conquista la stanza, interrotto da un silenzio da sala d'aspetto.

Samarcanda, ore 21,05.

Michele Santoro entra nell'arena e spiega che si tratterà di una puntata anomala, dedicata a due diversi argomenti: la

Guerra del Golfo e la crisi in Somalia. Ospiti in studio sono il dottor Mohamed Aden Sheikh, i giornalisti Pietro Petrucci e Massimo Alberizzi, l'ex leader del Sessantotto onorevole Mario Capanna, il generale in pensione Umberto Capuzzo e Abdulkader Mohamed Hassan, portavoce dello United Somali Congress.

La prima domanda del conduttore è un colpo di campana per pugili in attesa.

Petrucci: la Somalia rischia di diventare un nuovo Libano, con cinque o sei Siad Barre al posto di uno.

Abdulkader Mohamed: quella in corso non è una guerra civile, ma una guerra di liberazione voluta da tutti i somali, perché Siad Barre era un feroce dittatore, cosa che Petrucci fatica ad ammettere perché in passato ha collaborato col regime e ha diretto un giornale velina del governo centrale.

Mohamed Aden: Siad Barre è diventato un feroce dittatore dopo la guerra contro l'Etiopia per il controllo dell'Ogaden. Prima era diverso.

Abdulkader Mohamed: il signor Aden Sheikh sostiene che Siad Barre non era un dittatore da subito solo perché è stato ministro del suo governo. Poi è finito in carcere e allora ha capito. Ma i dissidenti, in carcere, ci finivano già dai primi mesi.

Antar segue distratto, in attesa del collegamento con gli alberghi dei profughi. Spera di scovare nel mucchio una faccia nota. Magari qualcuno, approfittando delle telecamere, gli lancerà un messaggio da parte dei suoi.

Poi il collegamento parte ed è la geremiade di chi da un giorno all'altro s'è ritrovato senza nulla. Non abbiamo questo, non abbiamo quello, i nostri figli non hanno cibo a sufficienza, stiamo in quattro per stanza, non abbiamo risposte. Di fronte a tanto malessere, Antar non sa cosa pensare: da una parte, gli sembra che questa gente non voglia fare i conti con la realtà. Essere profughi significa perdere tutto. Che altro si aspettavano? Dall'altra, è chiaro che il governo italiano li ha portati fuori dalla Somalia senza uno straccio di preparazione, come se il sollievo di essere vivi cancellasse il bisogno di restare umani. Antar immagina che sua madre preferirebbe mille volte una dignità bombardata a una pacifica umiliazione.

La linea torna allo studio e arriva la telefonata di una signora che sta cercando il padre. L'Unità di crisi deve aver consigliato anche a lei di contattare *Samarcanda*.

– Si chiama Davide Folco, vive ad Afgoy da cinquant'anni, ha una piantagione di banane.

– Questo di sicuro l'hanno fatto fuori, – mormora Antar a denti stretti, mentre il portavoce dell'Usc tira fuori un foglio a quadretti e inforca gli occhiali.

– Noi *brobio* oggi abbiamo ricevuto da Mogadiscio questo elenco di italiani ancora in Somalia: Gino, Maria, Emanuela, Rosanna, *Baolo* e Michele.

– E i cognomi? – domanda Antar allo schermo. – Non ce li dici, i cognomi?

Ma la signora Folco ha già riattaccato e Santoro interroga Capanna sulla necessità di fermare Saddam Hussein.

– Cognomi o no, – commenta Celeste, – nell'elenco non c'erano né Isabella né Timira.

Antar si alza in piedi e prende dal mobile dei liquori una bottiglia di Averna.

– Eh, già. Tanto se quella è morta tu sei solo contenta.

– Dài, non fare lo scemo e versane uno anche per me. Con due cubetti di ghiaccio, *please*.

– Arriva subito, – risponde Antar, e rovista nel freezer in cerca del contenitore. Riempie due bicchieri e porge a Celeste il piú abbondante. – *In amaro veritas*, – brinda solenne.

– Tempo due sorsi e finirai per confessarlo, che Isabella Marincola preferiresti saperla sotto sei palmi di terra.

Celeste appoggia l'amaro sul tavolino basso di fronte al divano, dove i pezzi di una scacchiera si fronteggiano in una sfida da tempo interrotta.

– Vuoi sapere la verità? Sei palmi sono troppo pochi. Per la mia salute mentale è necessario che tua madre stia almeno a cento chilometri di distanza da noi due. Prima, quando hanno intervistato i profughi, mi sono detta: «Mamma mia! Pensa se Isabella fosse tra quella gente lí».

– Che succederebbe?

– Preferisco non pensarci.

Antar rimescola il ghiaccio nel bicchiere e sa che Celeste ha ragione. Meglio non pensarci e bere abbastanza da dormire tranquillo.

Porta il liquore alle labbra e ripete a mezza voce il ritornello tipico di suo padre.

– In šā' Allāh. Sarà come Dio vorrà.

Tre
Agenda 1991 di Isabella Marincola

Domenica, 27 gennaio
Sant'Angela Merici   *29° giorno*

Villa Somalia è nelle mani dei ribelli e il Vecchio è scappato coi suoi.

La guerra è finita.

Alle due del pomeriggio hanno suonato al nostro cancello, si vede che nel frattempo è tornata l'elettricità. Abbiamo domandato: «*Jaa Waaje?* Chi è?»

Per tutta risposta, una scarica di mitra.

Non male come «nuovo inizio». Aprire subito ci è parso il male minore.

Sei miliziani giovanissimi, armi in pugno e guance gonfie di foglie di *khat*. Sono entrati in casa e si sono messi a rovistare sotto i letti, sotto i materassi, dentro gli armadi.

Mentre li tenevo d'occhio e mi chiedevo il motivo di quel furioso cercare, mi sono ricordata di un vecchio fucile Bengala, stivato nei ripiani alti del guardaroba. Antar lo aveva usato in mille battaglie, fiero del fatto che «sparava davvero», e poco importa se i proiettili erano gommini di plastica rossa.

Al solo pensiero che potessero scovarlo, mi è venuto il batticuore. Non è affatto scontato che questi ragazzini sappiano distinguere il gioco dalla guerra.

Per fortuna non hanno trovato nulla e un quarto d'ora
piú tardi erano già in partenza.

Sulle scale, il piú anziano si è voltato per darci un consiglio: «Dopo il tramonto non aprite a nessuno. Non saremo noi».

Martedí, 29 gennaio
San Tommaso d'Aquino   *31° giorno*

Questa mattina, dopo trenta giorni di domicilio coatto,
ho abbracciato di nuovo mio marito Mohamed. Portava un
vestito lercio e un paio di occhiali con una lente crepata. Lo
scoppio della guerra lo ha sorpreso in casa della prima moglie e da allora non siamo piú riusciti a parlarci.

L'ho fatto sedere in cucina, ho preparato il tè senza latte
né zucchero, e dalle sue labbra secche sono uscite solo cattive notizie.

Ibraahim, il terzo dei suoi nove figli, è morto con una pallottola in pieno petto. Era uscito di casa per andare al mercato, aveva percorso metà del cortile, quando un cecchino
l'ha preso di mira. È rimasto là tre giorni, a gonfiarsi al sole, perché nessuno si azzardava a recuperare il cadavere. Il
quarto giorno, in un momento di calma, hanno scavato una
buca sotto la bougainvillea e ce l'hanno seppellito dentro.

«Dio me l'ha dato, Dio me l'ha tolto, – ha commentato
Mohamed prima di cambiare discorso. – Oggi hanno scelto
il nuovo presidente: è Ali Mahdi, uno dei firmatari del *Manifesto*, ma pare ci sia già chi non è d'accordo. La radio dice
che bisogna tornare al lavoro, riaprire i negozi e anche a me
sembrerebbe una buona idea, se non avessi visto com'è ridotta la città. Le banche sono distrutte, le caserme svuotate,

i palazzi piú importanti si reggono in piedi a fatica. Molte strade sono interrotte dai pali della luce crollati. Uomini e bambini vanno in giro armati e schiacciano il grilletto come fosse un clacson, per farsi largo nel traffico. I ribelli venuti dalla boscaglia ce l'hanno con la gente di Mogadiscio, perché dicono che stavamo a un passo dall'ombelico di Siad Barre e non abbiamo fatto niente per aprirgli le budella. Pensano di meritare una ricompensa per averlo sconfitto e sono pronti a prendersela con qualunque mezzo. Un tizio mi ha minacciato con il coltello perché gli leggessi l'insegna di un negozio: voleva capire se valeva la pena saccheggiarlo. Ovunque si incontrano bande di sciacalli intenti a trasportare bottino o a distruggere quello di cui non capiscono il valore. La statua di Hawo Tako non è piú sul piedistallo, ma non sono le bombe che l'hanno tirata giú: pare che un gruppo di ragazzini l'abbia venduta al miglior offerente. La città è piena di casseforti sventrate, quelle dove i commercianti tenevano tutti i guadagni, per paura che le banche non li potessero restituire. E non c'è soltanto il saccheggio: molte donne vengono violentate o rapite. Ho visto padri accompagnare le figlie in moschea, all'alba, e lasciarle lí tutta la giornata, nella speranza che il timore di Allāh fermasse gli stupratori. Io sono riuscito a mettermi d'accordo con i volontari che difendono il quartiere. Il dottor Farid, quello che abita qui all'incrocio, mi ha promesso di proteggervi».

Quest'ultimo particolare non mi è stato di grande conforto. Conosco bene quell'uomo e non so davvero se posso sentirmi sicura sotto la sua protezione. È un tipo mite, conosciuto per la sua gentilezza e per le faraone vulturine che alleva nel cortile. Forse pensa di impiegarle nella difesa del quartiere, come le oche del Campidoglio.

Mohamed deve aver notato la mia espressione dubbiosa, perché s'è affrettato a precisare:

«Il dottor Farid è una brava persona e ha messo insieme un arsenale di tutto rispetto. In ogni caso, tenete pronta una valigia, non si sa mai. Là fuori non ci sono piú amicizie fidate. Solo ruderi, prepotenza e merci di contrabbando».

Sabato, 9 febbraio
Sant'Altone abate   *42° giorno*

La guerra appena finita è già ricominciata. Usc contro Ssdf contro Spm.

Due ore ininterrotte di spari e granate, poi di colpo il silenzio, senza sbavature.

Mentre raccogliamo calcinacci in giro per casa, un piccolo coro di voci, ordinato, scandito, ci richiama alla finestra.

Lungo la strada, attraverso un Mar Rosso di frantumi e sporcizia, avanzano donne, vecchi, bambini. Un corteo lugubre, scuro, senza i soliti colori, macchiato dal dolore delle bandiere di stracci e dalle vesti candide degli sheikh.

Uno di loro, la barba lunga e folta, fa un passo avanti oltre la prima fila.

Bruna mi traduce le sue parole.

«Sparate a noi, – grida, rivolto ai muri. – Sparate alle madri, alle sorelle, ai bambini. Sparateci adesso, qui nel petto, se non temete Allāh, invece di ucciderci senza guardare, come fanno i vigliacchi. Gli ospedali sono crollati, il riso costa come l'oro, l'acqua è contaminata e noi moriamo, moriamo tutti i giorni. Allora tanto vale che ci spariate adesso, se volete continuare la guerra. Sparateci subito, levatevi il pensiero. Poi continuate il suicidio».

Nessuno ha avuto il coraggio di sparare.
Silenzio, fino alle quattro del pomeriggio.
Poi un paio di raffiche hanno riaperto le danze.
Giú in strada, due bande armate di ragazzini si conten-devano un carretto di verdure appassite.

Archivio storico
Reperto n. 1

Relazione riassuntiva del governatore a Sua Eccellenza il Capo del governo sull'opera compiuta in Somalia (1923-27).

Il giorno 21 ottobre si sono compiuti i miei quattro anni di governo della Somalia. È con gioia che assolvo al dovere di esporre in succinta sintesi al mio Capo come questi anni sono stati impiegati.

Ho trovata una colonia ignota e negletta, con un territorio di diretto dominio di scarsi duecentomila chilometri quadrati, con una popolazione valutata a cinquecentomila indigeni, coi due sultanati di Obbia e dei Migiurtini dove non si poteva mettere piede se non a Obbia e Alula e dove i protetti erano gli italiani (tre in tutto in quel territorio), con abbondantissime armi ovunque nelle mani dei nativi.

Ho l'orgoglio di affermare che la Somalia nostra è ora pienamente disarmata. Sono in totale tredicimilasettecento i fucili da me ritirati.

Si è recentemente consegnato e assoggettato con la resa il sultano Osman Mahamud dei Migiurtini, che ho fatto portare a Mogadiscio dalla Regia Nave *Lussin*. Quivi rimarrà mio ospite come lo è già il sultano di Obbia Ali Jusuf portatovi di autorità fin dal novembre 1925.

La Somalia nostra, nei suoi seicentomila chilometri quadrati di superficie, ha ora oltre un milione e cinquecentomila abitanti indigeni e circa duemila bianchi che vivono in pace,

ubbidienti in serenità alle leggi, lavorando e procreando. La
Somalia può chiamarsi oggi: il Paese dell'ordine.

La città di Mogadiscio ha mutato volto e prende un aspetto
irriconoscibile a chi la vide qualche anno addietro. Qualunque opera venga costruita porta i segni inequivocabili della
civiltà littoria che la crea, della Dinastia che regge la patria,
del governo che agisce; queste opere cosí segnate nella pietra,
nel cemento e nel bronzo ricorderanno ai venturi quanto sia
stata ferma la nostra volontà e quale spirito l'abbia guidata.

Mentre scrivo queste note, sta ormai coprendosi nei tetti in Mogadiscio la piú vasta chiesa di tutta l'Affrica Orientale, su progetto dell'ingegnere conte A.Vandone, e secondo i concetti di stile e di costruzione da me indicati perché non stonassero con la vera grazia della quale la città si sta vestendo. Essa è inspirata alla cattedrale di Cefalú, simbolo della riconquista cristiana della Sicilia, magnifico monumento della arte nostra e dello spirito nettamente cattolico, restauratore dei valori spirituali del fascismo.

Ho tolti alla barbaria i numerosi meticci abbandonati dai genitori bianchi e li ho raccolti in brefotrofio, perché abbiano col dono inconsapevole del sangue e della vita anche quello della nostra civiltà per la difesa della razza e per l'evidente fine politico di impedire che anche in Somalia diventino, come per lo piú sono già in Eritrea, i nostri peggiori nemici.

Tutto ciò io penso che sia squisitamente fascista. Ed è perciò che lo offro al Duce con la passione del 1919; coll'ardimento dell'ottobre 1922; con la tenace laboriosità di cinque anni di servizio al Fascismo divenuto regime, dei quali quattro in questa colonia.

Prego gradire l'offerta.

CESARE MARIA DE VECCHI DI VAL CISMON
Mogadiscio, 31 ottobre 1927

Il Duce parla di De Vecchi e dice che sono diciotto anni che si porta sulle spalle il peso di un cosí ingombrante individuo. In Africa si diede a occupare con la forza territori che erano già nostri e compié crudeli quanto inutili stragi.

GALEAZZO CIANO, <i>Diario 1937-43</i>,
in data 12 giugno 1939

Gli inglesi, gli etiopi e gli italiani stanno litigando
si stanno spartendo il paese, il piú forte prevarrà.
Ma per me questo è un segno della fine dei tempi.
È un mondo che si sono venduti tra loro senza
              che fossimo avvertiti.
È un mondo in cui l'uomo di cui ti fidi è per te
              un serpente.
Ma per me questo è un segno della fine dei tempi.

FAARAX NUUR, *Aakhiru-seben* [*La fine dei tempi*],
                                    circa 1925

Quattro
Mogadiscio, 23 aprile 1991

Dodici gatti affamati possono sbranare un'anziana signora?

Il dubbio ti coglie impreparata, mentre Gorbaciov e i suoi fratelli si aggrappano alle caviglie di Bruna, per miagolare il diritto a una scatoletta di tonno.

Le candele sono spente, la casa è in penombra, raffiche di mitra si mescolano ai tuoni. Un altro giorno muore sui rottami di Mogadiscio e sono centotredici dall'inizio della battaglia.

Apri l'agenda con l'aiuto del segnalibro e scrivi le cifre a matita – uno uno tre – di fianco al nome di San Giorgio martire di Lydda. Nelle ultime settimane ti limiti a questo, non hai altro da aggiungere, ma se sfogli le pagine a ritroso ti imbatti nel diario che avevi deciso di tenere, per poi abbandonarlo alla metà di febbraio.

Ora sai che anche una guerra può diventare noiosa.

Esauriti gli argomenti di conversazione, sfogliate tutte le riviste, non resta che sedersi a fissare un muro. Inutile cominciare attività piú complesse: da un momento all'altro potrebbe arrivare il tuo turno. Fuggire, sanguinare, crepare.

Di solito chi aspetta è in balia di qualcuno piú potente di lui. Capita in carcere come dal dentista. Ma qui non c'è nessuno che ti tiene rinchiusa. Non devi scontare una pena, o una carie, e non è nemmeno l'arbitrio della natura – pioggia, grandine, uragano – a condannarti in casa da settimane. È un'attesa senza padrone, priva di scopo e di rabbia. La fuga di

Siad Barre non ha cambiato nulla: dunque non era lui a tenere in ostaggio la città e l'intera nazione. Ma allora chi? Cosa?

Bruna maledice il carbone che non si vuole accendere, mentre Jasmin salta sulla stufa e tuffa il muso nella padella. Prima che possa addentare la vostra cena, la mano della padrona gliela sfila da sotto il naso. La gatta inarca la schiena e soffia il suo disappunto. Presto tirerà fuori gli artigli.

– Bisognerebbe giocare d'anticipo, – dichiari dalla tua sedia. – Mangiare, prima di essere mangiati. Dicono che la carne di gatto somigli molto a quella del coniglio.

Bruna come sempre finge di non sentire e ti condanna a dividere il cibo con dodici gatti dai nomi improbabili, sempre che Hassan torni vivo dal mercato. Da qualche giorno, i prezzi delle vivande sono tornati abbordabili. Quattro etti di carne con l'osso, quando si ha la fortuna di trovarli, costano seimila scellini invece di quindicimila, mentre per una bomba a mano ne bastano duecento, le vendono come manghi a ogni angolo di strada.

Questo almeno è quanto racconta Hassan, la tua unica fonte di notizie, perché la radio non funziona piú e tu è dall'inizio del carnaio che non metti il naso fuori di casa, costretta a immaginare da un ritaglio di finestra il volto lacerato della tua città.

Uscire e vedere che succede. Ogni tanto pensi che dovresti tentare. Se si tratta di confondersi tra le rovine, un rudere come te ha tutte le carte in regola. A chi può interessare una vecchia infedele color cappuccino, mezza italiana ma senza una lira, mezza somala ma senza famiglia, tranne un marito a mezzo servizio e un figlio che finge di studiare in Italia? Solo un cecchino in vena di esercitare la mira potrebbe accopparti per la strada, e non sarebbe nemmeno un buon allenamento, viste le dimensioni del bersaglio e il suo incedere da elefante con l'artrite.

Il rumore metallico della serratura di casa ti fa alzare gli occhi dalle pagine dell'agenda.

– Sono io, Mohamed, – annuncia una voce premurosa, mentre con le dita nel cassetto del tavolo cercavi l'impugnatura di un coltello da cucina.

La porta si apre, la sagoma di tuo marito compare sull'uscio. Non lo vedi da tre settimane, e quando vi abbracciate senti sporgere dalla camicia spigoli sconosciuti. Affondi una mano nella barba bianca, quasi a cercare la pelle delle guance.

– Mamma mia, quanto sei dimagrito!

– Sedici chili, – risponde pronto.

Persino la voce suona piú scarna.

– Sono stato all'ambasciata, ho parlato con Di Marino. Sono riusciti a preparare un volo per Nairobi.

– Buon per loro, ma perché Nairobi? Hanno in programma un picnic sul Monte Kenya?

Mohamed caccia via un gatto dalla seggiola e ti si piazza di fronte. La stretta delle sue dita intorno al polso dice che non è tempo di sarcasmi.

– Elio Sommavilla è tornato ieri dall'Italia con un carico di medicine. Ha sentito Antar e per lui non ci sono problemi, puoi andare quando vuoi.

– Quando voglio? Grazie della premura, vi farò sapere.

Lui scuote la testa e non regge il tuo sguardo. Si alza, va fino alla porta, mette la mano sul pomello ma torna indietro, le braccia larghe e i palmi rivolti al soffitto.

– Tu come al solito vivi sulle nuvole. Se non ci fosse Hassan, cosa mangeresti? E che ne sai di quello che poteva capitarvi, se il dottor Farid non mi avesse promesso di proteggervi?

D'accordo. Devi ammettere che a questo non avevi pensato. Tendi a considerarti una povera vecchia, circondata da gatti e da libri, carne indigesta anche per uno squalo. Ma non è detto che siano squali, quelli che spolpano Mogadi-

scio. Vermi e lombrichi sono altrettanto voraci e molto meno schizzinosi.

– Noi ti siamo grate, Mohamed, non c'è bisogno che mi
rinfacci...

– Lascia perdere, – ti interrompe. – Non sono qui per farmi
ringraziare. Sono venuto per dirti che la situazione è cambia-
ta, non puoi piú rimanere. E in fondo, che ci rimani a fare?
Hai un figlio in Italia, pronto a curarsi di te.

– Non diciamo eresie, – ti ribelli. – Antar deve studiare.
È in Italia da otto anni e non si è ancora laureato. Ci manca
solo che sua madre vada a scombinargli la vita.

Mohamed si rimette seduto, i gomiti sul tavolo, proteso
verso di te come se volesse ficcarti in testa le parole.

– Ma quale vita? Qui si parla di mesi. Il tempo che la situazione si stabilizzi.

Gli rispondi che da quel che hai sentito stanno arrivando viveri, benzina, e per tre ore al giorno c'è pure l'acqua
corrente.

– Sentiamo meno spari, niente granate, e giusto ieri sera,
sbirciando fuori, abbiamo visto la gente seduta in strada a
chiacchierare, come se niente fosse.

Mohamed scuote la testa, dice che si tratta di una calma
apparente. Radio Boscaglia giura che stanno per scatenarsi
due guerre di potere: una all'interno dell'Usc, l'altra fra il
generale Aidid e il presidente Ali Mahdi.

– Ma anche se trovassero un accordo, – prosegue, – ci
vorranno comunque mesi prima che torni la pace. La città
è nelle mani di ladri, briganti e stupratori. La polizia non
esiste, i tribunali cascano a pezzi. Solo i cadí cercano di
fare giustizia con l'unica legge rimasta, quella del Corano.
Molti li approvano, altri dicono che i religiosi sono stati a
guardare, mentre i ribelli cacciavano Siad Barre. Per questo li considerano dei codardi e non accettano le loro sen-

tenze. Venerdí scorso, nella moschea dove vado a pregare, c'era una gran folla, tutti lí per assistere a una fustigazione. Il boia, con il suo cappuccio in testa, non aveva ancora cominciato il lavoro, quando i parenti del condannato si sono fatti largo a colpi di mitra e gli hanno sparato in faccia. Poi sono scappati come pistoleri, senza che nessuno si azzardasse a fermarli.

L'aneddoto pianta uno spillo nel tuo muro di gomma. Non tanto la scena finale da Far West, quanto piuttosto lo schioccare della frusta. Quando l'alternativa al caos è la legge di Dio amministrata dagli uomini, allora è il momento di fuggire da entrambi.

– Poi diciamocela tutta, – insiste Mohamed, – c'è anche un problema di soldi. Va bene che le verdure costano meno di un mese fa, ma sono pur sempre care come gioielli. Tu non lavori piú, non hai uno scellino e io devo sfamare un'altra moglie, altri figli, tutti bloccati qui a Mogadiscio: a sud si combatte, l'Est è una terra bruciata, a nord ci sono banditi su tutte le strade. Tu invece hai l'opportunità di salire su un aereo, fare un breve scalo a Nairobi e ritrovarti in Italia da tuo figlio. Tutto a spese dell'ambasciata. Restare qui all'inferno è un lusso che non puoi piú permetterti.

Mohamed ha ragione, il muro di gomma si sgonfia, mentre Bruna toglie la pentola dal fuoco e accende un paio di candele.

– Magari Antar ha proprio bisogno di qualcuno che lo faccia studiare, – dice nel chiarore delle fiammelle.

La guardi incredula, mentre s'industria a illuminare la stanza. Ti sembrava strano che non si fosse ancora messa in mezzo, ma eri convinta che lo avrebbe fatto per darti man forte. Delle due, è lei quella piú affezionata alla città, anche se i mogadisciani l'hanno soprannominata *Baxsan*, la Svitata, e i ragazzini le tirano i sassi, quando la vedono girare in motorino per le strade del quartiere.

– Ti ci metti anche tu? – la rimproveri.

– Cerco solo di vedere il bicchiere mezzo pieno.

– Facile, quando non sei tu che te lo devi sorbire.

– Io non ho figli premurosi da far laureare, – risponde, e da come calca la voce sulla parola *premurosi*, sai che avresti fatto meglio a morderti la lingua. Bruna e le figlie non si parlano piú da molti anni. – Ormai sono cittadina somala, ho rinnegato la patria, figurati se quelli dell'ambasciata mi fanno salire sull'aereo.

Ecco, ti dici, mai una volta che ci si possa piangere addosso in santa pace. Dopo quattro mesi che te ne stai chiusa in casa, a centellinare il cibo, con i proiettili che ti scheggiano le scale, arriva tuo marito e ti spiega che finora sei stata fortunata, ma adesso, per evitare il peggio, devi andartene subito in Italia, cioè in mezzo a una strada, visto che hai il privilegio di poterlo fare. E forse riuscirà pure a convincerti che una panchina pubblica è meglio di qualsiasi casa, dove il soffitto potrebbe caderti sulla testa.

– Quando sarebbe la partenza?

– Domattina. Vengono a prenderci alle otto e ti scortano in aeroporto.

D'accordo, provi a non lamentarti subito, ti sforzi di riflettere. Di sicuro anche questo è uno di quei privilegi che non sai apprezzare: nel giro di poche ore ti tireranno fuori dai guai, scortata e riverita fino a Nairobi.

– Tu sei matto, – sbotti. – Sono le sette del pomeriggio, ormai fa buio. Come faccio a essere pronta per domani alle otto?

– Tranquilla, – risponde Mohamed, – non è un trasloco. Puoi portarti solo una valigia, massimo venti chili.

– Peggio ancora. Come faccio a decidere cosa prendere a lume di candela? Non mi basteranno tutti i ceri e i moccoli della casa.

– Io te l'avevo detto di tenerti pronta... Ma poi scusa: è solo questione di mesi. Tra poco arriva l'estate, pensala come una vacanza.

Questa volta sei tu ad alzarti risentita, e vorresti farlo con fierezza, ma l'artrosi e la mole non ti concedono piú di recitare come una volta.

Afferri una candela, facendo attenzione a non spegnerla. Giri le spalle a tuo marito e infili il corridoio, passando di fianco agli scaffali, carichi di tutti i libri che non porterai con te.

– Per quelli non ti preoccupare, – la voce di Bruna ti raggiunge dal tinello. – Quando saccheggeranno la casa, forse avranno anche lo stomaco di violentarmi, ma i libri non se li prenderanno di sicuro.

Non c'è dubbio, ma tu allunghi lo stesso una mano e sfili dai ranghi l'*Iliade* e l'*Odissea*, perché a un tratto ti senti come Noè prima del diluvio, anche se la tua arca è grande come una valigia, e il tuo futuro leggero, massimo venti chili.

Ti immagino in camera, alla luce di due candele, davanti all'armadio spalancato e ai cassetti aperti. So che di vestiti ne hai sempre avuti pochi, dunque non è questa la scelta faticosa. Prendi per primo lo scialle verde con il bordo dorato e le righe rosse. Lo hai comprato in spiaggia da una venditrice ambulante e sei certa che in Italia non ne troveresti uno simile. Eleganza e colori accesi non vanno d'accordo, nelle mode d'Occidente. Il resto lo butti dentro a manciate: calze, abiti a fiori, mutande, un pigiama. Tre paia di scarpe avvolte nella carta di giornale, perché con i tuoi piedi malandati è meglio averne una buona scorta. Comprarle nuove è uno strazio per i calli, oltre che per il portafogli.

Sembrava poca roba, a guardarla piegata dentro l'armadio, e invece la pila minaccia di smottare e invadere l'altra metà di valigia, dove hai deciso di stivare i ricordi. Mazzi di foto, agende, lettere a decine. Il pamphlet sugli italiani in Somalia, cinquanta fogli battuti a macchina insieme a Bruna, in una calda estate del 1988. Due soprammobili d'avorio, quattro gioielli in croce, due vecchie cornici e la bambola Timira, con gli occhi dipinti sul viso di panno Lenci e le trecce bionde arrotolate sulle orecchie.

Appoggi sopra il letto le scatole, gli album, i raccoglitori gonfi di carte. Basta un'occhiata per capire che di valigie non ne basterebbero cinque e ti domandi perché si finisca per accumulare tante scartoffie. Se ricordare significa richiamare alla mente quel che abbiamo dimenticato, allora accatastare souvenir è un attentato contro la memoria. È come mandare a mente una poesia e scordarne il significato a forza di rimasticarla. Conservi una fotografia per non dimenticare un volto e dopo anni ti accorgi che non ti dice piú nulla, perché nel frattempo ti sei scordato la didascalia. Nei musei del mondo, gli uomini si affannano a restaurare gli oggetti, ma il vero danno è quando si perdono le etichette. Eppure, sono pochi gli anziani che non abbiano la casa colma di memorabilia.

C'è chi accantona col piglio dell'archivista, per mettere ordine nel caos di una vita e illudersi che avere una collocazione equivalga sempre ad avere un motivo. Ci sono poi quelli che usano i ricordi come materiale da costruzione, simili alla gazza e al castoro, per intrecciarsi un nido familiare o erigere una diga che dia forma al presente. I Re Mida di sé stessi trasformano tutto ciò che toccano in un'estensione del corpo e finiscono per conservare ogni oggetto di cui hanno detto «mio», perché potrebbero separarsene solo a costo di gravi amputazioni. I pigri sono la maggioranza: incapaci di decidere cosa abbandonare all'oblio, spaventati dall'eventualità che un certo foglio «potrebbe sempre servire», finché hanno spazio lo riempiono, come scoiattoli con le provviste per l'inverno.

Tu di certo appartieni all'ultima categoria, ma quale che sia la genesi di questo deposito alluvionale, ora hai bisogno di un metodo rapido e indolore per setacciare i detriti e separare la sabbia dalle pepite d'oro.

Non puoi leggere in una sola notte tutte le lettere che hai ricevuto e tutte le minute che hai scritto, comprese quelle che non hai mai ricopiato e quelle che non hai spedito. Chilometri di inchiostro dove domandi ad Antar se ha dato l'esame, se può spedirti un deodorante per il gabinetto, se ha preso finalmente la cittadinanza italiana.

Non puoi sfogliare decine di foto e metterne da parte una per ogni faccia, una per ogni luogo da ricordare. Non puoi controllare le agende degli ultimi trent'anni e strappare le pagine con gli eventi piú importanti, per colmare i vuoti della tua cronologia personale.

Come Noè prima del diluvio: non puoi salvare ogni essere vivente della terra, l'arca è una sola e non c'è spazio abbastanza. Devi preoccuparti della sopravvivenza delle specie, fare in modo che l'avvenire non sia deserto o abitato da mostri. Devi prendere con te i ricordi fecondi, quelli che con poco sforzo possono rigenerare la memoria. Non le strofe piú orecchiabili di un lungo concerto, ma gli accordi bordone nella sinfonia del passato.

REGIA RESIDENZA DI
- MOGADISCIO -
REGNANDO S. M. VITTORIO EMANUELE III
per grazia di Dio e per volontà della Nazione
RE D'ITALIA

L'anno millenovecentoventicinque ed alli venti del mese di Settembre, in Mogadiscio e nel mio Ufficio di Residenza;

Avanti di me Cav. Dott. Umberto Bottazzi R. Residente di Mogadiscio, con funzioni di Notaio per l'ordinamento giudiziario vigente in Colonia, ed alla presenza dei Signori Arrighi Ferruccio di Giuseppe di anni 25 da Taranto, impiegato, e Vivarelli Ferdinando fu Torello di anni 30, nato a Pisa, impiegato, entrambi residenti a Mogadiscio, testimoni da me conosciuti ed aventi tutti i requisiti dalla legge prescritti;

E' personalmente comparso il Signor Giuseppe Marincola di anni 33, Maresciallo Maggiore del R° Esercito, nato a Pizzo Calabria, Provincia Catanzaro, e residente in Mogadiscio per ragione d'impiego di mia personale conoscenza, il quale, a senso e per gli effetti di legge, dichiara di riconoscere come sua figlia la bambina nata il 16 Settembre 1925 dall'unione illegittima con l'indigena Ascherò Assan del fu Assan della tribú degli Averghidir nata ad Arardere nella Somalia Italiana e residente a Mogadiscio, al primo piano della casa in muratura po-

sta in rione Amaruini, denominata Beit el Margil; e
di voler iscrivere la bambina nel registro di Stato
Civile della Residenza di Mogadiscio col nome ISA-
BELLA e il cognome MARINCOLA.

Letto il presente atto da me Notaio al dichiaran-
te Signor Giuseppe Marincola, alla presenza dei testimoni, il medesimo viene da tutti e da me notaio
sottoscritto.

Scritto l'Atto stesso da persona di mia fiducia,
si contiene in facciata una e quanto in questa.

IL RESIDENTE
F.to BOTTAZZI

Cinque
Mogadiscio, 25 settembre 1925

Carissimo Alberto,
la tua ultima lettera mi à dato gran sollievo, per quanto
non dubitassi del tuo buon cuore. Il giorno dopo che me
la consegnarono, ò ricevuto anche un'altra notizia bella, la
quale, senza le tue parole, avrebbe avuto un sapore diverso.
Il mio secondo figlio è nato, è una bambina e le ò messo il
nome di nostra madre.

Ecco perché il tuo consenso di allevare Giorgio in Italia
mi rende tanto felice. Anzitutto, perché mostri di capire la
mia condizione, e non mi giudichi per aver messo al mondo due figli fuori del matrimonio. Bisogna venire in Colonia a ventott'anni, com'è successo a me, circondati da queste gazzelle d'ogni colore, per provare quanto è difficile non
cadere nel peccato, posto che il matrimonio con le somale
è davvero contronatura, perché oltre ad essere negre sono
pure maomettane, e dunque sposarsi non ripugna soltanto
a noialtri, ma perfino a loro.

In secondo luogo, sono contento per Giorgio, che potrà
crescere sano e ricevere cosí l'educazione che merita. Qui
in Somalia, da quando è arrivato De Vecchi, la Colonia è in
subbuglio. Ci si prepara alla guerra con il sultano di Obbia e
con i Migiurtini, si fanno spedizioni contro i capi tribú poco
rispettosi. I miei doveri di soldato mi portano spesso lontano da Mogadiscio, cosí che Giorgio rimane a lungo da solo
con la madre, senza ch'io possa tener d'occhio la sua crescita.

Le ò severamente proibito di parlare col bambino nella sua lingua, perché questo può confonderlo nell'imparare l'italiano, ma non ò modo di controllare ch'ella mi ubbidisca. Spero che quando arriverà a Pizzo non lo troverai troppo indietro rispetto ai suoi coetanei.

Da ultimo è arrivata questa figlia e se non ci fossi tu a farti carico di Giorgio, non saprei davvero a che santo votarmi.

La settimana scorsa il maggiore Balboni mi chiamò a colloquio e senza tante parole mi domandò cosa intendevo fare con il secondo meticcio. Al che risposi che intendevo riconoscerlo, come già il primo, perché mi pare l'atto piú giusto non solo per un padre, ma sovrattutto per un italiano in Colonia. Gl'indigeni ci guardano, ci giudicano, e noi dobbiamo tenere una condotta esemplare. Abbandonare i figli non è certo la lezione che vogliamo impartire ai somali.

Qui avrei voluto aggiungere che molti altri comportamenti non sono parte di quella lezione e pure le autorità coloniali preferiscono lasciar correre senza tanti discorsi.

Ci sono almeno tre compatrioti di mia conoscenza che hanno in casa delle negre di dodici anni e benché si vantino in giro di non averle prese solo come servette, a nessuno passa per la testa di farne un problema, e se mai se ne parla, si finisce sempre col dire che le ragazze somale, a quell'età, sono donne fatte e quindi sono mature per fare «nik nik». Quando ci fa comodo la nostra missione di civiltà ce la mettiamo sotto i tacchi, magari prendendo come scusa le tradizioni del posto e guardandoci bene dal provare a correggerle.

Ma tornando al mio colloquio col maggiore, tutte queste cose me le tenni per me, ci mancherebbe, e quanto al resto, egli si disse d'accordo con la mia scelta, in linea di principio, perché il sangue del padre è il piú forte ed unito alla sua autorità fa sí che il figlio meticcio, quando educato da italiano, possa aspirare alle stesse conquiste di un italiano intero.

Aggiunse tuttavia che con le indigene non si può mai sapere: tante di loro, mentre stanno con un bianco, non resistono comunque al richiamo della razza, indi per cui la paternità è dubbia ed il meticcio potrebbe essere un somalo e basta, indegno di ricevere la cittadinanza italiana. Nel dubbio, allora, meglio prendersi cura di questi figli in maniera piú discreta, come fanno in Italia quelli che li mettono al mondo fuori del matrimonio, e possono mantenerli, farli studiare, ma non riconoscerli, se non sposano la madre.

Per fartela breve, dopo una lunga lista di consigli, mi disse che il vero motivo per cui m'aveva convocato era la mia «mollezza», dovuta alla consuetudine con una donna nera e con un figlio meticcio, la qual cosa mi farebbe confondere l'autorità che dobbiamo esercitare di fronte agli indigeni, con una pericolosa familiarità.

Le prove di questo starebbero nel fatto che piú volte, a detta del maggiore, il fratello di Aschirò mi chiamò soltanto «Marincola» e non «signor maresciallo», cosa già inaccettabile da un sottoposto, e molto di piú da un semplice *dubat* dell'esercito coloniale. Citò poi un altro episodio d'insubordinazione, dove invece di usare la frusta, mi limitai a una lavata di capo, che per gli indigeni è come dire niente.

Ammisi la seconda pecca, negai la prima, ed il maggiore mi congedò, raccomandandosi di fare attenzione, perché per quanto lo riguardava una sola cosa era fondamentale: che lo sfogo della nostra maschile esuberanza non facesse venir meno la virilità, la spina dorsale ed il prestigio, senza il quale centinaia di migliaia di individui non resterebbero mai sottomessi a poche migliaia.

Nei giorni successivi, ò pensato e ripensato a quel discorso e ti confesso che c'è del vero in ciò che dice il maggiore. Ci sono giorni che quasi dimentico di abitare con una donna negra, musulmana ed analfabeta e provo per lei quel che proverei per una moglie. Proprio ieri, mentre i *dubat* davano la giusta lezione ad un monello, che ci aveva insultato con un lancio di sassi, per un istante mi parve di vedere i tratti di Giorgio nel volto del piccolo farabutto, che con tutta probabilità era un «mischione» come lui. In quel momento avrei voluto ordinare ai soldati di lasciarlo andare.

Ò deciso quindi di prendere al piú presto una licenza di trenta giorni, per portare Giorgio da te, e quindi di richiedere, a stretto giro, un congedo illimitato dalle truppe coloniali, per risolvere la quistione della secondogenita, e dare anche a lei l'opportunità di crescere in Italia.

Ò vent'anni di servizio, dei quali sei passati in Colonia, e credo che nessuno vorrà opporsi se domando di rientrare in Patria per qualche tempo, a ritemprare le forze... e a guarire la mollezza.

Fai avere i miei piú affettuosi saluti a nostro padre e a nostra madre, e per favore, non anticipar nulla delle nostre decisioni e della nuova nascita. Scriverò io a tempo debito, quando tutto mi sarà piú chiaro.

Un grande abbraccio, con eterna riconoscenza.

Tuo fratello,

                                                    Giuseppe Marincola

Sei
Mogadiscio, 24 aprile 1991

– Isabella, sono le sette, sei pronta?

La voce di Mohamed ti raggiunge nel sonno e subito capisci di aver dormito in posa da fachiro, sulla piccola poltrona nell'angolo della stanza. Eri sicura di non chiudere occhio, ore e ore a fare bagagli, e invece...

E invece ti sei messa a sfogliare le vecchie lettere, a leggerle anche, e alla fine ti sono cadute le palpebre, hai cominciato a russare e adesso ti tocca spingere tutto in valigia senza un criterio, altro che metodo di Noè, l'unica legge che ti guida è l'impenetrabilità dei corpi.

Dove va una donna di sessantasei anni? – ti ripeti e ripeti. – *Cosa troverò in Italia? Sono qua da una vita, avevo già in mente di morire a Mogadiscio, ma una pallottola in corpo me la risparmierei volentieri.*

Entri nel bagno, ti lavi la faccia con l'acqua marrone.

Un velo di ombretto sugli occhi e torni in camera per vestirti.

Chissà Antar come sta combinato, potrà davvero aiutarmi? È un tale bugiardo, come tutti i somali, anche quando sta male ti dice che sta bene.

Chiudi la valigia, tiri la cinghia, la infili nella fibbia.

Dove mi farà dormire? Se devo andare da quella stronza della sua fidanzata, preferisco le pallottole.

Hai preso le scarpe, hai preso le mutande, hai preso Timira e un mazzo di fotografie.

Avrà un po' di soldi? Non ne posso piú di fare la fame, ho voglia di mangiare al ristorante e di scolarmi una bottiglia di Chianti Gallo Nero.

Ti sei messa l'orologio, la dentiera e quei quattro gioielli che ti accompagnano da una vita.

Provi a spuntare le voci da un elenco mentale, i malefici accessori che diventano necessari solo quando ti accorgi di non averli in valigia.

Le forbicine per le unghie? Prese. E poi?

Un tempo eri un'esperta di bauli e bagagli, ma la tua ultima tournée risale a quando in Italia non c'era la televisione e negli ultimi trent'anni hai messo radici a Mogadiscio.

La spazzola? Dentro al nécessaire, nella tasca esterna.

Un ultimo sguardo a caccia di fatali dimenticanze.

L'asciugacapelli? Antar non lo possiede di sicuro, però ne hai bisogno, in Italia fa freddo.

Di nuovo in bagno, apri tutti i cassetti, non ricordi piú dove l'avete infilato. In Somalia non si usa, tant'è che il tuo s'è rotto da un pezzo e quello che stai cercando sarebbe di Bruna, ma appunto, che se ne fa di un asciugacapelli col caldo perenne di Mogadiscio?

Lo scovi sotto un asciugamano e te lo porti in camera senza dare nell'occhio.

Riapri la valigia, lo schiacci dentro, tiri la cinghia piú forte di prima.

– Allora, ci sei? – domanda Mohamed sulla porta.

– Sí, pronta. Come andiamo all'aeroporto?

– C'è un'auto *bron* che ci aspetta qui fuori.

– Non dirmi! Uno di quei pick-up con la mitragliatrice Browning?

– Proprio lui. E a bordo: quattro uomini armati di Ak-47 e automatici Beretta.

La competenza di tuo marito in materia di fucili è una novità che non ti sorprende.

La battaglia per Mogadiscio ha messo addosso anche a te un certo interesse per le armi. Nei lunghi pomeriggi di reclusione, tu e Bruna vi siete esercitate a riconoscere spari ed esplosioni. Questa è una granata, no, è una mina. Questo dovrebbe essere un kalashnikov, questa una mitragliatrice, questo un mortaio.

– A proposito di arsenali: prima di partire, vorrei ringraziare il dottor Farid. Se in questi mesi non ci è successo nulla, lo dobbiamo anche a lui.

La testa di Bruna compare sulla porta, di fianco alla spalla di Mohamed: – Chissà come stanno le sue faraone…

– Dài, forza, andiamo a salutarlo.

Mohamed afferra la valigia sul letto e prova a farti ragionare: – Te lo ringrazio io, il dottor Farid. E magari da Nairobi gli scrivi una bella lettera.

– Sí, certo, tanto vale che gli mando un messaggio in bottiglia. Quant'è che hai pagato, per il nostro taxi-guerriglia?

– Cinquanta dollari.

– E allora, senti: per quella cifra, possono anche aspettare dieci minuti. Il tempo di salutare il dottor Farid e le sue faraone vulturine.

– Va bene, però sbrighiamoci, – risponde Mohamed agitando la mano come per dire: veloci.

L'auto *tecnica* è davanti al cancello. Mohamed parla con il conducente e quello risponde accendendo il motore. Gli altri quattro saltano a bordo in un amen.

– Dice di fare in fretta.

Tu intanto ti meravigli di avere il cielo sopra la testa e di poterti guardare intorno senza incontrare mobili e pareti. Al loro posto ci sono alberi bombardati, pali della luce divelti, cumuli di sfacelo. Immondizia e frantumi coprono la strada come foglie morte su un viale d'autunno. Ora sparsi, ora in mucchi, ora in fumo dentro bidoni di latta. La vostra casa è un mosaico di colpi, spigoli scheggiati, briciole di intonaco. Altri edifici sono scheletri vuoti di sfascio e mattoni.

La palazzina del dottor Farid ha solo un paio di vetri rotti e la grondaia che penzola come un ramo spezzato. La macchia di fichi d'India sul margine dell'asfalto è oppressa da un rotolo di filo spinato.

Provi a suonare il campanello tre, quattro volte. Facile che sia rotto o che non ci sia elettricità. Chiami ad alta voce il nome del dottor Farid, ma subito Mohamed ti mette una mano sulla bocca e dice che è meglio non farsi notare.

Il cancello di fianco alla porta d'ingresso è socchiuso e quando lo spingi gratta per terra. Entrate nel cortile, passi circospetti tra piante di papaia e tamarindo.

– Strano, – commenta Bruna. – Il dottor Farid ha una famiglia numerosa e qui sembra tutto deserto.

– Magari hanno levato le tende e sono andati a stare da sua madre.

– No, ascolta. Le senti queste? Sono le sue faraone. Ti pare che potrebbe andarsene e lasciarle qui? Dicono che le ama piú dei suoi figli.

– C'è nessuno? – provi a chiedere a mezza voce.

Poi le vedi. Spuntano dietro il cantone opposto della casa, un ammasso di piume, sangue e terriccio. Due faraone vulturine riverse in una macchia di sabbia nera.

Aggirate l'edificio e ne trovate altre due, vive, rintanate sotto un albero di mango.

Le gabbie dove il dottor Farid era solito alloggiarle hanno le porte spalancate.

Fate per avvicinarvi e l'odore di putrefazione v'investe a folate. Devono esserci altre carcasse, ma quando vi affacciate non ne vedete nemmeno una e c'è invece una faraona che

insegue un grosso nocciolo bianco, rotondo. Al terzo tentativo lo afferra col becco e tira su la testa. Guardi meglio: il
piccolo trofeo non sembra piú un nocciolo.

Sembra un occhio.

Ti volti per farlo notare agli altri, ma quelli stanno già
completando il giro della casa, oltre l'ultimo angolo.

Li segui a passo svelto e li ritrovi immobili a fissare qualcosa, come se non sentissero il puzzo di carogna. Poi li raggiungi e resti bloccata anche tu.

Il corpo di un uomo è riverso supino in un fango di sangue. Quattro faraone danzano attorno al cadavere, gonfia-
no le piume cobalto del petto e bisticciano per un boccone
di interiora. Le piccole teste da avvoltoio sprofondano nel
ventre, strappano la carne, si contendono a calci quel che
rimane del dottor Farid.

Mohamed raccoglie un sasso e lo scaglia, per interrompere il banchetto, ma gli uccelli si disperdono appena, saltella-
no indietro e subito riaffermano il loro diritto sul corpo del
padrone. Se non fosse che sono appena piú grandi di una
grossa gallina, ci sarebbe da aver paura che attacchino, per
difendere il pasto con gli artigli e il becco rapace.

– Andiamo via, – dice Mohamed. – Verrò piú tardi con
qualcuno per provare a seppellirlo.

Passi veloci e pelle d'oca vi spingono fino al cancello.

La *bron* vi ha seguito, è proprio lí di fronte, e i miliziani
vi vengono incontro nervosi, fanno segno di sbrigarsi.

A te l'onore del posto davanti, per via delle tue gambe da
elefantessa, mentre gli altri si aggiustano dietro, nel cassone,
a fianco della mitragliatrice.

Il tempo di metterti comoda e già vi fermate in piazza
Quattro Novembre, come la chiamano ancora i vecchi mogadisciani. Tu rientri nella categoria, per età e per abitudine,
non certo per rimpianto dell'altare patrio che ne giustificava

il nome: due colonne ioniche erette in memoria dei Caduti delle guerre coloniali. Caduti italiani, s'intende. Niente nomi di ascari o *dubat* accanto a quelli del capitano Cecchi e di altri eroi di razza.

Da anni, al centro della rotonda, spicca invece l'obelisco del milite ignoto. Milite ignoto somalo, dedicato ai morti per la liberazione dell'Ogaden. A giudicare da com'è ridotto, ti convinci che molti l'abbiano usato come tirassegno, negli ultimi mesi, per imparare a sparare e ingannare la noia.

Motivo della sosta: il conducente litiga con i compari suoi a proposito del percorso piú sicuro da seguire. Alla fine si mettono d'accordo e con stridore di gomme girate intorno alla ex Casa del Fascio, ex Assemblea Nazionale, ora soltanto cemento col tetto sfondato.

Lungo la strada, sfilano carcasse di palazzi che in un giorno qualunque non avresti degnato di uno sguardo e che invece adesso, crivellati e storpi, ti sembrano racchiudere una bellezza incompresa. La biblioteca, il teatro, il museo nazionale. L'auto procede in leggera salita e sotto di voi si spalanca il mercato di Ceel Gaab, simile a un'enorme discarica di laterizi, ferraglia e chioschi ambulanti. Una grande insegna «Emporio Armani» pende cadavere sopra una vetrina sfondata. Nel finto negozio di moda italiana dev'essere esplosa una granata vera.

Di fronte alla moschea della Solidarietà Islamica, spicca il monumento a Sayid Mohamed, il mullāh che agli inizi del secolo guidò la resistenza contro l'Etiopia, la Gran Bretagna e l'Italia. Il catafalco rappresenta la sua fortezza, bombardata dagli inglesi nel 1920 e a quanto pare anche dai somali nel 1991. Qualcuno si è arrampicato fino in cima e ha rubato la statua equestre che dominava il mausoleo. Il piedistallo vuoto pare un'astronave di mattoni bianchi e sulle sue torrette già si annidano i cecchini, come settant'anni fa. Chissà se all'asta

del mercato centrale vale piú il mullāh di rame, la Hawo Tako
in bronzo o la gigantografia dei padri del socialismo in salsa
somala: Markis, Anglis, Linen e Siyaad. La compravendita
di simboli e colossi dev'essere l'affare del momento: peccato
che molti non rappresentino solo il regime che li ha commis-
sionati, ma la nazione intera.

Giunti sulla rotonda del «Kilometro 4», persino la pac-
cottiglia dell'Arco di Trionfo Popolare ti strappa un addio
in stile Lucia Mondella. Poi le architetture finiscono e l'ultimo nastro d'asfalto è un corteo di fuggiaschi, case sventrate,
posti di blocco e sopravvivenza.

All'aeroporto la solita bolgia: quella che in altre occasioni
ti ha sempre scoraggiato, e invece adesso ti conforta, come
incontrare una faccia nota alla fine del mondo.

Ma la faccia piú nota di tutte, quella di *jaalle Siyaad*, non
imperversa piú sulle pareti arlecchino, verniciate di rosso,
giallo e celeste. Eppure, anche senza lo sprone del suo sguardo paterno, qualche impiegato si dà da fare lo stesso, dietro
le inferriate dei vari sportelli. Avverti la presenza di regole,
per quanto approssimative, che fanno funzionare quel poco che funziona. Ci sono lunghe file di gente che si sforza
di stare in fila, ci sono due orologi che misurano il tempo,
c'è un ragazzo in tenuta da lavoro che passa lo straccio per
terra. Mucchi di valigie e mucchi di *khat*, importato fresco
dall'Etiopia, si spostano veloci su grandi carrelli.

La traversata dell'atrio, in soli cento metri, propone due
spacciatori di biglietti per Gibuti a cifre spropositate, quattro facchini per il trasporto bagagli, tre offerte di falsificare
il passaporto, due perquisizioni, un controllo documenti e
un moschetto Beretta, che abbassa la mira in cambio di dieci dollari. Le dritte per raggiungere i funzionari dell'ambasciata italiana ne costano altri cinque.

– L'imbarco è tra mezz'ora, signora Marincola, – dice
l'uomo con la camicia pulita.

Tu fai per sederti sulla valigia, poi ti accorgi che proprio
lí davanti ci sono gli sgabelli di un bar e due persone sedute
a bere qualcosa.

– Ci prendiamo un cappuccino? – proponi agli altri due.

Quando me l'hai raccontato, non ci volevo credere.

«Ma come? Sei sul guado tra una guerra e l'esilio, la tua
città si sgretola, hai appena visto un cadavere spolpato da un
branco di uccelli e alla prima occasione utile ordini da bere?»

«Erano cinque mesi che desideravo un cappuccino», mi
hai risposto candida.

Cosí vi immagino seduti sugli sgabelli di legno, appog-
giati al bancone, con le tazze in mano e il posacenere colmo
di cicche.

Mohamed accende una sigaretta, tu intingi le labbra nella schiuma.

Chissà com'è sistemato Antar, – rimugini tra un sorso e l'altro. – *È cosí bugiardo, non riesco mai a capire come sta davvero. Avrà qualche soldo? Avrà un posto dove imbucarmi? Speriamo non abbia pensato di tenermi in casa con quella, manco
morta ci vado. Se crede di mettermi là, non mi conosce davvero. Piuttosto… Piuttosto un corno. In Italia non conosco piú
nessuno. Se dovessi chiedere aiuto, non saprei a chi chiederlo.
Potrei scrivere una lettera al presidente della Repubblica, ma ho
sentito dire che si è rincoglionito.*

– Mi sa che ci siamo.

Bruna ti batte una mano sul braccio e indica gli italiani. Si
dirigono verso l'uscita e una schiera di uomini armati tiene
lontani i somali che vorrebbero a tutti i costi un passaggio per
Nairobi. Vi alzate in fretta, ti fai riconoscere e prima di ag-
gregarti al gruppo stringi forte tuo marito, ti butti tra le braccia di Bruna, la baci sulle guance, la ringrazi per il sostegno.

– Allora, Isabella, mi raccomando. Vai in Italia, fai laureare Antar e torni qua. Siamo d'accordo?

Afferri la valigia e la trascini oltre il blocco dei miliziani.
Il dottor Bucci ti dà una mano, superate la porta, vi avviate
sulla pista come animali impauriti.

Il C-130 dell'aeronautica italiana è una balenottera con
le ali e quattro motori a elica. Non sei un'esperta di aerei,
ma questo lo riconosci, lo hai visto in televisione ai tempi
dello scandalo Lockheed. Eri in Italia, in quei giorni, per la
prima volta dal 1961. Generali e politici di spicco avevano
intascato mazzette proprio su una fornitura di C-130. «Onorevoli colleghi, che ci avete preannunciato il processo sulle
piazze, vi diciamo che noi non ci faremo processare». Parlò
cosí Aldo Moro, in un discorso alla camera, un anno prima
di essere rapito dalle Brigate Rosse. Tu seguisti la vicenda
nella sala tivú di una clinica romana, specializzata nella cura dell'obesità. Da allora sei tornata in Italia altre due volte,
poi hai litigato con la fidanzata di tuo figlio e hai preferito
non farti piú vedere. Adesso, per colpa di Siad Barre, sarai
costretta di nuovo ad averci a che fare, e magari a chiederle
scusa, per elemosinare un letto e un piatto di pasta.

Sali la scala retrattile fino alla pancia del cetaceo. All'interno, due lunghe panche di tela, una di fronte all'altra, accolgono i pochi passeggeri.

– Il viaggio dura circa due ore, – ti avvisa il dottor Bucci,
mentre ti porge un sacchetto di carta bianca. – Per il volo
tattico, – precisa, e di fronte alla tua espressione sospettosa
disegna nell'aria una traiettoria a zigzag. – Serve a evitare
la contraerea.

L'avvio dei motori soffoca sul nascere ulteriori spiegazioni. Il frastuono è assordante, una vera tortura, sembra
di avere le quattro eliche sedute accanto come compagne di
viaggio. Il C-130 decolla, passano due minuti e l'espressione

«volo tattico» ti appare piú chiara. Indica un susseguirsi di scarti, virate, cambi di direzione, perdite e recuperi di quota. Apri il contenitore da vomito, dici addio alla colazione e provi a rilassarti, le gambe distese, la testa abbandonata contro la fusoliera.

Gli oblò sono pochi e stretti ma riesci lo stesso a intravedere le case scoperchiate, i resti anneriti della grande cattedrale.

Mogadiscio, la bianca Hamar sulle rive dell'oceano, esala fumi di morte e abbandono.

L'angelo nero è padrone della città.

Sette
Mogadiscio, 10 maggio 1927 - Napoli, 7 giugno 1927

Vieni, piccola mia, non piangere. *Ven si, ven* da suor Cristina. Ecco, brava, manda un *basin* alla mamma. Addio, mamma, *is vëdoma prèst*. Ferma, però, se ti agiti cosí caschiamo in acqua tutt'e due. Non ci vuoi stare in braccio alla tata? Guarda cosa ti dò se fai la brava, *varda*. Suor Paola, *për piasí*, mi passate quella bambolina? Sí, quella, grazie tante. Ecco qua. *At pias? Bondí bela moretina, mi i son Timira, e ti? Come ch'it ciame?* Avanti, su: mi chiamo Isabella. *Scota*, se smetti di piangere ti faccio tenere in braccio Timira, *va bin? Fòrsa, fa pa parej, na bela cita come ti. Varda lí*, guarda com'è bella Mogadiscio vista dal mare, tutta bianca come una meringa. Quello a sinistra è il rione Amaruini, dove abita la tua mamma, quello è Scingani, e in mezzo c'è il nuovo quartiere, vedi quanti ponteggi? Quelli piú alti sono per costruire la cattedrale, che diventerà la chiesa piú grande di tutta l'Africa. *Certament che a-i va d' temp*, ma adesso i lavori procedono di corsa, perché il nostro governatore sta facendo la guerra con un sultano e tutti i nemici che cattura li porta qui, a dare una mano ai muratori. *Pensa mach!* Cosí quando tornerai a trovare la mamma, ci sarà la cattedrale *bele che finía*. Allora Mogadiscio sarà ancora piú importante e piú splendente di prima. *Arvëdse, arvëdse!* Arrivederci, Mogadiscio.

Fòrsa, dàj, basta piorè, ci voltiamo dall'altra parte, *va bin?*

Ecco la nostra nave. *Come ch'a l'è granda…* è quella là che ci porta in Italia, *it sas? A l'è pa costa si*, questa è una barca *cita cita*, serve solo per avvicinarsi, perché l'altra là, il piroscafo, non può arrivare fino alla riva, deve sempre stare al largo, *en mes al mar*, se no tocca il fondo e rimane incagliata. *Varda come ch'a l'è àuta.* Pensa che noi dobbiamo salire lassú. *Për da bon. It sas come ch'as fa?* I marinai ci calano un sacco, *nojautri is setoma andrinta*, e quelli ci tirano a bordo come tanti pesciolini. Divertente, no? Quasi come volare.

Brava cita, i lo savio che a fòrsa dë scotè suor Cristina i te stasij tranquila. Ora cerchiamo un moccichino e ci asciughiamo le lacrime, *a va bin*? Hai un cosí bel musetto d'ambra, piccola mia, non vorrai mica sbiadirlo *a fòrsa d' piorè*!

– Dorme?
– Sí, finalmente. È stata proprio una pessima giornata. A cena non ha toccato cibo, *a l'ha pà tastà* niente. Ho provato con la purea di patate, con la banana schiacciata, la zuppa di pane. Niente. Mi auguro sia solo per oggi, ché il viaggio è lungo e se va avanti cosí, *a sarà dura*!
– Secondo me dovevamo rifiutarci di prenderla. È troppo piccola, non avrà nemmeno due anni.
– Che poi cosa ci andrà a fare in Italia, una bimba cosí? *A lè pa sò pòst.* Stanno meglio i nostri orfanelli al brefotrofio, *scota mi*.
– Be', non so, almeno questa ha un padre italiano che si prenderà cura di lei, vivrà in una vera famiglia, studierà nelle scuole.
– Perché, *i nòsti a studio pa*? A bacchettate, *scapis*, ma alla fine imparano, e in un paese di illetterati, anche solo saper leggere, scrivere e far di conto *a l'è già 'n bel vantagi*.
– A proposito di bacchettate, sorella: perché prima di metterli a letto non radunate i bambini per fare un po' di prove? Mi pare che l'*Inno al Piave* abbia ancora bisogno di una bella

sgrossata. Dico bene? Andate, su. E non vi preoccupate per
la piccola. Se per caso si sveglia, ci penso io.

Come falange unanime
i figli della Patria
si copriran di gloria
gridando viva il Re.
Viva il Re!

– Bravi, bravissimi, i miei complimenti. Scusate tanto,
ma non ho potuto fare a meno di ascoltare la vostra magni-
fica esecuzione. Confesso che sono stupito da tanta grazia.
Non sembra davvero di ascoltare dei piccoli selvaggi. Ralle-
gramenti vivissimi alla maestra. Mi presento: cavalier Giancarlo Guidi, concessionario agricolo a Genale.

– Molto piacere, io sono suor Cristina e questi sono gli
orfanelli del brefotrofio di Mogadiscio. Avanti, bimbi, salutate il cavaliere.

– Buonasera, cavaliere!

– Che meraviglia, anche l'inchino. Bene, molto bene.
Questi fanciulli sono piú educati che certi montanari delle
mie parti. Ma... permettetemi, sorella, posso domandarvi
qual è la ragione del vostro viaggio? Una gita di piacere?
Un trasferimento?

– Andiamo in Italia per presentare uno spettacolo di beneficenza. Roma, Firenze, *Turin*, Milano. Abbiamo un bellis-
simo programma, con inni, canti sacri, danze e un bozzetto
musicale intitolato *Gianduiotto in collegio*.

– Magnifico, sorella. E come mai non avete in calendario
una tappa nella mia Verona? Conosco un impresario teatrale
che sarebbe felice di trovarvi un palcoscenico, e il mio amico
Terlizzi, che scrive sull'«Arena», di sicuro saprebbe tessere
un panegirico della vostra impresa educativa. Ditemi, quanto tempo c'è voluto per compiere il miracolo?

– Noi suore della Consolata siamo in Somalia da quasi tre
anni e ci occupiamo dell'asilo per gli indigeni e di quello per
i nazionali. Certo, *a son pa l'istess*, voglio dire, c'è una bella
differenza tra gli uni e gli altri, ma le assicuro che questi orfanelli hanno una grande volontà di apprendere.

– Non ne dubito, sorella. Spesso il desiderio di elevarsi
è tanto piú grande quanto piú basso è il proprio punto di
partenza. Ma adesso scusate, io forse vi ho interrotto, mentre voi cercavate un poco di tranquillità per le vostre prove.
Se siete interessata alla mia proposta veronese, non esitate
a informarmi. Appena arrivati a Massaua posso spedire un
telegramma al mio amico impresario.

Su, piccola, avanti, ancora un boccone. Hai già fatto ar-
rabbiare suor Paola, *i voras pa fè anrabiè cò mi*? Io le sberle
non te le dò, ma se continui cosí ti lascio senza mangiare,
it dun pa pí da mangè. Un *bocon* per la mamma, da brava.
Guarda com'è obbediente Timira, gnam gnam, Timira *a fa
pa de storie*, si sa accontentare. Il capitano mi ha detto che tra
un paio di giorni saremo in vista dell'Italia, *it ses contenta*?
Scommetto che il tuo papà ti farà trovare un bel pranzetto
di benvenuto, vedrai. Basta patate, basta banane. Una bella
crema di riso, eh? *Còsa ch'it na dise? At pias la mnestra d' ris?*

Ecco, piccola, vieni, vieni in braccio a suor Cristina. Siamo arrivati. *I soma rivà, it sas? Caloma giú*. Però 'sta volta a l'è
pa come a Mogadiscio, con il sacco e la carrucola. Stavolta ci
sono i gradini, c'è la scala, *përché si i soma a Napoli, it vëdde*?
C'è il porto, e le navi possono arrivare fin dove il mare finisce. Suor Paola, *për piasí*, prendete la valigia *ëd la cita*. Adesso andiamo giú e speriamo che il tuo papà si faccia notare,
perché altrimenti, in mezzo a questa *bagara*, rischiamo di non
vederci neppure. E poi *come ch'as fa, se i trovoma pa tò papà*?

It reste con noi? Magari ti diamo una parte nello spettacolo, *còsa ch'it na dise? La cita bosciasa ch'a veul pa mangè*: la bimba selvaggia che non vuole mangiare. Sarebbe perfetto, taglia-to proprio su misura per te, che sei una grande attrice. *A son già quíndes dí* che ci fai dannare coi tuoi capricci, ma adesso troviamo il papà, *a va bin?* Io l'ho visto una volta sola e non sono tanto sicura di saperlo riconoscere. *A l'è përmes,* scusate, *ch'a më scusa. Vardoma bin... Vardoma...* Eccolo là. È quello, no? Quel signore in divisa che agita la mano. Ci siete, suor Paola? Attenta a non perdervi, statemi dietro.

– Il signor Giuseppe Marincola? Molto piacere, suor Cri-stina della Consolata. Ci siamo incontrati a Mogadiscio, vi ricordate? Quando siete venuto a parlare con la madre su-periora.

– Piacere mio, sorella. Questa è mia moglie, la signora Flora Marincola.

– Molto piacere, *madamin*, lieta di conoscervi. Avete fat-to proprio bene a venire anche voi. Per Isabella è davvero una fortuna arrivare in Italia e trovare subito la sua nuova mamma. Vero, Isabella? Su, da brava, vai da mamma Flo-ra, che ti vuole conoscere. No? *It l'as pa veuja?* Fai i tuoi soliti capricci?

– Chissà quanto vi avrà fatto penare durante il viaggio. Non oso immaginarlo. Ecco, vorrei che accettaste questa of-ferta, per il vostro disturbo.

– Figuratevi, signor Marincola, *gnun problema*, nessun di-sturbo. Certo un viaggio in piroscafo di venti giorni non è un toccasana per una bimba di quest'età, ma Isabella è robusta, ha carattere, sono certa che in pochi giorni sarà di nuovo in forma, come se non si fosse mai mossa dalla Somalia.

– Vi ringrazio, vi ringrazio tanto. Che Dio vi benedica. Flora, per favore, prendi la bambina, io porto la valigia

all'automobile. Addio, sorelle, e tanti auguri per la vostra
missione.

– Tanti auguri a voi, signor Marincola. La vostra missione non è certo da meno della nostra. Adesso vai, Isabella,
su, vai da mamma Flora. Coraggio. Vuoi che ti lascio tenere
Timira, vero? *E va bin*, sarà il mio regalo, tanto le bimbe del
brefotrofio se la litigavano sempre. Addio, piccola, non piangere, *piora pa, cita*. Ce l'avete, *madamin*? La posso lasciare?

– *Oh mi Signor, che dolor, che pena! A le vòlte il tacon a
l'è pes che 'l përtus.*

– Che intendete dire, sorella?

– Ma dico, *i l'eve vist la madamina* Flora? Era un pezzo di
legno, *pròpi 'n tòch d' bòsch*, non ha nemmeno aperto le braccia per prendere la figlia, *ancora 'n pòch e a robatava për tèra.*

– E cosa vi aspettavate, i salti di gioia? Povera donna, pro-
vate a mettervi nei suoi panni. Quella bambina è l'immagine
del peccato di suo marito.

– Appunto. Che se la prenda col marito, no?

– No, no, altroché. Auguriamoci che col marito vada tutto a gonfie vele e vedrai che anche la piccola ne trarrà gio-
vamento. È una figlia illegittima, una bastardella, e adesso
ha la fortuna di vivere in una famiglia consacrata. Nostro
Signore saprà come aiutarli, vedrai.

– Eh, suor Paola, avete ragione voi: non è nostro compito giudicare il prossimo. Ricordiamoci di Isabella nelle nostre preghiere.

Otto
Nairobi, 24-30 aprile 1991

All'aeroporto Jomo Kenyatta, il dinamico dottor Bucci ti affida alle cure di una ragazza gentile, bionda, con un tailleur gonna color tabacco.

– Benarrivata, signora Marincola, sono Giulietta Baroncini, dell'ambasciata italiana di Nairobi. Venga con me, andiamo subito in albergo.

Ti prende la valigia e la sistema nel bagagliaio dell'auto diplomatica, interni in pelle e aria condizionata. Il tragitto è breve, in una mezz'ora si passa dalle baracche ai condominî popolari, ai palazzi di vetro e cemento del centro città. Hai ancora nelle orecchie i motori a elica del C-130, ma quando scendete al *Norfolk Hotel,* non puoi fare a meno di fermarti sotto i grandi alberi del giardino, sorpresa dal canto degli uccelli, dopo quattro mesi di mitraglia e bombe a mano. Il profumo dei gelsomini rimpiazza l'odore di cadaveri e demolizione che ti entrava in casa anche con le finestre chiuse. Due ore d'aereo e qualche volo tattico separano gli alberghi in fumo di Mogadiscio da questo gioiellino coloniale che pare uscito da un romanzo di Karen Blixen.

Il rumore di una partita di tennis accompagna il tuo incedere sulla ghiaia, tra cespugli di oleandro e frangipane. Alla reception, un portiere gallonato vi saluta in perfetto inglese, ti dà il benvenuto e ti porge la chiave della stanza 43. Saluti Giulietta e ti dirigi verso l'ascensore, sulle orme di un boy con i capelli bianchi che ha preso in consegna il tuo bagaglio.

Pensi che si aspetti una mancia, e dovrai spiegargli che sei rimasta senza un soldo, a forza di pagare *bakshish* tra dogane, controlli, perquisizioni e minacce. Invece, quando arrivate in stanza, l'uomo appoggia la valigia, apre gli scuri alla finestra e prima di congedarsi ti domanda solo se vieni dalla Somalia.

Te lo chiede in somalo, e tu rispondi che sí, sei appena arrivata da Mogadiscio, ma non parli bene la lingua, non l'hai mai imparata.

Il boy con i capelli bianchi non si dà per vinto, passa all'inglese, dice che l'italiano lo capisce ma non lo sa parlare. Vuole sapere come hai fatto ad arrivare in Kenya e tu glielo racconti per sommi capi.

Quando nomini Roma e l'ambasciata italiana: – Are you going to Italy? – s'infervora.

– Sí, vado in Italia, spero a breve.

– And how did you do?

– Come ho fatto? Be', sono italiana. Mi ha rimpatriato il governo, capisce? The government take me to Italy.

– Ah, – scuote la testa deluso. – The government!

Poi ti spiega che anche lui è scappato dalla guerra. Se l'è fatta a piedi da Mogadiscio a Merca, quasi cento chilometri, da lí per mare fino a Mombasa, e da Mombasa a Nairobi con il treno. Ha trovato lavoro, ma la vita costa cara, e i poliziotti non fanno che spillargli soldi, con la minaccia di sbatterlo in un campo profughi.

Da quel che capisci, sperava che potessi dargli una dritta su come raggiungere l'Italia, dove secondo lui i somali vengono trattati meglio, in nome di un comune passato.

– Io non ne sarei tanto convinta, – gli rispondi, ma lui ti domanda lo stesso un numero di telefono, per avere un contatto in Italia, e tu non hai cuore di deluderlo ancora, dicendo che al momento sei in mezzo a una strada e confidi soltanto in quel bugiardo di tuo figlio.

Tiri fuori la rubrica dalla valigia e gli scrivi il numero di
Antar, o meglio, della sua fidanzata, mentre lui si guarda intorno circospetto, per paura che lo sorprendano ad annoiare
una cliente. Piega il foglietto che gli porgi e se lo infila nel
taschino della divisa, sotto la scritta gialla «Norfolk Hotel».
– My name is Daud, – si congeda con un inchino. – Daud
Ali Tahlil.
Tu lo saluti e passi senza indugio a perlustrare la stanza.
La finestra principale guarda un laghetto circondato di fiori. C'è la luce elettrica, in bagno scorre l'acqua, ti aspetta un
sapone Palmolive e un flaconcino di shampoo. Doccia, doccia, non ricordi piú quando è stata l'ultima volta. Ti togli di
dosso i panni del viaggio: l'acqua innaffia un vecchio corpo
di donna, gli affanni e lo sporco prendono la via dello scarico.
Asciutta, pulita e vestita di nuovo, punti rapida sul frigobar. Le minibottiglie di vino bianco e gazzosa sono troppo
piccole per la tua sete arretrata. Chiami la reception e ordini: formaggio, pane, prosciutto crudo e una bottiglia grande di vino rosso. In meno di un quarto d'ora il tavolo della
stanza è imbandito a dovere. Un bel respiro e parte il lavoro delle ganasce.

Terminato il pasto, afferri di nuovo il telefono, come se
fosse la lampada di Aladino. Il tuo genio si chiama Reception
e per evocarlo basta schiacciare il tasto 1. Chiedi la linea per
telefonare in Italia, detti il numero all'operatore e cerchi di
non farti venire un infarto quando senti la voce di tuo figlio.
– Pronto, mamma! Allora? Dove sei?
– Sono a Nairobi, sono atterrata un paio d'ore fa.
– Come stai?
– Sto bene, ho appena mangiato. Tuo padre invece pesa
sessantasette chili. Ci pensi?
– Eh, immagino. Ma tu, quando vieni in Italia?

– Non lo so, mi devono ancora fare il biglietto.

– Okay, fammi sapere appena possibile, poi tutto il resto me lo racconti di persona.

– Hai modo di spedire qualche dollaro a tuo padre e a Bruna?

– Sí, certo, non ti preoccupare –. Il solito bugiardo che fa tutto facile. – Glieli mando con il prossimo viaggio di Elio Sommavilla.

– Mi raccomando, quando vengo a Roma, portami il cappotto. Te l'ho detto che tuo padre pesa sessantasette chili?

– Sí, sí, non ti preoccupare.

– Di cosa?

– No, che ti porto il cappotto.

– Grazie tante. E poi? Dove hai pensato di sistemarmi?

– Tranquilla, ho già diverse soluzioni. Tu adesso pensa a riposarti, d'accordo? E fammi sapere quando arrivi.

Vi salutate, metti giú la cornetta e pensi che il ballista non ha né dollari né un posto dove piazzare sua madre, ma dopo mesi che non gli parlavi e con lo stomaco pieno, ti convinci che il peggio dev'essere passato.

Dopo due giorni a esprimere desideri, sempre esauditi dal tuo genio Reception, ricevi una telefonata dal consolato italiano. I voli per Roma sono tutti pieni fino alla fine del mese. Dovrai trattenerti a Nairobi qualche giorno in piú del previsto e per questo ti trasferiscono in un altro albergo.

Prepari la valigia e alle undici precise trovi la solita Giulietta che ti attende in giardino. Ha cambiato vestito e sembra piú giovane della prima volta che vi siete incontrate.

– Buongiorno, signora Marincola, come sta?

– Come un pulcino nella paglia. E lei?

– Sto bene, grazie, – risponde con un gran sorriso, e tu stai per domandarle cos'ha fatto di bello ieri sera, quando vedi il portiere gallonato uscire dall'albergo e venirvi incontro con un foglietto in mano.

– Mi scusi, signora Marincola, – ti apostrofa in inglese, – ma qui ci sono da pagare gli extra.

– Quali extra? – si stupisce Giulietta.

Il portiere non sa bene a chi rivolgersi, poi decide che la donna bianca dev'essere quella che comanda.

– Guardi, è tutto segnato: quattro bottiglie di vino, tre telefonate, cinque cocktail, sei fuoripasto. Totale: trecentocinquanta dollari. Devo metterli sul conto dell'ambasciata?

Giulietta esamina la ricevuta e tu capisci che si mette male, la lampada di Aladino non era per niente magica, c'era il solito trucco, nessuno mai ti dà niente per niente. Eppure non sei affatto allarmata: se ti hanno portato fuori da Mogadiscio, ti porteranno fuori anche dal *Norfolk Hotel*. Solo ti dispiace di aver rovinato la giornata alla bella Giulietta, che adesso ti guarda con aria di rimprovero e tu la ricambi affogando la testa nelle spalle, come un bimbo che sente di averla fatta grossa.

A passi nervosi sui tacchi eleganti, la funzionaria rientra in albergo e la vedi armeggiare con un telefono sul bancone della portineria. Decidi di aspettarla su una poltrona da giardino e non puoi fare a meno di chiederti se il nuovo albergo sarà bello come il *Norfolk* e se ci sarà in camera il frigobar.

Giulietta esce dalla porta a vetri, rossa come san Bartolomeo dopo il martirio. Ha cambiato espressione e anche tono di voce.

– Signora Marincola, ho chiamato l'ambasciata. Dicono che gli extra deve pagarli lei.

– Andiamo bene. Io sono a secco.

– Guardi, non so che dirle. Mi hanno dato disposizioni tassative. Non ce l'ha un parente, da qualche parte, che può saldare il suo conto?

Pensi ad Antar e sei sicura che quei soldi non li mette insieme nemmeno in un mese.

– Mi scusi, – provi a ragionare, – ma l'ambasciata italiana mi ha pagato il volo da Mogadiscio, mi paga quello per Roma e adesso non può pagare trecentocinquanta dollari di extra? Per i prossimi giorni mi mettete in un albergo di quarta categoria e con quel che risparmiate ci pagate questa fattura. Che ne dice?

Giulietta scuote la testa e tormenta un anello sull'anulare sinistro. Oro bianco, una bella pietra: sarà per quello che stamattina si è presentata cosí pimpante. Dev'esserci sotto un fidanzato. Proprio ti dispiace di averla messa di cattivo umore.

– Ascolti, Giulietta. L'unico della famiglia che mi viene in mente è mio fratello Jinny. È scappato da Mogadiscio a fine gennaio, adesso sta in Olanda, magari si è un po' sistemato. In Somalia era ricco, ma mi sa che ha perso tutto. Quindi non si faccia illusioni, anche perché non siamo in ottimi rapporti. Comunque sia, provo a chiamarlo subito.

Fai per alzarti, ma Giulietta ti trattiene col braccio, come se stessi per combinarne un'altra delle tue.

– No, no, Marincola! Le telefonate intercontinentali le può fare solo in sede da noi. Se no qui ci rimettiamo altri soldi.

Cosí salite in auto e in una decina di minuti siete all'ambasciata. Lí ti viene in mente che il numero di Jinny non ce l'hai, sai soltanto che è partito per l'Olanda e che ad Amsterdam ci stava una vostra cugina di nome Fathia.

Lo fai presente a Giulietta, ma lei è talmente determinata nel recupero crediti che mette subito al lavoro i colleghi. Partono una dozzina di telefonate tra consolati, polizie, uffici profughi, e alla fine riescono a passarti tuo fratello.

Gli spieghi cosa ti è capitato, e come farebbe tuo figlio lo stordisci di balle, promettendo che gli restituirai tutto fino

all'ultimo centesimo. Devi lavorartelo parecchio, trecentocinquanta dollari non sono spiccioli, dici che in Italia vende-
rai i gioielli e di sicuro ne ricaverai almeno il doppio, e poi a
Roma potrai riscuotere di nuovo la pensione di Giorgio, con
gli arretrati degli ultimi mesi, e quindi non avrai problemi a
ripagarlo con gli interessi.

Chiudi la conversazione con mille salamelecchi e ti ritrovi addosso gli occhi di Giulietta e degli altri funzionari, in
ardente attesa del verdetto finale.

– Paga, – li rassicuri, e vedi il sorriso delle undici di mattina tornare padrone sul viso della funzionaria.

– Perfetto, – esclama Giulietta contenta. – Nel frattempo, io e i miei colleghi abbiamo fatto una colletta. Se lei
non si offende... Non sono molti, circa cinquecento scellini kenyoti, per le piccole spese.

– Piccole quanto?

– Non so, mi faccia pensare...

Hai già capito. Sarà sí e no l'equivalente di un pacchetto
di sigarette. Comunque ringrazi, intaschi la grana e mentre
risalite in auto ti auguri che il nuovo albergo NON abbia in
camera il frigobar.

Boulevard Hotel, molto piú dimesso del precedente, addirittura cupo. Giulietta ti scorta fino in camera: forse vuole
controllare che non ci siano bibite a disposizione.

– Mi raccomando, signora, attenzione agli extra, – sono
le ultime parole che la senti pronunciare.

Mesta e un po' sconsolata, sprofondi in una poltrona in pelle e ti domandi: ora che faccio? Come staranno Mohamed e
Bruna? Quando ripartirò dal Kenya? E in Italia, dove andrò
a sbattere la testa? Sarà davvero un soggiorno di pochi mesi?

Chiami la reception e chiedi se possono portarti qualche
foglio bianco, una biro e una bottiglia d'acqua.

Nel frattempo, pensi a chi potresti indirizzare una lettera di suppliche e richieste d'aiuto. Conosci poco la situazione italiana, sai soltanto che sono in corso grandi rivolgimenti.

La persona piú indicata per una missiva del genere, ti dici, sarebbe il ministro degli Esteri, ma chi cavolo sarà in questo momento? Colombo? De Michelis? Dio scampi! Ci sarebbe Achille Occhetto, quel pezzo grosso del Pci che ha pure una compagna somala e di certo sarebbe sensibile al tuo problema, però avrà già le sue grane con il parentado in fuga da Mogadiscio, figurarsi se ha tempo per una sconosciuta. No, hai bisogno di una figura istituzionale, inossidabile, sopra le parti. Ci sarebbe il presidente della Repubblica, ma dicono proprio che non ci sta con la testa. Presidente del senato? Boh, potrebbe essere chiunque. Invece, presidente della camera non può che essere Nilde Iotti. La vecchia Nilde è perfetta. Donna, piú o meno la tua età, staffetta partigiana, comunista ma rispettata da tutti, mai uno sgarro. Sí, sí, ecco, ce l'hai già in mente. «Cara presidente della camera onorevole Nilde Iotti, mi chiamo Isabella Marincola, sono una profuga italiana in cerca di una sistemazione…» Ma quanto ci mettono a portare 'sti fogli? Non è che stanno chiedendo l'autorizzazione all'ambasciata?

Squilla il telefono. La voce in inglese dice che devono passarti una chiamata dall'Italia.

– Pronto, mamma, come stai?

– Bene, Antarocchio. E tu?

– Bene, grazie, ma com'è che hai cambiato albergo?

– Mi sa che per l'ambasciata era troppo caro. C'era pure il frigobar.

– Potevi dirmelo. Ho dovuto fare tre intercontinentali per scovarti lí.

– Mica mi hanno avvertito. È successo tutto stamattina. All'inizio non lo sapevano nemmeno loro, ma adesso pare che dovrò trattenermi in Kenya fino alla fine del mese.

– Perché? Qualche problema?

– Dicono che i voli sono tutti pieni. Ma secondo me stanno facendo una colletta per pagarmi il biglietto.

– E quindi?

– Quindi aspetto.

– Bene. Io intanto ti ho portato a lavare il cappotto.

– Bravo, adesso vedi di non dimenticartelo dal lavasecco. E di papà e di Bruna, sai niente?

– No, e tu?

– Neanch'io. Però dovresti vederlo, papà. Pesa sessantasette chili.

– Lo so, lo so. Fammi sapere se ci sono novità.

– Ti farò sapere. Ciao, Antar.

– Ciao, mamma.

Nove
Roma, 1 maggio 1991

Celeste era stata categorica: – In casa mia non ce la voglio vedere, – e Antar aveva dovuto abbozzare. Non era lui il proprietario dell'appartamento e mettersi a litigare avrebbe portato soltanto guai piú grossi.

Era stata sufficiente una breve vacanza di Isabella in Italia, nel 1988, per inquinare i rapporti tra le due donne come le acque del Po. Celeste era abituata al genere di madre che ti fa trovare la cena pronta, che già dal mattino fa l'appello dei detersivi, che si toglie il grembiule solo a sera inoltrata. Invece Isabella era tipo da vedere film fino alle tre di notte, allergica alle faccende di casa, alla larga dai fornelli, troppo pigra per fare la spesa: la sua dieta poteva ridursi a pane, formaggio e un paio di bicchieri di vino rosso.

Cosí Antar s'era dovuto ingegnare, e dopo molti: «Mi dispiace», aveva trovato un bilocale, a Roma, per sole trecentomila lire al mese. Il contratto era intestato a un amico, Marco Fusari, che nel frattempo avrebbe provato la convivenza con la sua ragazza. Trattandosi di subaffitto, non c'era bisogno di versare un anticipo, e questo consentiva ad Antar di respirare, almeno per la prima mesata.

Proprio Marco si offrí di scarrozzarlo fino a Fiumicino, con il cappotto grigio di Isabella adagiato sul sedile posteriore della sua Talbot Horizon.

All'ingresso dell'aeroporto, i due passarono accanto alla statua di Leonardo da Vinci.

– Sai che Isabella ha posato nuda per quello scultore? –
fece notare Antar con l'indice puntato.

– Per Leonardo? Ma che cazzo dici? Quanti anni ha, tua
madre?

– Ma no, cretino, per Assen Peikov, l'autore della statua.
Negli anni Cinquanta era molto quotato.

– Mai sentito nominare.

– Non dirlo a mia madre, ti fa una testa cosí. Lei conosce
tutti i suoi lavori, vita morte miracoli, lo studio in via Margutta, il fratello pittore...

– Magari un'altra volta, – commentò Marco spaventato.

– Ma tua madre lo parla, l'italiano?

– Come no! L'ha pure insegnato. Se sbagli un congiunti-
vo è capace di metterti in castigo.

Il volo Kenya Airways da Nairobi era appena atterrato in
perfetto orario.

Antar si piazzò fuori dalle porte scorrevoli e tempo un quarto d'ora quelle si schiusero su una piccola folla di passeggeri,
gente che a giudicare dall'abbigliamento doveva essere andata
in Kenya per i safari, le spiagge e la marijuana a buon mercato. A seguire, un manipolo di ritardatari alla spicciolata, gli
occhi stanchi per il volo notturno, e tra gli ultimi Isabella, con
la valigia buttata alla meglio su un carrello portabagagli e la
faccia smarrita di chi cerca qualcuno e non sa dove guardare.

Dimagrita ma non deperita, pensò Antar mentre la osser-
vava, poi le fece un cenno, si avvicinò e la strinse in silenzio,
accarezzandole la testa.

– Bentornata in Italia, Isabella.

– Eh, mica tanto. Fa freschino, per essere maggio.

– Il cappotto è in macchina, – sospirò Antar, incerto se
rallegrarsi che quattro mesi di guerra non fossero riusciti a
smussare sua madre.

In auto, fatte le presentazioni, il discorso scivola subito
sulla Somalia in guerra.

– Sai niente di tuo padre? – domanda Isabella dai sedili
posteriori.

– No, mamma. Ho provato a chiamare casa diverse volte
ma non c'è la linea.

– E ci credo! Devi vedere come hanno ridotto la città. I
pali del telefono e della luce sono per terra, la cattedrale non
c'è piú, gli altri edifici sono un colabrodo. Povera Mogadiscio, come si sono accaniti. Sai papà quanto pesava, quando
sono venuta via? Sessantasette chili.

Antar prova a cambiare discorso. I chili di suo padre stanno diventando un tormentone.

– Senti, veniamo a noi, – dice a voce piú alta. – Per i primi tempi, avrai a disposizione l'appartamento di Marco, qui
a Roma, quartiere Prenestino.

Il volto di Isabella spunta nello spazio tra i due sedili an-
teriori.

– Che meravigliosa notizia. È vicino a Casal Bertone, vero? Dove abitavo da bambina. Non so davvero come ringra-
ziarti, caro Marco. Se non fosse per te, starei in mezzo a una
strada. Ma tu, invece? Dove andrai a vivere?

Marco alza gli occhi e lancia un'occhiata nel retrovisore.

– Non si preoccupi, signora. Da qui all'estate vado a stare a Bologna, dalla mia fidanzata, cosí comincio a guardarmi intorno, perché sa, io faccio Economia, sono al secondo
anno, però dal prossimo vorrei proprio cambiare, pensavo
di iscrivermi al Dams.

– Ah, perfetto, – esclama Isabella. –Tu ricominci da una
facoltà inutile e mio figlio fa Scienze politiche da otto anni.
Proprio una bella coppia. A proposito, Antar, sono passati

cinque mesi dall'ultima volta che ne abbiamo parlato. Immagino che quest'estate ti incoroneranno dottore.

Antar si pente di aver distolto la discussione dal peso forma di suo padre. Anche perché, con tutte le panzane che ha raccontato, non riesce mai a ricordarsi a che punto si trova della sua università fittizia.

– Sí, dài, sono messo bene, – bofonchia

– Cosa intendi dire?

– Che sta andando bene.

– Cioè?

– Mi manca da dare Francese e poi la tesi.

– Francese? Ma se a dicembre mi hai detto che ti mancava *solo* la tesi.

– Sí, vabbe', – prova a salvarsi Antar, – è che Francese è un esame facilissimo, non ti dànno neanche il voto, soltanto idoneo/non idoneo, quindi è come se non ci fosse, non lo si conta neanche. Vero, Marco? Anche a Economia è cosí, no?

Marco butta lí un «sí, sí» poco convinto, poi accosta, mette la retro e manovra per il parcheggio.

L'appartamento aveva una camera da letto, un bagno e un salottino minuscolo con angolo cottura. Secondo piano con ascensore, finestre affacciate su un interno alberato, era la dimora ideale per Isabella e per il suo scarso bagaglio.

Antar le diede una mano a disfare la valigia e ad appendere i vestiti, mentre Marco si rollava una sigaretta sul davanzale. Lo stereo portatile, a basso volume, resuscitava l'anima in bianco e nero di un concerto di Keith Jarrett.

Isabella pareva a suo agio e si dedicava ai dettagli di arredamento. Aveva sistemato la bambola Timira sulla cassettiera, le foto incorniciate sugli scaffali della libreria e addirittura le spezie per il tè allineate su una mensola di fianco ai fornelli. Antar decise che era il momento buono per riprendere il discorso affossato poco prima.

– Come ti dicevo, fino all'estate starai qui a Roma, cosí nel frattempo potrai prendere la residenza. Ho già chiesto a Marco e non ci sono problemi.

– E a che mi serve? Io sono già iscritta all'Aire, l'anagrafe degli italiani residenti all'estero.

– Sí, d'accordo, ma per l'emergenza in Somalia c'è una legge apposta. I profughi italiani hanno diritto a undici milioni di sussidio, ma solo se prendono la residenza in Italia.

Isabella appoggiò due libri sul comodino e si ribellò alla notizia.

– Ma è assurdo. Se uno è profugo, che cavolo di residenza potrà mai avere? Fatta la legge, gabbato lo santo. Meno male che ho scritto una lettera a Nilde Iotti. Le ho parlato di mio fratello, della nostra infanzia qui a Roma. È ancora presidente della camera, no? Poi chi altro potrebbe esserci? Occhetto? Pertini?

– Lascia stare Pertini, Isabella. Quello era perfetto, ma è morto l'anno scorso. Torniamo agli undici milioni. I primi quattro te li dànno subito, ma solo se prima hai preso la residenza in Italia, altrimenti nisba. Gli altri sette arrivano in un secondo momento, ma anche per quelli bisogna avere le carte in regola, e per avere le carte in regola bisogna aver fatto i documenti giusti al momento giusto. Prima di tutto, il certificato di rimpatrio, che si richiede alla Farnesina. Poi la residenza in un comune italiano. E terzo, lo status di profuga, rilasciato dalla prefettura del comune di residenza. Tutto chiaro?

– Se è chiaro per te, – rispose Isabella, – per me va bene. Tanto di sicuro non posso andare da sola per uffici, lo sai che sono negata.

– Ecco, appunto, proprio per questo pensavo di andare subito al ministero per il foglio di rimpatrio. Alle dodici e mezzo ho il treno per Bologna, poi potrò tornare solo fra tre o quattro giorni. Ho appena trovato lavoro in un'impresa di pulizie, non posso prendermi tanti permessi.

Isabella scrollò la testa e Antar fece finta di non vedere. Sapeva che sua madre stava pensando: «Bravo, ecco l'ennesimo lavoro da quattro soldi. Pulire i cessi e spazzare per terra. Complimenti». Sapeva che lei avrebbe voluto vederlo astronomo, fisico nucleare, giornalista, ed era inutile spiegarle che se non hai qualcuno che ti mantiene agli studi, allora per diventare dottore laureato devi passare anche gli esami di chimica dei detersivi, scienza della baby-sitter, metodologia del servizio ai tavoli, fisica del cocktail e vari generi di sollevamento pesi.

Antar uscí dall'ascensore, terzo piano della Farnesina, e bussò sul cartello «Unità di crisi». Nessuna risposta. Isabella, prevedendo una lunga attesa, esplorava già il corridoio a caccia di una sedia, quando la porta si aprí e lasciò uscire dall'ufficio voci, saluti e la sagoma nota di Franco Labanti, il miglior idraulico di Mogadiscio.

A stento, Antar si trattenne dall'esclamare: «Signor Franco, anche lei qui?» come si farebbe in spiaggia o in villeggiatura.

– Isabella, sei partita anche tu! – disse invece l'anziano tubista.

– Sí, Franco, è rimasta solo Bruna. E tu come stai? Tua moglie?

– Come vuoi che stiamo? – rispose Franco. – Ci hanno buttato in un albergo, siamo lí da febbraio, ora ci hanno anche tagliato la luce, l'acqua, ci vogliono cacciare via, ma io non so dove andare. Dopo quarantacinque anni di Somalia, qui non ho piú nessuno che mi possa aiutare.

Antar pensò che sua madre non era messa meglio. Di tutti i parenti italiani, l'unica che forse poteva darle una mano era sua sorella Rosa. Da piccole si erano volute bene, erano cresciute insieme e adesso lei viveva in una bella casa di Torino, centottanta metri quadri, con le stanze dei figli ormai vuote. Antar ci aveva anche dormito, anni prima, ma quando aveva telefonato a Rosa per dirle che Isabella stava per tornare in Italia e non aveva un tetto, la risposta era stata molto vaga. «Dille che mi chiami, quando arriva a Roma», e niente di più.

– Morlacchi è andato in Inghilterra, beato lui, – continuava a dire Franco. – Quelli che avevano la moglie somala sono i più fortunati, perché lei può chiedere asilo in Inghilterra o in Olanda, e lí ai profughi gli dànno il sussidio, gli dànno la casa. Invece, se io e la Iole ci presentiamo a Londra, col cazzo, ci dicono, – e qui batté la mano sinistra sull'incavo del braccio destro. – Voi siete italiani e a voi vi aiuta il governo italiano. Capito che fregatura?

Affacciata alla porta, la funzionaria dell'Unità di crisi domandò chi ci fosse in attesa. Antar fece segno a Isabella di spicciarsi. Salutarono Franco, con reciproci inviti alla speranza e altre esortazioni inutili. Quindi si accomodarono davanti alla scrivania.

Visti gli atti forniti dalla signora Marincola Isabella… l'ufficio competente rilascia… alla cittadina… rimpatriata a causa degli eventi bellici accaduti in Somalia…

Antar contemplò la prima carta, fatta e firmata. Ne restavano due. Residenza e status di profuga.

– Da quanto tempo non mi facevo un giro per Roma, – commentò Isabella con il naso schiacciato sul finestrino dell'auto, come una bimba in gita scolastica. – Te l'ho mai fatto vedere il mio vecchio liceo?

– Non mi ricordo, – rispose Antar distratto.

– Se non ti ricordi ci passiamo adesso, ti va? È vicinissimo alla stazione Termini.

Antar conosceva bene la strategia di Isabella. A ogni partenza ripeteva lo stesso copione, che consisteva nel ritardarla con una scusa, infilando un granello di sabbia nell'ingranaggio dell'orologio, un'ultima questione da risolvere, o un capriccio, un piccolo desiderio per metterti alla prova. Suo padre raccontava che quando le erano venute le prime doglie, mentre filavano verso la sala parto dell'ospedale di Mogadiscio, Isabella aveva preteso di fermarsi a un chiosco per mangiare un gelato.

– Va bene, Isabella. Dove dobbiamo andare?

– È il liceo *Umberto I*, di fianco a Santa Maria Maggiore. Tu, Marco, lo conosci?

– *Umberto I*? – domandò il conducente. – Boh. Io so che qua vicino ci sta l'*Albertelli*.

– Sí, bravo, *Albertelli*, – confermò Isabella tutta eccitata. – Era un professore di mio fratello. Pilo Albertelli, grande antifascista, morto alle Fosse Ardeatine. Ci puoi portare lí di fronte?

Marco annuí, con aria da consumato chauffeur, e dopo un paio di svolte scaricò madre e figlio di fianco al liceo.

Isabella scrutò la facciata come se fosse il viso di un vecchio parente.

– Vedi, Antar? C'è la targa in onore di Enrico Fermi, premio Nobel per la Fisica, che ha studiato qui. Ora tuo zio Giorgio il premio Nobel non lo ha vinto, ma qualcosa per l'Italia l'ha fatto lo stesso, no? Gliela vogliamo far mettere una targa anche per lui, sul muro del suo liceo?

– Sí, Isabella, non ti preoccupare. Faremo anche questo. Però magari prima la residenza, lo status di profuga e un tetto sulla testa. Poi pensiamo all'eroico Giorgio Marincola e alla targa sul muro. Va bene?

– No, non va bene per niente, – s'inalberò Isabella. – Se
uno aspetta sempre di avere i piedi al calduccio, finisce che a
certe faccende non ci pensa mai, perché quando poi ti ritrovi
al caldo coi piedi, allora ti pare di aver freddo alle chiappe,
e via di questo passo. È proprio nei tempi di vacche magre
che bisogna farsi forza nutrendo anche lo spirito. E adesso
vai, su, se no perdi il treno e come al solito dài la colpa a tua
madre. Quando hai detto che torni?

– Tra quattro o cinque giorni.

– Cosí tanto? E che hai da fare per tutto 'sto tempo?

– Te l'ho già detto: studio, lavoro, poi c'è il Comitato pacifista Somalia unita che mi dà parecchio da fare.

– Il Comitato che?

– È un'associazione che abbiamo messo in piedi all'inizio
dell'anno, per raccogliere cibo e medicine. Cerchiamo di far
conoscere quel che succede in Somalia, di coinvolgere le istituzioni, le parrocchie, i partiti. Siamo stati anche all'ultimo
congresso del Pci, ma purtroppo i compagni avevano altro da
pensare. Quando leggevano il nostro nome, Comitato pacifista Somalia unita, subito si mettevano a discutere se fosse
giusto dirsi pacifisti e chiedere il ritiro delle truppe dall'Iraq
di Saddam. Un tizio, quando gli ho spiegato che la Somalia
rischia di diventare un nuovo Libano, con i diversi clan che
si fanno la guerra, mi ha risposto che di certo c'erano meno
fazioni a Mogadiscio che lí da loro, dove gli era appena toccato montare tre salette in piú per accogliere le riunioni dei
vari gruppi, gruppuscoli, mozioni e sottomozioni.

Antar si rivide con il tascapane pieno di volantini, ad
aggirarsi per la Fiera di Rimini, tra mucchi di spille con la
quercia del nuovo partito e cumuli ancora piú imponenti di
souvenir con il vecchio simbolo, la falce e martello e le due
bandiere, quello disegnato da Renato Guttuso, il piú noto
tra i pittori che avevano ritratto sua madre.

– Va bene, va bene, mi abbandoni di già, – recitò Isabella, – ma cercherò lo stesso di non morire dal dolore. Abbracciami, su. Tu, Marco, hai fretta? Possiamo restare qui un altro po'? Grazie mille. Faccio solo un giro dell'isolato: se non ricordo male c'era pure un altro ingresso, piú vicino alla fermata del tram. C'è ancora, no? Dico il tram, quello che arrivava dall'Acqua Bullicante, sulla Prenestina. Noi di Casal Bertone ci venivamo a scuola, ma prima c'era da farsi un pezzo a piedi oppure col 213. Io preferivo a piedi, anche se era lunga.

Isabella strabuzzò gli occhi, arricciò le labbra e con le dita adunche, sollevate in alto, fece il gesto di spremere l'aria.

– Sul 213 erano solo palpate.

Dieci
Roma, 7 maggio 1937

Non capitava spesso che mamma venisse a prenderci all'uscita di scuola, e le rare volte che succedeva c'era sempre in vista una grossa seccatura, come andare dal dottore o far visita
agli zii, con quello stupido di nostro cugino che badava solo
alle mie mutande.

Per questo restai come un baccalà, il giorno che ce la trovammo di fronte al portone e invece di annunciarci un qualche supplizio: – Voi due, – disse a Ciro e Rosa, – filate a casa –. Poi, senza guardarmi, mentre già si incamminava: – Tu
vieni in centro con me, – ordinò. – Devi provare un vestito.

Salutai i miei fratelli e sgattaiolai al suo fianco lungo la strada sterrata. A mia memoria, non avevo mai trascorso piú di
cinque minuti da sola con lei, se non quando mi trascinava
in bagno per mettermi in riga, e di vestiti tanto importanti
da dover andare fino in centro per provarli, c'erano stati solo
quelli della cresima e della prima comunione.

Morivo dalla curiosità, ma non feci domande. A scuola mi
chiamavano «la mummia», perché parlavo poco e malvolentieri, e di sicuro non era Flora Virdis la fatina buona capace di
sciogliermi la lingua. Con lei aprivo bocca solo se interrogata.

Salimmo di corsa sul tram e andammo a sederci di fianco
a una signora grassa e sudaticcia, con uno strano cappello a
forma di borsa per il ghiaccio. Si vede che mia madre la conosceva, perché si misero a chiocciare tra loro e io tornai a
fantasticare sul nuovo vestito.

Chissà, forse c'entrava l'esame di quinta elementare, che finalmente si profilava all'orizzonte. Dico finalmente non perché fossi ansiosa di prepararlo, anche se studiare era l'unica faccenda che mi riuscisse bene.

– Allora, com'è andata la scuola? La maestra ti ha chiamato?

Il fatto è che avevo un anno in piú dei miei compagni, e mi sentivo una ritardata, per quanto non fossi davvero ripetente, nel senso che non mi avevano mai bocciata, ma mi ero dovuta iscrivere in prima elementare per due volte di seguito: una a Porto Bardia, in Cirenaica, dove mio padre aveva fatto la guerra ai ribelli di al-Mukhtar (e il giorno del mio compleanno aveva dovuto presenziare alla sua impiccagione), e l'altra a Roma, quando eravamo tornati, e il preside aveva detto che le scuole di Porto Bardia non contavano niente e tanto valeva che rifacessi tutto daccapo.

– Mi senti? Dico a te. Hai fatto il tuo dovere, stamattina?

– Come? Ah, sí, certo. Tutto bene.

Che diavolo le prendeva, a mia madre? Non s'era mai interessata di quel che facevo a scuola. Di solito era mio padre, quando non stava in giro con l'esercito, a farmi quel genere di domande. Lei al massimo stava ad ascoltare, mentre sparecchiava la tavola, e una volta, ma quella soltanto, che m'ero messa a piangere per un brutto voto, mi aveva detto di piantarla, che di sicuro non me l'ero meritato e avrei fatto meglio al compito successivo.

– Tutto bene? Solo questo? Peccato, la signora Svassi ci teneva, a sentire quanto sei brava.

Ah, ecco: la signora Svassi. Avevo imparato a riconoscere il senso di certe allusioni. Quando mia madre usava quel tono, significava che in un qualche modo, magari oscuro, stavo per rimediarle una brutta figura e per meritarmi poi una bella ripassata. Per mia fortuna, nel caso in questione, era facile capire come metterci una toppa e cosí mi sforzai di raccontare nel dettaglio com'era andata la mattina.

– La maestra mi ha chiamato alla cattedra e mi ha interrogata sull'Africa Orientale. Mi ha fatto i complimenti per come sapevo dire certi nomi difficili e me li ha fatti ripetere piú volte, perché tutti imparassero. «Ascoltate, – ha detto ai compagni, – sentite come pronuncia bene Uebi Scebeli!» Poi c'erano tanti spilli con attaccata una bandierina italiana e la maestra mi ha chiesto di piantarli sulla mappa delle nostre colonie, una per ogni battaglia importante della campagna d'Etiopia. Nel frattempo ha tirato fuori la macchina fotografica e mi ha chiesto di mettermi in posa, voltata verso di lei, puntando la bandierina sul nome di Macallè. Dice che farà stampare la foto e la metterà nell'albo di classe. Ah, poi ci ha dato un foglio che serve per iscriversi all'esame, ce l'ho qui in cartella, ve lo faccio vedere. Io l'ho detto alla signora maestra, qui c'è un errore, mia madre si chiama Flora Virdis, ma lei ha risposto che andava bene cosí. Vedete? C'è scritto: «Figlia di Giuseppe Marincola, fu Giorgio, e di Aschirò Assan».

Una mano piombò sul pezzo di carta e me lo strappò dalle dita. Alzai gli occhi e vidi mia madre che lo stringeva davanti a sé, con una faccia torva come il colera.

– Metti via, – disse puntandomi il foglio. – La maestra ha ragione e tu sei una stupida che pensa di sapere tutto. Quello è il mio nome tradotto in somalo, non c'è niente di strano. A casa poi te lo spiego meglio.

Traduzione: per un qualche motivo misterioso ero riuscita lo stesso a fare brutta figura e una volta rientrate me lo avrebbe spiegato a suon di ceffoni.

Provai a combattere l'angoscia riprendendo il filo dei pensieri sul vestito, ma ormai s'era tutto aggrovigliato e mi ritrovai la gola chiusa da un nodo tanto stretto che comin-

ciai a singhiozzare, per quanto sapessi che cosí aggravavo la
brutta figura e quindi la punizione che mi aspettava.

Quando ripresi il controllo, sentii la signora Svassi parlare sottovoce con mamma e spalancai l'orecchio per capire
cosa dicevano.

– Quindi, scusate, non ho capito... È davvero figlia vostra?

– Macché, Dio liberi. Non l'avete visto quanto è nera?

Allora pensai che dovevo averla combinata proprio grossa,
se mia madre sperava che Dio la liberasse di me. «Grossa»
voleva dire cinghiate, e il ricordo dell'ultimo trattamento
stava per tirarmi fuori le lacrime, quando le porte del tram
si aprirono di scatto e mamma mi spinse verso l'uscita.

Il vestito era bello davvero e la sarta non la smetteva piú
di sdilinquirsi per quanto mi stava bene. Le righe bianche e
azzurre della gonna mi facevano piú slanciata e la vita stretta, con la blusa senza maniche, metteva in risalto quel po'
di petto che di solito preferivo camuffare.

Appena arrivate a casa, mia madre controllò che Ciro e
Rosa fossero in camera a fare i compiti, che Giorgio non fosse ancora rientrato e che la domestica avesse lasciato in ordine la cucina, prima di dedicarsi al suo pomeriggio libero.
Conoscevo bene quel rituale preparatorio: mamma voleva
che la casa fosse in ordine prima di scatenare la tempesta.
Eppure andai a sedermi sul divano del soggiorno, di fianco
al mobile della radio, perché sapevo che nascondermi avrebbe solo peggiorato le cose.

Mia madre si affacciò dopo qualche minuto e disse soltanto:

– Vieni.

Aveva in mano il *curbash*, un frustino corto che mio padre aveva portato con sé dalla Somalia.

La seguii in bagno senza opporre resistenza e la ascoltai
urlare che ero stupida come una scimmia, che conoscere tut-

te le battaglie della campagna d'Etiopia non contava niente
se non imparavo a comportarmi bene, a rispondere a modo,
a non mettere in piazza gli affari nostri.

Stavo in piedi davanti a lei e aspettavo che partisse con il
primo schiaffo. Non dovevo reagire. Una volta avevo provato a rannicchiarmi come un riccio per evitare le botte in
faccia e allora lei, esasperata, mi aveva rotto la schiena col
tacco di una scarpa.

– Come t'è saltato in mente di tirare fuori quel foglio? Se
la maestra ti dice che deve firmarlo tuo padre, tu lo devi dare
a tuo padre, non a me, in tram, davanti alla signora Svassi.

Zitta, dovevo restare zitta.

– *D'asi fattu apposta!* – ringhiò. Quando attaccava col sardo era un brutto segno. – Tuo fratello ti ha raccontato qualcosa e tu volevi mettermi in imbarazzo, *berus*?

Alla domanda diretta era meglio rispondere. Il silenzio
poteva passare per una sfida.

– No, no, – dissi in tono accorato, – è stato solo uno sbaglio.

– *Tui sesi unu isbagliu!* Uno di quegli sbagli che non si
perdonano. Perché per una volta passi, ma due no, la seconda volta bisogna starci attenti, bisogna pensare, hai capito?

– No, ma quale seconda volta? Io non lo faccio piú, ve lo
prometto, vedrete che...

Il ceffone arrivò piú forte del previsto. D'istinto mi piegai da una parte e persi l'equilibrio, finendo aggrappata alla
tazza del gabinetto. Cercai di tirarmi su in fretta, non volevo pensasse che cercavo di ripararmi, di schivare le botte
che meritavo, ma un colpo in mezzo alle spalle mi convinse a stare giú, a prendermi la testa tra le mani e a implorare
che la smettesse.

Preghiera inutile, meglio stare zitta.

Le sferze del *curbash* mi davano un dolore sconosciuto.
Erano diverse dalle cinghiate, che fanno lo stesso male di

uno schiaffo, però tutto concentrato su una superficie piú stretta e moltiplicato in lunghezza. Queste bruciavano come ferite e mettevano gli stessi brividi di quando ci si avvicina alle fiamme. Ne contai cinque, poi sentii la porta sbattere, sollevai il coperchio del cesso e ci vomitai dentro.

– Hai di nuovo litigato con la mamma? – domandò Rosa quando mi rifugiai in camera nostra e mi buttai sul letto, la faccia nel cuscino. Le sue parole puzzavano di rimprovero e compassione, fusi come sempre in un'unica voce. Da una parte, sapevo che le dispiaceva vedermi cosí. Non era passato molto tempo da che mi stava sempre appiccicata e non faceva niente se non lo facevo anch'io. Dall'altra, mi riteneva la causa di quegli uragani domestici. Doveva esserci una ragione se solo io riuscivo a far perdere le staffe alla mamma, che con gli altri fratelli era severa, spesso nervosa, ma mai li avrebbe presi a scudisciate dietro la porta del bagno. Una ragione doveva esserci, su questo ero d'accordo. Ma nemmeno io sapevo quale fosse.

Mentre mi sforzavo di capirci qualcosa, sentii suonare il campanello e mi precipitai giú dal letto per precedere Rosa sulla porta di casa.

Ci spintonammo nel corridoio stretto e io fui sul pianerottolo per prima. Mi affacciai alla balaustra e domandai: – Chi è? – nella tromba delle scale.

Tre piani piú sotto, un uomo alzò il volto verso di noi, senza aprire bocca. Non era una figura nota e aveva un aspetto inquietante che ci convinse a rientrare.

Soltanto quando arrivò al nostro piano ci rendemmo conto di cosa ci aveva spaventate.

Lí per lí non avremmo saputo rispondere, ma ora lo vedevamo bene, dentro la striscia fra i due battenti bloccati con la catena.

Quell'uomo aveva la pelle nera.

Scappammo di corsa verso le stanze piú interne in una fuga poco dignitosa, schiamazzando come galline impaurite.

– Il diavolo, il diavolo!

Rosa si buttò contro la porta della camera matrimoniale ed entrò di slancio. Io puntai i piedi e mi fermai sulla soglia. Mamma era sotto le coperte, il busto appoggiato alla testiera del letto e un fazzoletto bagnato sulla fronte. Le veniva sempre un attacco di emicrania, dopo avermi picchiato.

– Che c'è? Che succede? Non lo vedete che sto riposando?

– C'è un signore alla porta, mamma, dovete venire. È un signore tutto nero.

– Nero? E chi è, quello del carbone?

– Non lo so, mamma, non ce l'ha detto.

– E voi gli avete aperto?

Rosa mi guardò disperata, non sapeva cosa rispondere.

– No, – intervenni, – abbiamo messo la catena.

La mamma mise i piedi a terra, infilò la vestaglia e prima di uscire dalla stanza mi rifilò una scoppola.

– Quante volte ti ho detto che *prima* devi chiedere il nome e *poi*, se è qualcuno che non conosci, gli apri con la catena. *No immoi. Pustis!*

Trascinò i piedi fino alla porta di casa e accostò la bocca allo spiraglio incatenato.

Nel frattempo era arrivato anche Ciro e in due parole lo avevamo informato dell'accaduto, ma non riuscivamo a metterci d'accordo su chi tra noi dovesse strisciare lungo il muro del corridoio, per catturare briciole di conversazione. Rosa indicava Ciro, perché era un maschio. Ciro proponeva me, che ero la piú grande, e io preferivo che andasse Rosa, perché a conti fatti era la piú svelta dei tre. Alla fine, i due piú piccoli si misero d'accordo e mi costrinsero all'avanscoperta.

Mamma aveva tolto la catena e ora l'uomo misterioso mi
appariva tutto intero, per quanto di sbieco. Indossava una
strana gonna lunga fino ai piedi, aveva in testa il turbante
come Sandokan e sul petto gli pendeva un cordone con due
grosse nappe di colore rosso.

Lo sentii pronunciare il nome di mio padre e temetti che
davvero fosse il diavolo che se l'era venuto a prendere. Non
sapevo cosa pensare, ma la mamma rispose tranquilla che
il signor Marincola sarebbe tornato solo dopo le cinque e il
diavolo si congedò senza insistere, stendendo il braccio nel
saluto romano.

Le cinque arrivarono in fretta, dopo la merenda con i biscotti e il carcadè.

Stavo leggendo in tinello il «Corriere dei Piccoli», quando
mio padre entrò nella stanza e ordinò alla mamma un «caffè
caffè», ripetuto due volte, per indicare che lo voleva vero e
non surrogato.

– È venuto il fratello di quella, – lo informò lei. – Gli ho
detto che sareste andati, ma di aspettarvi più tardi.

Mio padre annuí, disse che il caffè lo avrebbe preso per
strada e spronò la mamma a prepararmi subito con il vestito nuovo.

Chiusi il giornalino e mi sforzai di decifrare quel che s'erano detti. «Il fratello di quella» doveva essere l'Uomo Nero,
perché nessun altro era passato da casa in tutto il pomeriggio. «Sareste andati», invece, sembrava riferirsi a me e a papà, visto che io dovevo «prepararmi subito» e lui avrebbe
preso «per strada» il suo caffè caffè. Quindi il Diavolo non
era venuto solo per mio padre, era venuto anche per me e
dovevamo andarci insieme. Oppure mio padre mi ci avrebbe giusto accompagnato e poi…

– Isabella, allora, ti vuoi muovere o no? Scattare!

La sua voce da caserma mi richiamò all'ordine e approfittai per domandare dov'eravamo diretti.

– È una sorpresa, – rispose lui sottovoce, con l'indice appoggiato sulle labbra e lo sguardo divertito.

Forse pensava che il mistero mi avrebbe intrigato. Ma io
di sorprese, per quel giorno, ne avevo avute abbastanza.

Lungo la strada, feci altre indagini per scoprire la nostra
meta.

– Vedrai, vedrai, – continuava a ripetere mio padre.

Svoltammo tra i pini che marciavano in due file verso la
via di Portonaccio. Il fosso dell'Acqua Bullicante, una specie
di fogna a cielo aperto, faceva piú puzza del solito: forse alla
Cisa Viscosa si stava sperimentando una nuova fibra tessile. Il
tram ci lasciò al capolinea, poi arrivammo con l'autobus fino
alla riva del Tevere, in una zona di Roma che non conoscevo, ovvero in un qualunque luogo della città fuori da Casal
Bertone, la borgata dove abitavamo. Ci eravamo trasferiti
lí dopo la Cirenaica, e io dell'altra casa, che stava in centro,
non ricordavo nulla, se non che era piú piccola, piú fredda e
con il bagno in comune sul ballatoio. Mio padre aveva comprato il nuovo appartamento nel suburbio perché si diceva
che lí sarebbe sorta una città giardino, ma per il momento
l'unico giardino era una collinetta d'erba col vecchio casale
in cima, chiusa tra i palazzoni, le ferrovie, gli orti di pomo-
dori e le baracche abusive dei baresi.

L'autobus doveva averci scaricato *davvero* molto lontani
da casa, perché ci ritrovammo in una spianata dove pascola-
vano cavalli, muletti e una decina di dromedari. Non era la
prima volta che li vedevo dal vivo, ne avevo pure cavalcato
uno, tra le sabbie del deserto libico, insieme a una squadriglia
di meharisti sahariani. Quella era l'unica esperienza, di tutta
la mia infanzia odiosa, che mio fratello Giorgio m'invidias-

se davvero. Lui non c'era venuto, a Porto Bardia. Lui stava a Pizzo, in casa dello zio, amato e viziato come un principino, e da quando s'era trasferito a Casal Bertone non faceva che raccontare del suo pianoforte, del mare di Calabria, delle scorribande con gli amici, e io non avevo altro, per farmi bella con lui, che una foto sfocata in groppa a un dromedario, a fianco dei leggendari guerrieri delle dune.

Oltre le sterpaglie brucate dagli animali, sorgeva un intero accampamento di tende. Ci presentammo all'ingresso, sotto un portale di pali e rami intrecciati. Mio padre disse il suo nome, poi, ridendo, mulinò l'indice davanti a sé.

– Questo non me la date a bere che l'hanno montato i negri, – disse ai due giovani di guardia. – Io ci ho provato mille volte e non sono mai riuscito a fargli allineare due tende. Non sono capaci, è piú forte di loro. Dico bene? Li avete aiutati voi, per non farli sfigurare…

I due annuirono contenti, lui domandò come arrivare in un certo posto e ci inoltrammo in quell'angolo d'Africa, fino a un edificio in muratura che invece aveva l'aria di una villa di campagna.

Sulla porta, dritto come un tronco, c'era un Uomo Nero vestito uguale al «fratello di quella», a parte le nappe di lana che gli pendevano dal collo: verdi invece che rosse.

L'uomo e mio padre si salutarono romanamente e anch'io, per non sbagliare, tirai su il braccio, attenta a non fare «ciao» con la mano, come mi capitava di solito, con grande disappunto della maestra di ginnastica.

L'impegno profuso mi impedí di ascoltare la conversazione tra i due, ma il risultato fu che venimmo introdotti in un grande salone senza arredamento: al posto dei mobili, lungo le quattro pareti, stavano seduti una quarantina di diavoli, sempre vestiti nello stesso modo, chi con le nappe e chi senza, alcuni intenti a fumare, altri a mangiare, altri ancora a dormire.

Uno di loro si alzò e ci venne incontro. Mi parve fosse lo stesso uomo che aveva bussato alla nostra porta, ma non ne ero affatto sicura, perché in quella stanza vedevo quaranta copie della stessa persona.

Ci fu il solito scambio di saluti, mi presentai con l'inchino e il Diavolo mi accarezzò una guancia.

– Che stare bella, – disse. – Tutta come tua madre.

Infilò la mano in una borsa di pelle che portava a tracolla e tirò fuori un braccialetto d'argento e piccole conchiglie.

– Questo per te, cosí ricordi la Somalia, il nostro paese.

Lo slacciò e lo tenne aperto di fronte a me, come per aiutarmi a metterlo. Io guardai mio padre in cerca del suo benestare: non avevo mai indossato un gioiello prima di allora ed ero convinta che lui non fosse d'accordo. Invece approvò con un cenno del capo, e il Diavolo mi chiuse attorno al polso il suo sigillo.

Doveva essere quella la famosa sorpresa, perché nella mezz'ora seguente non accadde nulla di speciale, se non che mio padre salutò diverse persone, mi fece fare diversi inchini, qualche saluto romano, e alla fine ce ne andammo che faceva buio.

– Posso farvi una domanda? – dissi mentre tornavamo di buon passo verso la fermata del bus. – Chi era quel signore che m'ha regalato il braccialetto?

– Era un *dubat*, Isabella. Non te l'hanno insegnato a scuola, chi sono i *dubat*?

– No, ve l'assicuro.

– Ebbene, sono i soldati somali delle nostre Truppe Coloniali. Molto valorosi, grandi guerrieri. Si chiamano cosí perché hanno il turbante bianco, che nella loro lingua si dice *dubat*.

– E dunque questo signor Dubat è nato anche lui in Somalia, come me?

– Certo che sí.

– E anche lui è cosí nero per via del sole che ha preso?

– Be', lui no. Lui è nato cosí, capisci? È un negro.

– E quindi, anche se prendessi tanto sole, non diventerei mai scura come lui, giusto?

– Ma che domande sono?

– Voi mi avete detto che io sono scura perché a Mogadiscio c'è tanto sole, ne ho preso tanto da piccola e adesso sono cosí. Allora mi chiedevo se prendendone ancora…

– No, no, macché. Tu non diventerai mai nera come un *dubat*.

– Ah, ecco, meno male! Sai che paura altrimenti, magari di notte.

La fermata era proprio sotto un lampione e approfittai della luce per guardare meglio il mio bel braccialetto. Chissà Rosa come mi avrebbe invidiato!

Mio padre dovette leggermi nel pensiero, perché proprio mentre me lo rigiravo tra le dita, disse che a casa avrei dovuto farlo sparire e non mostrarlo a nessuno, specie a mia madre, che certe cose non le portava e non voleva che le portassimo neppure noi.

Avrei voluto ribattere che si sbagliava, ero certa che alla mamma i gioielli piacessero, ma con mio padre non era permesso discutere, e quando diceva una cosa, voleva soltanto sentirsi rispondere:

– Sissignore!

Mi levai il braccialetto senza far storie, tanto a Rosa lo avrei mostrato lo stesso, di nascosto, sperando non fosse cosí invidiosa da fare la spia.

– Fammi capire, – ricapitolò mia sorella mentre esaminava i piccoli globi d'argento alternati alle conchiglie. – Questo signor Dubat era lo stesso che è venuto qui a casa nostra?

– Mi pare di sí.

– Ti pare? Non gliel'hai chiesto? Uno ti fa un regalo e tu non sai manco chi è?

– Ma sí, è un soldato che viene dalla Somalia, deve essere stato nell'esercito insieme a nostro padre.

– E allora, scusa, ma se davvero è un amico di papà, perché il regalo l'ha fatto solo a te?

– Ha detto che cosí mi ricordavo del nostro paese. Tu sei nata qui a Roma, mica in Somalia.

– E Giorgio? Lui è nato in Somalia come te, eppure papà non l'ha portato dal signor Dubat.

– Che ne sai? Magari lui c'è già stato a incontrare quel signore. Magari un regalo lo ha già avuto e non ce lo ha fatto vedere. Te l'ho detto che papà mi ha comandato di non mostrarlo a nessuno, il braccialetto.

Rosa mi guardò con aria furba, come se la sapesse molto piú lunga di me.

E in effetti, per quanto fosse piú piccola e non andasse tanto bene a scuola, di sicuro era piú sveglia. Io studiavo, studiavo, imparavo tante cose, ma per me erano tutte poesie, la realtà non c'entrava, che si parlasse del teorema di Pitagora o della Campagna d'Etiopia. Che i bambini non li porta la cicogna, l'ho scoperto a diciannove anni, quando mi sono iscritta a Scienze naturali.

– Forse hai ragione, – mi disse Rosa. – Forse Giorgio lo ha già avuto, il suo regalo. Però stavolta devi giurare tu, di non dir niente a nessuno, se ti faccio vedere una cosa.

Incrociai gli indici sulle labbra, il destro sopra e il sinistro sotto, e li baciai con foga. Poi feci lo stesso con il sinistro sopra e il destro sotto, a suggellare il giuramento.

Rosa mi fece segno di seguirla e insieme ci spostammo verso la camera dei fratelli. Ciro giocava con le bilie colorate sui riquadri del pavimento.

– Ti vuole papà, ha detto di sbrigarti, – gli disse Rosa, e lo vedemmo scattare fuori dalla stanza come un soldatino alle grandi manovre.

Liberato il campo, Rosa salí in piedi sul letto di Giorgio e dalla mensola sul muro sfilò uno dei suoi amati romanzi. A parte i testi per la scuola, quelli erano gli unici libri che fossero mai entrati nella nostra casa.

Non riuscii nemmeno a vedere come s'intitolava, perché Rosa prese a sfogliarlo, finché dalle pagine non volò fuori una fotografia.

Atterrò sul pavimento come una farfalla sfinita. Un attimo dopo la stringevo in mano.

Per prima cosa, pensai che nostra madre, Flora Virdis, non era la madre di mio fratello.

Per seconda, pensai che Giorgio lo sapeva e chissà per quale motivo non me l'aveva mai detto. È vero, si faceva sempre i fatti suoi, ma un affare del genere era troppo importante per tenerlo nascosto.

Per terza, pensai che anche Rosa lo sapeva e chissà da quanto tempo. Allora alzai gli occhi dalla fotografia e glieli buttai addosso con aria di rimprovero.

– È stata la mamma a proibirmi di dirtelo, – fu la sua difesa. – Ha detto che nostro padre non avrebbe mai voluto che sapeste la verità, ma poi Giorgio, quando stava dallo zio Alberto, gli ha fatto un sacco di domande e alla fine lui, prima di morire, gliel'ha detto che vostra madre non è nostra madre, ma questa donna qui.

Per quarta cosa, pensai che la mia vita era stata un enorme inganno.

Per quinta, pensai che ero figlia di una diavolessa.

In quel momento la porta si aprí e Ciro entrò con aria seccata.

– Che ci fate ancora in camera nostra?

Rosa spinse il libro nella sua fessura e balzò giú dal letto con un salto da atleta. Io mi infilai sotto la maglia la foto di mia madre.

– Dice papà che mi avete fatto uno scherzo. Non è vero che mi stava cercando.

– Ah, no? – gli rispose Rosa. – Ma guarda.

Lo lasciammo lí come fulminato e Rosa mi fece promettere che alla prima occasione avrei rimesso la fotografia al suo posto.

Promessa che mantenni, ma soltanto quando Giorgio fu di ritorno a casa, e dopo il solito saluto distratto, andò a sdraiarsi in camera in compagnia dei suoi libri. Entrai senza bussare,

sorda alle sue lamentele. Era in mutande e canottiera, e per
quanto fossi tonta, sapevo che era passato il tempo in cui ci
si mostrava mezzi nudi senza provare imbarazzo. Infatti lo
vidi arrossire, ma non ci badai, tirai dritta verso di lui e appoggiai sul suo cuscino il ritratto di nostra madre.

– Perché non mi hai detto niente?

Giorgio si affrettò a riporre la fotografia. Stesso libro,
stessa pagina. Era il classico tipo ordinatino, che non sop-
porta gli oggetti fuori posto.

– E cos'avrei dovuto dirti, sentiamo? Che nostra madre
mi ha spedito una foto? Pensavo che anche a te fosse arrivato qualcosa.

Tirai fuori il braccialetto, glielo porsi e lui se lo fece scorrere tra le dita.

– Bello, – disse. – Chissà quant'è costato! Questo sí che
è un regalo, altro che fotografia.

Allora gli spiegai che non m'interessava confrontare i ri-
spettivi doni. Quel che mi interessava era sapere tutto su
nostra madre, visto che *a me* avevano fatto credere che fosse Flora Virdis (in somalo Aschirò Assan) e che la mia pelle
fosse piú scura per via del sole di Mogadiscio.

Giorgio si mise a sedere sul bordo del letto e mi indicò
lo spazio accanto a sé. Stesi la gonna sotto le cosce e gli se-
detti a fianco.

– Tu non sai niente, – mi disse con un'aria caritatevole e
stupita che mi dette fastidio, come se quella frase non riguar-
dasse solo le nostre origini, ma piú in generale la mia conoscenza del mondo. Sapevo bene che Giorgio non mi considerava una cima: ogni tanto mi dava da leggere qualche suo
libro, come in un'elemosina di scienza, e con lo stesso atteggiamento cominciò a parlare. Sembrava una di quelle favole
che gli piaceva raccontare a noi sorelle, per crogiolarsi nel
nostro sguardo incantato, con la differenza che quella storia

non se la stava inventando, ed era invece un pezzo di quanto chiamavo realtà a essere il frutto di una pietosa invenzione.

Piú lo ascoltavo e piú mi convincevo che da quel giorno molte cose sarebbero cambiate tra noi, grazie al segreto che ci custodiva e ci rendeva complici.

Non fu cosí. La prima volta che Flora mi fece assaggiare di nuovo il *curbash*, le rinfacciai di non essere la mia vera madre, e il nostro segreto svaní. Mio padre disse che aveva mentito per il mio bene, ma che ancora non lo potevo capire.

Giorgio continuò a trattarmi dall'alto in basso, a prestarmi i suoi libri in beneficenza e a considerarmi poco intelligente, ma quella sera di maggio del 1937, alla vigilia della grande sfilata, con i *dubat* e i meharisti lungo i Fori Imperiali, quella sera andò a finire che mi misi a piangere, lui mi abbracciò, io lo accarezzai, ci sdraiammo sul letto e ci tenemmo stretti, come un ombrello chiuso, finché Rosa si affacciò alla porta, anche lei senza bussare, e subito scappò, gridando che Giorgio e Isabella facevano le porcherie.

Archivio storico
Reperto n. 3

LA STAMPA

Domenica, 9 maggio 1937 – Anno xv

SOLDATI E POPOLO AI RITI GUERRIERI DELL'URBE

INTORNO AL SOVRANO E AL FONDATORE DELL'IMPERO

La giornata.

Roma, 8 notte – La celebrazione del primo annuale dell'Impero, per cui Roma folgorante di sole e di azzurro, è tutta corsa da un palpito festoso, da una vibrazione gioiosa, è iniziata questa mattina nel ricordo degli eroici Caduti.

Mentre la cerimonia si svolgeva, guardavamo il Duce. Alto sul podio, il volto dalle linee salde e ferme, in pieno sole, egli assisteva alla sfilata dei familiari dei Caduti con una espressione di semplice e umana solidarietà. La fierezza che luceva negli occhi dei congiunti dei Caduti, pareva riflettersi nei suoi stessi occhi. Il dolore che aveva solcato dei suoi segni le tempie e le guance di mamme e di babbi, pareva vibrare in lui con uguale intensità. Dalla sua ferma attitudine, aliena da ogni posa sentimentale, dal suo gesto, spoglio e cameratesco, si sprigionava una corrente di intima simpatia, di profonda comprensione, che conquistava gli animi. Per tutti egli aveva una parola che sembrava conoscere le vie dei cuori e portarvi un raggio consolatore.

La consegna delle decorazioni si è protratta per oltre due ore. Dopo il Duce si è rivolto alle famiglie dei Caduti e ha pronunciato parole di glorificazione per l'eroismo dei loro congiunti; infine ha voluto che le truppe sfilassero in loro onore, dinanzi a loro, e durante la sfilata, disceso dal podio, si è mescolato alla massa dei decorati che gli si sono stretti intorno in un moto di spontanea devozione e riconoscenza.

Per la prima volta con le rappresentanze di tutte le Forze armate metropolitane, dalla fanteria di linea all'artiglieria, dai granatieri ai bersaglieri, dai marinai agli alpini, dagli avieri alla guardia di finanza, dalla cavalleria ai carri armati, dai carabinieri agli agenti di polizia, alla m.v.s.n. e al genio, e alla sanità, e alla sussistenza e ai reparti chimici; per la prima volta accanto a questa immensa varietà di corpi, di reparti, di servizi, in cui si articola la crescente complessità delle nostre Forze armate di terra, di mare e dell'aria, sono apparsi i soldati delle nostre colonie: la brigata eritrea, la snella e irruente formazione dei nostri fedelissimi ascari, le bande degli impetuosi *dubat* somali, i libici nelle pittoresche divise, gli zaptiè dai corpetti rossi o azzurri trapunti d'oro, i savari e gli spahis sui focosi cavalli berberi, le spalle avvolte nelle molli pieghe dei *burnus* color fiamma o color cielo, e i meharisti issati sulle groppe dei dondolanti quadrupedi. Lo spettacolo, nuovo per Roma, era di quelli che inebriano e esaltano: dalla colorita, pittoresca vivacità del quadro, si sprigionava un senso di vasti orizzonti, di lontane terre, di sterminate distese africane, che predisponeva l'animo alla piena comprensione di un rito quale è quello che stava per compiersi: imperiale.

Le mitragliatrici che crepitano dalla sommità del Vittoriano avvolgono di nubi grigiastre i cavalli che sembrano trascinare verso mete radiose le alate vittorie sulle quadrighe.

Nessun commento è piú adatto di questo strepito guerriero
alla celebrazione che si sta svolgendo nel solenne scenario
del Foro dell'Impero: esso dice che il popolo italiano proteso
nelle opere di pace è sempre pronto alla guerra, armi spiriti
volontà, tutto di lucido acciaio.

– Allora? Che ne dici di questa sorella rottamata? Tristo
spettacolo, non è vero? E te credo: negli ultimi due mesi ho
già cambiato casa sei volte. Prima Mogadiscio, poi Nairobi,
poi Antar mi aveva trovato un appartamentino a Roma, vicino a Casal Bertone. Gliel'aveva lasciato un amico, ma dopo nemmeno tre giorni ha telefonato per dire che la proprietaria non era d'accordo, non voleva subaffitti e non voleva
rogne. Allora io penso, delle due l'una: o questo amico di
Antar è un grandissimo coglione, e non s'era spiegato bene
con la padrona, oppure quella mi ha visto, s'è immaginata
le sue due camere occupate dai Mau Mau e ha deciso che i
neri per casa non le andavano a genio. Fatto sta che Antar
si è dovuto precipitare a Roma da un giorno all'altro, e siccome al lavoro non gli avevano dato il permesso, lo hanno
licenziato ancora prima che tornasse. Per fortuna è saltato
fuori un altro amico, che abita a Colle Val d'Elsa e fa il dot-
torato a Siena, e cosí ho vissuto con questi due ragazzi fino
alla fine di maggio, in un bel paesino della Toscana, talmente bello che la madre di uno dei due ha pensato bene di venire in vacanza dal figliolo, e io ho dovuto levare le tende.

– Scusami, Isabella, – ti domanda Rosa perplessa, – Antar dove abita? Non ti poteva ospitare lui?

– Eh, magari. Troppo facile. Quello scemo di mio figlio,
tre anni fa, è andato a vivere in casa di una megera. Ci siamo conosciute, non ci siamo piaciute, e adesso quella non mi

vuole piú vedere. Figurati che dopo Colle Val d'Elsa, quando Antar l'ha supplicata di ospitarmi, quella gli ha concesso tre notti, non di piú, e solo perché quel giorno era un venerdí, lei si trovava a Milano per un convegno e poteva anche restarci per il fine settimana. Lunedí, allo scadere dell'ultimatum, Antar non sapeva piú a che santo votarsi, poi gli è venuta in mente Sant'Orsola, cioè il nome di questo ospedale, e allora mi ha portato qui, inventandosi che avevo avuto un malore. E siccome a sessantacinque anni un bel check-up non te lo nega nessuno, ecco la mia ultima casa, anche se ormai se ne sono accorti che non ho niente di grave, e nel giro di due o tre giorni dovrò smammare anche da qui.

Rosa annuisce con aria contrita, allunga una mano e sfiora il dorso della tua.

Chissà, ti domandi, *forse sono riuscita a impietosirla.*

Sdraiata su un letto d'ospedale, reparto geriatria, mentre fuori dalla finestra si prepara l'estate.

Adesso ci riflette e mi dice che sí, ci sono tre stanze vuote nella sua bella casa di Torino, e se prometto di non rompere le palle e di non rivangare il passato, allora posso trasferirmi da lei, prendere la residenza, prendere i quattro milioni e rifarmi una vita.

La tua vicina di destra non smette di succhiarsi le labbra, quella di sinistra chiama una certa Amelia ogni cinque minuti.

– Mi dispiace davvero, cara Isabella, – dice Rosa dopo aver riflettuto. – E ancor di piú mi dispiace di non poterti aiutare. Ieri sera ne ho parlato con Giancarlo e ho capito che per lui sarebbe un sacrificio troppo grande. Rinunciare alla nostra intimità, proprio adesso che le figlie sono andate a stare per conto loro. Già ci sono Samba e Merengue, i due yorkshire, che fanno sempre baccano e hanno un sacco di esigenze. Dovresti vederli, come presidiano il territorio. L'altro giorno c'è mancato poco che non azzannassero al polpaccio il povero ragionier Serra. Figurati cosa potrebbero fare con un'ospite fissa. Verrebbero tutte le notti a mozzicarti i piedi!

Ride, ma è una risata d'imbarazzo, che si spegne in fretta. Raccoglie la borsa da terra, apre la zip, tira fuori il portafoglio.

Ecco, ti dici, almeno qualche soldo ha deciso di lasciarmelo. Antar non ha più un lavoro, non ha un soldo in banca, l'unica entrata in vista è il soprassoldo di mio fratello, ma sono trecentomila lire e non arriveranno prima di fine mese.

– Vuoi che ti porto qualcosa dal bar? – domanda Rosa mettendosi in piedi.

A 'sto punto, tanto vale sgranchirsi.

– No, dài, vengo giú anch'io. Fammi prendere la vestaglia.

Mentre uscite dalla camera, incontrate sulla porta padre Facchini, il cappellano dell'ospedale. È un tipo in gamba, ti fa compagnia, e se non ne vuoi sapere del suo Gesú Cristo, evita di tirarlo in ballo a ogni buona occasione.

– Buongiorno, padre, le presento mia sorella Rosa.

– Piacere, signora, molto lieto.

– È mia sorella per parte di padre, – ti affretti a dire, – ma abbiamo mamme diverse. La mia era somala, la sua è sarda.

– Ah, ora capisco. E siete cresciute in Somalia?

– No, siamo cresciute a Roma. La nostra era una famiglia insolita per quegli anni. Eravamo due fratelli scuri e due chiari.

– Non dev'essere stato facile, – commenta il cappellano con il classico tono da *orapronobis*.

– Per niente, – fa Rosa. – Proprio per niente.

– E a Roma siete cresciuti con la sua mamma?

– Sí, – risponde Rosa con le dita sul petto, – siamo cresciuti tutti con la mia.

– Che santa donna! – esclama il buon prete con le mani giunte.

– Be', aspetti, – lo fermi tu. – Proprio santa non direi.

Rosa accenna un colpo di tosse e tu non insisti. Vi congedate da padre Facchini, e dopo ascensore, corridoio e fila alle casse vi ritrovate a un tavolino con caffè d'orzo e succo d'arancia.

L'ultima volta che hai visto tua sorella è stato nel 1977, a Roma, sempre in un ospedale. Da allora, solo telefonate, per Natale e per Pasqua, con l'occhio all'orologio per non spendere troppo. Sono passati quattordici anni ed è invecchiata parecchio, anche se lo sguardo da anziana ce l'ha sempre avuto, fin da ragazza. Sono passati quattordici anni, ma non puoi resistere alla tentazione di riallacciare un discorso rimasto in sospeso.

– Senti, Rosa, ma il *curbash*? L'avete poi trovato? Il frustino che usava per picchiarmi.

Tua sorella appoggia la tazza d'orzo e fa cascare le braccia giú dal tavolino.

– Ancora con questa storia? Non lo so, non l'abbiamo nemmeno cercato. Ma se vuoi facciamo finta di sí, facciamo finta che l'abbiamo trovato. E allora? Quanti bambini a quei tempi prendevano le botte? Pensi che a me non le abbia mai date?

– Non con la frusta.

– E dài con 'sta frusta! Ma tu te lo ricordi, quanto eri monella? E non lo capisci, da madre, quanto dev'essere difficile crescere i figli di un'estranea, per giunta cosí diversi da tutti gli altri bambini? Prova a metterti nei suoi panni, una buona volta.

– Ma certo, sorella. È proprio perché mi sono messa nei suoi panni che sono tanto arrabbiata con tua madre. Mi ci sono messa e mi sono fatta schifo.

Rosa sceglie di non ribattere e si riempie la bocca con l'orzo ormai tiepido. Tu finisci il succo d'arancia fino all'ultima goccia, meticolosa come un'alcolista, per non restare con le mani in mano nel silenzio minerale che vi è franato addosso.

Intercetti un'occhiata di tua sorella sull'orologio a muro e ne approfitti per domandarle quando deve ripartire.

– Meglio se vado subito, – è la risposta. – Vuoi che ti ri-
accompagno in camera?

– No, grazie, me ne sto ancora un po' seduta a guardarmi in giro.

– Allora devo proprio salutarti.

Ti alzi, la stringi, ma è come un abbraccio tra cavalieri
in armatura.

La guardi andare via, è invecchiata anche nei passi.

Se ci sarà una prossima volta, ti dici, sarà di nuovo in
ospedale.

– Amelia, Amelia, Amelia! – chiama la tua vicina di letto.
Lo fa spesso anche di notte, tanto che questa Amelia ti si è
infilata nei sogni. Ha la faccia della bella Giulietta, quella
di Nairobi, però si chiama Amelia e vive nella casa di Antar
e Celeste. A Mogadiscio.

Chissà che diavolo significa, ti domandi.

La signora Marisa se ne sta come sempre di fianco alla
finestra, sull'unica poltrona della stanza, a sorvegliare i rami di un abete. Non sai perché lo faccia, ma quando l'occhio ti cade su di lei, pensi che anche tu non vedi l'ora di
uscire da queste quattro mura, ripiene di letti e cattivi odori, di pittura lavabile grigio pallido, di solitudine e verdure
bollite. Eppure, una volta fuori non saprai dove andare, e
ti ripeti che almeno in Somalia una casa ce l'avevi, e che
sessantacinque anni, laggiú, sono già una bella età per dare l'addio al mondo. Con pochi farmaci e poca assistenza
medica, non sono molti quelli che piegano gli stracci dopo
i settanta. Non a caso, sei la piú giovane della stanza e hai
piú acciacchi di un'ottantenne. Fin dalla prima sera ti hanno imbottito di medicine: una per l'asma, una per l'artrite, una per la diuresi, due per i reumatismi, una per il cuore,
una per l'osteoporosi.

Ma è l'osteoporosi del tempo la tua malattia peggiore. Meno male che Antar ti ha comprato i tappi di silicone: con quelli puoi leggere anche di giorno, mentre le altre guardano la tivú, i parenti telefonano e gli infermieri parlano ad alta voce, come se il vostro fosse un reparto di sordi.

– Ciao, belle ragazze. Com'è andato il ballo ieri sera?

L'infermiere Tommaso entra a passo di carica e dopo la brillante battuta si mette a fischiettare il *Tango delle capinere*. La tua vicina di sinistra prova ad accompagnarlo con la voce, ma le si impasta la lingua dopo la prima strofa. Alle tue colleghe vecchiette piace da morire questo giovane di bell'aspetto che fa sempre il cretino e le mette di buon umore. A te invece fa montare il nervoso. Sarà che un approccio simile ti ricorda l'atteggiamento degli italiani in Somalia. Un modo di essere simpatici che sotto sotto nasconde disprezzo. I vecchi, come le donne, sono i negri del mondo. E tu sei vecchia, nera, donna e pure bastarda. Cos'altro ti aspetti?

– Cara Isabella, allora, ma lei lo sa che è anemica? Eh? Lo sa che i suoi valori di emoglobina sono proprio bassi? Oggi il dottore le ha prescritto una bella dieta ferro. Che dice, le daranno dei chiodi?

Sorridi, anche se i chiodi glieli vorresti piantare in testa.

– Aspetti che le leggo l'elenco, eh? Cosí se c'è qualcosa che non mangia me lo dice subito e lo cancelliamo. Allora: carne rossa, fagiolini, spinaci, carote.

Alzi la mano, agiti l'indice a metronomo e alle carote dici no.

– Ma davvero, Isabella? Non le piacciono le carote?

– No, è che…

– Ho capito, ho capito, – fa l'infermiere.

Che avrà mai capito?, ti domandi stizzita. In ospedale non ti ascoltano mai, specie se sei anziano. Sanno già tutto prima

che tu possa spiegare. Il guaio delle carote è che da crude son
dure, ti si stacca la dentiera. Le puoi mangiare solo cotte, ma
forse non c'è abbastanza ferro. Pazienza. Piuttosto c'è un'altra faccenda, ben piú importante. Oggi Carmela, quando è
passata con la colazione, ti ha detto che per pranzo ci sarebbero stati gli gnocchi, come il primo giorno che sei arrivata. E
quegli gnocchi, di tutto il tristissimo cibo da ospedale ingur-
gitato finora, sono l'unico piatto che hai mangiato volentieri,
anche perché Carmela ti ci ha lasciato mettere tre bustine di
grana. È un'infermiera gentile, Carmela: non ti tratta come
una bambina e nemmeno come un cespuglio. I clisteri, per
esempio, te li fai mettere solo da lei. Perché a te la degenza
fa questo effetto, ti si blocca l'intestino, non vai di corpo,
e lei almeno ti racconta com'era la tua cacca, cosí sei contenta, perché non è piacevole buttarla fuori e non poterla
controllare, sentirsi alienati dalla propria merda.

– Senta un po', Tommaso. Non è che nella dieta ferro mi
togliete gli gnocchi, eh? Non facciamo scherzi.

Li ami, quegli gnocchi. Tutti gli altri alimenti dotati di
sapore li tieni da parte per Antar – mele, biscotti, formag-
gini – ma gli gnocchi col grana non te li devono toccare.

– No, no, Isabella, non si preoccupi. Quelli ci sono. Tonnellate di gnocchi per le mie belle gnoccolone. Contenta?

Sí, contenta. Talmente contenta che non lo mandi a ca-
gare nemmeno col pensiero.

Merito degli gnocchi del Sant'Orsola e di due bustine extra di grana padano.

Dodici
Bologna, 3 luglio 1991

Per un paziente d'ospedale, quando il primario passa
per la visita quotidiana e dopo aver sfogliato i referti decide per le dimissioni, quella, di norma, è una buona notizia.
Se però il ricovero non è dovuto a una malattia precisa, ma
solo a qualche acciacco di vecchiaia e al bisogno impellente
di avere un letto e una stanza, allora la guarigione è peggio
del malanno.

Ecco perché, guardando in faccia tuo figlio, nessuno im-
maginerebbe che sua madre sta per uscire viva dall'ospedale Sant'Orsola.

A te, invece, non occorre molta fantasia per capire che le
occhiaie, lo sguardo basso e il finto sorriso significano che
Antar non sa più cosa inventarsi e tu non hai dove dormire
per la prossima notte.

– Allora? Dove hai pensato di sistemarmi questa volta?
Al canile municipale?

– Tranquilla, ci sono diverse possibilità, faccio un paio
di telefonate...

– Senti come abbaio bene: *wof, wof*. E scodinzolo, anche,
cosa credi? Non si vede perché ho la codina piccola, ma se
serve scodinzolo, scodinzolo tutta.

– Va bene, allora ti porto a pisciare in un parco qua vicino –. Afferra la tua valigia e si incammina giù per le scale
– Mentre stavi chiusa là dentro, fuori è arrivato il caldo, lo
senti? Viene proprio voglia di stare all'aperto.

– Già, e magari anche di dormirci. Una bella panchina, un fiasco di vino…

Antar solleva la sporta di plastica che tiene appesa a una mano.

– Al vino ci ho già pensato, Montepulciano d'Abruzzo. Poi ho preso dei sandwich, una busta di prosciutto, due belle mele verdi e due barrette al cioccolato. Facciamo un picnic per festeggiare l'estate.

Ingegnoso, come stratagemma per addolcire la purga. Quasi quasi vorresti bertela, ma sono passati cinquant'anni da quando ti chiamavano «la mummia» e da almeno quaranta hai sviluppato il difetto opposto: parlare troppo.

– Quella stronza della tua fidanzata non vuole nemmeno che mangiamo a casa vostra?

– La casa è sua, Isabella, e non sono tanto convinto che sia ancora la mia fidanzata.

– Vi siete lasciati per colpa mia?

La domanda vorrebbe avere un tono dispiaciuto, ma in certi casi le tue doti da attrice non ti soccorrono. Il risultato è un mezzo grido d'esultanza.

– Diciamo che il tuo arrivo non ci ha aiutati. Celeste ha tirato fuori un egoismo che non le conoscevo. Dice che ne va della sua salute mentale, che averti per casa la farebbe impazzire, e devo ammettere che anch'io non ho un buon ricordo del vostro primo incontro.

Decidi di fare l'offesa e questa volta non hai problemi a calarti nella parte.

– Mi hai messo sull'aereo con due mesi d'anticipo, neanche avessi una malattia contagiosa.

– Te l'ho già spiegato mille volte, – gesticola tuo figlio, – qui non è come in Somalia, che la nuora deve lisciarsi la suocera a ogni costo. Qui, anche se sei vecchia e saggia, devi stare al tuo posto, magari in poltrona, a irradiare carisma, ma senza mettere il naso negli affari di coppia. Tu ci piombavi in camera all'improvviso, mentre eravamo sul letto, e con la tua faccia innocente dicevi: «Continuate, continuate pure, volevo solo vedere come andava».

– Ero appena un po' curiosa e ne avevo ben donde. Tu con le donne hai sempre avuto problemi...

Antar decide di non darti corda, nella speranza che basti a farti tacere. Tu lo accontenti e osservi la città, provi ad annusarne i cambiamenti. Manchi solo da tre anni, ma questi sono tempi convulsi, e mentre a Mogadiscio le tue giornate scorrevano sempre uguali, Gorbačëv ha fatto la Perestrojka, Berlino non è più spaccata in due, e gli studenti cinesi hanno occupato Tienanmen. A Bologna, invece, sono tornate le Fiat Cinquecento, come negli anni Sessanta. Il modello è nuovo e la sagoma non assomiglia all'originale nemmeno di lontano. Ma forse basta il nome per illudere gli italiani che il boom è tornato, buoni e cattivi sono sempre gli stessi, si lavora tutta la settimana, il sabato si fa peccato e la domenica mattina ci si pente alla messa.

Passate di fronte a un chiosco di giornali e tu domandi ad Antar se può comprarti «l'Unità».

– Aspetta un attimo, – dice. – Da quanto tempo non leggi un giornale italiano?

– Da quando sono arrivata ancora niente, ero troppo in subbuglio.

– Non hai guardato nemmeno la tivú?

– Ma quale tivú? Nei posti che mi hai rimediato è già tanto se c'era il frigidaire.

Ridacchia, con quell'aria da saputello che aveva sempre anche suo zio.

– Allora è meglio se prima ti racconto un paio di cose, altrimenti rischi di tornare in ospedale per curarti un infarto. Per quanto, a pensarci bene, un altro ricovero ci farebbe comodo.

– Mi basta solo che Craxi non sia diventato re d'Italia.
Anni fa, quando è venuto a Mogadiscio, sembrava che fosse
tornato Vittorio Emanuele.

– E ci credo, con tutti i miliardi che si portava in borsa
per il compagno Siad. Comunque no, niente monarchia, però da febbraio non c'è piú il Partito comunista, la Sampdo-
ria ha vinto lo scudetto, forse tra poco arrivano i marziani.

Non gli concedi la soddisfazione di mostrarti stupita.

– Va bene, compramelo lo stesso. Non me ne frega niente dell'Italia. Voglio vedere se ci sono notizie dalla Somalia.

– Sí, certo, come no, e magari anche le ultime novità
sulle guerre interplanetarie nelle altre galassie. Se è la Somalia che ti interessa, meglio investire i soldi in una telefonata a Elio Sommavilla. Vieni, ecco l'ingresso del parco,
siamo arrivati.

Varcate la soglia di un cancelletto e quello che Antar ha
chiamato parco si rivela essere poco piú di un'aiuola, con
un'altalena, quattro panchine e un francobollo d'erba asse-
diato dai palazzi. All'ombra di un gelso che pare cresciuto
per sbaglio, riposano una cabina del telefono crivellata di
bacche nere e una fontana polverosa.

Tre panchine sono già occupate: ragazzini che amoreggia-
no, vecchi che li guardano e una baby-sitter a smaltarsi le
unghie. La quarta è al sole, ma tuo figlio non sembra accor-
gersene, molla i bagagli lí di fianco e si precipita a telefonare, con i gettoni in una mano e l'elenco dei numeri nell'altra.

Nell'attesa, faresti volentieri un brindisi, giusto per pre-
pararti in caso di brutte notizie, ma figurarsi se Antar si è
ricordato il cavatappi. Frughi nella sporta di plastica, ci sono addirittura due bicchieri, ma niente di adatto per togliere
il turacciolo alla bottiglia di vino. Pensi che magari potresti
romperle il collo sull'asfalto e stai ancora riflettendo se ne
valga la pena, quando nel giardinetto irrompe una donna, av-

vinghiata a una valigia con entrambe le mani, e dopo molto sbuffare e trascinare, viene a sedersi proprio di fianco a te. Ha i capelli neri, le tempie sudate e la valigia in finta pelle simile alla tua.

Dopo essersi asciugata la fronte con due fazzoletti di carta, la nuova arrivata si alza e raggiunge la fontana, ma nonostante vari tentativi, il rubinetto rimane all'asciutto.

Ti viene in mente che nella sporta, oltre al vino e ai panini, c'è pure una bottiglia d'acqua e vorresti offrirla subito alla tua vicina di panca, se non fosse che torna con le lacrime agli occhi e appena seduta prende la testa tra le mani.

Antar intanto si agita dietro i vetri della cabina. Non puoi sentire quello che dice, ma da come passeggia e fa danzare le braccia, immagini che all'altro capo ci sia Celeste.

Ti volti e la donna è sempre lí, nella stessa posizione, magari un goccio d'acqua potrebbe confortarla. Provi ad aprire la bottiglia, ma anche un semplice tappo a vite è troppo duro per la tua artrosi.

Cerchi con lo sguardo l'aiuto di Antar, ma ora è di schiena, il telefono incastrato fra la spalla e l'orecchio, forse per prendere un appunto su un pezzetto di carta. Sembra piú tranquillo, di sicuro ha cambiato interlocutore.

Ti fai coraggio e metti una mano sul braccio della donna.

– Gradisce un sorso d'acqua?

Lei abbassa le dita e libera due occhi color benzina. A giudicare dalle rughe, le daresti una decina d'anni meno di te.

– Tenga, ecco il bicchiere, però la bottiglia deve aprirsela da sola, io proprio non ce la faccio. Anzi, a proposito, se per caso avesse un cavatappi si potrebbe stappare il vino, che per tirarsi su è molto meglio dell'acqua.

La donna apre la bottiglia con un gesto minuscolo, senza nemmeno togliertela dalle mani. Le porgi il bicchiere e lo riempi fino all'orlo.

– Grazie, – dice, e con il palmo della mano libera si asciuga le lacrime. – Vuoi che apro anche vino?

Dall'accento e dalla grammatica capisci che è straniera, forse slava. Le porgi la bottiglia di Montepulciano e la osservi estrarre dalla borsa non un cavatappi o un coltellino svizzero, ma un grande foulard a fiori che avvolge stretto tutt'intorno al vetro. Quindi si toglie una scarpa, ci appoggia dentro il fondo della bottiglia e batte con forza il tacco sull'asse della panchina. Va avanti cosí per due minuti buoni, poi molla per terra la scarpa, accosta la bottiglia alla bocca e un attimo dopo, abracadabra, il sughero è tra i denti della sconosciuta, il vino è aperto e tu applaudi come una bambina di fronte a un prestigiatore.

Ti piacerebbe capire come diavolo ha fatto, ma quando i due bicchieri sono pieni di nettare, la tua prima curiosità non è per l'incantesimo cavaturaccioli.

– Anche lei è qui per l'ospedale? – domandi indicando la valigia.

Fa segno di no con la testa e dice soltanto: – Albania.

– Viene dall'Albania?

Fa segno di sí.

– Mio marito e mio figlio sono ancora a Vlore, Valona. Io qui ho un fratello. Abita vicino.

Bevi un sorso e la sua domanda successiva te lo fa andare di traverso.

– Tu sei di Somalia?

– Sí, – ti stupisci, – vengo da Mogadiscio, ma tu come…

– Ho visto alla televisione la vostra guerra, tanta gente che parte. Tu sei nera, hai una valigia, parli bene italiano. Anche Somalia era parte di Italia, no? Come Albania. Loro sono venuti da noi per prima, adesso noi viene da loro.

– A dire la verità, – precisi, – io *sono* italiana, anche se a guardarmi, lo sembro molto meno di te.

Ti porge una mano affusolata, le unghie ben curate.

– Io mi chiamo Merushe.

– Come, scusa?

– Puoi chiamarmi Maria.

– No, no, – protesti, – altro che Maria. Fai già le prove per passare da italiana? Non ne vale la pena, lasciatelo dire da un'esperta.

– Me-ru-she, – scandisce mentre stringe le tue dita tra le sue.

– Isabella Marincola, – rispondi. – E quello...

Ti giri verso la cabina per indicare Antar e te lo ritrovi a un passo, un attimo prima di buttarti le braccia al collo.

– C'è una casa, una casa in montagna! È di Simona Zorzi, la fidanzata di Bruno, quello di Colle Val d'Elsa. La sua famiglia ci andava in villeggiatura, ma sono anni che non la usa nessuno e cosí possono lasciartela, da domani fino a settembre.

Tu vorresti balzare in piedi e accennare una rumba, quella che ballavi a Mogadiscio nei primi anni Sessanta. Veniva dal Congo e la chiamavano *sekousse*, ma con mezzo secolo in piú nelle gambe, forse ti conviene sculettare e basta, magari a ritmo di *niiko* o *kabeebey*, le danze piú in voga durante la dittatura. E siccome anche le mosse pelviche ti risultano proibitive, alla fine ti limiti a intonare la sola canzone in somalo che conosci, una che passava come sigla in televisione e alla radio nazionale.

Illahayow, illahayow, illahayow wa kugu mahad.

Grazie, Allāh, grazie, Allāh, grazie, Allāh. Questo giorno è la nostra libertà.

Le note di Ali Feyruz ti danzano in testa, stai per offrire una libagione agli dèi, ma a un tratto ti blocchi, abbassi il lieto calice e interroghi Antar con aria da Sant'Uffizio.

– Hai detto da domani?

– Da domani, esatto. Non sei contenta?

– Sí, per carità, contentissima. Ma stanotte? Dove si dorme stanotte?

Antar ti toglie il bicchiere di mano e lo vuota in un sorso.

– Stanotte non lo so, va bene? Non lo so. Ho chiamato Franco, ma sua moglie non vuole. Ho chiamato Celeste, ma dice che hai già esaurito il bonus. Ho chiamato un paio di alberghi, ma il prezzo minimo per una notte sono trentamila lire, cioè quello che abbiamo fino al 20 del mese, quando speriamo che arrivi la pensione di Giorgio. Adesso mi riattacco al telefono e una soluzione la trovo, non ti preoccupare, potevi almeno goderti la bella notizia.

Se ne va rabbuiato, torna alla sua cabina, ai suoi gesti assurdi dietro il vetro, ai gettoni e ai numeri di telefono.

Tu e Merushe continuate a parlare, le racconti di come sei scappata da Mogadiscio e lei ti descrive quel che ha lasciato a Valona. A volte usa l'inglese: è una donna che ha studiato, ha fatto l'università, lavorava in un ministero, con un discreto stipendio. – Piú alto che mio marito, – dice orgogliosa, poi l'amministrazione pubblica s'è sfasciata e l'inflazione s'è mangiata i risparmi.

– In Albania diciamo che il fico non fa fiori, ma mette i frutti guardando altro fico.

E cosí la gente si è buttata sulle navi in partenza per l'Italia.

– Io per fortuna ho mio fratello qua, ma tanti altri vengono e non c'è lavoro, non c'è casa.

– A chi lo dici, – commenti con amarezza e troppo vino in corpo.

– Tu puoi venire da mio fratello, questa notte. Lui tra poco è qui.

– No, Merushe, ma che dici? Non posso accettare.

– Ma sí, invece. Lui ha preparato il letto per me, tu può dormire lí.

– E tu? Tu dove dormiresti?

– Per una notte va bene anche tappeto. Non è problema. Guarda, ecco lui che arriva. Redian!

L'uomo avanza verso di voi, grosso come un trattore. I due si abbracciano, lui sembra imbarazzato. Allunga la mano sulla valigia e fa capire che ha fretta, ma lei lo trattiene. Parlano in albanese e tu capisci solo che pian piano alzano la voce, si mettono a discutere.

– Senti, Merushe, se è per colpa mia che litigate, io...

– No, no, – ti risponde lei e quasi ti appoggia un dito sulle labbra. – Tu non è problema. Aspetta.

– Ma guarda che davvero non c'è bisogno...

La prospettiva di dormire in casa di questo energumeno non ti sembra piú cosí allettante.

Merushe punta l'indice contro il petto del fratello, lui le molla una spinta che la rimette seduta.

– Ah, questo poi no! – dici in tono perentorio. – Tenga le mani a posto, signor Redian. Ha capito? Se ha intenzione di picchiare sua sorella, sappia che mi metterò a gridare con tutto il fiato che ho in corpo, vuol sentire? Ho fatto l'attrice, in passato. Ho l'ugola possente.

Dalle altre panchine, i vecchi sporgono la testa. La baby-sitter richiama il piccolo dall'altalena. I ragazzini continuano a sbaciucchiarsi.

Redian ti guarda con vago disprezzo e butta la valigia nella polvere.

– Ma vafanculo, – dice, e se ne va a passo svelto.

Merushe piange di nuovo.

– Se c'era mio marito questo non succedeva, – singhiozza.

– Ma che gli è preso?

– Lui non vuole che tu viene da noi. Io allora ho ricordato che nostro padre, quando c'era i nazi, ha tenuto in casa due ebrei come se nostri cugini. Lui non può ricordare, perché troppo giovane, ma io ricordo, e mio padre ha detto che questo si fa perché devi difendere il tuo ospite anche con la vita. È la nostra legge, il Kanun. Allora lui dice che una donna deve star zitta, anche questa è la legge, perché ha capelli lunghi ma cervello corto, e che se io vuole mettermi contro di lui, allora sto qua a dormire, su questa panchina.

E con le braccia mima il gesto della spinta, che suo fratello deve averle dato mentre diceva cosí.

– Nient'affatto, – ti ribelli. – Tu non dormi su nessunissima panchina. Antar! – gridi con la tua voce impostata. – Antar, *kale, kale*. Vieni qui.

Ripeti il richiamo in somalo a intervalli regolari, per un minuto buono, finché non lo vedi caracollare verso di voi.

– Che c'è, Isabella? Ho ancora due-tre numeri da chiamare, poi…

– Quanto dicevi che costerebbe una stanza d'albergo?

– Trentamila lire la piú economica.

– Che dici, cara? – fai rivolta a Merushe. – Ne prendiamo una e ci dormiamo in due? I letti degli alberghi sono larghi e tu, a differenza della sottoscritta, non sembri aver bisogno di grandi spazi. Quindicimila a testa. In Italia si dice: mal comune, mezzo gaudio.

– Non lo so, Isabella. Io forse meglio che chiamo mio fratello. Mio marito è un uomo diverso, ma mio marito è a Vlore e non so quand'è che arriva.

– Su, su, ci andrai domani da tuo fratello, d'accordo? Anzi, sai cosa facciamo? Gli fai una telefonata dall'albergo e gli dici di venirti a prendere domattina, cosí poi gli chiedi scusa e gli fai pagare la stanza. Che te ne pare? Va bene? Allora, Antar, coraggio, dove hai detto che si trova, la nostra suite imperiale?

Tredici
Roma, giugno-novembre 1944

Mio fratello Giorgio se ne andò di casa una mattina di giugno, pochi giorni dopo l'ingresso in città delle truppe alleate.
Entrò in cucina e mi trovò ad armeggiare con una scatoletta di carne, tanto difficile da aprire quanto cattiva da
mangiare. Ero giunta a metà dell'opera, quando sul piú bello
la striscia di latta che bisognava togliere del tutto per dividere in due il barattolo si era spezzata di netto, costringendomi a far leva con una forchetta nella fessura incompleta
e a contendere il pranzo a quelle fauci di alluminio. Meglio
cosí: lo sforzo richiesto aumentava la fame e la fame era
l'unico rimedio al sapore disgustoso della gelatina di brodo
ristretto, che racchiudeva le scaglie di manzo bollito come
vespe nell'ambra.
Prima di partire per la guerra, mio padre ci aveva raccomandato di fare economia, ma forse non immaginava che ci
saremmo ridotti a fare la zuppa con le bucce dei piselli. Sua
moglie aveva dovuto rinunciare alla servetta e mi avrebbe trasformato volentieri nella sua schiava negra, se non fosse che
andavo bene a scuola ed ero negata per le faccende di casa.
Cosí toccava a lei pulire le stanze, fare la spesa e cucinare per
la famiglia. Quest'ultimo compito, in particolare, la metteva di pessimo umore. Allora mi sforzavo di non entrare nella sua orbita per tutta la giornata, ma bastava che andassi in
ghiacciaia per un bicchiere d'acqua fresca, che subito quella
sfogava i nervi su di me. E se capitava che ci prendessimo a

male parole prima che lei buttasse la pasta, allora per vendicarsi non cuoceva la mia razione, sparecchiava il mio posto a tavola e io dovevo arrangiarmi: o riattizzare il fuoco, o aprire scatolette.

Alzai gli occhi dal tavolo, ansiosa di concludere il mio lavoro di scasso. Giorgio aveva sulle spalle uno zaino da montagna e indossava una camicia color grigio topo, senza cravatta, che mi fece pensare a un'uniforme da soldato.

– Vado a un corso di formazione organizzato dal partito, – mi spiegò. – Starò via un paio di settimane. Mi raccomando, niente tragedie con la mamma.

La mamma? Chissà perché Giorgio si ostinava a chiamarla cosí. Io preferivo usare «la moglie di mio padre», «signora Marincola», a volte l'ironico «cara mammina», e quando proprio volevo farla uscire dai gangheri, «madama Flora» o semplicemente «madama», com'erano dette le compagne africane degli italiani in colonia. Donne come la mia vera madre. Donne che la signora Marincola si compiaceva di chiamare puttane.

Giorgio si chinò su di me da dietro le spalle. Gli allungai un bacio senza smettere di lavorarmi la scatoletta, e mentre se ne andava intonai la colonna sonora dei nostri saluti frettolosi.

– *Quatto, quatto, quatto il bel pinguino innamorato, con il cuor trafitto s'allontana disperato…*

Ormai avevo fatto l'abitudine ai suoi andirivieni: nell'ultimo anno avevamo passato insieme sí e no venti giorni.

Durante un'incursione aerea dell'estate precedente, una bomba americana aveva centrato l'ala opposta del palazzo dove abitavamo. Il boato e le macerie avevano convinto Flora Virdis a sfollare in campagna, in un casale agricolo a Montorio Romano. Giorgio, con il pretesto degli esami universitari, era rimasto a Roma. Ogni tanto compariva, prendeva una manciata di libri, mangiava un boccone, dormiva qualche ora e spariva di nuovo. Soltanto a febbraio si era trattenuto per piú di una settimana. Era insieme a un amico e mi aveva raccomandato di non dire a nessuno che stavano lí. In cambio, ero riuscita a scucirgli qualche segreto e avevo scoperto che mio fratello era un antifascista, che militava in un partito fuorilegge e che il suo compare, se lo beccavano, rischiava di essere fucilato come disertore. Lui no, mi disse, perché lo avevano riformato: Mussolini non voleva meticci nell'esercito italiano, ed era già molto se a noi due, con le leggi razziali, non avevano tolto la cittadinanza e il cognome del padre.

Da allora, molte cose erano cambiate: eravamo tornati a Roma, il Partito d'azione non era piú clandestino e cosí il viaggio di mio fratello non mi sembrava nulla di rischioso, se paragonato alle sue scorribande di partigiano.

Invece passarono le settimane, passò l'estate, e mio fratello non tornava. Un compagno di liceo, dopo molte insistenze, mi rivelò che Giorgio si era «messo a disposizione» del comando britannico. Di piú non sapeva, o non voleva dire. Pensai alla beffa di avere un fratello arruolato con gli inglesi, un padre che li combatteva in Africa Orientale e uno zio *dubat* costretto a servirli nella Somalia occupata.

Avrei voluto fare ricerche piú approfondite, ma non ne avevo il tempo. La mia cara mammina mi aveva tagliato i fondi, non mi dava piú una lira nemmeno per le calze, e mi vidi costretta a cercare un lavoro.

Lo trovai in una fabbrica di giocattoli, non lontano dalla stazione Tiburtina. Eravamo sei dipendenti, tutte donne, chiuse in uno scantinato a montare bambole, burattini snodabili e carri armati in scala uno a trenta. I pezzi erano sparsi su un tavolaccio di formica e il padrone ci ronzava intorno

per controllare gli assemblaggi e allungare le mani. Sulle prime mi piegai a sopportarlo, perché i soldi mi servivano e le
colleghe piú esperte dicevano che se volevo uno stipendio,
era meglio che imparassi a stare al gioco, a farmi rispettare
con astuzia, perché gli uomini sono cosí e non c'è posto di
lavoro dove non ci sia un uomo che ti comanda e che può
permettersi certe attenzioni. Ben presto, però, mi resi conto che il sor Zanetti rivolgeva sempre a me le attenzioni piú
spinte. Fu una scoperta sorprendente, perché me ne andavo
in giro conciata come una rubagalline, e per quanto sapessi
di non essere racchia, ero convinta che le mie compagne fossero molto piú attraenti. Non avevo fatto i conti con la mia
pelle africana, che attizzava il padrone con promesse di sesso
facile, selvaggio e caldo come una notte equatoriale.

Ogni mattina, la medesima sceneggiata. Mi sedevo al tavolo, iniziavo il lavoro e dopo dieci minuti me lo ritrovavo
alle spalle, il naso affondato nei capelli.

– Isabella, questo vostro odore mi manda nei matti.

Io non mi spostavo di una virgola, lo sguardo fisso su ruote, perni e gambe di Pinocchio.

– Lasciatemi lavorare, sor Zanetti. Non lo vedete che sono una morta di fame?

– Appunto, – rispondeva lui, lasciando intendere che se
lo avessi accontentato, mi sarei riempita la pancia con piú
facilità.

Il resto della giornata era una *flanella* di strusciate, carezze, tocchi accidentali, bacetti, occhi a raggi X, apprezza-
menti volgari. Io sopportavo, imparavo a farmi rispettare,
ma avevo già avuto un cugino che non perdeva occasione di
trattarmi a quel modo, e forse la mia misura era già colma.

Una sera, con la scusa di una lavorazione sbagliata, il sor
Zanetti mi fece rimanere al tavolo oltre l'orario d'uscita.
Restammo soli e io ebbi la brutta idea di lamentarmi per-

ché lo stanzone era troppo freddo, avevo le dita congelate e non riuscivo a incastrare le ruote su un modellino di auto da corsa. Lui arrivò, sempre da dietro, mi prese le mani e le tenne fra le sue.

– Te le scaldo io, – disse premuroso, salvo poi risalire lungo le braccia e aggrapparsi alle poppe, mentre incollava il basso ventre alla mia spina dorsale.

Abbassai la testa e lo colpii sul naso con l'auto da corsa. Il perno di una ruota gli si conficcò nello zigomo, appena sotto l'occhio. Allora mollò la presa e si mise a sbraitare che mi avrebbe denunciata, mentre io prendevo la porta e la sbattevo in faccia alla mia prima esperienza di lavoro.

La mattina dopo, con la giornata libera che mi si spalancava di fronte, decisi di capire una volta per tutte dove fosse finito mio fratello. Pensai che i suoi amici e compagni di scuola, con il loro fare da cospiratori, non si sarebbero mai confidati con una come me. Girava piú di un proverbio sull'importunità di rivelare a una donna i propri segreti. Mi augurai che Giorgio non desse retta a certe panzane e che avesse parlato dei suoi progetti anche alle amiche. Come donna, chissà perché, mi aspettavo da loro piú comprensione. E senza volerlo ammettere, speravo che al fondo di certi proverbi ci fosse almeno un briciolo di verità.

Scartai a priori le ragazze che già conoscevo, con le quali Giorgio poteva essersi raccomandato di «non dire nulla a Isabella». Dovevo pescare in acque remote, presentarmi dove mio fratello non immaginava che arrivassi.

Mi venne in mente un libro che avevo trovato anni prima sul bordo della vasca da bagno. Una raccolta di poesie, rilegata in tessuto bianco, con il titolo e l'autore stampati sulla costa in lettere d'oro. Sulle prime pagine c'erano gli auguri di compleanno e la firma di una donna dal nome straniero.

Non mi fu difficile recuperare il volume nella stanza dei fratelli. L'autore si chiamava Rainer Maria Rilke e la ragazza era una certa Helen Zimmermann. Sfogliai le pagine con il testo originale e la traduzione a fronte, che mi parve altrettanto incomprensibile. Giusto una manciata di versi mi suonarono rivelatori:

Non è tempo che noi amando
ci liberiamo dell'amato e fremendo resistiamo:
come la freccia resiste alla corda, per essere, concentrata
                    nel lancio,
piú di sé stessa? Perché restare è senza dove.

Immaginai che questa Helen fosse una spasimante di Giorgio, magari ricambiata, e che avrei trovato in lei una buona fonte di notizie, a meno che non fosse gelosa della complicità con il suo innamorato.

Rilessi la strofa nella versione tedesca, in cerca di chissà quale formula magica, e mi restarono impresse le ultime parole: *Bleiben ist nirgends.* Restare è senza dove.

Mentre me le rigiravo in testa, notai che tra le pagine del libro, su uno dei lati corti, si apriva uno spiraglio, come un occhio allungato, e aprendo il volume in corrispondenza di quello, trovai un segnalibro di cuoio, marchiato a fuoco con lo stemma della libreria *Michelucci*, via di San Saba numero 3.

Controllai l'indirizzo sullo stradario: la zona era quella dell'Aventino, per me ignota come la giungla del Congo. Negli anni del liceo la mia conoscenza di Roma non si era allargata di molto. Avevo una vaga idea dell'Esquilino, il quartiere della scuola, e di San Lorenzo, che stava in mezzo tra quello e Casal Bertone. Qualche volta mi ero spinta fin sulla Tiburtina e avevo frequentato le prime lezioni alla

Sapienza. Su tutto il resto della città avrei potuto scrivere *hic sunt leones*, perché non avevo mai ricevuto un solo invito nelle case dei miei compagni e avevo passato l'adolescenza chiusa in casa a studiare, cercando riparo dal mondo e da mia madre dietro un muro di manuali scolastici.

Pensai che il libraio Michelucci poteva rivelarsi un buon contatto con la signorina Zimmermann, che aveva un cognome insolito, faceva letture impegnative e acquistava tomi di lusso da regalare agli amici.

L'intuizione si rivelò quella giusta e se non avessi sbagliato autobus, sarei arrivata a destinazione già in mattinata. Invece dovetti sorbirmi un lungo tratto a piedi e quando suonai al campanello degli Zimmermann era già l'ora di pranzo, anche se io non potevo saperlo, visto che un orologio non l'avevo mai posseduto.

La casa era una villa a due piani, bianca, con un grande terrazzo e il giardino tutt'intorno.

Una cameriera impettita, con la veletta in testa, mi accolse sulla porta e mi domandò cosa desiderassi.

– Mi chiamo Isabella Marincola, dovrei parlare con la signorina Zimmermann.

– I signori sono a tavola, – fu la risposta secca, ma non mi arresi.

– Può dire almeno che sono la sorella di Giorgio Marincola, un grande amico di Helen, e che avrei tanto bisogno di parlare con lei?

– Dopo pranzo lo farò volentieri. I signori non amano essere interrotti mentre mangiano.

A quel punto avrei potuto dire: «Va bene, aspetterò», e magari nel frattempo andarmi a comprare un panino, ma quel rifiuto secco mi ferí come una spina e decisi che dovevo toglierla prima che facesse infezione.

Raccontai allora che avevo un padre in guerra, un fratello disperso, una madre somala che non ricordavo neppure e una matrigna sarda che mi aveva cresciuto a scudisciate. Dovevo pagarmi gli studi all'università, avevo appena perso il lavoro perché il padrone mi molestava ed ero forse l'unica italiana con la pelle scura che si aggirasse per la Città Eterna.

I miei vestiti, la faccia smunta, gli occhi neri da vitello scannato fecero il resto.

La cameriera cedette e mi condusse fino a un grande salone, dove la famiglia era seduta a tavola, tra scodelle in porcellana fiorita e calici di vino. Erano padre, madre e due ragazze bionde molto simili tra loro.

–Domando scusa, signori, – disse la domestica con un filo di voce. – C'è qui la signorina Marincola, sorella di Giorgio…

La ragazza piú grande si alzò di scatto e venne verso di me con le braccia aperte.

– E cosí tu sei Isabella, – esclamò. – Che piacere conoscerti.

Immaginai che la frase successiva sarebbe stata: «Giorgio ci ha tanto parlato di te», e se ci avessi scommesso due lire, me le sarei riprese con gli interessi. Ma a parte quelle prime battute, l'accoglienza di Helen si rivelò subito irrituale, perché mi indicò il suo posto a tavola e mi pregò di occuparlo, mentre lei andava a cercarsi un'altra sedia.

Mi ritrovai cosí alla mensa degli Zimmermann, con ancora addosso il mio cappotto logoro, già rivoltato una volta, a balbettare domande su mio fratello Giorgio.

Mentre la cameriera mi serviva una porzione super di crespelle al prosciutto, Helen cominciò a snocciolare quel poco che sapeva, e Felix, il padre, mi promise di indagare presso «gli amici del Partito d'azione».

Le notizie su Giorgio furono l'unica pietanza scarsa di un pasto principesco, se paragonato alle mie scatolette e alla cena con pane e latte che mi attendeva in casa Marincola. In compenso si parlò molto di me, della mia vita ai margini, mentre Helen mi raccontò della sua famiglia e di come Giorgio fosse arrivato a frequentarla.

Gli Zimmermann erano ebrei tedeschi, fuggiti dalla Germania nel '33, dopo il boicottaggio nazista contro i professionisti *juden*. In quell'anno l'Italia di Mussolini non era ancora un paese antisemita e Felix aveva molti contatti a Roma, per via del suo mestiere di collezionista e mercante d'arte. Grazie a questi amici, la famiglia si era sistemata in città e un famoso architetto aveva costruito per loro la villa dove ci trovavamo e dove per anni s'erano riuniti scrittori, pittori e musicisti. Poi, nel '38 era arrivato l'ordine per tutti gli ebrei stranieri di lasciare l'Italia e in tanti avevano dovuto fare le valigie e cercarsi un altro paese, arrivando addirittura fino a Shanghai, l'unico porto al mondo dove non ci fossero limitazioni d'ingresso. Gli Zimmermann erano rimasti, perché potevano permettersi di non avere paura: avevano molti soldi da parte e un'altra villa sull'isola di Capri, dove conoscevano il prefetto e sapevano di poter stare tranquilli. La madre e la figlia piccola se n'erano andate da Roma, per poi tornare in città quando il decreto di espulsione era stato revocato. Qui la famiglia aveva cercato di dare aiuto agli ebrei tedeschi rimasti senza lavoro. Dopo l'armistizio, con l'ingresso dei nazisti a Roma, avevano lasciato la villa e s'erano nascosti nelle case di amici, sfruttando la rete clandestina del Partito d'azione, dove Helen aveva conosciuto Giorgio e altri compagni del liceo.

Terminato il pranzo con un ottimo caffè, stavo per togliere il disturbo, quando Felix Zimmermann mi chiamò da parte e mi domandò se mi interessasse un lavoro.

– Certo che sí, – gli risposi. – Di che si tratta?

– Di posare per me. Io i quadri li colleziono, li vendo,
ma li dipingo anche. Non sarò Caravaggio, ma dicono che
me la cavo.

– Posare? – domandai, anche se ero sicura di aver sentito
bene e di conoscere il senso di quella parola.

– Sí, posare, – confermò Felix. – Vorrei che tu mi facessi
da modella. Hai proprio il fisico adatto per un soggetto che
ho in mente da tempo.

Pensai che il cielo era davvero contro di me, se nel mio
primo lavoro avevo trovato un padroncino che cercava di
possedermi in mezzo ai giocattoli e adesso, come seconda
offerta, mi veniva proposto di fare la modella, e magari di
farmi possedere in mezzo agli acquerelli.

– All'inizio potrai indossare un costume da bagno, – si
affrettò a dire Felix, notando la mia perplessità. – A me serve un nudo a figura intera, ma se vuoi possiamo cominciare
da un mezzobusto.

L'idea di togliermi la biancheria davanti a un uomo e di
restare cosí per diverse ore mi pareva piuttosto assurda e mi
domandai cos'avrebbero detto mio padre o mio fratello Giorgio, se mai l'avessero saputo. Poi mi dissi che il pensiero della
loro disapprovazione non mi aveva impedito di portarmi un
ragazzo sulla collinetta di Casal Bertone, in mezzo all'erba
piú alta, anche se in quel caso non m'ero spogliata granché, e
anzi i vestiti sporchi erano stati l'unico inconveniente.

– Quanto mi paghereste? – m'informai.

– Dieci lire all'ora.

– Cosí poco?

– Non è poco. Una professionista ne guadagna al massimo quindici.

– Ah, sí? Allora io ne voglio venti. Per una professionista,
immagino sia normale mettersi nuda, ma se volete ritrarre
me, dovete pagarmi anche l'imbarazzo.

– E va bene, – ridacchiò Felix, – vada per venti. Ci vediamo qui alle nove di giovedí mattina.

E fu cosí che cercando mio fratello, mi ritrovai nuda nello studio di un pittore.

Quattordici
Tra Bologna e Roda (TN), 5 luglio 1991

– Mamma mia, che sonno, Antar. Credo che dormirò per tutto il viaggio. Dov'è che dobbiamo arrivare?

– Col treno fino a Ora, in provincia di Bolzano. Poi Simona ci porta a Roda, a casa sua.

– *Ach, ja. Wunderbar!* Già che c'eri potevi mandarmi al confino.

– Ma quale confino, Roda è un posto di villeggiatura, sulle Dolomiti, aria buona.

– E allora? Anche Ventotene è un posto di villeggiatura, però Mussolini non ci mandava gli oppositori in vacanza premio. Poi a me la montagna non piace, lo sai. Mi piace il mare.

– Lo so, Isabella. Ma qua l'alternativa non è tra le vacanze al mare o in montagna. Qua se non ti va bene la montagna te ne vai a vivere sotto i ponti, capito qual è l'alternativa?

– Eh, no, invece. Che discorsi sono? Siccome uno è debole, allora deve accontentarsi? Bella filosofia. Sei malato? E allora manda giú il riso scotto dell'ospedale. Sei vecchio? Non rompere i coglioni, già è tanto se non ti lasciamo morire in un bosco. Sei profugo? Prendi questi undici milioni e sta' zitto. Sei albanese? Ringrazia che non ti rispediamo a casa a calci nel culo. Merushe mi ha raccontato le sue avventure, stanotte. Siamo state sveglie a parlare, mi sembrava di essere tornata indietro nel tempo, quando facevo l'attrice e portavamo in giro lo spettacolo, ogni sera una città diversa, con il baule armadio e le chiacchiere in camera fino a notte fonda.

Una donna in gamba, quella Merushe, sapessi quante ne ha passate per arrivare qua. Eppure l'Albania è dietro l'angolo, di là dal canale d'Otranto. Abbiamo appena festeggiato la caduta del Muro, e c'è già chi ne vorrebbe costruire uno in mezzo all'Adriatico.

– E un altro in mezzo a Mogadiscio, se continua cosí.

– E altri ancora chissà dove. Per fortuna il figlio di Merushe è riuscito a partire anni fa. È passato dall'Italia, ha imparato a fare la pizza, e adesso sta a Toronto, con i documenti in regola, una casa, un'automobile. Appena Merushe mette a posto le sue carte, Ardit le paga il biglietto per il Canada e lei si trasferisce là.

– Che bravo ragazzo! Tu invece sei italiana ma stai messa peggio di una profuga albanese, e la colpa è di questo tuo figlio incapace che non s'è ancora laureato e non ha nemmeno imparato a fare la pizza.

– Se solo ti fossi tenuto la vecchia stanza in via Bambaglioli, a quest'ora sarebbe tutto piú facile, altro che pizza.

– E chi se lo poteva immaginare, tre anni fa? Celeste ha una bella casa, stavamo insieme, convivere ci è sembrato naturale.

– Naturalissimo! E a me non hai pensato?

– Senti, capisco il discorso sui poveracci che non devono accontentarsi per forza. È giusto, sacrosanto, io troppo spesso faccio buon viso a cattivo gioco. Però non puoi nemmeno pensare che il mondo ruoti attorno ai tuoi bisogni

– I *miei* bisogni? Avere un tetto sulla testa? Non mi pare solo un *mio* ghiribizzo. O sbaglio?

– Buongiorno, signora. Molto piacere, Simona Zorzi. Avete fatto buon viaggio?

– Sí, sí. Tutto il tempo a litigare.

– Ma no, Isabella scherza, scherza sempre.

– No cosa? Sí, invece.

– Venite, da questa parte. La macchina è piccola e pure sporca, spero mi scuserete.

– Meglio cosí: vorrà dire che i litigi li lasceremo fuori. Che dici, Isabella? Facciamo una tregua? Il posto è cosí bello!

– E su a Roda è ancora meglio. Prati, boschi, il torrente Avisio. Da piccoli ci divertivamo un mondo, ma adesso che siamo cresciuti è una noia mortale. Giusto l'inverno si viene a sciare, ma d'estate saranno tre anni che non usiamo la casa.

– Ah, ecco. Adesso capisco perché mi ci mandate al confino. Ma se credete che pulisca le ragnatele...

– Come dice?

– Te l'ho detto. Ha sempre voglia di scherzare, mia madre. Sentiamo un po' di musica?

– Ehi, Antar, hai visto? Antar? L'hai visto anche tu?

– Dimmi, Isabella. Che c'è?

– L'hai visto anche tu quel cartello stradale?

– No, Isabella, stavo dormendo. Tu non avevi detto che avevi tanto sonno?

– Sí, ma non riesco a dormire, dev'essere l'aria di montagna. C'era un cartello sulla strada, l'abbiamo appena passato, diceva: Stramentizzo.

– Bene. E quindi?

– Tuo zio Giorgio è morto a Stramentizzo, in Val di Fiemme. Qui siamo in Val di Fiemme?

– Sicuro! Siamo appena usciti dalla Val Cembra e adesso dal lago fino a Predazzo è tutta Val di Fiemme.

– E quanto manca per arrivare a Roda?

– Una quindicina di chilometri.

– Allora possiamo fermarci un attimo? Chiedo troppo? Mio fratello è morto proprio da queste parti e io non ci sono mai stata in vita mia. Tu, Antar, scommetto che lo sapevi. Cos'è, speri che ci crepi anch'io?

– Figurati, Isabella: io so a malapena dove sta Bolzano. Mi hanno detto Roda, e per me poteva essere ovunque. Ascolta: tra due ore devo essere di nuovo in stazione. Preferirei arrivare su, sistemarti, mangiare un boccone. A Stramentizzo puoi andarci quando vuoi, è sulla strada principale, ci sarà di sicuro una corriera, vero, Simona?

– Sicuro. È la linea per Trento. Dopo passiamo alla fermata e guardiamo gli orari, d'accordo?

– Ecco qua, siamo arrivati. Benvenuti a casa Zorzi.

– Madonna santa, quanti gradini!

– Cinquantotto per l'esattezza. Li ho contati da bambina e m'è rimasto il numero stampato in testa.

– Sí, la scala per il paradiso.

– Sono sei stanze e due bagni. La famiglia era numerosa, allora. Quattro fratelli, spesso i cugini. A parte il fatto che l'inverno ci si deve scaldare con la legna, per il resto c'è tutto: lavatrice, lavastoviglie, frigorifero, tivú…

– Potrei venderli in blocco e andare a stare in albergo.

– Simpatica, tua madre. Ha la battuta pronta.

– Sempre stata cosí, ma con l'aria di montagna peggiora.

– Se faccio due spaghetti pomodoro e basilico, vanno bene a tutti?

– Io mangio qualsiasi cosa, l'importante è che sia buono il vino.

– Un prosecco Valdobbiadene? Che dite?

– Ottimo come aperitivo. Ma dopo, un frizzantino con gli spaghetti…

– Va benissimo il frizzantino, Simona. Non ti preoccupare.

– Preferivi un bianco senza bollicine, Isabella?

– No, Simona, grazie… Preferivo Mogadiscio senza la guerra.

Quindici
Roma, giugno-ottobre 1945

La notizia arrivò una mattina di giugno, mentre stavo alla finestra del bagno a fumare una sigaretta. Giú nel cortile, il vecchio portinaio bagnava le piante, mentre due bande di pischelli si mitragliavano di *sérci* tra un cantone e l'altro.

Dal cancello di via Cugia entrarono Caio e Ignazio, grandi amici di mio fratello, iscritti a Medicina come lui. Erano due tipi allegri, la classica coppia comica, uno magro e allampanato, l'altro piú basso e tozzo, sempre a far caciara. Il custode li conosceva bene e li salutò con la mano libera dall'annaffiatoio.

Caio teneva le sue affondate nelle tasche e si limitò ad alzare il mento. Ignazio tirò su il braccio, ma non riuscí a sollevarlo oltre la spalla.

Da quei gesti, seppi che non portavano buone nuove.

Avrei potuto correre giú per le scale, accoglierli nell'atrio, rendere piú facile il loro compito tempestandoli di domande: dov'è Giorgio? Che è successo? Perché siete qui? Invece decisi di restare in bagno a finire la sigaretta, gli occhi fissi sul cortile, dove i bambini continuavano a giocare.

Suonarono, Rosa andò alla porta e li sentii chiedere di me.

Almeno questo, pensai. Almeno la magra soddisfazione di essere informata per prima. Avevo subito i loro silenzi, le loro reticenze, ma alla fine, eccoli costretti a parlare con me.

Uscii dal bagno, decisa a fronteggiare i cattivi presagi.

– Ciao, Caio. Ciao, Ignazio. Accomodatevi. Posso offrir-
vi un bicchiere di orzata? Oggi fa un caldo...

– Grazie, Isabella, – rispose Caio con lo sguardo sul pavimento. – Un bicchiere d'acqua andrà benissimo. Conserva
l'orzata per momenti piú felici.

E io zitta, non una domanda, nemmeno con i muscoli della faccia. Toccava a loro e non volevo aiutarli.

Andammo in cucina, riempii tre bicchieri. Ignazio vuotò
il suo in un sorso, come fosse un cordiale.

– Giorgio è morto, – disse, senza centellinare nemmeno
le parole. – Siamo stati al Verano a riconoscere il cadavere.
È morto in un agguato tedesco, vicino a Bolzano.

Caio si affrettò a spiegarmi come Giorgio fosse arrivato
lassú, ma la mia testa era già da un'altra parte, a contemplare la solitudine che mi si spalancava dinanzi.

– Il servizio segreto inglese li ha paracadutati nel Nord
Italia, vicino a Biella.

Il suo passato, in quel momento, non mi interessava affatto. Guardavo soltanto il mio futuro, perché per la prima
volta nella vita, vi scorgevo incrollabili certezze.

Non avrei piú riabbracciato mio fratello, non avrei mai
colmato la distanza che ci separava, non sarei tornata in Somalia con lui, a trovare nostra madre. Ero rimasta l'unica
anomalia della famiglia.

– Lo hanno preso ed è finito nel campo di concentramento di Bolzano.

Non avrei potuto domandargli il motivo delle sue scelte,
proprio quando mi sentivo addosso la forza per farlo, riempire le sue assenze da casa, capire se fosse davvero innamorato di Helen Zimmermann.

– A fine aprile i tedeschi sono scappati, poteva tornare a
casa, la guerra era finita.

Anche se di lui sapevo cosí poco, la sua presenza mi rassicurava. Ogni volta che lo vedevo, di sfuggita, coi libri sottobraccio, era come se una voce mi ripetesse: non sei sola, non sei sola, non sei sola.

Quella voce non sarebbe tornata.

– Invece ha saputo che nelle valli alpine c'era ancora bisogno di combattere e non s'è tirato indietro.

Non capivo perché, per riconoscere il cadavere, le autorità avessero convocato due amici e non la sorella del defunto. Forse c'era qualche legge in proposito, per non turbare il delicato equilibrio psichico di noi donne. Allora serrai con forza il rubinetto delle lacrime e mi imposi di non piangere in pubblico, cosa che mi riuscí fino alla fine dell'estate, quando mio padre rientrò dall'Abissinia, e appena gli raccontarono della fine di Giorgio si voltò verso di me, mi appoggiò una mano sulla guancia e disse soltanto: – Povera Isabella.

Di colpo, il fiume che avevo imbrigliato fino a quel momento ruppe gli argini e inondò le guance, come se la mia solitudine, a sentirla sfiorare da un altro, mi si rivelasse in tutta la sua grandezza.

Se anche gli altri potevano vederla, allora la buca dov'ero sprofondata non era solo un incubo delle mie notti bianche. Era reale quanto il volto dell'uomo che mi stava di fronte e che sembrava piú vecchio di mio padre di molte primavere.

Giuseppe Marincola era nato a Pizzo il 16 marzo 1891 ed era entrato in fanteria a quattordici anni. Ne aveva quarantanove, e trentacinque di servizio, quando lo rispedirono in Africa a combattere gli inglesi. Me lo ricordavo robusto, col capoccione rotondo, alla Mussolini, la fronte alta e i capelli radi. Le orecchie a sventola erano le stesse di Giorgio e il fisico quello di un peso medio, fatta eccezione per le spalle spioventi.

Lo avevano catturato molto presto, in uno dei primi scontri a fuoco, e s'era fatto cinque anni di noia mortale e umiliazione, tra i blocchi e le baracche del campo di Gondar.

Grazie alla buona condotta, fu tra i primi *prisoners of war* a tornare in Italia. Sbarcato a Napoli, salí sul treno per Roma e si presentò a Casal Bertone una sera di settembre, con la stessa uniforme che indossava alla partenza, ormai logora e troppo abbondante: sembrava che a restringersi, invece della stoffa, fossero state le ossa.

Al distretto militare lo mandarono subito in congedo illimitato e forse lo aiutarono a cercarsi un lavoro per mettere insieme il pranzo con la cena. Se ne andava in giro per Roma e le campagne, con una squadra di reduci, a rastrellare ferraglia, residuati bellici, rottami, schegge di bombe. Ho visto diversa gente guadagnarsi da vivere a quel modo: c'era chi lo faceva con gli strumenti piú moderni, come il cercametalli, e chi si arrangiava con pala e spillone, i vecchi attrezzi da tombarolo. Scavavano, riempivano e trasportavano carriole per molte ore al giorno. Se poi gli capitava di incontrare una mina intera, cercavano il buco giusto dove farla esplodere e ne ricavavano ferro e polvere da sparo, a volte in cambio di un occhio o di un'intera mano. Non c'era da stupirsi che mio padre, quando rientrava la sera, facesse fatica perfino a parlare.

Toglieva i vestiti coperti di polvere, si faceva un bagno, poi con la vestaglia di Giorgio, che gli stava lunga e strisciava sul pavimento, si aggirava per le stanze a dare la carica agli orologi di casa: tre sveglie, una grossa pendola, un paio di cipolle da tasca. Negli anni di prigionia doveva essersi aggrappato alle azioni ripetitive, che scandiscono la giornata e dànno la sensazione di non trascorrerla invano. Terminata la ronda delle lancette, si lasciava cadere in poltrona e non faceva piú niente fino all'ora di cena.

Fu grazie a me che decise di rompere quell'inerzia da condannato a morte. Mi aveva domandato dove prendessi i soldi per pagarmi l'università, i libri e l'acqua di colonia (l'unico lusso che mi concedevo). Gli avevo risposto che davo ripetizioni di Greco e Latino, ma non lo avevo convinto. Si vede che come figlia di tanta madre, mi credeva destinata a darla in affitto al miglior offerente.

A quel tempo, lavoravo già per diversi artistucoli, scultori in erba, pittrici ricche e annoiate, che crescevano come muffa nel sottobosco delle gallerie d'arte. Felix Zimmermann mi aveva immortalato in busto, sola testa e figura intera. Le tre opere si erano vendute molto bene e il mio nome aveva preso a girare.

Seppi da una mia cliente fissa, Ermute Aradi, che un ometto misero e male in arnese si era presentato a casa sua per chiedere di me e sbirciare, con l'occasione, quale ambiente peccaminoso frequentassi.

Quella sera, al mio ritorno, madama Flora mi accolse in cucina.

– Ti sembra questa l'ora di tornare? Noi abbiamo già cenato. Tanto vale che ti fermavi al ristorante.

Ero stanca e affamata, avevo posato nuda per un cretino, in un appartamento freddo, e quello si era lamentato tutto il tempo perché non stavo abbastanza ferma, costringendomi a fare gli straordinari. Non ero in vena di risposte accomodanti.

– E lei, signora Marincola, tanto varrebbe che imparasse i congiuntivi, non trova? Una donna perbene come lei.

– Tu invece li hai imparati, ma sei rimasta una *bagassa*, come tua madre, e te ne vai in giro a spogliarti per due lire.

– E allora? Faccio la modella. Che c'entrano le bagasce?

– Almeno quelle fanno le loro cose di nascosto. Tu no, manco ti vergogni: tuo padre ti ha riconosciuto in un quadro, giú al centro, e per poco non gli veniva un infarto.

– Lasciamo perdere: qui se c'è una che lo farà crepare, quella sei tu. Raccontagli del sor Gino, quando hai un attimo di tempo.

Il coltello volò sopra la mia spalla destra e andò a infrangere un vetro dietro di me. Misi le dita sulla guancia e me le ritrovai sporche di rosso. La lama aveva sfiorato la pelle, pochi centimetri sotto l'occhio. Solo allora il taglio cominciò a bruciare e mi trovai senza parole, come se lo sgorgare del sangue le avesse prosciugate.

Presi l'uscio di slancio, scavalcando i vetri della credenza. Mio padre era lí fuori, in corridoio, e di certo aveva origliato la discussione. Lo scostai con un braccio e puntai camera mia. Lui si fece da parte senza muovere un passo, fermo in mezzo al guado, incapace di scegliere su quale sponda saltare.

Mi chinai di fianco al letto, strinsi il manico della valigia che tenevo là sotto, la sfilai. Era pronta da settimane: aggiunsi solo l'acqua di colonia, lo spazzolino da denti e un paio di pantofole. Poi spalancai la finestra e la buttai nel buio.

Mio padre intanto discuteva con la moglie dietro la porta della cucina. Gli sentii domandare: «Chi diavolo è questo sor Gino? Gino Martelli?» Ma il tono della voce era troppo arrendevole e lei già lo sovrastava, come mai si sarebbe permessa prima della guerra.

Feci scattare la serratura e mi avviai per le scale.

Non ero ancora arrivata in fondo che mi sentii chiamare:

– Isabella, torna su. Isabella!

M'a anche per me la voce di mio padre non era piú quella del padrone. Flora Virdis e io avevamo scelto lo stesso momento per ribellarci, approfittando della stessa debolezza.

La valigia era atterrata sopra un cespuglio di ortensie: i gambi spezzati avrebbero spezzato il cuore del vecchio portinaio.

– Isabella, che fai?

La mano di mio padre mi tirò per un braccio.

– Vado via, non ce la faccio piú.

Cercò di prendermi la valigia, ma strinsi il manico piú forte e lui per poco non cadde all'indietro.

– Ascoltami bene, Isabella, – disse appena ritrovato l'equilibrio.

In quel momento, madama Flora si affacciò a una finestra e prese a sbraitare con la gola tra i denti.

– *O issa o mei, cumprendiu?* O lei o me!

Doveva essere davvero furiosa, perché non era nella sua indole mettere in piazza gli affari di famiglia. Fin dall'inizio mi aveva odiato proprio perché non poteva mimetizzarmi. Se avesse potuto dire in giro che ero figlia sua, forse, prima o poi, sarebbe riuscita perfino a volermi bene. Invece avevo la pelle scura, segno indelebile dell'avventura di mio padre con una mignotta africana. E in quanto femmina, dovevo pure somigliarle, a quella lí, ed ecco perché Flora mi picchiava tanto volentieri, mentre lasciava in pace Giorgio, oltre al fatto che lui era il primogenito, arrivato a Roma quando aveva ormai dieci anni, e non essendo abituato a incassare sberle, poteva pure saltargli il grillo di restituirle.

Smarcai mio padre e mi avviai verso il cancello, accompagnata dalla luna che appariva e spariva tra i rami dei cedri. Sentii i suoi passi dietro di me, le urla di Flora che riprendevano a chiamarlo, di nuovo le sue dita strette intorno al braccio.

– Lasciami andare, – gli dissi. – Che senso ha trattenermi? Hai paura che infanghi il nome della famiglia? Allora, guarda, te lo prometto: se mai dovessi fare marchette, me ne andrò in un'altra città. E se dovrò cercarmi un fiume dove annegare, non sarà il Tevere, giuro. D'ora in avanti dirò a tutti che mi chiamo Isabella Assan. È il cognome della mia vera madre, no? E come nome d'arte, suona pure meglio.

Giuseppe Marincola chinò la testa, una macchia bianca nel buio del cortile. La sua sagoma scura parve farsi piú piccola, incorniciata dai ruderi alle sue spalle, l'ala del palazzo colpita dalle bombe. Il muro esterno era crollato, mettendo in vista le stanze dei vari appartamenti, come organi e budella in un manichino anatomico. Lampi sbiaditi brillavano dal terzo piano: la luna aveva trovato uno specchio ancora appeso.

– Pensavo di essermi comportato da gentiluomo, – disse mio padre. – E invece ho rovinato la vita a tutti quanti.

Avrei voluto rispondere. Dirgli che i gesti nobili servono solo a chi li compie. Dirgli che una benda non basta per curare una ferita, ma alla lunga la nasconde e la fa incancrenire.

Avrei voluto rispondere, ma non trovai le parole.

Cosí lo abbracciai, di fretta, perché non volevo che scambiasse il saluto per un'assoluzione.

Poi raccolsi la valigia, attraversai il cancello e cominciai a pensare a dove avrei dormito.

MARINCOLA GIORGIO
di GIUSEPPE

Medaglia d'Oro
Decreto 3.10.1952
Pubblicato sul bollettino ufficiale 1953
disp. 16 pag. 1699

PRESIDENZA DEL CONSIGLIO DEI MINISTRI
SOTTOSEGRETARIATO DI STATO
Servizio Commissioni Riconoscimento Qualifiche
Partigiano n. 544/Mil.

Oggetto: Comunicazione

AL SIG. MARINCOLA GIUSEPPE
via Efisio Cugia, 7
ROMA

Si comunica che con Decreto del Capo dello Stato in data 3 ottobre 1952 registrato dalla Corte dei
Conti il 12 gennaio 1953, registro 73 – Presidenza –
foglio 104 ed in corso di pubblicazione sul B.U. del
Ministero della Difesa – Esercito – è stata conferi-
ta alla Memoria del Suo eroico figlio Giorgio la medaglia d'oro con la seguente motivazione:
«Giovane studente universitario, subito dopo l'armistizio partecipava alla lotta di liberazione, molto distinguendosi nelle formazioni clandestine romane
per decisione, capacità, desideroso di continuare la

lotta, entrava a far parte di una missione militare e nell'agosto 1944 veniva paracadutato nel Biellese. Rendeva prezioso servizio nel campo organizzativo ed in quello informativo ed in numerosi scontri a fuoco dimostrava ferma decisione, leggendario coraggio, riportando ferite. Caduto in mani nemiche e costretto a parlare per propaganda alla radio, per quanto dovesse aspettarsi rappresaglie estreme, con fermo cuore coglieva occasione per esaltare la fedeltà al legittimo governo. Dopo dura prigionia, liberato da una missione alleata, rifiutava porsi in salvo attraverso la Svizzera e preferiva impugnare le armi insieme ai partigiani trentini.

Cadeva da prode in uno scontro con le SS tedesche quando la lotta per la libertà era ormai vittoriosamente conclusa (Castel di Fiemme - 4 maggio 1945)».

Voglia gradire, pertanto, l'espressione di viva ammirazione del Sottosegretario di Stato per l'eroico Caduto.

˙Si fa riserva di far pervenire tramite il predetto Ministero il brevetto di concessione e la relativa insegna metallica.

IL CAPO SERVIZIO
F.to GINO SQUARZONI

Sedici
Stramentizzo, 7 luglio 1991

Ti immagino sulla corriera, là dove la strada lascia il torrente e il fondovalle si fa lago: alberi e montagne specchiati sull'acqua, come negli scatti da cartolina di Google Earth.

Dentro la borsa porti una busta di plastica, e dentro la busta una foto di tuo fratello e un foglio battuto a macchina, con la motivazione ufficiale per il conferimento della Medaglia d'Oro all'eroico Giorgio Marincola. Parole sottovetro, scolpite in una lingua di marmo. Parole che non ti piacciono, ma non se ne trovano altre. La vita di tuo fratello è una traccia sottile, nella polvere degli archivi. Impronte di formica sopra una lacrima di retorica fossile.

Scopo del viaggio è trovare il luogo dove lo hanno ammazzato. Deporvi la foto e il documento, dentro la busta di plastica, magari adagiati sul muschio, sotto un abete, insieme a un mazzo di ranuncoli appena raccolti.

Scendi alla fermata di Stramentizzo, sono le dieci di mattina ma fa già caldo, e l'ingresso del bar è spalancato, protetto solo da una frangia di stringhe in plastica scolorita.

Gli avventori sono otto, forse dieci: i due piú giovani appollaiati al bancone, l'aria da muratori sulla cinquantina, e i piú anziani seduti, a brontolare di carte in un dialetto sconosciuto. Tutti maschi, nessuna tazzina da caffè, solo calici di prosecco come sentinelle impettite di guardia ai tavolini.

Ordini un Müller Thurgau, tanto per non sfigurare, e vai a sederti accanto alla finestra, in compagnia di un giornale

locale, buono giusto per impegnare gli occhi e far finta di
non sapere che ti fissano tutti, come negli anni Cinquanta,
quando entravi da sola nei bar della capitale e facevi venire
il torcicollo anche alle bottiglie. Ormai sei corazzata, contro
questo genere di attenzioni, e il callo non s'è riassorbito, in
trent'anni di Somalia. Sai che basterebbe alzare la testa e
rimpallare gli sguardi, per farli cadere uno dopo l'altro, come
bersagli da luna park. Ma non è questo che vuoi, anzi, che
guardino pure, che s'incuriosiscano, che facciano domande.

Un anziano si alza, va al bancone per un secondo giro e
viene verso il tuo tavolino indicando il giornale.

– Potere prendere? – chiede con la mano protesa come
a far la questua.

– Prenda pure, – rispondi tu calcando la dizione. – Tanto
non c'è nulla di interessante.

– Eh, lo so ben. Non succede mai niente, da 'ste parti.

– Beati voi.

– Perché? Te di dove arrivi?

– Da Mogadiscio, in Somalia.

– *Malendréta!* Allora è per quello che parli bene la nostra
lingua. La Somalia era nostra, *sti agni*, no? *Ti l'às emparà a
scola*, l'italiano.

– Perché, mi scusi, lei dove l'ha imparato? In famiglia?

L'uomo rimane interdetto, beve un sorso dal calice per
darsi un contegno e intanto ragiona sul senso della frase.

– Mi son *talian*, *miga* austriaco. Qua se parlava *anca* tedesco, *sti agni*, ma adesso no, *sen tuti talian*, e i *tòderli*, *quei che
parla todesc*, stan là *desora*, vedi quei baiti?, ad Anterivo, in
provincia *de Bolsan*.

Fa per andarsene con il giornale, ma tu non lo molli, le
dita piantate sulla ghigna in prima pagina.

– A proposito di tedeschi, – lo trattieni, – posso farle una
domanda? Mio fratello è morto qui, nel maggio del '45, in

uno scontro con le SS, e a me piacerebbe lasciare un fiore dove l'hanno ammazzato, però non ho idea di dove sia il posto.
Lei per caso ne sa qualcosa, non so, magari c'è un cippo…

– Un cippo no, però se vuoi te lo *fo' spiàr*. Te sai nuotare?

– Che c'entra il nuoto, scusi?

– C'entra, perché vedi, *el vecio* paese de Stramentizzo
sta *sot* a quel lago, che non è un lago vero, lo han fatto nel
'56 o giú di lí, per via dell'elettricità, e le case, la *gésa*, tutto
quanto, è finito sotto l'acqua, *siché* se vuoi andarci coi fiori,
bisogna che te tuffi e li lasci giú in fondo.

Scosti la tenda di cotone pesante e osservi il lago oltre il
vetro della finestra. I lampi di sole sul pelo dell'acqua sembrano trasmettere un messaggio in codice.

– Che poi, scusa, – il tizio è ancora lí, anche se alla fine
gli hai mollato il giornale, – te sei *propri* sicura che è stato
qua da noi? Non è che t'imbrogli? Qua nel maggio del '45,
altro che *s'ciopetade*: i tedeschi han *fat un sémpio*, quasi trenta persone, ma era tutta gente del paese.

– Be', no, *speta*, – gli fa segno uno piú anziano, che già si
tira su e viene verso di voi. – *Gh'era anca di forestòn*: un par
di tedeschi imboscati, un russo, uno slavo…

– *Bensegúr*, ma un *négro*? Te l'avevi mai sentito? Un conto è venir qua dalla Russia, un conto è la Somalia.

– *Tò fradel* cos'era, un ascari? – fa un terzo uomo in avvi-
cinamento, con l'aria da esperto e i baffi a manubrio.

– No, guardi, mio fratello non era un soldato, era un partigiano.

– *Madònega!* – esclama una quarta voce dalla zona del
tressette. – Bella razza, quella… Se *no era* per i partigiani,
le SS tornavano in Germania e *te saludo. Ghel'avèn* detto
e ridetto de star *pacifichi*, che oramai la *guera* l'era finita,
i tedeschi se ne andavano, *carodadío*, perché tormentarli?
Ma *colèri* no, gli davan impaccio, come un *chén adòs al ga-*

lòn, volevano prendergli i schioppi, *o de rif o de ràf*, per far vedere quant'eran bravi, dicevano che se no *gh'era* rischio che i nazisti, nel *nàr* via, se la rifacevano sulla povera gente, e il risultato *el s'è vist*: li han fermati, li han fatti *infotàr* e chi l'ha pagata son stati quelli del paese, i miei zii, due *mi sermàn*.

– E mio fratello! – sbotti, e ti scappa pure una manata sul tavolo, complice il vino e lo sconcerto. – Giorgio Marincola, si chiamava, eccolo qua.

Tiri fuori la foto, la lanci tra i bicchieri come una sfida.

– Ha fatto il partigiano a Roma, – continui, – poi dalle parti di Biella, poi la guerra era finita e poteva tornarsene a casa. Invece è venuto in questa valle, lo hanno ammazzato e voi adesso mi dite che faceva meglio a lasciar perdere, che qui hanno fatto una strage per colpa sua, perché i nazisti, buoni buoni, stavano tornando a casa, e lui invece s'è messo di traverso per disarmarli. E voi, allora? Com'è che non vi ci siete messi, di traverso?

– Te l'*avèn spiegà*, quelli se ne andavano…

– No, no, io dico prima. Prima che arrivasse mio fratello, prima che i nazisti se ne andassero da soli. Quanti di voi si sono messi di traverso? Quanti hanno detto ai tedeschi: ve ne dovete andare? Pochi, mi sa. Perché se eravate molti, allora mio fratello se ne tornava a Roma da me. «Grazie tante, – gli avrebbero detto, – ma non c'è proprio bisogno che vai lassú, ce n'è già fin troppi».

Attorno al tuo tavolino va germogliando una siepe di teste. Ti pare d'essere tornata ai tempi della scuola, quando interrogavi alla cattedra gli ultimi scansafatiche – quelli che per tutto l'anno s'erano giustificati, dati alla macchia, inventati malattie – ma invece di mettere un 4 sul registro, bevi l'ultimo dito di Müller Thurgau, ti riprendi la foto e ringrazi per la chiacchierata.

– La guerra è guerra, – ti saluta un barbuto con l'aria di chi ripete una solenne verità. Ma anche la verità piú solenne, ripetuta mille volte, finisce per tramutarsi in una vuota bugia.

Sulla porta, lasci che la frangia di plastica ti scivoli addosso e ti ritrovi davanti al lago, la superficie increspata appena piú in basso di te, come un scheggia di cielo precipitata nel bosco.

– Signora, mi scusi, – una voce ti bussa alle spalle, ti volti, è il barista, pensi di aver sbagliato a dargli i soldi. – *'Spetti* un attimo, volevo domandarle una cosa.

– Dica pure.

– Quella foto di suo fratello. Non è che me la può lasciare?

– Per farci cosa? Un tirassegno?

– Ma no, *sesabèm*. È che questa storia *me pare propri original*, penso che di sicuro qualcuno del paese deve averlo notato, suo fratello, perché qua non è come in altri luoghi, che c'erano i negro-americani, qua eran tutti bianchi, e uno cosí, se lo vedevi, ti rimaneva stampato in testa. Casomai se *taco su* il ritratto *vesin a la* cassa, me riesce de *catar* qualcheduno che ci ha parlato, che se lo *sovien*, che può darle qualche *nova*.

– No, guardi, la ringrazio. Di *nuove* ne ho già avute abbastanza. Ancora un po' e mi dicevano che la strage l'ha fatta mio fratello.

– Non se la prenda, è normale. Chi ha dei morti cerca sempre un colpevole.

– E c'è bisogno di cercare? Non gli bastano i nazisti?

– Ma no, vede, quando che c'è la guerra, per la povera gente è come una slavina, e i soldati nemici sono le pietre. Se la slavina ti porta via la casa, te *miga* dài la colpa alle pietre, o casomai a te stesso, che ti sei fatto la casa sotto l'erto. *Agni agnorum*, da 'ste parti, se succedeva un tal *patatrac*, *brusavan* subito un par *de strie*, di streghe.

– E a lei pare giusto?

– *Par gnent*. Anzi, le dirò: secondo me suo fratello e gli altri facevano bene a tener d'occhio i tedeschi. La stessa *ghenga* che ha fatto lo scempio qua da noi, ne ha fatto anche un altro in provincia di Belluno, con decine di morti, e lí non c'era di mezzo nessun partigiano.

– Scusi, sa, ma perché queste cose me le dice solo adesso? Perché non le ha dette prima?

– Cosa vuole, son storie vecchie, ormai lo sanno tutti come la penso. Ragionarne ancora non serve a niente.

– Se lo dice lei…

Il suono di un clacson bitonale ti fa voltare la testa verso la prima curva. Muovi due passi in direzione della fermata, ma il barista non ti molla.

– C'è una cosa che non ho capito, – mugugna. – Com'è che suo fratello è arrivato qui dalla Somalia?

– Da Roma, non dalla Somalia. Siamo nati in Somalia, poi mio padre ci ha fatto crescere a Roma, e da Roma… – Frughi nella borsa e tiri fuori il foglio con la motivazione della medaglia d'oro. – C'è scritto tutto qua, – gli dici. – Tutto quello che so.

Il barista si allarga il foglio tra le mani e mentre legge tu pensi che la foto gliela puoi pure lasciare, tanto Antar ha di sicuro l'originale e il posto dove volevi appoggiarla sta sotto un bacino idroelettrico.

– Qui non c'è *miga* scritto ch'era *négro*, che veniva dall'Africa…

– Allora si vede che me lo sono sognata. Lei che dice?

– Dico solo che qua non *ghe l'à* scritto. Chissà poi perché…

– Me lo sono chiesta anch'io. E a volte mi rispondo che hanno fatto bene: mio fratello era italiano, chi se ne frega se aveva la pelle azzurra o a pallini blu. Altre volte, invece, mi dico che hanno sbagliato, e che non dire di Giorgio che era nero e figlio di una somala, è come non dire di Togliatti che era comunista.

Sí, decidi, puoi lasciargli la foto e anche l'intera busta di plastica, tanto le parole della medaglia d'oro non ti sono mai piaciute e di sicuro Antar conserva una copia anche di quelle. Il posto dove hanno ucciso tuo fratello non c'è piú, è coperto dall'acqua, e il torrente Avisio porta la sua storia fino all'Adige e l'Adige al mare. Tu sei profuga e profughi sono pure i tuoi ricordi, senza dove, spaesati, come le bestie del vecchio mondo nell'arca di Noè, scampate al diluvio, promesse al futuro.

Prendi la busta e la allunghi al barista: – Ecco, guardi, se ci tiene ad averla…

– Grazie, – risponde, e sembra davvero contento. Pesca una matita dalla tasca del grembiule e si appunta sul foglio il tuo numero di telefono, che poi è quello di Antar, cioè quello di Celeste. – Casomai si scopre qualcosa, – dice, e ti porge la mano, mentre da dietro la curva spunta il muso blu della corriera.

Vi salutate, il mezzo si ferma, la portiera sbuffa.

Prima di salire, ti immagino lanciare un'occhiata intorno, per poi chinarti a cogliere un ranuncolo, sul ciglio della strada, in mezzo a ciuffi d'erba scolpiti nel catrame.

Ma tu mi ricordi con aria seccata i tuoi dolori alle ossa, l'artrite, l'osteoporosi, e dici che già per accomodarti al tuo posto farai una bella fatica, non se ne parla nemmeno di spezzarti la schiena per colpa di un fiore.

Io penso che è un vero peccato, ma non voglio fare metafore sulla pelle degli altri.

Cosí mi rimangio tutto, e ti lascio salire a bordo con passo malfermo, abbandonando un ranuncolo sul ciglio della strada.

Interludio
Lettera intermittente n. 2

Cara Isabella,
sono passate tre settimane dall'ultima volta che ti ho scritto
e già quella prima lettera meriterebbe un aggiornamento.
Sono morti Walter Bonatti, il re delle Alpi, Sergio Bonelli, il
principe del fumetto, e Wangari Maathai, che fu la prima don-
na africana a ricevere il premio Nobel.
Sono venuti alla luce, secondo le statistiche, otto milioni di
neonati, e a Novi di Modena, un paese di undicimila abitanti,
piú della metà sono figli di stranieri. Giornali, siti e blog hanno
scritto che in quel comune, per la prima volta in Italia, i bam-
bini stranieri (o extracomunitari o immigrati) sono piú del
cinquanta per cento.
A me viene in mente quando una nostra vicina, dopo i primi
giorni di scuola elementare, domandò a Sofia se nella sua classe
ci fossero bambini stranieri.
– No, no, – fu la risposta. – Viviamo tutti a Bologna.
Gli scienziati del Cern hanno sparato un fascio di neutrini at-
traverso la crosta terrestre e dicono che quella roba va piú veloce
della luce. Io attendo fiducioso lo schiudersi di mondi sopralu-
minali, dove il futuro precederà il passato e noi potremo chiac-
chierare di nuovo, senza viaggiare nel tempo per corrispondenza.
Oggi, per controllare un dettaglio, ho riascoltato la registra-
zione di uno dei nostri pomeriggi, dove tu racconti i tuoi primi
passi da modella.
A un tratto ti fermi e mi chiedi di versarti un goccio di vino.

Alzando il volume, si sente il rumore del liquido che scende nella tazza (o meglio: dal rumore non si capisce, che si tratta di una tazza. Potrebbe anche essere un bicchiere, ma tu il vino lo bevevi in una tazza da colazione blu e appena la appoggiavi sul tavolo ci mettevi sopra un foglio di carta, per evitare che ci facessero il bagno gli scarafaggi di Mogadiscio).

Alzando il volume, si sente anche un tintinnare di porcellana, una lingua che deglutisce e di nuovo le tue corde vocali che scandiscono parole in tono definitivo.

«Adesso tu mi dici cosa vuoi fare di me».

Ti ricordi? Era il tuo ritornello preferito e il mio piccolo incubo di fine giornata. Indossavi uno sguardo intenso, tiravi su il mento con fare altezzoso e recitavi la battuta.

«Adesso tu mi dici cosa vuoi fare di me».

Le prime volte ti ho rimbalzato la domanda: «E tu? Che vuoi fare di me?» Ma mi sono accorto presto che non me la potevo cavare con cosí poco, tu non t'accontentavi, la domanda ritornava, saltava fuori come una muffa da sotto la buccia dei nostri mercoledí.

Nella registrazione di quel pomeriggio, infatti, provo a risponderti in modo piú articolato.

«Senti, io mica sono uno scultore, che ti faccio un mezzobusto o una figura intera, che ti trasformo in una naiade o in Afrodite. Tu racconti, il registratore registra e vedrai che qualcosa ci verrà in mente. Io di mestiere faccio il cantastorie e il bello di una storia è che la si può raccontare anche in due, senza ruoli precisi, mentre se tu posi per un pittore, lui è l'artista e tu sei la modella, e anche se il dipinto rappresenta il tuo corpo, siamo abituati a vederci il lavoro del pittore, mentre il tuo non lo riconosciamo nemmeno. Quindi non devi domandarmi: "Cosa vuoi fare di me?" ma piuttosto: "Cosa vogliamo fare della nostra amicizia?" E io allora potrei risponderti: facciamoci un romanzo. Un romanzo che abbia per protagonista "Isabella Marincola".

Cioè, non proprio tu in carne e ossa, è chiaro, ma una specie di ritratto, diciamo un collage dove alcuni pezzi sono presi dalle tue fotografie, e altri invece sono disegnati o dipinti in stili diversi: carboncino, caricatura, puntinismo».

Sotto la superficie liscia del silenzio che segue, mi è parso di rivedere il tuo broncio, le labbra arricciate, la fronte pensosa. Come per dire: non mi hai convinto.

Quel giorno ho pensato che il problema stesse nella parola «romanzo». «Facciamo un romanzo» è come dire: «Facciamo una passeggiata». Ma tra camminare in montagna e camminare su e giú per un centro commerciale c'è la stessa differenza che passa tra una poesia di Baudelaire e lo scontrino del salumiere.

Allora ho creduto che per superare l'ostacolo fosse necessario prestarti un po' di romanzi recenti, che mi sono piaciuti e che sento vicini, giusto per avere un terreno di confronto che non fosse solo Kafka, Proust e Dostoevskij.

Un mercoledí pomeriggio mi sono presentato a casa tua, come sempre in ritardo, con i libri nella borsa a tracolla e una forma di pane in una busta di carta. Il pane ti è piaciuto, e non hai piú smesso di domandarmi quando ne avrei portato ancora. È una mia produzione, lo impasto con il lievito naturale e ne vado abbastanza fiero.

I libri, per fortuna, non erano mie produzioni.

«Elenchi telefonici», me li hai recensiti qualche settimana dopo, e da allora ho evitato di riparlarne, cercando di nutrire la nostra amicizia con il mio pane fatto in casa, i peperoncini ripieni di tonno, le melanzane sott'olio e la conserva di pomodoro.

Seconda parte

Nin daad qaaday xumbo cuskay [Un uomo trascinato dalla corrente si aggrappa alla schiuma].

PROVERBIO SOMALO

Mogadiscio - Panoramica dal mare

Uno
Roma, 25 luglio 1991

L'intervista in radio era fissata per le nove di mattina. Alle quattro del pomeriggio, invece, manifestazione per la Somalia davanti a Montecitorio. Antar lo aveva detto chiaro agli amici del Comitato: questa è l'ultima iniziativa che seguo, poi devo prendermi una pausa, perché ho perso il lavoro, comincio la tesi e bisogna che sistemo mia madre una volta per tutte.

Gli dispiaceva fare la parte dell'egoista, occuparsi dei propri affari mentre il suo paese si giocava l'avvenire, ma non aveva scelta e si ripeteva che un pompiere non può spegnere un incendio a settemila chilometri di distanza, se lungo il tragitto gli va a fuoco l'autopompa.

Negli ultimi otto anni, i suoi legami con Mogadiscio si erano molto allentati: sentiva la madre una volta alla settimana, il padre piú di rado e aveva ben poca nostalgia, come ogni ventenne che se ne va finalmente a vivere per conto proprio. Si era buttato in mille attività, e del famoso mal d'Africa: «Io ce l'ho nel Dna, – diceva, – e quindi sono vaccinato». Invece, come un muscolo che non ti accorgi di usare finché non te lo strappi, la Somalia era tornata a farsi viva nella carne di Antar. E a pretendere, se non una cura, almeno una pomata lenitiva.

Gli studi di Radio Città Aperta non erano lontani dalla casa di Riccardo, dove Antar aveva passato la notte a tirar tardi con vodka e racconti.

Riccardo Monari era nato a Mogadiscio e come perito agrario aveva lavorato nelle piantagioni delle banane Somalita, quelle con il leopardo sul bollino adesivo. Viveva in Italia da tempo, ma guerra e carestia lo avevano riportato in Somalia, per occuparsi di pozzi e campi arati. Nel mentre, aveva messo a segno un colpo da grande reporter: intervistare il generale Aidid, considerato da tutti «il piú cattivo» tra i signori della guerra.

A Mogadiscio, Riccardo aveva dormito in casa di Isabella, insieme a Bruna Galvani e ai suoi dodici gatti.

– Dovresti sentire che puzza, – commentò, – sembra di entrare in una stalla! Però Bruna è stata gentilissima, pensa che quando sono arrivato mi ha accolto con una torta di riso. Non riesco nemmeno a immaginare come avrà rimediato gli ingredienti.

Antar aveva chiesto notizie di suo padre.

– È magro magro, però mi sembra in forma.

– E Mogadiscio?

Riccardo aveva attaccato la videocamera al televisore e sullo schermo erano apparse le riprese girate da un'auto in corsa per le strade di Hamar.

In questi casi si usa dire che «la città bombardata era irriconoscibile», ma Antar si era commosso per il motivo contrario. Dietro i cancelli divelti e i muri sbrecciati, non era difficile riconoscere la casa di Hussein o quella di Jusuf e immaginare il destino degli abitanti. Nel cortile della scuola geometri, dove Antar e i suoi compagni avevano giocato a pallone, un barile di latta rotolava fra le rovine. Poco piú avanti, il bar *Novecento* aveva la saracinesca abbassata, sull'unica parete intatta dell'intero edificio. Tutto era scrostato, annerito, e in alcuni viali, alberi e cespugli si mangiavano gli spazi abbandonati dall'uomo. Il sole picchiava inesorabile sulle pietre bianche, rendendo il disastro nitido come dentro uno specchio.

Al mattino, dopo tre ore di sonno, Antar aveva ancora la testa cosí pesante che doccia e caffè non gli diedero alcun sollievo. In strada, visto il ritardo, Riccardo propose di prendere la sua moto, anche se la distanza era da passeggiata.

Entrarono in radio a soli tre minuti dall'inizio del programma, mentre la voce di un tizio ricordava agli ascoltatori che il 25 luglio di quarantotto anni prima era caduto il fascismo. La conduttrice li aspettava in fibrillazione, incerta se improvvisare un piano B. Riccardo le consegnò il nastro con l'intervista ad Aidid e andò a prendere posto nella saletta ospiti. Antar lo seguí senza rendersene conto.

Sistemarono le cuffie, provarono i microfoni, sentirono sfumare in sottofondo la voce di un rapper arrabbiato.

My name is Cocciolone my name is Cocciolone
my name is Cocciolone pilota d'aviazione...

Si accese la luce rossa e la conduttrice, dopo quattro ciance, rivolse a Riccardo la prima domanda. Antar non l'ascoltò, impegnato ad apparecchiare sul tavolo i mille fogli che s'era portato da casa: comunicati, volantini, ritagli di giornale.

... situazione drammatica in atto in Somalia: epidemie probabili, penuria di acqua e viveri; mancanza di medici, prodotti farmaceutici e plasma; uffici, negozi, banche distrutti o inattivi.

– Senta, Mohamed, voi del Comitato pacifista Somalia unita, ritenete che l'Italia sia responsabile di quello che sta accadendo in Somalia?

... la brutalità del regime di Barre ha portato al blocco degli aiuti internazionali, con l'unica eccezione di quelli italiani.

– Noi sappiamo che il nostro paese ha speso per la Somalia milleseicento miliardi in dieci anni. Secondo voi dove sono finiti?

... *Silos Fai: risultati negativi per clamorosi errori tecnici; Strada Garoe Bosaso: costo sproporzionato; Centrale elettrica Mogadiscio Nord: per garantire all'Ansaldo tutte le commesse possibili; Ospedale di Corioley: non entrato a regime; Progetto pesca oceanica: vari disastri e insuccessi clamorosi; Azienda zootecnica di Afgoi: di fatto nelle mani dell'azienda italiana Giza; Zuccherificio di Johar: abbandono del progetto; Impianto di urea: mai entrato a regime.*

– Voi pensate che questo sia stato un sostegno al regime di Siad Barre?

... *in tutti questi anni l'Italia ha allevato, finanziato, educato e sponsorizzato nelle sedi internazionali la classe dirigente somala e un regime che ha oppresso il popolo.*

– Ma se la Somalia viveva da tempo una profonda crisi democratica, come mai un paese come il nostro non ha dato il giusto peso a quel che stava accadendo?

... *Se dovessimo abbandonare tutti gli Stati governati da dittatori, in Africa non potremmo cooperare piú con nessuno (Gianni De Michelis, ministro degli Esteri, Partito socialista italiano).*

– Monari, secondo lei, che ricordo abbiamo lasciato a Mogadiscio?

... *tristi rimasugli dell'epoca coloniale. Partito socialista e Democrazia cristiana si sono spartiti l'ex impero del Corno d'Africa...*

– Ma le armi che sparano oggi a Mogadiscio sono di provenienza italiana?

... *l'aiuto militare italiano fu generoso. Tra il 1979 e il 1985, importo stimato in cinquecentocinquanta milioni di dollari. Carri M-47, veicoli blindati M-133, trecento autoblindo Fiat, aerei da controguerriglia Siai Marchetti SF-260W, quattro aerei da trasporto G-222, quattro Piaggio P-166 da ricognizione, elicotteri Agusta AB-204, quattro aerei da addestramento SF-260, armi leggere e automezzi Iveco. Tra il 1985 e il 1990, due delegazioni di assistenza tecnica militare (Diatme e Diatma), altri centoven-*

ticinque carri M-47, centootto obici da 105/22, apparati di tra-
smissione, vestiari ed equipaggiamenti per centoventimila uomini.
   – Chi comanda adesso in Somalia?
   ... oltre diecimila morti in pochi mesi. Migliaia i feriti.
   – Cosa chiedete alle autorità italiane per aiutare il vostro
paese?
   ... il congelamento dei beni e dei conti correnti esteri del-
la famiglia Barre. Garanzia di equo processo per i responsabili
della dittatura.

Dopo un'ora e mezzo di parole in automatico, raffiche
di domande, frasi infilate nel microfono come gettoni in un
flipper, Antar non era soddisfatto della sua intervista, e ancora meno del suo mal di testa.
   Aveva urgenza di un altro caffè, il terzo della mattina,
oppure un succo di frutta e una buona dormita, prima della
manifestazione di fronte a Montecitorio.
   Riccardo gli porse il casco, montarono in sella, si infilarono nel traffico e diressero verso casa.
   Forse dovrei fermarmi a comprare un'aspirina, pensò Antar. Se almeno mi passasse il...
   Bam!
   Rumore di lamiera e plastica in frantumi, vetri rotti, gomme che stridono.
   Antar sentí la gamba nuda raschiare l'asfalto, poi la testa
dentro il casco rimbalzò tre volte, come una palla da basket.
Un caldo improvviso gli montò dai piedi agli occhi, mentre il
mondo rallentava e lo lasciava per terra, tenuto giú da metallo rovente. Aveva la vista appannata e sperò che si trattasse
di uno svenimento in arrivo, poi si rese conto di aver perso
gli occhiali. Vide rialzarsi la sagoma dell'amico e capí di non
poter fare altrettanto. Provò a lanciare un grido d'aiuto, ma
il sangue in gola lo trasformò in gargarismo.

Dopo quaranta minuti, l'ambulanza.

Dopo cinquantacinque, il centro traumatologico della Garbatella, a piazzale Tosti.

Il dolore alla gamba, nel frattempo, aveva offuscato l'emicrania.

Antar però rimpianse l'aspirina, o al limite il terzo caffè, mentre pregava Dio di poter tornare a camminare.

Due
Roma, anno di grazia 1946

Il razzismo che ho conosciuto da ragazza era molto diverso da quello di oggi. La gente era piú curiosa che ostile, almeno in apparenza.

Negli anni Trenta, molti vedevano in me l'icona dell'avventura coloniale e mi vezzeggiavano come una bertuccia ammaestrata. Erano entusiasti di questa «bella abissina» che parlava italiano e faceva la riverenza, ma si guardavano bene dall'invitarmi per una merenda con le figliole. Col tempo, quelle coccole zuccherose si evolsero in direzioni opposte: da una parte, l'approccio sessuale esplicito, offensivo; dall'altra, lo sguardo indiscreto, come filtrato dai rami di una siepe. A teatro, in tram, per la strada: ovunque andassi mi sentivo studiata, con gli occhi e con le parole.

– Guardale le labbra, guardale i capelli, guardale la pelle. È una mulatta.

Allora mi voltavo e sputavo la mia risposta precotta, il disagio che si fa spavalderia.

– Sí, signora, sono come dice lei. Ma non sono sorda.

Un commerciante di via della Croce mi prese come modella per una collezione di occhiali con la montatura d'avorio. Non ho mai capito se mi scelse perché il bianco risalta bene sulla pelle scura o perché l'avorio, gli elefanti, l'Africa, la Venere nera… Fatto sta che i primi piani vennero piuttosto bene e non potevo resistere, tutte le volte che capitavo di lí, alla tentazione di specchiarmi nelle foto in vetrina.

Ascoltavo cosí i commenti dei passanti, che mai si accorgevano di avere a fianco proprio la ragazza ritratta negli scatti.

C'era chi mi attribuiva sangue nobile – «Dev'essere una
principessa», esclamavano – perché la loro idea di donna africana faceva a pugni con la mia eleganza, e chi sghignazzava
senza ritegno, evocando l'immagine di una scimmia con gli
occhiali.

Soltanto una volta, però, qualcuno mi disse in faccia che
gli ricordavo un primate, e non fu davanti a quella vetrina,
ma qualche isolato piú in là, nello studio dello scultore bulgaro Assen Peikov, in via Margutta numero 54.

Erano già due anni che posavo nuda per mestiere e ormai spogliarmi davanti a un artista mi veniva naturale quanto vestirmi, alla mattina, nella stanzetta umida che avevo preso in affitto vicino alla stazione Termini.

Ciò non significa che mi piacesse farmi guardare da chicchessia. Se durante il lavoro qualcuno bussava alla porta dello studio, avevo a portata di mano un telo per coprirmi, e anche cosí, con quella toga improvvisata, era difficile non sentirsi in imbarazzo.

L'uomo col cappello nero arrivò una mattina presto: avevo appena cominciato a mettermi in posa. Assen andò ad aprirgli, io raccolsi il mio telo e me lo fissai stretto sotto le ascelle. I due si fermarono a parlare nei pressi della porta. Immaginai che il tizio fosse uno di quei riccioni che si facevano fare i busti da mettere in giardino, di fianco alla fontana per le cinciallegre. Assen mostrò all'ospite i suoi pezzi piú recenti, poi vennero verso di me e quello prese a studiare la scultura in lavorazione.

– Questa come la intitolate? – domandò incuriosito.

– La prima donna, – rispose l'altro.

– Uhm… E la signorina, qui, sarebbe la modella?

Assen annuí e l'ospite storse il naso, in un'imitazione riuscita delle ubbie da critico d'arte.

– Le manca qualcosa, – disse alla fine.

– Non mi direte la mela, vero? Questa è Lilith, non Eva.

– No, non la mela. Piuttosto… una banana, eh? O magari delle noccioline… A voi piacciono le noccioline, vero, signorina?

– A dire il vero non le ho mai mangiate, – risposi con voce asettica. – Ma se me ne compra un sacchetto, le assaggio volentieri.

L'uomo col cappello nero bofonchiò qualcosa a proposito di un appuntamento e Assen lo accompagnò alla porta.

– Chi era quel cretino? – domandai non appena se ne fu andato.

– Indro Montanelli. Non lo conosci?

– Quello che scrive su «La Domenica del Corriere»?

– Proprio lui. Gli piace scherzare, ma non è cattivo. Dicono che in Africa avesse una moglie bambina e che le abbia voluto bene.

– Immagino, – dissi ripiegando il telo. – Come a un cane da grembo.

Assen avanzò in silenzio per rimettermi in posa. Mi appoggiò un braccio sulle spalle e con l'altro mi prese le gambe da dietro le ginocchia. Oggi se lo facesse rischierebbe un'ernia, ma allora ero leggera, e cosí mi sollevò di peso e si inerpicò su per le scale del soppalco, dove teneva due materassi per riposarsi durante il lavoro.

Ancora non capisco cosa gli saltò in testa.

Come ho già detto, per me spogliarmi e posare era solo un lavoro, ma non tutti i pittori e gli scultori erano professionisti onesti. Avevo imparato a mie spese che di fronte a una *negra*, anche l'onestà poteva andare in vacanza.

Un fotografo di Montesacro mi disse di mettermi nuda mentre lui andava in camera oscura a preparare il materiale. Tornò con addosso soltanto i calzini, per via del pavimento freddo, pronto a inseguire la preda in una caccia grottesca intorno al tavolo. Si fermò solo quando mi misi a urlare a pieni polmoni, poi lo tenni a distanza con un treppiede mentre mi rivestivo. Lasciai il suo studio tutta in disordine ma con due nuove certezze: primo, che non avrei mai piú fatto foto di nudo; secondo, che una voce altisonante e decisa è la miglior difesa contro i marpioni.

Ne ebbi la conferma giusto una settimana dopo, quando *Sfrenato* Guttuso, mentre mi ritraeva nei panni di una Naiade, si fece sotto con la sua faccia giallastra e mi leccò un seno.

Urlai per fermarlo, certo, ma anche per lo schifo. E la Naiade dovette finirla con un'altra modella.

Per schivare le donne, invece, non c'era bisogno di urlare. Erano piú raffinate, non ti saltavano addosso di punto in bianco, ma ti facevano capire l'antifona con allusioni e promesse.

La figlia della mia affittacamere, una certa Virginia detta Genny, mi accoglieva tutte le mattine dicendo che la notte mi aveva sognata. Feci l'errore di chiederle il contenuto del sogno e il suo racconto fu molto piú di una semplice allusione. Immagino che realizzando le sue fantasie notturne avrei avuto in cambio una pigione ribassata, ma decisi lo stesso di rinunciare allo sconto.

Leonor Fini era una grande artista, dissacrante e trasgressiva. Portava larghi cappelli molto vistosi, e quando andava a teatro, gli spettatori alle sue spalle le urlavano di toglierli, perché non vedevano il palco. Lei allora li sfilava, con tutta calma, e sotto aveva acconciature altrettanto maestose, che impedivano lo stesso a quelli dietro di godersi lo spettacolo. La conobbi da *Babington's*, in piazza di Spagna, e quando venne il momento di lasciarmi il numero di telefono, tirò fuori dalla borsetta un cartoncino bianco e un rossetto.

– Te lo scrivo con questo, – mi disse, – come le puttane.

Andai a casa sua per discutere del quadro che dovevo ispirarle. Aveva un paio di gatti, che da giovane mi davano l'allergia, e mi serví un abbondante risotto coi funghi, che anche oggi mi dà il voltastomaco. Disse che mi avrebbe fatto conoscere Alida Valli, Valentina Cortese, Luchino Visconti. Capii che mi puntava, o forse avevo la testa piena di pregiudizi, i soliti «si dice» che i pettegoli appiccicano sulla pelle degli stravaganti. Si diceva che «Lolò» organizzasse orge con pozioni magiche e colori a olio. Ringraziai per il risotto, girai alla larga dai gatti e non tornai piú.

Non volevo in alcun modo dare ragione a madama Flora, per la quale fare la modella e darla via alla prima occasione erano tutt'uno. Le malelingue che telefonavano a mio padre, per dirgli che sua figlia faceva la mignotta, non dovevano avere la minima pezza d'appoggio. Un puntiglio che mi precluse svariate esperienze, magari divertenti, e magari vantaggiose.

Tornando al bulgaro Assen, il suo abbordaggio era stato troppo docile per respingerlo con le solite grida. Sapeva che l'uomo col cappello nero mi aveva ferita e quello era il suo modo di offrirmi un diversivo.

Il risultato fu che mi prese una grande tristezza. Consideravo Assen un buon amico e lui per consolarmi non trovava di meglio che saltarmi addosso *con delicatezza*. Si accorse che piangevo e mi riportò giú, mi pagò per l'intera mattinata e disse che sperava di rivedermi, perché una cosa del genere non sarebbe piú successa.

– Cercherò di dimenticarmela con un buon bicchiere, – risposi accomodante e andai a bagnarmi il becco al *Caffè Greco* di via Condotti, un locale per artisti tra i piú antichi della città.

L'ingresso era una doppia porta a vetri incorniciata di legno scuro. C'erano varie salette, una dietro l'altra. Nell'ultima, incastrato su una specie di scranno, sedeva il proprietario, il signor Tumminelli, in compagnia degli avventori piú affezionati. Io non avrei mai potuto diventare una habitué, viste le mie scarse finanze, ma Assen Peikov mi aveva presentato un cliente fisso del posto, il compositore Bruno Barilli, che era stato in viaggio tutt'intorno all'Africa, con tappe a Chisimaio e a Mogadiscio. Le sue descrizioni della mia terra madre mi avevano incantato fin dal primo incontro.

– Poco dopo Mombasa, comincia un litorale d'una bianchezza smagliante, che fa intirizzire come alla vista della neve. Invece si tratta di sabbia infuocata. Tutto pari, piatto, senza approdi, lungo duemilacinquecento chilometri.

Un paesaggio biblico. Mandrie di cammelli, di dromedari, di buoi. Colonne di bestiame assetato, come al vuotarsi dell'arca di Noè.

In seguito, Bruno mi aveva regalato il suo resoconto di quell'avventura e io m'ero precipitata a leggere il capitolo sulla Costa dei Somali. Qui m'ero imbattuta in un elogio del fascismo per la realizzazione della fattoria modello di Vittorio d'Africa. Poteva ben darsi che il panegirico fosse meritato – nessuna dittatura commette soltanto orrori – eppure c'ero rimasta male e alla prima occasione avevo venduto il libro a un rigattiere. Non tolleravo attenuanti nel giudicare il regime che aveva ucciso mio fratello.

Qualche giorno dopo, quando Bruno mi aveva domandato che ne pensavo della sua opera, gli avevo risposto che lo trovavo piú brillante come critico musicale che come scrittore. Lui s'era detto perfettamente d'accordo e da quel momento le nostre chiacchiere si erano dirottate sull'opera lirica, i quartetti d'archi e l'arte in generale. Ero ignorante come un tacco, ma Bruno, che andava per i settanta, non pretendeva di farmi da pigmalione e io non gli rinfacciavo di aver scovato la sua firma in calce al *Manifesto degli intellettuali fascisti*. Ce ne andavamo in giro a braccetto come uno strano paio di esseri umani: lui vecchio, distinto, con una gran testa di capelli bianchi; io giovane, rattoppata e marroncina.

Entrai nell'ultima sala del *Caffè Greco*, salutai Tumminelli con un inchino e andai a sedermi sul divanetto rosso di fianco a Bruno.

– Cosa c'è che non va? – mi domandò subito, prima ancora di ordinare da bere. – Ti ho comprato una crema per le mani, – disse mostrandomi un sacchetto di carta della farmacia all'angolo.

Lo ringraziai del pensiero: per quanto cercassi di nasconderlo, doveva aver notato che i geloni mi spaccavano le dita.

La stanza dove dormivo non era riscaldata e l'autunno di quel 1946 era tutt'altro che mite.

Arrivarono due calici di frascati e io vuotai il mio con la grazia di un alcolista. Non vedevo l'ora che mi girasse la testa.

– Tu dovresti provare la cocaina, – mi disse allora Bruno.

– Nooo, troppo costosa. Però dicono che toglie la fame, giusto? Se togliesse anche il freddo potrei farci un pensierino.

Lui sollevò il bicchiere in un brindisi solitario.

– Per il freddo è meglio il vino, ma alla lunga ti annebbia il cervello. La cocaina, invece, ti fa sognare.

– Guarda, – gli risposi, mentre facevo cenno al cameriere di portarmene un secondo, – per me è già un sogno essere fuori di casa. Non mi serve altro.

Strano a dirsi, il pensiero di Flora Virdis mi aiutava davvero a tirare avanti. In confronto alla convivenza con lei, qualunque alternativa era desiderabile. A parte mangiare e dormire, mi sembrava di non avere altra necessità, per vivere bene, che starmene lontana da via Efisio Cugia.

Mangiare, comunque, non era un problema da poco.

La stanza dove stavo in affitto non aveva l'uso della cucina e il mestiere di modella mi spingeva sempre nel cuore di Roma, dove gli artisti tenevano i loro studi e le trattorie facevano prezzi proibitivi.

Per fortuna, tre volte a settimana, avevo appuntamento all'ora di pranzo nella casa del Professore, dove svolgevo altri due lavori, entrambi con i vestiti addosso, per aggiungere un paio di tessere al mosaico della mia sopravvivenza.

Il Professore era uno storico dell'antichità, di famiglia ebrea. Lo avevo conosciuto alla galleria d'arte *La Finestra*, in occasione di una mostra di Antonio Donghi. Andavo a certi appuntamenti in cerca di ingaggi, ma anche perché mi piacevano i quadri e l'ambiente artistico, cosí diverso da quello della mia famiglia, dove il massimo della creatività era mettersi il farfallino invece della cravatta. Non era certo l'aspetto mondano dei vernissage ad affascinarmi, visto che dovevo presentarmi col mio cappotto rivoltato e un paio di braghe da uomo, larghe larghe, perché le calze da donna erano costose, e quando ne rompevo un paio dovevo risparmiare per settimane prima di potermene comprare un altro.

Alla personale di Donghi, un tipetto fiero del suo riporto, avendo saputo che ero nata a Mogadiscio, mi domandò se quello che indossavo fosse il costume tradizionale somalo.

Il Professore giunse a soccorrermi proprio in quel momento.

Sulle prime, si interessò alla mia vita durante il periodo delle leggi razziali, perché come ebreo si era visto espellere dall'università, e una volta tornato in cattedra, dopo la guerra, aveva deciso di studiare le teorie sulla razza elaborate dal fascismo. Gli risposi, in tutta onestà, che quelle leggi non mi avevano sfiorato, ma che di sicuro mio fratello le aveva conosciute e forse anche per questo aveva deciso di combattere i nazisti fino all'ultimo minuto.

Seppi cosí che anche il Professore aveva preso parte alla guerra di liberazione, prima a Roma, poi sull'Appennino, dalle parti della Linea gotica.

Alla fine della chiacchierata, mi offrí di lavorare a casa sua: aveva bisogno di qualcuno che lo aiutasse a mettere ordine tra le sue carte e che trascrivesse certi documenti che stava studiando. Poi c'era suo figlio Guglielmo, che doveva esercitarsi in Greco e Latino, le due materie che al liceo avevo studiato piú volentieri. Sulle prime, pensai che quella doppia offerta fosse l'effetto di una doppia solidarietà: quella che nasce tra le vittime di un pregiudizio e quella che accomuna famiglie, reduci e morti di una stessa battaglia ideale.

Il seguito dimostrò che non erano proprio gli unici motivi.

Tre

Roda, Val di Fiemme, 25 luglio 1991
48° anniversario della caduta del fascismo

Il posto a sedere è sempre lo stesso, quello accanto alla pianta con le foglie lucide, vicino alla cabina del telefono. Ogni sera dei giorni dispari, alle sette in punto, entri all'*Hotel Mele*, saluti i camerieri e aspetti impaziente la chiamata di Antar. Quando stavi a Mogadiscio vi sentivate al massimo una volta alla settimana, per evitare la noia e i salassi intercontinentali. Ora invece vi parlate piú spesso, anche se da raccontare non c'è davvero granché, la tua vita in montagna è monotona come un ospizio, e la vostra conversazione segue il solito canovaccio: tu snoccioli lamentele, Antar prova a cambiare discorso, e quando proprio non ci riesce, allora perde la pazienza, dice che non ti rendi conto di quanto sei fortunata; è estate, sei in una località di villeggiatura e a Bologna fa un caldo da schiattare. Non per niente è figlio di Mohamed, l'uomo che tre mesi fa ti ha salutato all'aeroporto di Mogadiscio con tanti auguri di buone vacanze. I primi giorni ci hai pure provato, a fare finta di essere in ferie, ma era come cercare di addormentarsi senza avere un'idea di quanto durerà la notte, se due ore, due mesi o vent'anni. Essere profughi è una malattia simile all'insonnia, che ti tiene sveglio anche quando sei stanco morto.

Arrivano l'acqua e un piatto di gnocchi con il formaggio, e mentre tu attendi la voce di Antar, io ne approfitto e spiego come mai piangi sempre miseria, ma ti ritroviamo al ristorante, servita e riverita come una cliente abituale.

Semplice, la cena è gratis, te la offrono tutti i giorni i proprietari dell'hotel, e se fossimo abituati a considerare il dono come un gesto naturale, non ci sarebbe bisogno di spendere altre parole. Purtroppo ci hanno fatto credere che la natura dell'uomo consiste nel perseguire i suoi interessi al massimo grado, e allora ci pare strano che un albergatore, uno che si guadagna da vivere vendendo pasti e camere con vista, possa decidere di regalare quel che di solito gli consente di arricchirsi. Ci dev'essere qualcosa sotto, pensiamo, di certo un fatto losco o straordinario, e vogliamo sapere subito come sono andate le cose.

Tu mi hai raccontato che una sera ti sei ritrovata con il frigorifero vuoto, dopo che a pranzo avevi già digiunato, e cosí hai deciso di concederti una porzione di strozzapreti al ristorante dell'*Hotel Mele*. Ti sei seduta, hai spazzato via il primo piatto e senza colpo ferire ne hai ordinati altri due. Al momento di pagare, il signor Giuliano ti ha fatto segno di mettere via il borsellino. «Un appetito cosí va premiato», ha detto ridendo, e tu lo hai preso in parola: contenta, per la prima volta in vita tua, di aver fatto la figura della morta di fame. Pochi giorni dopo, le pareti del frigo facevano di nuovo eco al brontolare del tuo stomaco, e il ristorante dell'*Hotel Mele* t'è parso l'unica soluzione. Questa volta, per non esagerare, un solo piatto di gnocchi, con il signor Giuliano che viene a portarteli di persona e dice: «Signora, quando lo desidera, qui un piatto di pasta glielo offriamo volentieri». Perché no?, ti sei detta, e da quel giorno gli fai visita tutte le sere, alle sette in punto, e a giorni alterni aspetti la telefonata di Antar, nel solito tavolo accanto alla cabina.

Finiti gli gnocchi, l'orologio della sala segna le sette e mezzo, i tavoli si vanno riempiendo, e quel fesso di Antar non ti ha ancora chiamato. Passi un'altra mezz'ora divorando pane e lancette, fai scarpetta nel piatto fino a tirarlo a lucido,

ormai sono le otto e Antar non chiama ancora. Ci manca solo che sia morto, pensi, e già ti viene la pelle d'oca. Guardi
la mela sul tavolo, ma la fame è sparita, a forza di annegare
nel pane l'ansia dell'attesa. Meno male che la generosità di
Giuliano non comprende mai il vino, altrimenti a quest'ora
saresti già stesa.

Alzi gli occhi e metti a fuoco due sagome note che avanzano verso di te, tra gruppi di escursionisti, coppie di anziani e famiglie in fuga dalla città

– Ciao, Isabella, come va?

Molto strano, ti dici. Simona Zorzi e sua madre Gina
non sono mai venute a trovarti di sera. Di solito fanno un
salto al sabato pomeriggio, per sincerarsi che vada tutto
bene: controllano la casa, il giardino, e nel giro di un paio
d'ore se ne tornano a Bolzano. Se sono qui alle otto di sera, con Antar che non telefona, significa che di sicuro gli è
successo qualcosa.

– Hai finito di mangiare, Isabella?

– Sí, perché? – rispondi tu sospettosa.

– No, niente, è che….

Ci siamo, ti dici, Antar è proprio morto. E adesso che fai?
In Italia non hai nessuno, l'unico era lui, ma se lui è morto,
che ci stai a fare? Torni in Somalia?

– È che volevamo andare in casa a prendere delle cose che
ci servono, – si affretta a dire Simona. – Cosí siamo passate
dal caseificio e abbiamo fatto un po' di spesa anche per te.

Balle, pensi, queste non hanno il coraggio di dirmi che
Antar è morto. Mica gli avranno sparato, a mio figlio? Vuoi
vedere che adesso i somali si fanno la guerra anche qua?

– Giuliano, Isabella ti deve qualcosa? – domanda Gina
con la mano al portafogli.

– No, no, Gina, lascia stare, è una cosa fra noi.

Dove sarà morto? A Roma, a Bologna, a Chissadove?

– Come dici, Isabella?

– Non stavo dicendo niente.

– Ma sí, hai borbottato qualcosa.

– Sí, Isabella, – interviene Gina scandendo bene le parole. – Non ti devi preoccupare. Non è successo nulla di grave.

Ah, no? Scusa non richiesta, accusa manifesta. Allora è proprio vero. Antar è morto e la tua permanenza in Italia finisce qui. Almeno la smetterai di essere profuga in patria, un ossimoro di quei tanti che fa la vita, l'ennesima contraddizione che ti porti addosso.

– Adesso andiamo a casa e mettiamo via la spesa, va bene? A proposito, Isabella, – domanda Simona. – Se c'è qualcosa che ti serve, lo sai, non esitare a chiederlo.

Guarda quanto tempo ci mettono a dirmi...

– Una coperta piú pesante, magari. La notte fa freddo, e anche se siamo a luglio, batto le brocchette.

– Cosa batti?

– Le brocchette. È un'espressione che usiamo a Roma, come battere i denti, però al posto dei denti ci sono queste brocchette.

Uscite dal ristorante in fila indiana, tu in mezzo, come se dovessero proteggerti, mentre fuori c'è soltanto silenzio e l'ombra nera delle montagne sul nero del cielo. È una notte limpida e la Via Lattea taglia il firmamento. Peccato che tra un attimo tutto si sbriciolerà di fronte alla notizia che Antar è morto.

I cinquantotto gradini per arrivare alla porta ti sembrano triplicati e la proposta di salire in casa e di appartarsi dal mondo suona lugubre conferma.

Ma perché ci mettono tanto?, ti domandi. Che aspettano a darmi la notizia? Hanno forse paura che mi metta a piangere, che perda il controllo davanti a tutti, che le faccia vergognare?

Quando è morto Giorgio, quelli speravano di vederti fri-
gnare, ma tu non gli hai regalato una lacrima. Sei cresciuta
sentendo ripetere che il pianto è roba da femminucce, e allora col cavolo che li accontenti, tu sei un'attrice, non ti fai
trovare là dove ti aspettano, ma porti il pubblico dove pare
a te. Poi magari piangi, piangi a dirotto, ma con gli occhi
asciutti o davanti alla specchiera del camerino.

Con mano incerta cerchi la chiave di casa, fai entrare Simona con la spesa, poi Gina, e infine ti chiudi la porta alle
spalle.

– Ti abbiamo preso quattro tipi di formaggi, Isabella.
Spero ti piacciano.

Guarda che faccia tosta, rimugini, mio figlio è morto e
questa mi parla di formaggi. Voglio vedere se si trattava di
uno dei suoi.

Ti fanno accomodare su una sedia, riempiono un bicchiere
d'acqua e tutto il muto rituale delle cattive notizie.

– Ascolta, Isabella, – si fa coraggio Gina. – Ci ha telefonato un certo Riccardo Monari...

Eccolo, eccolo che arriva.

– Antar gli ha chiesto di chiamarci e di farci venire qui
da te, per dirti che è all'ospedale, ha avuto un incidente a
Roma, in moto, s'è rotto una gamba.

– Dio sia lodato! – esclami con le braccia larghe, come ad
accogliere una benedizione.

Gina ti guarda perplessa e anche Simona non sa cosa pensare.

– Pare sia stato un incidente serio, – riprende Gina. – Antar adesso non può muoversi, l'hanno messo in trazione, ci
diceva questo Riccardo che sarà una cosa lunga.

– Ma è vivo? – domandi per essere sicura di aver capito bene.

– Sí, sí. Con la gamba rotta, ma vivo.

– Dio sia lodato! – ripeti, e speri che il Dio in questione, insieme ad Allāh e ai santi del Paradiso, adesso non pretenda tutto quello che hai promesso in cambio della vita di tuo figlio, mentre queste due ti tenevano sulla corda come in un poliziesco da quattro soldi.

Si sa che lo stress fa dire un sacco di stupidaggini.

E anche volendo, come ci arrivi a piedi fino a Mogadiscio?

Quattro
Roma, 11 novembre 1946

La casa del Professore non era molto distante dal *Caffè Greco*.

Salutai Bruno Barilli, percorsi all'indietro le stanze e mi ritrovai in strada, a farmi largo tra gli sguardi di via Condotti, per infilare la corrente che da via del Corso rifluiva in piazza del Popolo. Colletti bianchi in cerca di un boccone per il pranzo, signore in paltò, popolane con le borse della spesa. I lustrascarpe offrivano i loro servizi a uomini imbrillantinati e militari in divisa. Mucchi di sampietrini e attrezzi da lavori in corso costringevano a camminare tra le auto e i furgoncini telonati. Un manipolo di calabresi in giacca e cravatta, stesso accento di mio padre, mi domandò l'indirizzo dell'onorevole Tal de' Tali.

Al momento di salire in tram, un cretino mi si appiccicò addosso fingendo una perdita d'equilibrio. Pregai che non fosse di quelli che se lo tirano fuori nella calca e sfogano sui cappotti da donna il loro vizio solitario. Me la cavai con una mano stampata sul sedere, puzza di ascelle, ancora sciami di sguardi e infine il campanello d'ottone del Professore.

La domestica mi fece accomodare nello studio, mentre padre e figlio pranzavano nel grande salotto, sotto il lampadario di Murano, tra vedute di Roma e reperti archeologici di ogni provenienza.

Andai a sedermi allo scrittoio, liberai uno spazio in mezzo ai libri e aprii il secondo cassetto nella schiera di destra. Un ottimo profumo di carne stufata si levò in aria sotto forma di vapore. Il piatto del giorno era spezzatino in umido con patate, ancora ben caldo. Mancavano le posate – il Professore se le dimenticava spesso – ma io avevo fame e me ne fregai dell'etichetta.

Presi a mangiare con le mani e ancora una volta mi immaginai la scena come vista dall'alto, con il palazzo scoperchiato e quattro persone, nello stesso appartamento, che consumano la stessa pietanza in tre stanze diverse: il signore e il signorino in sala da pranzo, in cucina la servetta e in studio la... come definirmi? Una segretaria? Una studentessa? Un'insegnante di ripetizione? Una bella ragazza da tenere in casa, per rifarsi gli occhi ogni tanto?

Terminato il pranzo mi andai a sciacquare le dita, per poi riordinare lo scrittoio e riporre i volumi che lo ingombravano.

Mentre mi aggiravo fra le quattro pareti coperte di libri, mi capitò in mano un saggio bello grosso, *La politica imperiale di Roma*. Stavo per rimetterlo al suo posto, in ordine alfabetico, nello spazio dedicato all'Impero romano, quando mi resi conto che le firme in copertina formavano una strana coppia. In alto al centro spiccava il nome del Professore. Sotto, in caratteri piú piccoli: «Prefazione di Cesare Maria de Vecchi di Val Cismon». La data di pubblicazione era il 1936.

De Vecchi. 1936. Roma imperiale...

Pur nella mia ignoranza, ero stata la tipica liceale sgobbona. Meglio imparare a memoria date, battaglie e poesie di Catullo che andare a servizio da qualche nobildonna della capitale, convinta che i *negri* capiscano solo le frustate. Anche perché di frustate me ne sarei guadagnate parecchie, visto che avevo la manualità di un elefante e il senso pratico di una cicala. Madama Flora mi aveva pure iscritto a un corso serale di taglio e cucito, ma l'insegnante l'aveva implorata di ritirarmi dopo due settimane, perché non ero capace di attaccare le maniche e facevo perdere tempo a tutta la classe.

Bocciata in manicologia, mi ero rifatta col Greco, il Latino e la Storia. La maggior parte delle date me le dimenticavo il giorno dopo l'interrogazione, ma sul 1936 – e il ritorno dell'Impero sui colli fatali di Roma – ci avevano fatto una capoccia tanta e la maestra mi aveva pure fotografata, mentre piantavo le bandierine italiane sui luoghi della campagna d'Abissinia. Cesare Maria de Vecchi di Val Cismon, invece, aveva un nome troppo lungo e altisonante per non restare avviluppato fra le pieghe del cervello. Quadrumviro della marcia su Roma, governatore della Somalia al momento della mia nascita, ministro di questo e quell'altro, a quanto si diceva era scappato in Sudamerica dopo la fine della guerra.

Mi parve subito sorprendente che il Professore, allontanato dall'insegnamento per via delle leggi razziali, poi liberatore di Roma, Imola e Bologna, avesse scritto un libro sull'Impero dei Cesari, nell'anno dell'impero di Mussolini, che fin dalla copertina vantava la prefazione di un gerarca fascista.

Sfogliai le prime pagine e lessi di che si trattava.

> L'autore di questo libro è un giovane maturato alla buona scuola, quella che ha dato un volto nuovo alla Patria pensando, operando, battendosi romanamente.
>
> Egli è di quella schiera di fascisti della vigilia che hanno saputo maneggiare con lo stesso spirito il libro ed il pugnale, battersi nelle squadre e studiare seriamente.
>
> Finalmente i tempi nuovi ci dànno di questi esempi di sintesi storica ricercata e trovata con l'analisi piú concreta, piú paziente, piú minuta; ma con cuore italiano ad uso degli italiani del tempo di Mussolini.

Chiusi il libro e lo sistemai al suo posto. A quanto pare il destino si divertiva a farmi incontrare gente che aveva applaudito il regime contro il quale mio fratello s'era andato a schiantare. Prima Bruno Barilli, poi il Professore. Ma accusare il destino era una magra consolazione. La verità era che pochi italiani, in vent'anni di fascismo, potevano dire di non aver mai battuto le mani di fronte a Mussolini. Per quanto fossi ingenua, sapevo bene che molti avevano cambiato faccia all'ultimo momento e tanti altri si erano appena rifatti il trucco.

Il Professore era un uomo pieno di sé e tante volte mi aveva ripetuto le tappe della sua biografia. Io non lo ascoltavo mai con molto interesse – non lo facevo con nessuno, troppo concentrata sulle mie disgrazie – eppure mi ricordavo bene che la sua sospensione dall'università risaliva al 1938. Solo due anni prima, un convinto sostenitore della superiorità italica sulle razze africane aveva intinto la penna per esaltare un suo saggio di storia antica.

Dunque erano state le leggi contro gli ebrei a far cambiare prospettiva al Professore? Finché il pugno di ferro colpisce gli altri – i comunisti, i somali, gli abissini – va tutto bene, ma quando ti tolgono la cattedra all'università allora no, si esagera, bisogna reagire. E a quel punto, combattere con le armi coloro che per anni hai blandito, è sufficiente come espiazione, come garanzia di ravvedimento?

Piú ci ragionavo e piú non riuscivo a formulare un giudizio.

Avrei tanto voluto possedere un rivelatore di voltagabbana, per distinguere gli opportunisti dai folgorati sulla via di Damasco, ma una volta acceso, che risultati mi avrebbe dato? Io stessa, pur nell'età della ragione, non avevo mai concepito un solo pensiero contro la dittatura, prima che mio fratello morisse.

Uno dei suoi amici mi aveva detto un giorno che Giorgio e io eravamo antifascisti *nati*, perché due mulatti italiani, figli della colonia, l'opposizione al regime ce l'avevano nel sangue.

Sarebbe stato bello crederci, a una simile predestinazione, ma sapevo bene quanto fosse fasulla: a me il Ventennio era passato sopra come un fiume sulle rocce, mentre combattevo la mia resistenza da camera contro un duce in gonnella. Se avessero conferito medaglie anche per quel genere di antifascismo, allora ne avrei meritata una ben prima di mio fratello. E quanto a lui, che ne sapevo dei motivi che l'avevano spinto a ribellarsi? Ricordavo bene quanto detestasse indossare la camicia nera, ma la camicia nera era una mascherata e molti la schifavano solo per snobismo. Altre volte l'avevo visto correre orgoglioso, sulla pista del Guardabassi, con la casacca del Gruppo universitario fascista. Dunque? Era stato l'incontro con quel professore, quel Pilo Albertelli di cui mi parlavano tutti, a metterlo sulla strada del dissenso? O piuttosto l'avvento delle leggi razziali? Oppure ancora…

Stavo ragionando cosí, a scatto libero, quando il professore entrò nella stanza, immerso nel solito aroma di bergamotto, l'ingrediente principale dei profumi che lui stesso confezionava, da vero dandy vittoriano.

– Gradisce un frutto? – disse porgendomi un'arancia sbucciata su un piattino di porcellana. Poi, senza nemmeno sedersi, prese a parlare del lavoro che mi attendeva. – Ormai manca poco, sa? C'è da controllare quell'ultimo faldone, verificare la bibliografia, inserire gli ultimi titoli… Di questo passo, dovremmo aver finito per l'inizio della primavera.

Studiò la mia reazione, ma io ero tutta intenta a ingoiare spicchi. Certo la notizia non mi faceva saltare di gioia: copiare elenchi e sistemare libri era noioso, ma almeno si stava al caldo, c'era da mangiare e guadagnavo qualcosa.

– Da maggio in avanti, vorrei che si dedicasse soltanto a Guglielmo: deve studiare per l'esame di maturità, e se in Greco gli daranno la sufficienza, sarà tutto merito suo, cara Isabella.

– Su questo non ho dubbi, professore. Ma...

– Chiamami pure Manlio, se vuoi. Possiamo darci del tu?

– Ben volentieri, Manlio. Ma dopo giugno? Anche dandoci del tu, mi sembra di capire che ci saluteremo. Ciao ciao, Isabella.

Lui annuí con aria compiaciuta, come se avesse previsto quelle rimostranze.

– La mia attività di ricerca non finirà certo a giugno, Isabella, e sono sicuro che le tue capacità mi torneranno ancora utili. Prima, però, vorrei concludere questa fatica e festeggiare come si deve l'obiettivo raggiunto.

Smise di passeggiare, allineò la costa di un libro con il bordo del tavolo e batté con la mano sulla copertina.

– Vorrei offrirti una vacanza, cara Isabella. Milano, il lago Maggiore, le Isole Borromee. Che ne dici? Non ce la siamo meritata?

Allora ero un'ingenua, lo ripeto, ma non mi ci volle chissà quale malizia, per capire il senso del discorso.

Un professore universitario che fa una proposta simile a una giovane galoppina le sta dicendo che continuerà a lavorare solo se sarà piú disponibile nei suoi confronti.

Un uomo di quarantacinque anni che offre un viaggio del genere a una ragazza di ventuno, le sta dicendo che vuole portarsela a letto.

Accettai, sicura di saper badare a me stessa. Se il professore voleva vedermi nuda, doveva cambiare mestiere e darsi alla pittura. Ma se voleva viaggiare in mia compagnia, in cambio di un lavoro e di tre pasti a settimana, allora poteva chiedermi di seguirlo anche al Polo Nord.

– Molto bene, sono davvero contento. La fine di aprile potrebbe essere il periodo migliore. Ma adesso basta chiacchiere, mettiamoci al lavoro, o a quella data non ci sarà nulla da festeggiare.

Passai il pomeriggio a compilare un indice dei nomi e Manlio mi parve piú affettuoso del solito. Fece portare il tè con un vassoio di pasticcini, si alzò un paio di volte per prendermi dei volumi pesanti dagli scaffali piú alti, e alla fine, quando ci salutammo, mi prese il cappotto dall'appendiabiti e mi aiutò a infilarlo come un vero gentiluomo.

Fuori era buio da un pezzo e mi attendeva una serata a digiuno. Ero in ritardo con l'affitto della stanza, e se non davo alla padrona almeno metà della cifra, era capace di sbattermi fuori. Gli amici danarosi, a quell'ora, tornavano tutti a casa, dopo una giornata di lavoro e scorribande, e volevano starsene in poltrona con un buon libro, bere un brodino caldo in santa pace, oppure incontrarsi in eleganti ricevimenti e feste da ballo. La notte, che fa diventare i gatti tutti bigi, sembrava invece accentuare le differenze tra me e la gente del bel mondo, gli artisti di successo, le signore in pelliccia. Al mattino potevo ancora sedermi con Bruno Barilli in un caffè da intellettuali, litigare con Indro Montanelli, fare conoscenza con Ennio Flaiano. Ma dopo le sei di sera frequentavo solo gente senza nome, con due lire in tasca, nelle bettole intorno alla stazione, per poi tornarmene alla mia stanzetta, sperando che il letto non fosse troppo ghiacciato.

Per andare da casa di Manlio fino al quartiere dove abitavo, ero solita attraversare Villa Borghese. Mi piaceva evitare i marciapiedi affollati, i padri di famiglia che tornavano dal lavoro, le donne impegnate negli ultimi acquisti. Preferivo farmi accompagnare dal canto degli scriccioli e dall'odore dei pini.

Ero ormai dalle parti del monumento a Goethe, quando mi si spezzò il tacco di una scarpa e dovetti zoppicare fino a una panchina per vedere di riattaccarlo in qualche maniera.

Il tempo di tirar su la gamba per guardarmi la suola sotto un lampione e già quattro ruote inchiodavano sulla ghiaia di fronte a me.

Che fortuna, pensai, ecco qualcuno che mi offre un passaggio.

Era un'auto sportiva, scura. Il conducente abbassò il finestrino, ma il suo viso rimase nell'ombra. Passarono i secondi, in silenzio, abbastanza a lungo da mettermi in imbarazzo. Che dovevo fare? Alzarmi e salire, senza dire nulla?

Un colpo di clacson fece scattare un topo fuori dal suo nascondiglio.

Non c'erano tante auto, allora, in giro per la città, ma una scena del genere l'avevo già vista, lungo la Prenestina. La vettura si ferma, la donna si alza dal paracarro e monta su con fare deciso.

C'erano ancora i bordelli, in giro per la città, ma non tutte le mignotte lavoravano al chiuso.

Il volto di un uomo sulla cinquantina, capelli bianchi impomatati all'indietro, si sporse nel cono di luce.

– A' moretti', vie' 'n po'…

Sarei bugiarda se adesso raccontassi che non ci pensai.

Avevo bisogno di un passaggio e di qualche soldo per pagarmi da mangiare.

Davvero era piú dignitoso trascinarmi a casa senza un tacco e saltare la cena, piuttosto che fare una marchetta col primo venuto? Non è che magari me l'avevano raccontata cosí, solo per il gusto di complicarmi la vita?

Metà dei ragazzi dai quindici anni in poi pagavano una sconosciuta per farsi sverginare. Io di anni ne avevo ventuno e c'era lí uno sconosciuto che mi avrebbe pagato per lo stesso servizio. Se c'era una differenza, sembrava tutta a mio vantaggio.

Eppure mi alzai, riposi il tacco nella tasca del cappotto e m'incamminai sciancata giú per la collina, mentre l'auto sgommava via con rabbia, tra gli improperi del conducente e le alate proteste di una civetta.

Cinque

Val di Fiemme, 28 settembre 1991

Il gelo era calato dai boschi senza preavviso, per sorprendere l'estate e addentarle la coda. Era giunto in paese di sera, dopo il tramonto, mascherato dal consueto calo della temperatura, ma trascorsa la notte e risorto il sole, invece di imboccare la via dei crinali, s'era sdraiato in riva al torrente, e di là, sotto forma di vento, guazza e nuvole basse, aveva scavato come una lepre in ogni angolo della valle, dentro i motori delle auto e sotto i vestiti ancora leggeri, nel fiato dei vitelli e sotto gli usci delle case, e in pochi giorni aveva sloggiato le rondini, spinto le mandrie dentro le stalle e spruzzato i larici di un giallo precoce.

– Pronto, Antar? Qui fa un freddo cane! – si disperò Isabella un martedí mattina. – Non ho un maglione di lana, non ho la legna per il camino. Vuoi farmi morire assiderata?

Il sabato successivo, con i ferri che spuntavano dalla gamba e le stampelle in mano, Antar si mise in viaggio sulla Toyota Corolla di Roberto, un amico dell'università.

– Chi non muore si rivede! – lo accolse Isabella in cima ai gradini di casa Zorzi. Antar li scalò uno dopo l'altro, come un quadrupede bionico ancora in fase sperimentale.

– Potrei dire lo stesso di te, – ribatté Antar quando fu in cima. – In due mesi d'ospedale, non ti sei manco sognata di venirmi a trovare. Ormai ero convinto che le tue telefonate venissero dall'oltretomba. Poi per fortuna è arrivato il freddo.

Il volto di Isabella virò dal sarcastico all'offeso in un battere di ciglia. O forse l'espressione rimase la stessa e a cambiare fu soltanto il tono di voce.

– Sei proprio cattivo. Prima mi mandi al confino in questa valle di lacrime, poi mi guasti la festa per la caduta del fascismo, quasi muoio di crepacuore e tu mi rinfacci di non essere accorsa al tuo capezzale, a Roma, che saranno almeno seicento chilometri da qua.

– Hai ragione, – commentò Antar. – Come si può pretendere che una povera vecchia macini a piedi una distanza simile? Da qui a Roma si stende una terra incognita, piena di insidie. I predoni hanno minato i ponti della ferrovia e ora si avventano sui viandanti indifesi. Per questo abbiamo qui Roberto, coraggioso pilota, difensore delle vedove e degli oppressi, che con il suo potente mezzo a motore ci scorterà fino a Bologna.

– Grazie, Roberto, – fece Isabella stringendogli la mano. – Tu devi essere il classico figlio che ogni madre vorrebbe avere.

– Sí, signora. Tranne la mia, ovviamente. Se mi dice dove sono le valigie, comincio a caricarle in macchina.

– Ne ho una sola. È accanto al letto. Poi c'è una busta di plastica, in bagno, con la roba da toilette.

Roberto batté i tacchi e s'infilò in casa, con l'aria professionale ed efficiente di un autista del corpo diplomatico. Antar si domandò come facesse Isabella a mettere sempre tutti al proprio servizio, come tanti maggiordomi in guanti bianchi.

– Coraggio, Antar, – fece Isabella. – Guardiamo al lato positivo della faccenda. Almeno l'ospedale ti è servito per prenderti del tempo, e col tempo hai potuto cercare una sistemazione per tua madre.

– Eh, già, – rispose Antar col tono piú neutro possibile, fingendo di interessarsi al volo di una farfalla. – Ho avuto

modo di riflettere. E sai cosa ti dico? Che tutto questo doveva accadere, c'è un significato. Te l'ho detto che cinque
minuti prima dell'incidente ero stato in radio per un'intervista sulla guerra in Somalia?

– Sí, me l'hai detto. E l'unico significato che ci vedo io
è che la Somalia, negli ultimi tempi, è una centrale atomica
di scalogna.

– Ma no, vedi, il fatto è che quando una cosa ti deve capitare...

– No, Antar, ti prego. Se c'è una maledizione che porta
piú rogna della Somalia, quella è il fatalismo. Sei un soprav-
vissuto, un miracolato, non puoi permetterti di diventare
noioso. Piuttosto: dimmi dove hai pensato di parcheggiar-
mi, a Bologna. Hai trovato un appartamento, un monolo-
cale, una dimora troglodita?

Antar benedisse il tempismo di Roberto, che proprio in
quel momento si intrufolò tra loro con la valigia in una mano e la sporta di plastica nell'altra.

– Ne parliamo a tavola, okay? Tu a stomaco vuoto sei
sempre cosí nervosa.

– Piú che altro, sono nervosa a becco asciutto, – precisò
Isabella. Controllò di non aver dimenticato nulla, chiuse la
porta a doppia mandata e infilò le chiavi in un corno di bue
che stava appeso al muro poco piú in là.

– Bene, – disse alla fine. – Andiamo a brindare a queste tue
stampelle, – e aggrappandosi al corrimano scese verso Roberto
che la aspettava sull'attenti, di fianco alla portiera spalancata.

La pelle dell'orso era una trattoria senza pretese, incollata
a un tornante della strada statale. Le pareti rivestite di legno e i galli cedroni imbalsamati cercavano di ricreare l'atmosfera di una *stübe* tirolese, ma due televisori giganteschi
rovinavano l'effetto. Nel menu spiccavano i piatti a base di

polenta, e la lista dei vini faceva rimpiangere ai commensali l'imbarazzo della scelta.

– Allora, – attaccò Isabella appena il suo bicchiere fu pieno, – lasciami indovinare. Celeste s'è fatta impietosire e ha deciso che quest'anno, oltre alle diecimila lire che manda sempre a Natale per «Salva il Negro che c'è in Te», quest'anno farà doppia carità, crepi l'avarizia, e ospiterà in casa una profuga infreddolita della Val di Fiemme e il reduce infortunato di un programma radiofonico sulla Somalia. Brava, Celeste! Prima fila in Paradiso.

– Forte tua madre, – commentò Roberto mentre dava fondo ai grissini. – È proprio forte.

Antar non gli diede corda e provò a impostare la voce nella modalità «basta cazzate».

– Ascolta, Isabella. Il fatto è questo. Il 25 luglio ho avuto l'incidente…

– Oh, Madonna, – lo interruppe lei con la mano sulla fronte. – Quando la prendi da lontano mi preoccupi sempre molto. Non mi dirai che Celeste non mi vuole ancora? Nonostante due mesi di quarantena e l'aria di montagna che uccide tutti i batteri. Ma tu le hai detto che sono guarita, che non infetto piú?

– Davvero forte tua madre, – fece Roberto divertito.

Ad Antar invece cominciavano proprio a girargli le palle, tra questo cretino che continuava a ripetere: «Forte tua madre», Isabella che sfogava due mesi di solitudine e la gamba inchiodata che faceva un male da bestia.

Cercò di riprendere il filo del discorso, ma ormai si era tutto ingarbugliato.

– Ho capito, – tagliò corto Isabella. – Non andiamo da Celeste. E allora dove andiamo? Roberto, mi ospiti tu?

– Magari avessi un posto, signora Isabella. Purtroppo la casa non è mia, sono ospite da amici.

– E i tuoi amici non ce l'hanno un posticino per me?

Antar non sopportava il modo di fare di sua madre. Per lei due persone erano già un pubblico, emozioni da plasmare in pianto o riso, poco importa quale dei due, pur di sentirsi padrona dei sentimenti altrui.

– Isabella, su, piantala di fare il giullare, per favore! E poi un posto a Bologna te l'ho trovato, ti aspetta. Quindi piantala pure con il vittimismo.

– Davvero? E dove sta la fregatura? – domandò Isabella.

– Quale fregatura?

– Mah, me lo stai dicendo con un'aria...

– Con che aria? – domandò Antar esasperato, perché anche quello dell'aria era un classico tormento di sua madre. Che si incontrassero di persona o anche solo al telefono, presto o tardi Isabella gli appiccicava addosso un'etichetta psicosomatica: sei stanco, sei nervoso, sei depresso, cos'è quella faccia, hai la voce abbacchiata, cos'è successo... L'aspetto diabolico di quelle insinuazioni era che si avveravano con effetto istantaneo. La diagnosi: «Sei stanco» generava immediatamente un'enorme stanchezza, mentre il commento: «Oggi sei nervoso» non mancava mai di provocare una risposta nervosa. Altre volte, l'aria sotto accusa non veniva nemmeno definita e i puntini di sospensione erano una trappola, tesa per catturare l'aggettivo mancante. Al terzo «Oggi hai un'aria...», la vittima rispondeva in modo sgarbato, offrendo cosí suo malgrado una soluzione all'enigma. «Un'aria sgarbata», esultava la carnefice come se avesse appena vinto una mano di poker.

– Cosí, con quell'aria... – insistette Isabella.

Antar stava per cadere in padella come un pesce infarinato.

– Sarà la finestra aperta, – lo salvò Roberto, e si mise a ridere da solo, mentre l'amico, ingrato, lo fissava *con l'aria* di chi compatisce un cretino.

Arrivarono le polente, con i vari contorni di formaggio, funghi, salsiccia. La buona vecchia cucina di montagna, carica di proteine, tappò le bocche, riempí le pance e avvolse ogni tensione in un gomitolo di sonnolenza.

Col caffè in arrivo e uno stecchino tra i denti, Antar riprese a parlare.

– I medici hanno detto che fino alla fine di marzo dovrò tenere chiodi e stampelle, – annunciò. – La ferita spurga, mi devo medicare due volte al giorno, non posso fare sforzi. In pratica sono K.O. per i prossimi sei mesi. Ma per fortuna, Isabella, oltre alla casa ti ho trovato anche un lavoro.

– A me? – fece Isabella con la tazzina sospesa tra tavolo e labbra.

– Sí, proprio a te. Lo sai come si dice: chi non lavora, non mangia.

Isabella appoggiò il caffè, si mise comoda e prese di mira con l'indice il naso di suo figlio.

– Tu manco mi hai telefonato, tutto preso dai tuoi chiodi e dalle tue stampelle, ma si dà il caso che la sottoscritta, meno di due settimane fa, abbia compiuto sessantasei anni, che a quanto ne so, qua in Italia, è l'età della pensione.

Antar si fece scudo con un bicchiere d'acqua.

– Hai sempre detto che te ne freghi dell'età anagrafica, che sulla carta d'identità dovrebbero scriverci altri dati, e adesso invece mi dici che sei troppo vecchia per lavorare?

– Non lo dico io. Lo dice la legge. Quella uguale per tutti.

– Ci prendiamo un amaro? – propose Roberto.

Isabella si voltò di scatto verso di lui, sempre con l'indice puntato, come una statua di cartapesta su un piedistallo girevole.

– Ah, fellone! Tu lo sai, cosa mi aspetta. Antar te ne ha parlato e tu da bravo amichetto vieni in suo soccorso, cerchi di farmi bere ancora, ci offri il digestivo. Ma è davvero cosí pesante da mandare giú, questo cristo di lavoro?

– No, macché, – rispose Roberto intimorito. – Tutt'altro. Anzi, facciamo cosí: prima Antar le spiega bene di cosa si tratta, poi ordiniamo gli amari.

– D'accordo, – si lasciò andare Isabella sullo schienale di legno. – Solo le suore si fasciano la testa prima che sia rotta.

Antar infilò un dito nella tazzina e raccolse lo zucchero rimasto sul fondo. Si piluccò la falange, poi perlustrò il locale in cerca di incoraggiamento. Ma il televenditore di coltelli e la martora impagliata non vollero prendersi a cuore il suo caso disperato.

– Allora, senti, – cominciò. – Il lavoro che ti ho trovato a Bologna sarebbe fare compagnia a una persona.

– Fare compagnia? E quanto mi pagano?

– Novecentomila lire al mese, piú vitto e alloggio gratuito.

– Vitto, alloggio... e gambe aperte, – commentò Isabella indignata. – Cosa gli hai mandato come curriculum, una mia foto degli anni Quaranta?

– No, Isabella. Dovresti fare compagnia a una donna, niente chiavate.

– Quindi io me ne sto lí, in casa da questa tizia, mangio a sbafo, ci faccio due chiacchiere, e lei mi dà novecentomila lire al mese?

– Esatto, – disse Antar sbrigativo. – Poi è chiaro che vivendo con lei dovresti anche dare una mano con le pulizie, far da mangiare, la spesa ogni tanto...

– Aaah, – sbottò Isabella con un richiamo alla Tarzan, mentre annuiva fra sé e mormorava parole incomprensibili a fior di labbra. – Aaaaah, – ripeté di nuovo, piú a lungo, a mezza via tra il dolore di una fitta e l'esultanza di fronte a una verità banale, rimasta nascosta per troppo tempo. – Finalmente ho capito tutta questa prudenza. Siete venuti a prendermi qua, in Val di Fiemme, per portarmi a Bologna a fare la serva. Cos'è, prendete pure una percentuale?

– Forte, tua madre, – ghignò Roberto soddisfatto. – Proprio forte.

Antar gli mollò un calcio sotto la tavola.

– Che strana la vita, – continuò Isabella. – Da ragazzina ho sgobbato sui libri, per evitare che la mia matrigna mi mettesse a servizio da qualche signora, e adesso, cinquant'anni dopo, la storia si ripete grazie a mio figlio, il parto delle mie viscere, un trentenne capace solo di cadere dalla moto pur di non prendersi cura di sua madre. Che meraviglia! Prima profuga, poi anche serva. Sto facendo carriera, brindiamo!

– È finito il vino, – annunciò Roberto. – Ma adesso arrivano gli amari.

– Macché amari! – Isabella respinse l'idea come una mosca. – Prima sono andata in bagno e ho visto nel sottoscala delle casse di spumante. La marca non è granché, però da quel che ho capito ne regalano due bottiglie proprio alle vecchie senza pensione che devono mantenere un figlio a sessantasei anni. Se tu, Roberto, fossi cosí gentile da andarle a ritirare, mettendole magari nella busta di plastica con la mia roba da toilette, forse durante il viaggio per Bologna potrei tirarmi su di morale e affrontare lo schiavismo con animo piú leggero.

Antar guardò l'amico alzarsi, con un sorriso complice, sul punto di eseguire gli ordini di Isabella. Fece in tempo ad agguantarlo per un polso e a rimetterlo seduto.

– Ma che fai? Ti pare che mia madre può scolarsi due bottiglie di spumante e presentarsi sbronza a casa di Itala Venturoli? E tu, mamma, vuoi piantarla di fare la bambina? Se perdi 'sto lavoro siamo spacciati, altro che brindisi.

– Va bene, dài, stavo scherzando. Lo facciamo dai signori Venturoli, il brindisi con lo spumante. Ci presentiamo con le

bottiglie e facciamo un po' di festa: vedrai che apprezzano,
è un gesto gentile. Tu, invece, Antar, sei cosí palloso, mamma mia. Non è che siccome siamo disperati allora dobbiamo
rassegnarci all'infelicità. Al contrario. Chi vive di speranza,
satolla lo spirito e affama la panza. E allora, forza, Rober-
tino, che aspettiamo? Ce le vogliamo prendere queste due
bottiglie in regalo?

Sei
Roma, primavera-autunno 1947

La prima volta che sono salita su un palcoscenico, manco a dirlo, interpretavo una servetta. Dovevo dare una sola battuta – «La cena è in tavola» – ma mi bastò per capire che là sopra, sul palco, ero a casa mia.

Per tutta la settimana avevo recitato quella battuta in ogni occasione. Al *Caffè Greco*, quando il cameriere ci portava da bere, aspettavo che si allontanasse, drizzavo il busto, impostavo la voce e fissando negli occhi il povero Bruno Barilli: «La cena è in tavola», gli ripetevo per l'ennesima volta.

Nello studio di Lidija Franketti, a Villa Strohl-Fern, appena ci prendevamo una pausa, versavo nei bicchieri la spremuta d'arancia e indicavo il tavolo con un gesto garbato.

– La cena è in tavola, – declamavo, anche se erano le undici di mattina.

Lidija era nata in Russia ed era fuggita in Italia dopo la Rivoluzione d'ottobre. Avevo già posato per lei una prima volta e chissà perché, s'era convinta che il mio futuro fosse di fare l'attrice. Io da piccola ci avevo pensato spesso, era il sogno infantile di tante ragazzine, ma quando lo avevo confidato a mio fratello Giorgio, lui s'era messo a ridere.

«L'attrice? Tu? Ma se basta metterti di fronte due persone e già non spiccichi parola!»

Avevo rivolto a Lidija la stessa obiezione, ma lei mi aveva risposto che Giorgio, con rispetto parlando, non capiva un accidente e che spesso proprio i timidi sono i migliori attori.

– Lascia fare a me, – mi disse, e andò avanti per la sua strada.

Fra i suoi connazionali espatriati c'era un famoso regista di teatro, il quale mi presentò all'insegnante di dizione dell'Accademia d'arte drammatica. Non avevo abbastanza denaro per iscrivermi a quella scuola, ma grazie alle amicizie di Lidija, scroccai tre mesi di corso individuale, accelerato e gratuito.

Imparai a usare la voce, a respirare col diaframma, a non belare la *e* «come una pecorella smarrita». Mi tolsi il vizio di masticare gomma americana, ma in compenso raddoppiai le sigarette e il conseguente sperpero di soldi mi costrinse a rinunciare alle calze di seta.

Il giorno della prima, quando arrivai a teatro, l'usciere mi domandò come mai avessi già indossato il vestito di scena. Immagino pensasse che avrei interpretato un pagliaccio, visti i miei soliti pantaloni da uomo e il cappotto rivoltato color mandarino.

Dietro le quinte, un attimo prima di entrare, ripassai sottovoce la mia battuta e mi resi conto che qualcosa non andava.

– La cena è in tavola, – ripetei, ed ecco che la frase mi suonava monca.

Non me n'ero mai accorta, ma in quel momento mi parve evidente che tutti, nel sentirla, si sarebbero aspettati un'aggiunta, una piccola chiosa.

– La cena è in tavola.

Di certo ero io che non sapevo chiuderla, come se dopo ci fossero altre parole che però non dicevo, e questo poteva dare al pubblico la sensazione che mi fossi dimenticata un pezzo, con tutto che la battuta non era né lunga né complicata.

– La cena è in tavola, signori. Prego, accomodatevi.

Ma sí, perbacco, cosí andava meglio. Molto meglio.

Però come facevo ad avvisare il regista? Non che fosse un cambiamento grosso, quello che avevo in testa, ma almeno lui era bene avvertirlo. L'ingaggio in quella commedia me lo aveva procurato un amico, e non volevo dargli motivo di imbarazzo. Infatti, mentre il corso accelerato di dizione lo dovevo ai miei legami con gli anticomunisti russi, per quel ruolo da fantesca dovevo ringraziare invece i comunisti italiani e in particolare Alfredo Zennaro, un regista alle prime armi che mi aveva raccomandata per la parte pregandomi di non farlo sfigurare.

– La cena è in tavola, signori.

Piú breve, meno azzardata. Il rischio di allungare la battuta era di mandare in confusione gli altri attori, ma quelli erano tutti piú esperti di me, e se la sarebbero cavata bene anche se mi fossi messa lí a recitare un monologo.

Venne il mio turno, avanzai sulla scena.

– La cena è in tavola, signori, – dissi con garbo da brava servetta, quindi alzai gli occhi e li piantai nel buio, sopra le teste degli spettatori seduti in platea, come mi avevano insegnato.

Era la prima volta in vita mia che le persone mi guardavano perché *io* avevo deciso di impormi alla loro attenzione. Per strada i passanti mi studiavano di sottecchi e non potevo impedirlo. Avevo sopportato quello scrutinio ripetendomi ogni giorno che guardassero pure, poveri scemi, tanto la parte piú preziosa del mio corpo non era visibile, al contrario della mia pelle meticcia. Cuore, fegato e cervello li avrei riservati solo a chi mi garbava. Lavorare come modella me lo aveva confermato: mettersi nuda non è un gesto intimo, privato, di cui vergognarsi, perché il segreto del corpo non lo si può svelare levandosi la camicetta.

Sul palcoscenico scoprii che esiste un altro antidoto contro il veleno degli sguardi. Non solo fare un passo indietro e ripararsi nella trincea della propria pelle, ma anche farne uno avanti, mettersi in mostra, gridare: «Guardatemi, ades-

so, ché non potete fare altro». Sono qui, mi dovete accettare. Voi state zitti, finalmente, e io parlo.

E se c'è da cambiare una battuta che non mi suona, lo
faccio, anche se sono una semplice figurante, prima di uscire in buon ordine e tornare dietro le quinte.

Alla fine dello spettacolo, fuori dai camerini, c'erano ad
aspettarmi ben due spasimanti, solo uno in meno della prima attrice.

Alfredo Zennaro portava un mazzo di papaveri dall'aria
suburbana. Il Professore lo vide arrivare e affrettò i saluti.
Mi fece i complimenti per la dizione, ma disse che dovevo
lavorare sull'andatura, perché camminavo a gambe piegate,
come un ascaro eritreo.

Mi abbracciò, si chiuse il cappotto ed è l'ultima immagine che conservo di lui. Non lo vidi mai piú.

Il nostro viaggio sul lago Maggiore era stato piacevole e
farsesco.

Manlio era già a Milano per lavoro e io l'avevo raggiunto
con il treno da Roma. Al mio arrivo in albergo, mi attendeva una profusione di rose rosse, accompagnate da un biglietto «Per la principessa Makonnen». Il poveretto non poteva
sapere che sentirmi dare della principessa mi dava un sover-
chio fastidio. Molta gente era innamorata dell'idea di «principessa somala», che non so da dove derivasse, visto che in
Somalia non c'è mai stata una casa regnante.

Il duca degli Abruzzi, durante il suo lungo soggiorno africano, si era unito a una donna – mi pare si chiamasse Faduma – che subito i giornalisti avevano incoronato principessa. Può darsi che fosse davvero la figlia di un sultano, ma ho
sempre pensato che l'avessero etichettata cosí per far digeri-
re ai lettori l'amorazzo di un principe italiano per una *negra*
della Somalia. Negra, sí, ma di sangue blu. E nel mio pic-

colo, quando mi chiedevano se non ero per caso una «principessa somala», percepivo il bisogno altrui di nobilitarmi, perché una morettina cosí ben istruita, capace di tradurre dal greco e dal latino, non poteva discendere da una stirpe di cammellieri e bingobongo.

Per di piú, la principessa Makonnen era etiope, non somala: una differenza che al buon Manlio doveva essere sembrata minuscola, ma che in realtà non era di poco conto. Per i somali, l'Etiopia è un vicino ingombrante, sempre pronto a sconfinare, a invadere, a imporre un impero. A me poco importava dei rapporti tra i due popoli, ciò nondimeno trovavo demenziale che un corteggiatore pretendesse di adularmi affibbiandomi il nome della «bella principessa africana» per antonomasia, una tizia con la quale non avevo nulla a che vedere. Cosa penserebbe una signorina polacca, se un cascamorto tedesco le offrisse dei fiori, con dedica scritta: «Per la zarina di Russia»?

Oltretutto, Manlio dimostrò di considerarmi principessa soltanto a parole, perché come seconda mossa del suo corteggiamento, mi portò ai magazzini della *Rinascente* e mi comprò due vestiti nuovi, onde non doversi vergognare per com'ero conciata. Li accettai volentieri: erano due abitini corti e non avevo niente di simile nel mio guardaroba, ma certo non si può dire che la *Rinascente* fosse una boutique esclusiva per fanciulle d'alto rango.

Andò meglio con l'albergo sull'isola Borromea: una villa davvero principesca dove Manlio aveva riservato una suite con due stanze comunicanti e una grande porta a far da divisorio.

La prima sera, dopo una cena romantica, gli concessi il bacio della buonanotte e quando lo spedii nel suo letto, lasciai che si dimenticasse la porta aperta, ma l'unica cosa che attraversò quella soglia furono le vibrazioni del mio russare.

«Un meraviglioso concerto», come lo definí lui durante la colazione, e io giurai a me stessa che quella porta, nelle notti seguenti, sarebbe rimasta chiusa.

La seconda sera, tuttavia, i nostri scambi furono piú approfonditi, e la terza ancora di piú, tanto che si potrebbe pensare a un mio piano di battaglia, una strategia graduale per irretire il nemico. In realtà, se mi lasciavo andare, era solo perché la vacanza diventava piacevole, senza tanti salamelecchi e titoli nobiliari.

L'unica regola che mi ero data era di non lasciarmi andare «fino in fondo» e questo per la solita ragione di non darla vinta alla mia matrigna, che mi credeva mignotta per natura e per necessità. Il mio era semplice spirito di contraddizione: per lo stesso motivo, mai e poi mai avrei accettato di fare la servetta, e non perché il mestiere di domestica mi sembrasse poco dignitoso, ma soltanto perché madama Flora aveva cercato di impormelo fin da ragazzina. Il risultato era che la moglie di mio padre condizionava le mie scelte, anche solo in negativo, molto piú di quanto fossi disposta ad ammettere.

Un'altra ragione per la quale mi trattenevo era che, poco prima di partire, con il viaggio già bello e organizzato, Alfredo Zennaro mi aveva chiesto di sposarlo e s'era fatto promettere che al mio ritorno gli avrei dato una risposta.

Quella di Alfredo non era la prima offerta di matrimonio che ricevevo.

Frequentavo l'ultimo anno di liceo quando un certo Corrado si presentò alla signora Marincola per chiedere la mia mano. Mio padre era prigioniero in Africa e alla mia cara mammina non sembrò vero di avere l'opportunità di sbarazzarsi di me. Inoltre, il buon Corrado era sardo come lei, cosa che la rendeva ancor piú felice. Io me ne accorsi e decisi di rifiutare senza pensarci un minuto.

Poche settimane piú tardi, il mio pretendente partí militare, destinazione Orgosolo, e cominciò a inondarmi di lettere e poesie.

«Ho colto un fiore sull'alto stelo di donna», cominciava una delle piú appassionate.

Poi anche lui si stancò, o magari conobbe, in quel di Orgosolo, una brava ragazza dei paesi suoi, che gli fece dimenticare la morettina di Casal Bertone.

Rispetto a Corrado, Alfredo fu meno lirico ma piú affettuoso, e l'idea di sposarlo mi parve cosí rivoluzionaria che me ne innamorai. Me n'ero andata di casa con due stracci e nessuna prospettiva e appena due anni dopo, *voilà!*, recitavo in teatro e c'era un uomo interessante che mi voleva bene e voleva passare il resto della vita accanto a me. Per la ragazzina soprannominata «La mummia», che dai compagni di scuola non aveva mai ricevuto un invito a merenda, un'offerta di matrimonio come quella di Alfredo era davvero irresistibile.

Tanto che appena tornata a Roma, dopo aver salutato Manlio alla stazione Termini, mi precipitai a casa Zennaro e dissi ad Alfredo che lo avrei sposato.

Sei mesi piú tardi ci presentammo in comune per diventare marito e moglie, poi ballammo fino alle ore piccole nella grande casa di Ermute Aradi, la mia amica pittrice, che organizzò per noi l'intero ricevimento, con invitati importanti e giovani attori come Gassman e Manfredi.

Manlio invece non comparve del tutto.

Quando gli avevo annunciato che mi sarei presto sposata, lui s'era alzato di scatto, aveva staccato dal muro un mitra arrugginito e me lo aveva puntato addosso.

– Ho ucciso una decina di tedeschi, con questo, – s'era messo a gridare, mentre le guance gli diventavano rosse co-

me bistecche, – e non credo farò fatica ad ammazzare una
fedifraga voltagabbana.

Stavo già per rispondergli: «Voltagabbana io? E tu allora?», ma mi venne il dubbio che stesse scherzando – che
altro poteva essere? – cosí finsi di ricevere un proiettile in
piena fronte e mi accasciai sullo scrittoio. Lui colse la palla
al balzo per non fare la figura del geloso imbecille, sbollí a
tempo di record, fece *pum pum* con la bocca e ripose il fucile sforzandosi di sorridere. Quindi andò a chiamare il figlio
Guglielmo per la lezione di Greco e da quel momento non
fece piú cenno al mio matrimonio.

Guglielmo si maturò con un buon voto, io feci il mio de-
butto sul palco, salutai il Professore all'uscita, poi come detto non lo vidi piú, nemmeno al ricevimento. Inutile dire che
avevo perso il mio lavoro come ricercatrice aggiunta di Storia antica, ma lí per lí non ci pensai, avevo altro per la testa,
io e Alfredo partimmo per Ischia in viaggio di nozze, ospiti
ancora di Ermute, nella sua villa sul mare, e quando la luna
di miele finí, mi resi conto di essermi sposata senza nemmeno sapere dove avremmo abitato.

Scoprii che Alfredo dava per inteso di sistemarci entrambi
in casa di sua madre, ma io non ne volevo sapere, perché per
quanto fosse una donna alla mano, di madri putative ne avevo
già avuta una e non avevo intenzione di ripetere l'esperienza.

Una sera, dopo un concerto per pianoforte piuttosto rac-
chio, Alfredo mi trascinò lungo un percorso insolito, fino a
un portone socchiuso.

– Allora, sei pronta? – mi domandò con la sua voce di
cornacchia.

– Pronta per cosa?

– Stasera ci trasferiamo. Questa, – disse indicando il palazzo con un gesto da cicerone, – è la nostra nuova casa.

Quindi schiacciò un dito sulle labbra e spinse l'anta con la spalla, quel tanto che bastava per passarci di sguincio.

Io, per quanto ingenua, sentivo puzza di fregatura.

Oltre il portone c'era il buio, un buio pesto intriso di muffa. Dopo qualche passo alla cieca, abituati gli occhi, mi accorsi di un sottile spiraglio di luce, proprio di fronte a noi, oltre quello che doveva essere un vecchio cortile.

Lo attraversammo, calpestando pozzanghere e fanghiglia, e quando anche la seconda porta si aprí per accoglierci, mi ritrovai in un ambiente che fino a pochi mesi prima non avrei riconosciuto.

I camerini di un teatro.

C'erano lo specchio a parete, le sedie, il bancone per il trucco, un piccolo armadio guardaroba e una vecchia locandina della *Volumineide* con Anna Magnani e Totò. L'unico mobile fuori posto era un letto matrimoniale, incastrato fra il muro e la porta del bagno, già pronto con le lenzuola pulite, i cuscini e una cassetta per la frutta a far da comodino, con tanto di sveglia in bilico sul bordo.

– Sono d'accordo col custode, – mi sussurrò Alfredo tutto contento. – È lui che ha lasciato aperto il portone. Il teatro è chiuso, stanno facendo dei lavori. Se non diamo nell'occhio, possiamo restare fino all'estate.

Guardai la sveglia e pensai a mio padre, che strascicava la vestaglia di Giorgio su e giú per il corridoio, a Casal Bertone, intento a caricare gli orologi di casa.

Guardai l'intonaco gonfio di umidità e pensai alle macchie verdastre della mia stanza seminterrata, vicino alla stazione Termini, dove pagavo duecento lire di affitto mensile.

Guardai Alfredo e pensai a Virginia detta Genny, che non la smetteva di salutarmi dicendo: «Isabella, stanotte ti ho sognata».

Guardai il mio volto riflesso nello specchio e mi dissi che quei camerini trasformati in alcova erano molto piú di quanto avessi mai ricevuto.

Abbracciai mio marito e iniziai a spogliarlo, mentre perlustravo con gli occhi le pareti in cerca di un interruttore per spegnere la luce.

Sette
Bologna, 28 settembre 1991

Itala Venturoli ha ottantatre anni, il cervello in disordine e i capelli bianchi con una sfumatura viola. Abita in via Treviso, alla periferia est di Bologna, in un piccolo palazzo col giardino condominiale e lo scivolo per i bambini. La casa è accogliente, per quanto piena di cianfrusaglie, foto alle pareti, piante da appartamento e nemmeno un libro. Di fronte alla tua stanza, un grande ippocastano offre rifugio ai merli.

Itala ti aiuta a disfare la valigia. «Cosí fate conoscenza», ha sentenziato Luisa, la figlia, che nel frattempo si dà da fare in cucina, mentre Antar e Roberto si sono messi ad apparecchiare. Siete arrivati alle sette di sera e qui tra poco è l'ora di cena: tortellini in brodo, lesso, insalata mista e lo spumante di seconda scelta omaggio della trattoria *La pelle dell'orso*.

Al primo impatto, madre e figlia sembrano persone gentili, ai limiti dell'invadenza. Ad esempio, preferiresti che Itala si limitasse a passarti le camicette, e invece si dedica piú volentieri alle tue mutande, le sparge sul letto, le esamina, poi ne butta un paio sul pavimento in graniglia.

– Queste qui le mettiamo a lavare, – dichiara contenta, e ripete l'operazione con calzini e canottiere.

– Mamma ha fatto la lavandaia per una vita, – ti spiega Luisa davanti alla scodella fumante. – Ha cominciato a nove anni e ha smesso negli anni Cinquanta, quando il sindaco di Bologna ha deciso di coprire il canale di Reno. Adesso però le è tornata la mania di lavare tutto a mano, come ai vecchi tempi. Quindi per il bucato non c'è da preoccuparsi, vero, mammina? Fai vedere le mani alla signora Isabella.

Itala alza le braccia, come se si arrendesse. Ha le mani gonfie e contorte e la pelle si spacca lungo le pieghe delle dita. Tagli simili a quelli che ti tormentavano da ragazza, quando passavi intere giornate all'aperto, senza guanti, e il gelo dell'inverno ti mangiava le mani.

– E oltre a questa cosa del lavare i panni? – domandi. – Ci sono altre abitudini di Itala che dovrei conoscere?

Luisa fa una carezza in testa alla madre e risponde che non è facile dirlo in anticipo, ogni giorno ne salta fuori una nuova, ma si tratta di piccoli svarioni, niente di pericoloso, come fare la cacca nel bidone del *rusco* o andare in giro per casa senza vestiti.

Antar succhia il brodo dal cucchiaio e come suo solito rintuzza i problemi, fa il simpatico, dice che un po' di cacca non ha mai ammazzato nessuno e tu vorresti scavalcare il tavolo, mettergli le mani addosso, spiegargli che alla tua età, con gli acciacchi che ti sei guadagnata in trent'anni di Somalia, avresti bisogno *tu* di essere accudita, invece di star dietro alle escrezioni di una vecchia demente.

La rabbia ti rovina l'appetito, proponi di aprire lo spumante, nella speranza che le bollicine ti aiutino a sbollire.

– Non brindiamo a fine pasto? – obietta quel cretino di tuo figlio.

– Perché aspettare? – lo fulmini. – Ho voglia di festeggiare quest'incontro. E tu piantala di fare tanto rumore quando bevi il brodo. Sei proprio un maleducato!

Mentre Roberto si occupa della bottiglia, ti informi con attenzione degli altri supplizi.

– Alla mamma piace molto passeggiare, vero, mammina? Ha tutto un suo percorso e le piace farlo ogni giorno: la sua panchina, il bar di Gianni, via Lombardia…

– Andiamo bene. Io ci ho un problema ai piedi, mi fanno un male da impazzire. Ho l'alluce valgo e in piú l'artrosi alle gambe.

– Be', ma non si preoccupi, non stiamo parlando della maratona! È un giro breve, una mezz'oretta in tutto.

– Sí, sí, d'accordo –. Non vedi l'ora di arrivare in fondo alla lista. – E poi?

– Le carte! – esulta Itala come se avesse visto san Giuseppe. – Briscola, scopa, tressette.

– A malapena so giocare a rubamazzo.

– Benissimo, – commenta Luisa. – Cosí la mamma può insegnarle gli altri giochi e tenere la testa in allenamento. Per certe cose il cervello le funziona ancora a meraviglia. Vero, mammina?

Itala annuisce col capo, contenta come un bimbo che riceve un complimento.

– Poi è importante coinvolgerla nelle faccende di casa: spazzare, cucinare, pulire, riordinare. Sono tutte attività che la divertono e la tengono in vita.

– Beata lei, – rispondi. – Io quando prendo una scopa in mano mi sembra di morire.

– E allora brindiamo! – interviene Antar con il bicchiere sollevato, per arginare con l'alcol la tua ribellione.

Terminata la cena, Antar e Roberto levano le tende e tu trascorri un paio d'ore con Luisa a passare in rassegna detersivi, scope, cassetti, chiavi, interruttori, numeri di telefono.

Verso le undici, l'ultima raccomandazione.

– Le faccia guardare le sue foto. La mamma sa dove sono gli album e il dottore ha detto che bisogna stimolarla, per tenere sveglia la memoria. Chiamo domattina per sapere com'è andata. Se c'è qualche problema, sa dove trovarmi.

Stretta di mano, porta chiusa. Volti le spalle alle serrature.

– Finalmente tutti fuori dalle palle, – sospiri, ma non hai fatto i conti con la fata dai capelli violetti, che ti si attacca alle calcagna e ti segue ovunque, mescolando il mazzo di carte, al punto che dopo un quarto d'ora ti senti soffocare, e se non fosse per le novecentomila lire al mese e quel fesso di Antar tutto imbullonato, chiameresti Luisa e le diresti che te ne vai, meglio dormire in stazione che dover sorbire questo pedinamento casalingo.

– Che dici, Itala? Ci facciamo un altro bicchiere di spumante?

– No, Isabella, – risponde lei preoccupata. – *Me a n pòs brîsa*, non posso *micca*.

Hai la sensazione che adesso ragioni meglio di prima, parla con piú sicurezza, quasi che in presenza della figlia si sentisse in dovere di essere rincoglionita.

– Perché no?

– Per colpa delle medicine. La Luisa dice che è meglio non bere insieme alle medicine, *an s sa mai csa pôl capiter*.

– Fanno piú effetto, con un po' di vino, – sentenzi tu.

– E te come lo sai? *Ît una duturassa?*

– Macché dottoressa! Sono un'esperta. Mi piace il vino e prendo un sacco di medicine. Come dice il proverbio: a che serve la scienza, se il soccorso non ha dell'esperienza?

Itala non sa se crederti, ha lo sguardo indeciso, ma intanto si siede a tavola e quando le riempi il bicchiere, lo tracanna come un'avvinazzata in crisi d'astinenza.

– Ostia, che porcheria! – dice un attimo dopo asciugandosi le labbra con le dita. – Fortuna che in cantina ce n'è di quello buono. Lo comprava il mio Ernesto, *quand al êra ancora al mànd*.

– Avevi un marito, Itala? E quanti anni fa è morto?

La vecchia porta le mani contro la fronte e comincia a contare sulle dita, mormorando fra sé, come se facesse l'appello ai ricordi.

– Dieci? – si domanda alla fine.

– Ma allora bisogna darsi da fare, se no il vino di tuo marito rischia di diventare aceto, e a lui di sicuro dispiacerebbe. Tu lo sai dove stanno, le chiavi della cantina? Tua figlia si è dimenticata di farmele vedere.

Itala si accende come un faro, sparisce in corridoio e ricompare un attimo dopo facendo tintinnare una piccola chiave con targhetta gialla.

– Molto bene, – dici mentre gliela requisisci e in mancanza di tasche la fai sparire nella scollatura. – Domani facciamo visita alla riserva di Ernesto e ci beviamo un bicchiere alla sua memoria. Ma adesso mi pare ora di andare a dormire, giusto? È quasi mezzanotte.

– Non guardiamo la tivú? – protesta Itala. – A me non mi viene sonno, senza la tivú.

Tu acconsenti, se quello è il suo sonnifero meglio non alterarle ancora la terapia, già s'è bevuta un bicchiere di spumante e non hai un'idea di quale effetto avrà con gli altri farmaci. C'è il rischio di passare una notte d'inferno, e tu hai un gran bisogno di riposare, dopo il viaggio e gli eccessi alcolici della giornata.

Vi trasferite in salotto, dove campeggia un televisore arcaico, piazzato sopra un altarino di legno nero. A fianco, dentro un mobiletto a scaffali ben piú moderno, è stipata una muraglia di videocassette in ordine alfabetico, i titoli scritti sulla costa con un pennarello rosso.

Accattone, *Achtung! Banditi!*, *Aleksandr Nevskij*…

– Ti piacciono i vecchi film? – domandi nella speranza di un passatempo per i pomeriggi d'autunno.

– No, quelli son di mio figlio, – risponde Itala già seduta in poltrona, telecomando in pugno. – Tempo fa si è lasciato con la moglie, ha dovuto cambiare casa e quel che non c'entrava l'ha portato qua. C'è anche il suo macchinario, *mo* io preferisco guardare *La ruota della fortuna*.

Tu nel frattempo ti sei chinata di lato, senza piegare le ginocchia, in cerca delle etichette che iniziano per R.

Ossessione, Paisà, Il posto delle fragole... Rebecca, la prima moglie, Rio Grande e poi eccolo lí, *Riso amaro*.

Lo schermo intanto si è acceso su Rai Tre. Ci sono due tizi seduti che si sbracciano e alzano la voce. Non si capisce di cosa discutano, ma lo fanno con trasporto.

– Itala, lo vuoi vedere che mestiere facevo da giovane?

– Perché, non facevi la serva?

– No, Itala, adesso ti faccio vedere. Tu sai come si usa questo mangianastri?

– Sí, me l'ha insegnato Michele.

– Magnifico, allora dài, ci guardiamo questa.

Itala fissa il tuo braccio teso, la mano, la Vhs puntata verso di lei, eppure non muove un muscolo.

– Michele me l'ha insegnato, – dice scuotendo la testa. – *Mo me a n i ò capé gninta.*

Va bene, ti dici, non dev'essere poi tanto diverso dalle cassette di musica. Ti volti e affronti l'apparecchio con determinazione. Al terzo tentativo di far entrare il nastro in quella che ti pare l'apposita fessura, la tua fiducia iniziale entra in piena crisi, ma il calcolo delle probabilità – che sta dalla tua parte anche se non lo sai – ti soccorre alla quarta prova, quando la videocassetta viene risucchiata, il macchinario si accende da solo e senti un rumore di ingranaggi provenire dalla sua pancia.

Il talk show per nottambuli si tramuta con un guizzo nei titoli di testa di *Riso amaro*, un film Lux, prodotto da Dino

De Laurentiis, diretto da Giuseppe De Santis, con Vittorio
Gassman, Doris Dowling, Silvana Mangano, altri interpreti
Checco Rissoni, Adriana Sivieri, Mariemma Bardi...

– Isabella Zennaro! – esclami col dito spianato. – Ecco
vedi? Quella sono io.

Dietro le scritte bianche già si vedono le risaie del vercel-
lese e le donne con il cappello in testa e i pantaloni tirati su,
l'acqua fino al ginocchio.

– Hai fatto la *risarôla*? – domanda Itala stupita. – Allora
siamo quasi compagne. Anch'io ho passato una vita dentro
l'acqua.

– Ma no, Itala, questo è un film, io qua facevo l'attrice.
Dopo mi si vede bene, se non ricordo male...

Itala non sembra convinta, o forse pensa ad altro. Drizza
l'indice della mano destra, lo fa rimbalzare sul naso e infine
ce lo appoggia.

– Anch'io ho fatto l'attrice, sai? Prima che coprivano il canale, son venuti dei signori con la macchina per fare i film. Un film come questo qui, però con *nuètri lavanderi*.

Va bene, ti dici. È una vecchia rimbambita e non ha senso discuterci, però lo stesso vorresti farle capire che nel passato non eri una domestica, una servetta o una vera mondina.

– Io ero un'attrice di mestiere, capito, Itala? Come Sophia Loren, come la Lollo. Ho recitato nei teatri, ho fatto uno spettacolo con Walter Chiari. Lo conosci Walter Chiari?

– Sí, – batte le mani Itala. – Quello che *ciapava* le pillole!

– Eh, brava, proprio lui. Però io non c'ero, in quel monologo, io recitavo nel suo primo lavoro da protagonista, si chiamava *Gildo*.

– E quindi non le prendevi, le pillole? Io ne prendo tante. Sei sicura che non mi fanno male, con tutto quel vino?

– No, Itala. Tranquilla.

– Ero piú tranquilla se eri una dottoressa e se *ciapavi* le pillole anche te. Però mi fido, eh? Mi fido lo stesso. In fondo, siamo sorelle d'acqua. Io *lavandera* e te *risarôla*, anche se adesso fai la serva, come han fatto tante mie amiche, dopo che han coperto il canale e sono arrivate le macchine. Io invece sono andata a lavorare nelle lavanderie degli ospedali, degli alberghi. E te, invece? Com'è che hai smesso di fare la *risarôla*? Anche da voi sono arrivate le macchine? *Mo* perché fai quella faccia? Sei stufa? *Vût ander* a nanna?

Otto
Roma e Veneria di Lignana (vc), primavera-estate 1948

Una mattina di fine marzo, la sveglia suonò prima del solito. Alfredo si levò dal letto, preparò la moka e la mise a bollire sul fornello elettrico che usavamo per cucinare. L'aroma del caffè mi tirò fuori dalle coperte, ma solo dopo aver svuotato la tazzina mi ricordai il motivo dell'alzataccia.

Avevo fatto un provino alla Lux film – la *Lúcchese filme* come si diceva a Roma – e Peppe De Santis mi aveva preso per una particina. Si erano presentate un sacco di belle ragazze, tutte acchittate, ma il regista le aveva scartate in blocco, dicendo che il film raccontava una storia di mondine e non di aspiranti al concorso per Miss Italia.

Soltanto io, con la mia *mise* molto dimessa e niente trucco in faccia, avevo passato la selezione, e De Santis mi aveva dato appuntamento per un secondo provino, questa volta a Cinecittà.

Già quello era un risultato eccezionale, per una *come me*, visto che di solito mi sentivo dire che sí, ero brava, avevo un talento naturale ed ero pure una bella figliola, ma purtroppo, con quella pelle scura, non c'erano ruoli adatti per me. M'ero cosí abituata a sentirmi ripetere quella manfrina, che non smettevo di domandarmi come mai De Santis mi avesse preso in considerazione. Una mondina nera, nell'Italia del 1948, non era meno improbabile di una con le unghie smaltate o di un gladiatore romano con l'orologio al polso. A volte pensavo che il regista avesse scelto me solo per umiliare le altre: «Siete talmente lontane da quello che cercavo, che persino una mulatta va meglio di voi».

Per questo temevo che quella mattina, sbollita la rabbia, mi avrebbe scartato.

Alfredo invece cercò di rincuorarmi.

– De Santis è un comunista, crede nell'Internazionale dei lavoratori e secondo me ti vuole per rappresentarla, per dire che le sue mondine sono da intendere come un simbolo della lotta di classe, qui da noi come nel Terzo mondo.

Presi per buona la sua spiegazione, buttai giú il caffè e passai nei bagni del teatro per prepararmi a uscire.

Fuori dal cancello di Cinecittà c'era una ressa di gente che cercava un impiego. Le strutture avevano riaperto da pochi mesi, dopo che per anni erano state un rifugio per profughi, sfollati e senza casa. Centinaia di maestranze che lavoravano nei teatri di posa, durante la guerra avevano perso il posto e adesso sgomitavano per provare a riprenderselo. Sembrava di rivedere le code con la tessera annonaria, solo che la fila era molto piú disordinata. Il custode intascava qualche lira e in cambio si sforzava di incrociare la domanda e l'offerta.

– Te che sai fa'?

– Elettriscista.

– Mmm, de quelli ce n'è tanti. Vedi 'npo' ar cinefonico. Stann'a monta' 'n'imparcatura grossa, magara mezza giornata je poi servi'.

Venne il mio turno e mi accorsi con orrore di aver perso l'invito. Eppure l'avevo tenuto in mano, com'era possibile?

– E te, moretti', che devi fa'? 'A reclàm der cioccolato?

Frugai la borsetta, guardai per terra e pure sotto le suole, casomai si fosse appiccicato là sotto.

Niente.

Spiegai che avevo appuntamento con il signor De Santis e il custode, spazientito, aprí un registro e mi domandò nome e cognome.

– Isabella Marincola, – risposi d'istinto, poi subito mi corressi. – No, anzi, mi scusi: Isabella Assan, con la A.

– Qua nun ce stai, – sentenziò il cerbero dopo aver trascinato l'indice sopra la pagina, dall'alto in basso.

Prima di andare in confusione, mi venne in mente che qualche volta, per non sembrare troppo esotica, rinunciavo al mio nome d'arte e mi presentavo col cognome da sposata, visto che avevo promesso a mio padre di non usare mai quello di famiglia.

– Ascolti, mi deve scusare, ma provi un po' con Isabella Zennaro...

– Ammazza, bella, che è? Te sei sposata co' l'elenco telefonico?

Risi alla battuta, giusto per compiacerlo, e un attimo dopo mi ritrovai dentro, a seguire le indicazioni frettolose del signor Cortesia.

Lo spazio era ancora male in arnese, con l'erba che saltava su tra le crepe dell'asfalto e mucchi di rottami, ferraglia, bidoni di latta anneriti dal fuoco.

Sul muro del Teatro 5, lettere sbiadite componevano la scritta «Vendita di carbone e varechina», mentre da una recinzione metallica pendeva un vecchio cartello in due lingue.

È VIETATO ENTRARE

EINTRITT VERBOTEN

Cominciavo a pensare che non avrei mai trovato il luogo dei provini, quando incrociai una ragazza che avevo conosciuto alla sede della Lux, una delle bellezze che il regista aveva respinto con insofferenza.

La salutai da lontano e le andai incontro, per domandarle
se per caso conosceva la sala dove dovevo andare.

– Certo, – mi rispose, – ci sono appena stata.

– Davvero? Ma non ti avevano...

– Scartata? Eh, già. Poi però il regista m'ha incontrata in
via Veneto, sotto la pioggia, e non lo so che j'è preso, m'ha
detto de veni' qua, senza trucco, m'ha fatto recita' qualche
battuta e alla fine m'ha presa. Faccio Silvana, la protagonista.

E da come lo disse, col tono altezzoso e l'accento burino,
capii che se mai mi avessero scritturata, io e la primattrice
non saremmo diventate grandi amiche.

Molte persone si vantano di capire «a pelle» chi hanno di
fronte, ma spesso confondono pregiudizio e preveggenza, la
virtú del fiuto e il vizio del rifiuto anticipato.

Alfredo mi ripeteva spesso che anch'io ero fatta cosí, e se
ne stupiva molto, convinto che chi ha sofferto per le frustate, sarà sempre l'ultimo a impugnare una frusta. E invece il
proverbio è vero anche al contrario: chi di spada perisce, di
spada ferisce.

Fatto sta che Silvana Mangano non mi risultò simpatica
quella mattina a Cinecittà e non furono i tre mesi a Veneria
di Lignana, in Piemonte, a farmi cambiare opinione. Peppe
De Santis, invece, deve ringraziare il cielo di aver cambiato
la sua, di opinione, e di essere rimasto folgorato in via Veneto da quella ragazza, senza la quale il film si sarebbe rivelato per quel che era: una noia mortale.

La stessa noia che l'intera troupe si ritrovò appiccicata
addosso, in una cascina sperduta in mezzo alle zanzare, nel
cuore dell'estate 1948.

Il povero regista era sempre attorniato da nugoli di pia-
gnoni che domandavano il permesso di andare a Torino o a
Roma per via di affari inderogabili, matrimoni, funerali. Chi
aveva l'automobile, o poteva contare su amici che lo scarroz-

zassero, fuggiva ogni tanto a Vercelli per bere un Campari. Quelli come me, senza santi in paradiso, dovevano rassegnarsi a far la vita da mondina (e in questo senso il film può davvero considerarsi un capolavoro di realismo). Dormivamo in uno stanzone spartano, passavamo interi pomeriggi con l'acqua al ginocchio e il sole sulla testa, ammazzavamo le serate tra liti, pettegolezzi, storie d'amore e partite a tressette.

A carte sono sempre stata un frana e non appena qualcuno doveva far coppia con me, subito cercava di cambiare passatempo, per non incappare in una sconfitta ingloriosa.

Il direttore della fotografia, quando venne il suo turno, propose di fare il gioco della verità.

Ci mettemmo in cerchio, facemmo trottolare per terra una bottiglia vuota ed elaborammo domande cattive per le vittime, indicate di volta in volta dal collo di vetro e tenute a parlare senza infingimenti. Sentita la risposta, il giudice supremo, nella persona di Peppe De Santis, doveva valutarne il grado di onestà.

Al suo turno, Silvana diede alla bottiglia una spinta amorfa, talmente debole che quella non fece nemmeno un giro completo e finí per puntare verso di me.

Non servirono grandi consultazioni per trovare la domanda giusta, quasi che tutti ce l'avessero in testa da molto tempo. Silvana prestò la sua voce al gruppo.

– Senti, ma te non ce l'hai, come di', un complesso d'inferiorità? Per via che sei, sí, insomma, per via che ci hai la pelle… la pelle che ci hai?

– Intendi la mia carnagione? – risposi con un tono da accademica della Crusca. – No, e perché dovrei? Famosi pittori mi hanno preso come modella proprio in ragione del mio colorito ambrato.

Tutti si voltarono verso De Santis, che se ne stava assiso con solennità divina sopra una botte mezza sfasciata.

– Vero, – disse levando in alto il pollice. – Isabella non ha nessun complesso di inferiorità. Il suo, se mai, lo chiamerei complesso di superiorità.

Ci fu un lungo mormorio, ma nessuno contestò la sentenza e io feci ruotare la bottiglia, convinta che il giudice supremo mi avesse assolto con formula piena. Peppe De Santis era sempre molto gentile con me e dicendo «complesso di superiorità» pensavo intendesse spiegare ai maligni che Isabella Zennaro non era inferiore a nessuno, per via della pelle, tutt'al piú il contrario. Solo qualche giorno dopo, ripensandoci, mi concentrai sulla parola «complesso»: se quello di inferiorità era la malattia di chi si considera da meno degli altri, allora il suo contrario, quello di superiorità, era il vizio di chi si crede piú bravo di tutti. Messa giú cosí, la frase di De Santis non suonava piú tanto lusinghiera e mi domandai se non avesse ragione. Ero una meschinetta che si difende affettando modi da intellettuale? O una «bella abissina» che non sta al posto che le spetterebbe, come donna e come mulatta?

Faceva troppo caldo per trovare una risposta e in breve i miei pensieri tornarono al lavoro, alle punture d'insetto e a un aiuto regista che mi faceva gli occhi dolci.

L'unico intoppo di rilievo al tran tran delle riprese, si ebbe quando la radio diede la notizia dell'attentato al segretario del Pci e le maestranze incrociarono le braccia, pronte a marciare su Vercelli armate di aste da microfono e cavi elettrici.

Passammo due giorni da repubblica sovietica, poi Raf Vallone – che recitava nel film ma era anche giornalista per «l'Unità» – tornò da Torino con la notizia che Palmiro Togliatti era vivo e aveva dato l'ordine di non fare la rivoluzione.

Riprendemmo subito a girare, feci la mia comparsa in una decina di scene, recitai tre battute e non appena tornai a Roma, sprofondai di nuovo nel pantano abitativo: Alfredo si era sistemato a casa della madre e io diventai nomade, come la moglie di un cammelliere nella boscaglia somala, due notti da un'amica pittrice, tre in una pensioncina, una per strada. Perché restare è senza dove, come avrebbe detto quel Rainer Maria Rilke.

Ogni due-tre giorni dovevo fare le valigie, sperando di trovare un letto, per poi sognare, come una Terra Promessa, le camerate di Veneria di Lignana, dov'ero morta di caldo, sudore e zanzare.

Nove
Bologna, novembre 1991

– Pronto, casa Venturoli. Chi parla?
– Sono Bruna, capitano! Si ricorda di me?
– Bruna, ma da dove chiami?
– Sono a Roma, da mia sorella Adelaide, sono arrivata una settimana fa. Mogadiscio è un disastro, si combatte sempre. Abbiamo ricevuto i soldi che ci avete mandato e anche le lettere. Mohamed sta pensando di andarsene al Nord, ma per fare un viaggio sicuro bisogna pagare un sacco di gente, e mettere da parte il gruzzolo non è per niente facile, con quel che costa la roba da mangiare.
– Adesso che sei partita, potrebbe fare arrosto i tuoi gatti.
– Eh no, cara. Prima di andarmene li ho portati al mercato, almeno lí qualche scarto lo trovano. In casa, ormai, si erano ridotti a dare la caccia agli scarafaggi e anch'io ci ho pensato, di metterli a bollire col riso, ma mi facevano troppo schifo. Sono dimagrita dodici chili, e vedessi tuo marito, com'è ridotto… Ma tu, invece, come ti sei sistemata?
– Sto in casa di una signora, le faccio compagnia. Credo abbia l'alzheimer o qualcosa di simile, e quindi ha bisogno di qualcuno che la tenga d'occhio. Sulla carta dovevo pure fare la serva, pulire per terra, cucinare, ma tu lo sai quanto sono negata per le faccende domestiche. All'inizio spazzavo, buttavo la polvere sotto i mobili, poi mi sono resa conto che questa Itala sa fare tutto, e le piace pure, basta solo starle dietro, altrimenti da sola si confonde, passa la spugna

sul pavimento e lo straccio sul tavolo, ma se le spieghi le cose, viaggia come un treno.

– E in cucina? Caffellatte e biscotti a pranzo e a cena?

– No, per quello me la cavo, anche se i piatti migliori ce li prepara Luisa, la figlia di Itala. Viene a trovare la madre un paio di volte a settimana e ci porta lasagne, torte salate, patate al forno... Itala deve averle raccontato che con me si mangia maluccio e allora lei cerca di metterci una toppa.

– Io al suo posto ti avrei già licenziata. Sai quante ne trova di donne piú in gamba e piú simpatiche di te?

– Spiritosa! E invece ti sbagli: le ho conquistate proprio con la mia simpatia. Luisa mi racconta che alla domenica, quando si porta la mamma a casa sua, quella chiede sempre di me, non vede l'ora di rivedermi. Lo sai che se voglio so farmi benvolere. Adesso spero che mi lascino prendere la residenza qui da loro, cosí posso avere i soldi per i profughi e ne mando una parte a Mohamed.

– E Antar? Che combina? Si è laureato, una buona volta?

– Guarda, non me ne parlare. Non te l'ha detto Mohamed che ha fatto un incidente in moto? Sono tre mesi che gira con le stampelle e una gamba imbullonata. Non guadagna una lira, si prende i miei soldi, non c'è verso di nasconderli. Io gli dico: va bene, non puoi lavorare, ma almeno studia, prepara 'sto esame di Francese, inizia a scrivere la tesi. Niente.

– Si vede che s'è depresso, cosa vuoi, con te sulla groppa.

– Al contrario, ho provato anche ad aiutarlo. Doveva tradurre dei testi dal francese e io mi sono messa lí, col vocabolario, e glieli ho passati tutti. Adesso gli manca solo da scrivere una relazione sulla *Peste* di Camus, ma non ne vuole sapere.

– Allora ti prometto che appena possibile vengo su a Bologna e lo mettiamo in riga. Adesso ti devo salutare, ho appuntamento in prefettura per sistemare delle carte.

– Ciao, Bruna, mi ha fatto un grande piacere sentirti. Ci
sentiamo presto.

– Ciao, capitano, mio capitano!

Metti giú la cornetta, fai per guardare l'orologio, ma non
ce n'è bisogno. Itala è già pronta, davanti alla porta di casa, e questo significa che sono le undici spaccate, l'ora della
passeggiata.

Controlli che si sia vestita per bene, che non abbia tenuto
la vestaglia sotto la giacca, che si sia messa le mutande, poi
le offri un braccio e appendi all'altro la borsa.

Sul marciapiede, Itala parte col suo passo da bersagliere e
tu devi tirarle le briglie, se non vuoi cadere per terra. Le prime volte la facevi andare avanti per conto suo, ma da quando
ha rischiato di finire sotto un taxi, preferisci tenertela stretta fino alla panchina, sempre la stessa, nei giardinetti di via
Montesole, tra bimbi che corrono dietro una palla e ragazzi
che i genitori credono a scuola, mentre invece stanno qui a
provare lo skateboard e ad ascoltare rime da stereo gigante:

Bologna anche questa volta, Bologna è rossa di vergogna e
sangue, non sogna piú
Anni e anni, anni di cazzate tipo isola felice non han fatto
che danni…

Lí vi sedete, tu tiri fuori un libro, Itala guarda la gente
passare, conta le foglie degli alberi e a un certo punto attacca a parlare da sola.

– *A m ciâm Itala Venturola, a stâg ed cà in via Treviso, al 9.*
A sån nèda dal 1908, ai ò utantatrî ân e dû fiû, la Luisa e Mi-
chele. La Luisa è nata *del* '39 e Michele…

Pare si tratti di un esercizio che le ha prescritto il medico
per contrastare l'oblio. Solo che a guardarla sembra di vede-

re una vecchia che recita una vecchia poesia, di quelle che si
imparavano a scuola, e ti viene il dubbio che Itala la ripeta
senza badare al senso delle parole. Infatti si blocca sempre
sulla stessa frase, non si schioda da lí, e allora ti domandi
che valore abbia l'esercizio, se da una parte trasforma i ricordi in un ritornello vuoto e dall'altra li chiude in trincea a
difendere una posizione.

– *Mî fradel Carlein l'è môrt int la guèra, invêzi mi maré Er-*
nest l'è turnè d'in Albania e l à taché a lavurèr da furner. Poi
dal zincuantasî... Nel 1956...

Qui il disco si incanta e tu già chiudi il libro perché sai che
adesso ci si deve alzare di nuovo e proseguire la passeggiata
fino alla seconda tappa, cioè il tabernacolo di sant'Antonio
che sta sulla colonnina all'angolo di via Lorusso.

Dev'essere un residuo di quando al posto del quartiere
c'erano i campi, perché di solito in città non se ne trovano
di simili, piuttosto edicole o dipinti a muro.

Itala si ferma, congiunge le mani e invoca il patrono degli oggetti smarriti.

– Sant'Antonio, ti chiedo la grazia, fammi ritrovare la
memoria. *Cus'è suzès dal zincuantasî?*

Mormora qualche frase a fior di labbra, poi si fa il segno
della croce, tocca i piedi del santo e già ripartite verso la tappa successiva, il bar di Gianni, dove Itala ordina il solito bicchier d'acqua, butta giú tre pastiglie e ci mangia dietro un
toast al prosciutto.

Tu nel frattempo sbirci i titoli del «Resto del Carlino»,
sfogli le pagine, e non ti spieghi come un giornale del genere possa essere ospite fisso in tutti i bar della città piú comunista d'Italia.

Quando le campane della chiesa battono il primo di dodici colpi, ti precipiti a pagare le consumazioni, perché all'ultimo rintocco Itala scatta fuori, come una Cenerentola dai

capelli violetti, e accelera il passo verso casa, dove telefona a Luisa per dirle che anche stavolta non s'è ricordata il pezzo sul '56.

Tu gliel'hai domandato, a Luisa, che diavolo è successo in quell'anno lí, ma nemmeno lei sa rispondere di preciso, sono capitate tante cose ma niente di particolare, ha già sottoposto a Itala un elenco di fatti, e nessuno si è rivelato quello giusto.

Appena metti l'acqua sul fuoco e prelevi dal freezer un vassoio di tortelloni, il campanello di casa suona due volte, in sequenza ravvicinata.

È Dante Pizzardi, lo sai anche senza saperlo, ti resta solo da indovinare se questa volta vi chiederà un uovo o una cipolla, il sale grosso o un accendino. Scommetti su mezzo limone e mentre apri la porta dici: – Buongiorno, Dante, di cos'ha bisogno stamattina?

– Ciao, Isabella, posso entrare?

Risposta imprevista. Di solito se ne sta sulla soglia in attesa del pezzo richiesto.

– Veramente, ho appena buttato la pasta, ci mettiamo a tavola tra poco.

– Allora passo dopo?

– Per cosa? – domandi.

– Devo chiederti una cosa.

– A me?

– Sí, a te. Passo dopo pranzo, quando l'Itala fa il suo pisolino, va bene?

Tu gli rispondi che va bene e intanto ti domandi come mai, fin dal primo giorno, Dante Pizzardi ti si rivolge col tu, mentre con Luisa usa mille formule di rispetto. Tu gli dài del lei e pensi che anche lui dovrebbe fare altrettanto.

In Somalia non hai mai sentito un italiano dare del voi o del lei a una boyessa locale, ma credevi che fosse una peculiarità dell'Uomo Bianco in terra d'Africa e invece la ritrovi, tale e quale, anche in terra d'Italia.

Spazzati via i tortelloni burro e salvia, Itala pulisce il piatto con un pezzo di pane e ti aiuta a sparecchiare. Quando si ritira in camera sua, le dài il tempo di spogliarsi, perché le piace dormire nuda come un pollo spennato, quindi passi a rimboccarle la coperta, abbassi la tapparella e lasci una fessura tra lo stipite e la porta, seguendo le sue indicazioni per la misura pi greco.

– Un po' di meno... No, no, un po' di piú, di piú... Ecco, cosí, proprio cosí

– Buon riposo, Itala.

Torni in cucina, a preparare le tazze per il tè del pomeriggio, la scatola di biscotti, il bollitore pieno d'acqua e il televisore acceso sul canale della musica.

Un ragazzotto in camicia bianca, capelli al vento e braccio ingessato, canta e scuote le spalle dietro una balaustra. La balaustra è quella che circonda la fiaccola della Statua della Libertà, e la Statua della Libertà si erge su una metropoli fantastica, dove il Partenone, la Sfinge, la Tour Eiffel e il Big Ben sorgono uno accanto all'altro. Il ragazzotto canta in inglese, capisci solo la frase che ripete piú volte.

No matter if you're black or white.

Apri la credenza per prendere la zuccheriera e intanto sullo schermo i mezzibusti di donne e uomini d'ogni razza sfumano e si trasformano uno nell'altro.

It's black, it's white, yé yé yé.

Bianchi, neri, marroni, indiani, cinesi, africani: tutti giovani, fotogenici e ben pasciuti. L'internazionale dei carini non è un'utopia difficile da cantare.

Spegni l'apparecchio, ti metti in poltrona e dopo una mezz'ora di lettura tranquilla, ecco Dante bussare alla porta.

Apri e ti raccomandi di non fare rumore, perché se Itala sente che in casa c'è qualcuno, subito si alza per venire a controllare, cosí com'è, in costume da Eva ma senza nemmeno la foglia di fico.

– Per carità, – esclama Dante inorridito. – Ne ho già *basta* di mia moglie quando si fa la doccia. Chissà se prima di morire mi capita ancora di trovarmi davanti una bella donna nuda.

– Spero per lei di no, – gli rispondi, ma poteva venirti una battuta migliore.

A quanto ne sai, Dante Pizzardi e sua moglie si sono sposati tardi, intorno ai cinquanta, dopo essersi conosciuti in una balera di provincia. Ora ne hanno tutti e due una settantina, lui ha la pensione da idraulico e la rimpolpa con qualche lavoretto da *ciappinaro*, piccole riparazioni domestiche e la cura del giardino condominiale. È un vecchio arnese come ce ne sono milioni, pensi, e invece di ringraziare la moglie, che ancora se lo fila, si permette di schifarla come una pera ammuffita.

– Dove ci mettiamo? – domanda Dante con un filo di voce.

Gli fai segno di seguirti in sala, vi accomodate sul divano e senza troppe chiacchiere lo inviti a spiegarti il motivo di tanta urgenza.

– Sai, Isabella, ho pensato molto, – comincia lui con un tono da confessionale. – Ho settantatre anni e grazie a Dio sono ancora in gamba, ma chissà per quanto. Guarda l'Itala: fino a tre anni fa stava bene, poi, nel giro di pochi mesi, *trac*, gli è partito il cervello. Magari tra qualche primavera tocca pure a me, dopo una vita passata a lavorare, senza figli, e con una moglie che invecchia e diventa *sgodevole*. Spesso mi sento solo, molto solo.

Dante allunga la mano e sfiora la tua con le dita, ma tu subito la ritiri in grembo come una lucertola nel suo buco. Non ti è mai piaciuto farti toccare dagli estranei.

– Mi ha detto la Luisa che te sei stata un'attrice e non mi ha stupito per niente, perché si vede benissimo che eri una bella donna.

– La bellezza è negli occhi di chi guarda, come si suol dire. Per me, ad esempio, sua moglie è una bellissima signora.

– Be', magari una volta, però adesso si è lasciata andare, capisci? Perché di chiavare non le interessa piú.

– Scommetto che se avesse un marito piú affascinante ci farebbe un pensiero.

Lui aggrotta le sopracciglia, come se l'argomento non avesse attinenza con il suo discorso.

– Che c'entra? Guarda che a me mi funziona ancora tutto a meraviglia, non perdo un colpo. E comunque, se viene su il Diavolo a prendermi l'anima, e in cambio ci dà a me una bella gnocca e a mia moglie il suo Robert Redford, io ci metto la firma, pure a occhi chiusi. Invece il problema è che le donne italiane son freddine in partenza, e con l'andare del tempo diventano ghiaccio. Non come voialtre, che... insomma... Hai capito, no?

– No, – rispondi secca. – Cosa devo capire?

– Ma sí, dài, te vieni da un altro paese, da un'altra cultura...

– Quale altra cultura? Io ho fatto le scuole in Italia, ho studiato Manzoni, Catullo, Platone.

– Ah, sí? Io invece mi sono fermato alla quinta elementare e non sono tanto bravo con le parole. Quindi, scusa, te la faccio corta: tu mi piaci, Isabella. Mi piaci e sono sicuro che non sei come mia moglie, che ormai l'ha chiusa dentro uno scatolone e l'ha buttata in soffitta. Penso che insieme possiamo divertirci molto, anche se siamo vecchi.

– Lei invece non mi piace, Dante. Non mi piace per niente. E non c'entra l'età, glielo garantisco. Ci sono fior di settantenni a cui la darei volentieri, ma lei non è fra questi, e se vuole divertirsi con me, si può fare, ma costa cinquecentomila lire.

Dante butta la testa all'indietro come se lo avessi minacciato con un cazzotto.

– Cosí tanto? – dice allungando il mento. – Io di pensione ne prendo sette e cinquanta. Non mi puoi fare uno sconticino?

– Quattrocento, prendere o lasciare.

– Ma no, scusa, per quella cifra lí mi faccio cinque chiavate con quelle dei viali...

– E allora che aspetta, scusi? Perché perde tempo con me? Sperava di avermi gratis perché sono vecchia e vogliosa? O magari non è vero, che le funziona tanto bene, e allora si vergogna a tirarne su una per strada, magari poi quella la prende in giro e ha pure buttato dei soldi?

– Certo che sei una bella stronza, – fa Dante.

– Sempre stata cosí. La saluto, signor Pizzardi.

Accompagni le parole col gesto della mano, ciao ciao, poi ti alzi e vai ad aprire la porta. Lui esce scuotendo la testa come un cavallo accaldato.

Fortuna che per quattrocentomila lire non mi ha detto di sí, pensi mentre l'acqua del tè si scalda nel bollitore. *Con quella cifra, Antar pagava la seconda rata dell'università. Rifiutarla sarebbe stato faticoso*, ti dici, e intanto prepari le bustine, il latte, i biscotti, sapendo che fra poco Itala si presenterà per la merenda.

Dieci
In tournée, autunno 1948 - autunno 1949

La mia carriera nel cinema è stata molto breve.

Ennio Flaiano diceva che se avessero tratto un film da *Tempo di uccidere*, il suo primo romanzo, avrebbe chiesto alla produzione di farmi interpretare la protagonista, una ragazza etiope. Ma erano promesse da *Caffè Greco*, impegnative come un sorso di vino, e io avevo un continuo bisogno di soldi, mentre il cinema poteva offrirmi solo impieghi minuscoli, saltuari, e i soliti rifiuti per le parti piú impegnative, perché «sei brava, per carità, ma la moglie del protagonista non può essere nera, capisci? Non è il tipo».

Di ritorno dalla cascina delle mondariso, feci una comparsata in *Fabiola* di Blasetti, un *peplum* pallosissimo, dove tanto per cambiare interpretavo una schiava, per di piú a petto nudo, come nelle foto coloniali di fine Ottocento, con le veneri africane pronte a soddisfare le voglie dell'uomo bianco. Avevo i capelli lunghi e cercavo in tutti i modi di coprirmi con quelli, perché lí non era questione di spogliarsi di fronte a un artista, c'era l'intera troupe, c'erano i fantasmi degli spettatori futuri, e la voce dell'aiuto regista che mi spiegava nel dettaglio quanti centimetri di seno si potevano vedere.

Il teatro, per fortuna, mi dava piú soddisfazioni. Feci una tournée a Londra e Parigi, con la compagnia della Biennale. Portavamo in scena l'*Edipo re* di Sofocle, con Guido Salvini alla regia e una schiera di attori che hanno fatto la storia:

Vittorio Gassman, Renzo Ricci, Arnoldo Foà. Non che la
mia parte fosse importante, ma almeno potevo salire sul palco, vedere la gente in platea, soggiogare i loro sguardi anche
solo per pochi secondi. Nel cinema il rapporto col pubblico era troppo indiretto e quel che a me piaceva era proprio
quel rapporto, finalmente rovesciato rispetto alla mia vita
di tutti i giorni.

Nell'estate del '49 trovai un ingaggio nella compagnia di
giro di Tatiana Pavlova, un'altra di quelle russe che avevano in odio i bolscevichi. Il dramma si intitolava *Lunga notte
di Medea*, l'aveva scritto Corrado Alvaro, e il mio personaggio era quello di Layalé, una delle due schiave della *Vasilissa*.
Pochi lo ammettono, ma la prima cosa che fa un attore
quando riceve il copione è di andarsi a contare le scene in
cui comparirà. Layalé ne aveva tredici su ventitre, e diceva
la bellezza di sessantadue battute. Tra queste ce n'era una
lunghissima, quasi un monologo, che mi parve subito divi-
namente scritto.

> Ora non puoi tornare là donde sei partita. Ora sai che la vita
> è la ricchezza adoperata come forza. La potenza come giustizia.
> Nei tuoi paesi, la ricchezza dorme custodita nelle miniere, difesa
> dai mostri e proibita a tutti. Ma già uno v'è arrivato e l'ha rapita.
> Questo lo chiamano un eroe. E te, una donna tradita. All'uomo
> basta una sola parola: Vittoria. Vi sarà sempre denaro per compen-
> sare chi canta le lodi del vincitore. E vi saranno sempre quelli che
> canteranno le lodi di chi perde. Con le parole si può rendere giusto
> l'ingiusto, diritto il torto, buono il malvagio. Ma chi canta il vinto
> sarà prediletto dagli Dèi. E cosí il mondo andrà avanti, facendo il
> male e lodando il bene.

Quindi ero schiava, sí, ma almeno una schiava importante e di certo la *pièce* non era uno spettacolino da teatro di
provincia: c'erano scene e costumi di Giorgio de Chirico e
musiche di Ildebrando Pizzetti.

Quando poi lessi l'intera tragedia, mi innamorai di come Alvaro aveva riscritto il mito greco che avevo studiato ai tempi del liceo. La sua Medea era un essere indifeso, molto diverso dalla gran maga di Euripide. Nel testo la si chiamava straniera, barbara, fattucchiera, vagabonda, megera, vipera. Sarebbe bastato sostituire «fattucchiera» con «bagascia», per ottenere l'elenco di appellativi che mi ero sentita affibbiare in venticinque anni di esistenza, il piú delle volte dalla mia cara mammina.

La strega della Colchide, insomma, sembrava parlare pure a nome mio e ne ebbi la conferma quando l'autore volle incontrarci tutti, per darci le sue indicazioni. Era un tipetto basso, con la faccia tonda e il naso schiacciato, i capelli tirati all'indietro e una stretta di mano esangue, da vampiro.

Venne a trovarci durante le prove, mettemmo le sedie in cerchio sopra il palco e lo ascoltammo rapiti, come se fosse un veggente venuto lí a predirci il futuro.

– Medea, – ci disse, – è l'antenata di tutte le donne che hanno subito la persecuzione razziale, di tutte quelle che vagano senza passaporto, da una nazione all'altra, e abitano i campi di concentramento, i campi profughi. Per come la sento io, ella uccide i figli perché non diventino vagabondi, perseguitati, affamati. Vuole estinguere il seme di una maledizione sociale e di razza, e quindi li uccide, in qualche modo per salvarli, in uno slancio disperato di amore materno.

Mi guardai intorno, smarrita, per vedere se anche gli altri erano commossi, ma mi parve di essere l'unica. Mi erano tornate in mente le parole di Flora Virdis, quando diceva che le suore della Consolata avrebbero fatto meglio a buttarmi nell'Oceano Indiano, invece di portarmi a Napoli con il piroscafo. L'avevo sempre considerata una maledizione, e senza dubbio era quello l'intento col quale veniva ripetuta. Ora capivo che le stesse parole potevano esprimere

compassione, amore addirittura. Se Aschirò Assan si fosse
chiamata Medea, invece di mandarmi in Italia mi avrebbe
ucciso nella culla. «Per estinguere il seme di una maledizione sociale e di razza».

Invece ero lí, pronta a interpretare la schiava Layalé e a
conquistare una dopo l'altra le piazze piú importanti d'Italia.

La prima fu Milano, un vero trionfo, ed era ancora estate
quando scendemmo a Palermo, dove incontrai l'uomo che
mi avrebbe cambiato la vita.

Calato il sipario, scemati gli applausi, ce ne andammo a
cena in una bettola vicino a piazza Marina: io, l'altra schiava di Medea – che nella vita di tutti i giorni si chiamava
Silvana –, un amico di Silvana e un amico dell'amico, che
scriveva sui giornali comunisti ed era lí per fare un servizio
sull'occupazione delle terre.

Tra una chiacchiera e l'altra, venne fuori che questo Lamberto era un esperto di questioni somale e in quel periodo si
stava interessando agli intrallazzi del nostro primo ministro
per ottenere dalle Nazioni Unite l'amministrazione fiduciaria della ex colonia.

– Con la scusa di avviare la Somalia alla democrazia, quello vuole tenersela sotto i piedi per altri dieci anni almeno. E
sai perché? Primo, per difendere gli interessi dei nostri bananieri e continuare a ingrassarli con i soldi dei contribuenti.
Secondo, per dimostrare al mondo che la guerra ci ha ripulito
l'anima e la camicia nera. Abbiamo imparato talmente bene
l'arte della democrazia, che già siamo pronti a esportarla, e a
guadagnarci i titoli per entrare all'Onu. Terzo e non ultimo,
per trasformare gli africani in docili consumatori di prodotti italiani. Questi, almeno, sono i motivi piú confessabili. In
realtà, De Gasperi ha dovuto ascoltare i piagnistei dei buro-
crati fascisti, gli alti funzionari e il personale amministrativo

del ministero dell'Africa italiana, gli esperti, i tecnici, i sindaci: tutta gente che non vede l'ora di rimettere le mani su incassi e stipendi.

A quei tempi ero piuttosto ignorante di cose politiche: alle elezioni del '48 avevo votato per il Fronte, per poi sentirmi dire da un compagno che il voto, a noi donne, ce l'avevano dovuto dare, non si poteva fare altrimenti, ma *loro* lo sapevano benissimo che li avremmo fatti perdere, perché la politica non ci interessa e avremmo votato come ci dicevano i preti.

La frase, nella sua pretesa universalità, era una solenne idiozia, ma per quanto mi riguardava, diceva almeno una verità, e cioè che la politica mi interessava poco, anche perché, in quanto donna, nessuno s'era mai preso la briga di farmela conoscere, nemmeno mio fratello, che a malapena mi aveva spiegato che cosa fosse il Partito d'azione. Sulla credenza della nostra cucina, a Casal Bertone, campeggiava un simpatico posacenere di ceramica, con al centro la scritta: «La donna intellettuale è come una scarpa stretta, non vedi l'ora di toglier tela dai piedi».

Uscita dal deserto culturale di quella casa, avevo fatto indigestione di pittura, scultura, teatro e musica. Ai primi concerti non sapevo nemmeno quando bisognava applaudire, guardavo gli altri spettatori e li imitavo, poi pian piano avevo educato l'occhio e l'orecchio. Ma alle prime pagine dei giornali preferivo i capitoli di un buon romanzo, e le avventure di De Gasperi & Togliatti mi sembravano molto meno interessanti che quelle di Thomas & Tony Buddenbrook.

Questo finché le parole restavano sulla carta, o magari uscivano dalla bocca di un tizio come Andreotti. Nel caso del signor Lamberto, al contrario, il timbro di voce, i gesti delle mani e lo sguardo appassionato, avrebbero reso affascinanti anche le previsioni del tempo, e dunque a maggior ragione un argomento che già di per sé mi interessava e sul quale era difficile informarsi a dovere.

– Ormai pare proprio che il nostro De Gasperi ce l'abbia fatta. Questione di pochi mesi, si dice, e arriverà l'incarico. Gli anglo-americani hanno paura che i russi mettano le mani sul Corno d'Africa e quindi sulle rotte tra Suez e l'Oceano Indiano. E poi un contentino glielo devono pur dare, ai nostri democristiani e ai fascisti ripuliti che tanto s'impegnano in patria per combattere il socialismo. Per Libia, Eritrea ed Etiopia non se ne parla, quelle sono terre troppo interessanti, sul piano economico e strategico. Ma la Somalia, che vuoi che sia, qualche cammello, qualche banana e tanto deserto. Diamola all'Italia e non parliamone piú per una decina d'anni.

Lungo tutta la serata, l'amico dell'amico di Silvana fu il mio unico interlocutore, quasi che gli altri due non esistessero affatto. Gli raccontai di me e di Giorgio, e ne fu molto colpito. Pendevamo l'uno dalle labbra dell'altra, anche se le mie, di labbra, erano spesso impegnate a ingoiare dentici e succhiare chele di scampo.

Il menu che avevamo scelto era del tutto inadatto per le mie povere tasche, ma dopo un pranzo austero a base di panelle, Silvana mi aveva convinta a risollevare lo stomaco e il palato, sicura che i nostri due cavalieri avrebbero offerto la cena come da tradizione.

Scolati gli amari e i caffè, infatti, Lamberto domandò all'oste di portarci il conto, lo contemplò con attenzione, poi mise mano al portafogli e depositò sul tavolo due banconote.

– Ma vi rendete conto che differenza di prezzi? – commentò Silvana. – A Roma, con una cifra del genere, ci mangia a malapena una persona!

– Be', anche qui, – ribatté Lamberto perplesso. – Però le porzioni erano molto abbondanti e il pesce freschissimo.

Forse Silvana non aveva considerato che i nostri due erano cavalieri comunisti, fieri sostenitori dell'emancipazione della donna, preoccupati di non offenderci con il paternalismo maschilista.

E cosí ci toccò pagare la nostra parte.

Io non me la presi, ci ero abituata, anche mio marito aveva la tessera del Pci, e poi, fede politica a parte, eravamo sempre in bolletta, e al momento di fare acquisti, non era in base al sesso che decidevamo chi dei due avrebbe sborsato la grana: ci svuotavamo le tasche, mettevamo insieme gli spiccioli e pregavamo il commesso che ci facesse uno sconto.

Silvana, invece, se la legò al dito e non mancò di farmelo notare, quando tornammo a tarda notte nella nostra camera ammobiliata.

– Certo che tu devi avere da qualche parte una calamita speciale.

– Di che stai parlando? Quale calamita?

– Quella con cui attiri i peggio squattrinati. Prima Alfredo, adesso quest'altro...

– Ma non sei tu quella che mi dice sempre che col matrimonio si viene promosse casalinghe? Io me lo sono trovato senza una lira, cosí di sicuro non mi faccio mantenere.

– C'è una bella differenza. Un conto è la sacrosanta indipendenza economica, un altro farsi pagare la cena. Anche il migliore dei mariti, nella società patriarcale, avrà sempre un debito con sua moglie. Il lavoro domestico, la cura, le commissioni non vengono mai divise a metà. Le donne fanno risparmiare un sacco di soldi alla famiglia, ai padroni e allo stato. Pagarti la cena è il minimo che un uomo possa fare. Capito?

Avevo capito, sí, e anche se non mi aveva convinta, tenni a mente le sue parole, quando Lamberto si ripresentò a Napoli, per via di una corrispondenza da consegnare all'«Unità».

E di nuovo ci pensai, quando mi offrí un passaggio in auto, alla fine di una replica al *Petruzzelli* di Bari. Il motore faceva un rombo di aeroplano e da dietro le mie spalle arrivava un rumore di ferraglia.

– Lo so, dovrei farla riparare, – disse alzando la voce, per sovrastare il frastuono. – Ma l'idea di spendere soldi per una macchina mi deprime. Gli amici dicono che sono tirchio, ma non è colpa mia. È un fatto genetico. Mio padre è genovese, mia madre è ebrea. Mi manca giusto di essere nato in Scozia…

Gli sorrisi, e mi dissi che se davvero era tirchio, allora avrebbe smesso di seguirmi su e giú per l'Italia. Alla panzana dei viaggi di lavoro e delle fortunate coincidenze ci avevo creduto la prima volta, ma già dalla seconda mi parve chiaro che il nostro corrispondente era a caccia di un'unica notizia: se gliel'avrei data oppure no.

Alfredo, immerso nelle sue svagatezze da artista, dovette comunque sospettare qualcosa, perché cominciò ad accompagnarmi nelle varie date, con la scusa che tanto era disoccupato.

A Firenze, mentre dormivamo della grossa, il telefono dell'albergo squillò, nel cuore della notte. Tastai il comodino in cerca dell'apparecchio e mi dissi che di brutte notizie non potevano arrivarmene: mio fratello era già morto, mio marito era lí con me e non avevo altre persone care nella mia vita sradicata.

– Mi scusi, signora Zennaro, c'è qui un signore che la desidera, – disse la voce della *concierge*. – Io gliel'ho ripetuto che non mi sembrava il caso, ma guardi, ha molto insistito, mi ha mostrato pure la tessera da giornalista, ha detto che se non l'avessi chiamata, avrebbe scritto…

– Va bene, non si preoccupi. Gli dica che scendo subito.

– Ma chi è? – domandò Alfredo da sotto le coperte.

– È Silvana, – risposi pronta. – Non riesce a dormire, è in crisi nera. Vado a sentire che vuole.

– Ma quale crisi. Quelle sono le salsicce dell'osteria. Anche a me sono rimaste sullo stomaco. Dille che si prenda un Fernet e se ne torni a letto.

Risposi che l'avrei fatto e quando rientrai in camera, all'alba, m'inventai un sacco di storie sulle delusioni sentimentali della mia amica. Non fu difficile, dato che avevo appena trascorso quattro ore proprio all'insegna delle delusioni d'amore: una passeggiata lungo l'Arno, fino a Settignano e ritorno, durante la quale Lamberto mi aveva ripetuto cento volte che non sopportava piú sua moglie e almeno mille che non poteva piú vivere senza di me.

Dopo Firenze, venne Torino e fu il disastro.

Lamberto passò a trovarmi alle prove e da come se la prendeva comoda, capii che non se ne sarebbe andato per la pausa pranzo. Pensai che Alfredo, se ci avesse visti assieme, avrebbe scoperto tutto – per quanto non ci fosse ancora molto, da scoprire. Cosí gli telefonai, per avvertirlo che c'erano stati dei ritardi e che il pranzo al *Cambio* sarebbe saltato.

Nel mio piatto, gli gnocchi al gorgonzola erano ancora caldi, quando Alfredo entrò nel locale e ci trovò tutti a tavola, presi da amabile conversare. Squadrò Lamberto, seduto davanti a me, e rifiutò gli inviti di quanti già si stringevano per farlo sedere.

– State pure comodi, non mi trattengo.

Fermò un cameriere, gli bisbigliò qualcosa all'orecchio e quello in un attimo scomparve e riapparve con una bottiglia di champagne.

– Propongo un brindisi, – dichiarò Alfredo e io cominciai a preoccuparmi perché non l'avevo mai visto cosí spavaldo.

La bottiglia fece il giro del tavolo, le bollicine danzarono nei bicchieri. Alfredo sollevò in alto il suo, come un consumato cerimoniere.

– Alla vendetta di Medea e alla morte di Giasone, – esordí. – A Tatiana Pavlova, a mia moglie Isabella e a voi tutti,
amici e nemici.

Appoggiai il bicchiere, senza nemmeno portarlo alle labbra. Lamberto invece scolò il suo con grande piacere, quasi
fosse gratificato dal sentirsi riconoscere come nemico. Tutti
gli altri si produssero in sorrisi e frasi di circostanza, finché
Alfredo non si dileguò a grandi passi e venne l'ora di tornare in teatro.

Prima di riprendere le prove, Tatiana Pavlova mi fece
chiamare nel suo camerino. Era in compagnia del marito, un
fascista di prim'ordine che era stato federale di Roma, giornalista e direttore dell'Istituto Luce, senza per questo imparare che non è buona educazione scaccolarsi in pubblico.

– Ma allora, che succede? – mi domandò la primattrice
con aria intrigante.

Cercai di svicolare, di mantenermi sul vago, ma lei non
mollava.

– Racconta, racconta.

Il suo amore per il pettegolezzo era pari almeno a quello
per il palcoscenico. Silvana era convinta che avesse un in-
formatore interno alla compagnia, uno che le riferiva chiacchiere e malumori. Nel mio caso, vista la scenata di Alfredo,
non c'era stato bisogno nemmeno di quello.

Le spiegai che c'era questo giornalista che mi tampinava
da un po' e lei annuí, segno che lo spione aveva già fatto il
suo dovere.

Le dissi che mi piaceva, che era un tipo interessante, colto e innamorato alla follia.

– Però io sono sposata, Alfredo è un brav'uomo, e...

– Perdonami cara, – mi interruppe là Pavlova, – ma da quel
che si dice, tu e tuo marito non vivete nemmeno sotto lo stesso tetto. Come si può definirlo matrimonio?

– Per me un tetto serve solo a non bagnarsi la testa, – risposi. – Con questa compagnia siamo in giro da mesi, eppure la sento piú familiare della mia stessa famiglia, con la quale ho abitato per quasi vent'anni.

– Questo mi lusinga, ma che intendi fare?

– Lamberto dice che conosce un avvocato della Sacra Rota e può ottenere l'annullamento del suo matrimonio. Io però mi sono sposata in comune e i soldi per un avvocato non ce li ho.

– E quindi?

– E quindi non so che fare, immagino che Alfredo non mi denuncerebbe per abbandono del tetto coniugale, visto che quel tetto non c'è, però sarebbe lo stesso un grandissimo pasticcio.

– *Rompono tutto. Distruggono tutto. Niente si salva*, – recitò Medea. – *E vogliono vedere tutto com'è fatto.*

La battuta era riferita ai maschi e alla loro violenza, ma si adattava bene anche all'ostinazione di Lamberto, che continuava a insistere nonostante gli avessi detto di lasciarmi in pace, di non ingarbugliarmi la vita.

– Tu il pasticcio lo hai già fatto, bella mia, – continuò la Pavlova. – Hai sposato un uomo che non sbarca il lunario, che a malapena può provvedere a sé stesso. Che futuro avete, voi due? La carriera di attrice è dura, ci vuole tempo, all'inizio bisogna fare la gavetta e si raccolgono solo briciole. Se non hai qualcuno che ti dà una mano, son dolori. Questo Lamberto, da quel che mi dicono, è ricco di famiglia, scrive sui giornali. Se almeno l'altro contasse qualcosa come regista, capirei, ma invece… Tu sei una donna intelligente, lo sai che non ci sono soluzioni semplici per le cose complicate.

Tatiana Pavlova si mise addosso lo scialle che usava per scaldarsi durante le prove, lanciò un'occhiata nello specchio e si alzò, pronta a riprendere il lavoro, quando una tosse cattiva la piegò in due sopra il bancone dei trucchi.

La voce del marito si levò dalla poltroncina nell'angolo della stanza. Stava leggendo il giornale e nemmeno lo scostò per guardarmi in faccia.

– Assan, lei che è una donna intelligente, vada a prendere un po' d'acqua per la signora.

Esitai, indecisa se ribattere. Non mi andava giú che un fascista appena appena riverniciato mi trattasse come la sua cameriera. D'altra parte, stavo anche imparando a farmi scivolare addosso certi sgarbi, perché non ne potevo piú di vivere sempre con la baionetta inastata.

Cosí andai e tornai con un bicchiere, mentre il fesso se ne stava in panciolle, e dentro di me pensavo che Tatiana Pavlova, visto il tizio che s'era scelta, non era forse la piú titolata per dare consigli di vita coniugale.

Undici
Bologna, febbraio 1992

Itala mangia i biscotti zuppi di tè, come se fosse un elettrodomestico costruito allo scopo. Non si è nemmeno accorta che quello di oggi è *shaah*, il tè alla somala, con cannella, cardamomo e chiodi di garofano, le uniche spezie che sei riuscita a portare da Mogadiscio.

Siete appena tornate dalla passeggiata e come annunciato dalle previsioni, nuvole grigie ingombrano il cielo. Le giornate invernali hanno cominciato ad allungarsi, ma quando rientrate è il crepuscolo, e con la luce elettrica accesa l'ultima parte del pomeriggio sembra non finire mai. Fosse per te, ti butteresti in poltrona a leggere un libro, ma Itala non ne vuole sapere, hai provato mille volte a declamarle una pagina o due: dopo un attimo si alza, va in giro per casa e se non le stai dietro ti tocca pulire le sue pisciate agli angoli delle pareti. Ormai non puoi lasciarla sola un minuto, e non soltanto per evitare danni: anche quando guarda la tivú Itala vuole che le stai accanto, che le spieghi quel che non capisce, e cosí sei costretta a sorbirti programmi insopportabili, quiz a premi, ragazzine che sculettano.

– Adesso che facciamo? – chiede Itala con ansia appena finisci di riporre le tazze.

E a te verrebbe da rispondere: «Spegniamo le luci, ci accomodiamo in salotto a occhi chiusi e aspettiamo le sette per metterci a tavola», ma sai che Itala se non la tieni impegnata comincia ad agitarsi, e allora ti inventi qualcosa da proporre.

Nelle ultime settimane, guardare i vecchi album di foto si è rivelato un buon passatempo. Luisa è rimasta sorpresa dalla quantità di ricordi che sono riaffiorati nella testa di sua madre. Ma a forza di sfogliare e sfogliare, ormai avete ripercorso l'intera vita di Itala una decina di volte, e anche se per lei ci sono sempre nuovi dettagli da riscoprire, tu ne hai piene le scatole di contemplare le stesse facce a ciclo continuo.

– Ti faccio vedere le mie foto, – proponi a un tratto. – Che te ne pare?

– Bello. E poi?

– E poi spero che sia arrivata l'ora di cena.

Le tue foto non sono mai state in ordine tra le pagine di un album, ma buttate alla rinfusa dentro scatole da scarpe. Quelle scampate da Mogadiscio si sono rifugiate in una busta di carta, di quelle grandi, fatte per i libri, e da lí le rovesci sul tavolo di cucina.

– Dunque, vediamo, da dove potrei cominciare?

Con le mani aperte stendi le stampe sulla superficie di legno e ne sollevi alcune tra pollice e indice, come una cartomante che interroga i tarocchi.

– Qui per esempio sono con Alberto Sordi, vedi? E questo invece è Walter Chiari, ti ricordi che te ne ho parlato? Quello delle pillole. Questa foto me l'ha regalata dopo che abbiamo passato la notte a parlare di niente, sugli scogli di Genova.

– E questo negro? – domanda Itala con l'indice puntato. – È quell'attore americano, *Sidni Puatié*?

– Questo? Ma no, questo è il papà di Antar.

Itala prende la foto con un gesto lento, circospetto, come se avesse paura di farla scappare. La porta molto vicino agli occhi e se ne sta lí a fissarla, mentre tu ti domandi cosa ci starà cercando.

– Io dove sono? – dice alla fine del lungo esame.

– Da nessuna parte, – rispondi tu divertita, ma Itala ha la faccia preoccupata, anzi peggio, terrorizzata, come se le tue parole avessero il potere di avverarsi e di farla sparire.

– Volevo solo dire che in questa foto non ci sei, – ti affretti a precisare, – perché queste sono le mie foto, non le tue, capisci, Itala? Questa è stata scattata in Somalia, nel 1969. Eravamo in gita sulla spiaggia, a Brava, e questi siamo io, mio marito Mohamed e Antar da piccolino, a sei anni.

– E me? – insiste Itala sempre sul chi vive.

– Tu non lo so dov'eri, nell'estate del '69. Di sicuro in Italia, ma dove di preciso non lo so.

– Perché dici di sicuro in Italia? Non potevo essere in Somalia? Se c'eri te, *a psêva bän èsri anca me.*

– Be', sí, però Luisa me ne avrebbe parlato, non credi? Quando conosci una persona e senti che arriva da un paese un po' strano, di solito glielo dici subito: «Lo conosco, ci sono stata in vacanza». Comunque il '69, vediamo… è l'anno della bomba a piazza Fontana, in quella banca di Milano. Da noi in Somalia ha preso il potere Siad Barre e qui da voi iniziavano le stragi. Tu te lo ricordi dov'eri, quando è scoppiata la bomba?

Itala si porta la mano sulla fronte, come fa sempre quando deve ricordare. Le dita nodose scavano tra le pieghe della pelle.

– Questa bomba mi manca, – dice come se parlasse della figurina di un calciatore. – Si vede proprio che quell'anno lí non c'ero. Ero *a l'estero*. Sicura. *A stèva in Somalia, me.*

Andiamo bene, ti dici. La vecchia è talmente abituata a venerare le sue foto che il solo fatto di mettere gli occhi su quelle di un altro già la manda in confusione. Meglio far sparire tutto e provare a rimetterla in carreggiata, con i suoi cinque album belli ordinati, magari trovi uno scatto di fine anni Sessanta, in vacanza da qualche parte, e riesci a tappare la voragine che hai appena scavato.

– Ecco, Itala, guarda qui. Queste sono le tue foto, capito? Vediamo un po'… 1969… Luisa doveva avere una trentina d'anni. Questa no, questa no… Questa! Ecco dov'eravate nel '69. A Parigi, sotto la Tour Eiffel.

Volti l'album per metterlo dritto davanti a Itala e lei annuisce soddisfatta.

– *A dsêva me!* Eravamo *a l'estero*, del '69. Con la Luisa, il mio nipotino Giacomo e il mio caro Ernesto.

Appoggia il polpastrello sulla faccia del marito e lo accarezza, con lo sguardo commosso che tira sempre fuori quando parla di lui.

– Il mio Ernesto, – ripete. – *Al mî Ernést*. Com'è brutta, la vita, senza di lui. E te, Isabella? Non sei triste che stai senza tuo marito?

Tu ci pensi su un attimo e sai bene che la risposta piú semplice sarebbe una bugia: «Certo, quanto mi manca il mio caro Mohamed». Ormai l'hai capito che la vecchia Itala è meglio rassicurarla, tenerla buona con i buoni sentimenti, però lo stesso ti sembra meschino trattarla da scema «per il suo bene», quando tu stessa non sapresti dire qual è il tuo, di bene, figurarsi quello di un altro.

Di uomini ne hai avuti tanti, di alcuni a malapena ricordi il nome, di altri ti resta poco. I momenti di passione sono stati brevi e quelli di piacere ancora piú scarsi: il piú delle volte aspettavi impaziente che lui finisse, per poterti rivestire in fretta. Se qualcuno ti chiedesse quanti uomini hai amato nella vita, risponderesti subito: «Due. Mio fratello Giorgio e mio figlio Antar». E aggiungeresti che con tutti e due sei molto, molto arrabbiata. Con Giorgio perché si è fatto ammazzare per un paese che adesso ti prende a pugni in faccia, e con Antar perché da otto anni fa finta di studiare.

– Cosa ti devo dire, Itala, – rispondi alla fine. – Mohamed è ancora a Mogadiscio, dove c'è la guerra. So che fa una vita dura e questo mi fa star male, però…

– Tuo marito è vivo? – domanda Itala con tanto d'occhi.

– Sí, certo, almeno fino a un mese fa, quando m'è arrivata la sua ultima lettera.

– Lui è vivo e voi due non state insieme! *Bé cum'êla?* Siete divorziati?

– No, siamo sposati. Però immagino che tra noi due sia diverso, rispetto a com'eravate tu ed Ernesto.

– Io e il mio Ernesto stavamo sempre insieme, – dice Itala con l'aria di chi racconta un sogno. – E tutte le volte che non stava con me, io stavo molto male. Volevo essere sempre vicino a lui. *Me ai era una cinnâza* quando l'ho incontrato, e lui poco piú grande di me. Ci siamo voluti bene dal primo giorno, fino a che… ci siam sempre voluti bene.

– Ecco, vedi? A me non è mai successo niente di simile, con nessuno dei miei tre mariti.

– *Trî maré?* – si stupisce Itala e con le dita vorrebbe fare un tre, ma un po' per l'artrosi e un po' per la demenza, alla fine le dita alzate sono quattro.

– Sí, non te l'avevo detto? Il primo si chiamava Alfredo, era piú vecchio di me, ci siamo sposati al comune di Roma

dopo la guerra, ma il nostro matrimonio è durato poco, perché non avevamo né soldi né casa, e di sicuro non ci amava-
mo abbastanza.

– E cosí dopo di lui hai sposato il negro?

– No, Itala, ho sposato Lamberto, un altro bianco. Però
ascolta: si dice «nero», non negro.

– E che differenza c'è?

– «Negro» si dice quando si vuole offendere.

– *Mo 'sa dît?* Io non offendo nessuno, ci siam soltanto me
e te. Però spiegami: com'è che hai divorziato anche dal secondo italiano? Non aveva una casa neanche lui?

– No, no, al contrario, lui era ricco di famiglia e di case
ne aveva piú d'una. Però era geloso, molto geloso. Mi voleva
sempre a casa, aveva paura che con il mio lavoro incontrassi qualcun altro, proprio come avevo incontrato lui, e cosí
ho smesso di fare l'attrice e mi sono messa a fare la moglie,
come se le due cose non potessero stare assieme: andavo al
mercato a fare la spesa, mi facevo suggerire le ricette dalla
fruttivendola, e ogni giorno gli preparavo qualcosa di diverso da mangiare. Ma anche mettendomi d'impegno, non
sono mai diventata una brava cuoca, e come attrice avevo
chiuso per sempre. Solo una volta ho provato a ribellarmi,
quando mi ha chiamata un produttore per propormi un
film su una storia della Bibbia. *Ruth e Boas*, doveva inti-
tolarsi, e io sarei stata Ruth, la protagonista. Accettai di
incontrarlo e andammo a cena sul lago di Bracciano. Siamo tornati all'una di notte: non ho fatto in tempo a scendere dalla Mercedes che già Lamberto era uscito di casa e
mi aveva appioppato due ceffoni. Il produttore, per paura
di prenderle anche lui, mise subito in moto e sgommò via.
Non l'ho piú rivisto, e a quanto ne so, di quel *Ruth e Boas*
non se n'è fatto piú nulla.

– E cosí hai divorziato anche da lui?

– No, Itala. In realtà non ho divorziato né dal primo né dal secondo. Dal primo, perché il divorzio non c'era ancora, e dal secondo, perché c'eravamo sposati con un rito speciale, musulmano, all'ambasciata del Pakistan.

– *Soccia Pireina!* – sbotta Itala. – Fino in Pako... lí, solo per maritarsi?

– Ma no, l'ambasciata era a Roma, non in Pakistan. Lo sai cos'è un'ambasciata?

– Sí, mi sa che lo sapevo. E dopo questo Lamberto è arrivato il negro?

– Si chiama Mohamed, Itala. Mohamed. Non negro, bingobongo, kunta kinte... Vabbe', chiamalo come ti pare, chissenefrega. È arrivato il negro ed è arrivato Antar, il mio primo e unico figlio, negro pure lui.

– E dove stavate tutti quanti? In Somalia?

– Sí, in Somalia. Perché Mohamed era il segretario del primo ministro somalo.

– *Mo azidôll!* E com'è che oggi tu fai la serva per una *lavandera*?

– Sono gli scherzi della vita, no?

– *An soja me?* Sta combinando una brutta *schergna anc'a me*, la vita, – commenta Itala e si batte un dito sulla tempia. – Però almeno oggi ho capito che *dal ssantanôv me a stèva* a Parigi e te in Somalia. C'è caso che domani sant'Antonio mi fa la grazia e riesco a ricordarmi pure cos'è successo *del '56*.

– Io nel '56 sono andata in Somalia per la prima volta.

– *Be', davaira?* In Somalia? *Mo alora...*

Il telefono squilla. A giudicare dall'orario dev'essere Luisa, per il reportage giornaliero sulle condizioni della madre.

Prima di rispondere, vai a prendere l'agenda dove ti sei segnata i detersivi da ricomprare e altre domande. Tra queste spicca la parola «Residenza». Devi provare a insistere. Se te la lasciassero prendere in casa di Itala, risolveresti un sacco di problemi. Glielo hai già domandato un mese fa, il mese prima e quello prima ancora. Ti sei sentita raccontare mille scuse, mille paure e hai pure incassato lo stupore di Luisa per gli undici milioni di lire che ti spetterebbero come profuga italiana residente in Italia – «Cosí tanti? E da farne che?» Ma non demordi, ormai hai imparato a mettere da parte l'orgoglio e a non vergognarti nei panni del mendicante, di chi è costretto ad aver bisogno e a domandare sempre qualcosa per sé, come il peggiore degli egoisti.

Nel frattempo, Itala ha sollevato la cornetta e la senti alzare la voce con entusiasmo.

– *Sant'Antoni l à 'sculté äl mî uraziån! Finelmänt a i ò capé cus'è suzés dal zincuantasî.*

Annuisce contenta, le parole di Luisa sono bisbigli all'altro capo del filo.

– *A sån sté in Somalia. Mo parché te an m al vlêvet brîsa dîr?*

I bisbigli si animano, Itala si mette a passeggiare in tondo nervosa. Vede che la guardi stranita e passa all'italiano, come per avere una testimone.

– È capitato un brutto *quale* laggiú? È per questo che non me lo vuoi dire? No, non te la passo l'Isabella. C'era anche lei in Somalia, sempre *del* '56, e infatti mi pareva di averla già incontrata da qualche parte.

Raggiungi Itala alle spalle e senza difficoltà le sfili di mano la cornetta.

– Pronto, Luisa?

Il bisbiglio diventa chiara voce e ti domanda come sta la mamma, cos'è 'sta storia della Somalia, da dove salta fuori, se le hai dato tutte le pillole e se è andata di corpo. Luisa è una di quelle persone che fanno una domanda ma non aspettano risposta per formulare la successiva.

– Niente di strano, non preoccuparti. È che ho fatto vedere a Itala le mie vecchie foto.

La voce sostiene di avertelo già detto: le uniche foto che deve guardare Itala sono le sue. Dice che hai combinato un guaio, che adesso la mamma rimane sfasata, con in testa questa storia della Somalia, e non ce la si cava piú per almeno un mese.

Tu domandi scusa, dici che non immaginavi, ma che in fondo il danno non ti sembra tanto grave. Itala era bloccata su quel 1956 da quando l'hai conosciuta e forse il fatto di aver chiuso il buco è piú importante del materiale usato per tapparlo.

Luisa ribatte, non è convinta, anzi è preoccupata, dice che forse è meglio se fa un salto a trovarvi e tu le rispondi che va bene, mentre dentro di te pensi che per la residenza sarà meglio aspettare la prossima settimana.

19 novembre 1949
Al direttore del «New York Times»

LA POSIZIONE SOMALA SULL'AMMINISTRAZIONE FIDUCIARIA
Un rappresentante dichiara
l'opposizione della lega al controllo italiano

È un fatto noto che la Lega dei giovani somali, in qualità di guida del movimento nazionalista per l'indipendenza della Somalia, da sempre si oppone alla restaurazione in qualunque forma dell'odiato dominio italiano sulla nostra terra. La Lega si oppone anche con forza a qualunque dominazione straniera e ha sottoposto all'Assemblea generale delle Nazioni Unite diversi promemoria, petizioni, documenti, ecc.

L'ingiusta soluzione proposta ora per la Somalia è del tutto contraria ai desideri e al benessere dei suoi abitanti. Che la maggioranza del Comitato abbia raggiunto questa sciagurata conclusione per opportunità politica, dopo un lungo mercanteggiare ai danni della nazione somala, debole e indifesa, è un fatto ben noto al mondo intero. È chiaro come la luce del giorno che, per fare un favore agli italiani, si è deciso di sacrificare i somali e di offrire la Somalia all'Italia come dono illecito.

Abdullahi Issa
MEMBRO FONDATORE DELLA SOMALI YOUTH LEAGUE

Sabato, 4 febbraio 1950

L'UNITÀ

ORGANO DEL PARTITO COMUNISTA ITALIANO

PRIMA PAGINA

Impressionanti rivelazioni di Pajetta nel dibattito sulla Somalia

«NO» A CHI MANDA ALLO SBARAGLIO I NOSTRI SOLDATI AL COMANDO DI UN GENERALE MASSACRATORE DI INDIGENI

La seduta alla camera.

[...] Il compagno Giancarlo Pajetta, in un'atmosfera incandescente, è partito da un'osservazione preliminare: qui non si pone il problema trascendentale del diritto dell'Italia ad avere dei mandati o di ritornare in Africa in un senso generale. No! Qui si pone un problema concreto. Che cos'è dunque la Somalia, che cosa ci andiamo a fare? È subito necessario sbugiardare il mito che la Somalia possa rappresentare uno sbocco per la emigrazione. Oggi ci sono 3700 italiani. Nei prossimi dieci anni non si potrà superare la cifra di quattro o cinquemila persone: per l'emigrazione italiana non c'è nulla da fare. E nessuna, assolutamente nessuna possibilità vi è in Somalia per il lavoro italiano. Le saline di Dante, l'unica industria di una certa importanza, occupavano 15 impiegati italiani e 75 operai europei. Altre imprese? Possono essere considerate nulle. La loro storia è quella delle saline di Dante, la storia cioè di una impresa che ogni due o tre anni falliva, riceveva dallo stato alcuni milioni e una parte di questi milioni rimanevano nelle tasche di certi gerarchi, di certi senatori o deputati.

Andiamo in una colonia che non ha confini. Malgrado la strana teoria del ministro Sforza secondo cui i confini della

Somalia sono «vicini» a quelli etiopici, in realtà, come in-
segnano a scuola, si tratta di un confine solo: da una parte
la Somalia, dall'altra l'Etiopia. Tuttavia questi confini non
sono stati delineati. Dove si attesteranno le truppe italiane?
Dove fisseranno la frontiera? Ebbene, in questa situazione Sforza viene a dirci che quella dei confini è «una piccola concezione europea» (*ilarità*) e che in Africa non si è mai
usato delimitarli!

La stessa entità del corpo di spedizione è un segno evidente dell'errore che è alla base della politica del governo.
«Parlate di 4 o di ottomila uomini: sono troppi e pochi allo
stesso tempo. Troppi se andate in Somalia con intenzioni
pacifiche, pochi per l'avventura militare che avete intenzione di compiere».

E qui si pone un'altra questione essenziale: come ci ac-
coglierà il popolo somalo? La tradizione coloniale italiana
gronda lacrime e sangue. Gli eserciti che il governo fascista
ha inviato nelle terre africane hanno bruciato villaggi, tru-
cidato popolazioni inermi, commesso eccidi feroci. «Che
soddisfazione, – ha scritto il fascista Ciani, – elevare sui
cumuli dei cadaveri il gagliardetto vittorioso!» «Io firmerei
oggi quelle pagine!» interrompe il fascista ALMIRANTE. «Vi-
gliacco! Jena!» si grida dai banchi di sinistra e Pajetta bolla
con parole di esecrazione il deputato repubblichino: «È grave che un rifiuto di quelle schiere di massacratori sieda nel
parlamento italiano, ma è ancora piú grave che il governo
mandi in Somalia come capo delle truppe un generale che
questi eccidi ha comandato, che a questi massacri ha personalmente partecipato, il generale Nasi. Ora sembra che
il governo voglia tornare indietro, ma è vostro consulente,
e quello che va in Somalia per il trapasso dei poteri. Dalle
notizie ufficiali, risulta che l'Etiopia ha protestato contro
la nomina di Nasi definendolo criminale di guerra. Ecco chi

è il generale al quale voi affidate l'esecuzione dell'amministrazione fiduciaria.

Data 5 marzo 1937, tel. n. 2862: «Colonna Cubeddu proseguendo rastrellamento zona Tamadà ha catturato altri 20 ribelli subito passati per le armi anche donne et bambini», firmato generale Nasi.

Data 6 marzo 1937, tel. n. 2880: «Nel Bale occidentale comandante della banda Dallo fatto fucilare 29 ex ascari», firmato generale Nasi.

Data 14 aprile 1937, tel. n. 2914: «Rastrellamento campo battaglia conferma estrema disfatta inflitta ai ribelli di cui 132 morti contati su terreno, oltre molti altri sparsi et numerosi feriti passati per le armi con prigionieri», firmato generale Nasi.

«Questa jena, questo massacratore di feriti, di donne, di bambini voi lo mandate in Somalia ad applicare una convenzione che dovrebbe essere fondata sui diritti dell'uomo! Non sapevate chi era Nasi? Allora non siete degni di organizzare questa impresa. Lo conoscevate? Allora voi avete premeditato una vera e propria provocazione ai danni del popolo somalo. Voi vi accingete a mettere in pericolo la vita dei nostri soldati al comando di generali impiccatori, a spendere il denaro dei contribuenti a favore di qualche profittatore. Noi non saremo vostri complici, noi vi diremo di no!»

Settimana Incom 426   *Direttore: Sandro Pallavicini*
7 aprile 1950   Durata: 1′ 14″

DAL NOSTRO INVIATO SPECIALE IN SOMALIA
PASSAGGIO DI POTERI

VOCE FUORI CAMPO Mogadiscio. Gremiti i tetti e le terrazze per assistere alla cerimonia del trapasso dei poteri alla

nostra amministrazione. Il reparto britannico sfila per i
viali ornati di folla festante e commossa. La bandiera raggiunge la piazza.
Un occhio italiano si illumina: passa, alla testa dei nostri
ragazzi, il tricolore.
Appare in tutti la fiducia nella capacità e lealtà degli italiani.
Sul balcone del palazzo del governo, il generale Dowler
e il dottor Gorini.
Mentre si svolge questo rito giunge ai somali un messaggio del presidente Einaudi: «L'Italia vuole aiutarvi a co-
stituire, dopo un periodo di decennale preparazione, un
vostro governo indipendente».
La bandiera d'Inghilterra scende per cedere il pennone
alla nostra, che appena issata prenderà ala, come ricono-
scendo quel vento d'Africa in cui sventolò, emblema di
amicizia, di ordine e di lavoro.

Pathé News
17 aprile 1950   Durata: 52″

SOMALILAND
BRITONS MAKE WAY FOR ITALIANS

VOCE FUORI CAMPO (*in inglese nell'originale*) Le truppe italiane subentrano a quelle britanniche nella Somalia italiana.
Comincia cosí, sotto il controllo delle Nazioni Unite, la
riconquista di quella che un tempo era l'orgoglio dell'Impero coloniale d'Italia.
Anticipando il monsone africano di appena una settimana, sbarcano gli italiani comandati dal generale Arturo
Ferra. Sul balcone del palazzo del governatore, il gene-

rale sir Arthur Dowler porta a termine il trasferimento dei poteri.

Occupata in una fulminante campagna dalle forze britanniche al comando del generale Alan Cunningham, la Somalia è di nuovo italiana dopo nove anni di governo militare britannico.

Mentre partono l'East Surrey e il Border Regiment, l'interesse di un milione di somali ritorna nelle mani di una nuova Repubblica italiana.

Dodici
Roma, marzo 1956-Mogadiscio, Afis, giugno 1956

– Di madri ne ho già avuta una e m'è bastata quella. Ci ho messo vent'anni a liberarmene e non ho alcuna intenzione di ricominciare daccapo.

Alzai gli occhi dal piatto e osservai l'entusiasmo evaporare in fretta dal viso di Lamberto. Aveva smosso la Croce Rossa, il ministero degli Esteri, il governatore Martino e dopo mesi di ricerche aveva trovato un tal Vitali che conosceva una donna somala, madre di due figli, entrambi cresciuti in Italia. Ancora non era sicuro che fosse proprio Aschirò Assan, non c'era la conferma ufficiale, ma doveva essere lei per forza, perché Giorgio e io eravamo forse gli unici meticci ad aver attraversato il canale di Suez, mentre gli altri bambini *come noi* finivano tutti al brefotrofio di Mogadiscio.

– Dopo tanta fatica, – mi disse, – almeno un grazie me lo sarei aspettato.

Invece non ebbe nemmeno quello.

Appoggiai le posate sul tavolo e mi accesi una sigaretta.

Avevo seguito le sue ricerche con distacco, incapace di dirgli chiaro e tondo che non ero affatto convinta di voler andare in Somalia. Era stato mio fratello il primo a promettermi che saremmo tornati laggiú, e l'idea di fare quel viaggio senza di lui aveva il sapore del tradimento. Speravo che Lamberto si accorgesse dei miei traccheggi, che chiedesse ogni tanto come la pensavo, che mi aiutasse a tirar fuori il dubbio. Pretendere che l'amore sia una telepatia, che possa fare a meno delle parole, è l'errore piú grave che si può commettere, ma allora non lo sapevo, e non è detto che saperlo mi avrebbe aiutata. Cosí restai a guardare mio marito andare dritto per una strada che non era la mia e mi convinsi che tanta risolutezza fosse la spia di un secondo fine.

Lamberto non stava cercando mia madre per farmi felice. Il suo naso da giornalista aveva fiutato lo scoop: madre e figlia, separate dal colonialismo, si riabbracciano trent'anni dopo. Leggete i dettagli a pagina 5, nell'articolo del nostro corrispondente.

Vuole usarmi, pensai. Come alle cene importanti, quando mi dice di farmi bella, col vestito scollato, e di essere gentile con Tizio e Caio, che potrebbero tornargli utili per la carriera.

Ma la mia, di carriera, l'aveva stroncata da un pezzo con le sue gelosie, e mentre a venticinque anni recitavo con Tatiana Pavlova e Walter Chiari, sei anni dopo mi ritrovavo a condurre un programma insulso sulle onde corte, e a girare ogni mese una percentuale al colonnello Bucaroni, che mi aveva scritto la raccomandazione per entrare in Rai.

Mi sono domandata spesso come quel disastro sia potuto accadere e mi sono risposta che per una donna mantenere un interesse fuori dalla soglia di casa richiede sempre molta, molta energia. Non puoi distrarti un attimo, perché se lo fai c'è subito una forza contraria pronta a risospingerti là dentro, a custodire il focolare. Per me, già era difficile ottenere degli ingaggi, c'era sempre il problema della pelle, e in generale riuscire a emergere come attrice non è una passeggiata. Alternavo giorni frenetici a inseguire un lavoro e giorni di stanchezza a dirmi che in quel mestiere non avrei mai sfondato. Cosí Lamberto aveva risolto a suo vantaggio le mie incertezze e la storia rischiava di ripetersi con l'affare Somalia.

Andò a finire che gli dissi in faccia come la pensavo e lui, manco a dirlo, fece l'offeso.

Ma non durò molto: qualche giorno di silenzio e frasi di circostanza, poi Lamberto passò al contrattacco.

Disse che mai e poi mai aveva pensato di scrivere un articolo sull'incontro con mia madre, non era il suo genere, lui si occupava di politica, e in ogni caso giurò che non l'avrebbe scritto.

Quindi si mostrò comprensivo e io abboccai come un pesce gatto.

– È normale che tu sia turbata, – spiegò, – e io sono uno stupido a non essermene accorto. Hai paura di riaprire una porta perché non sai cosa nasconde. Nemmeno io lo so, posso solo dirti che oltre il muro c'è un pezzo di te, e che resterai sempre incompiuta, se non proverai a dargli almeno un'occhiata.

Per rincarare la dose, aggiunse che le promesse non vincolano soltanto chi le fa. Se mio fratello Giorgio mi aveva detto che un giorno saremmo tornati in Somalia, allora il vero tradimento della sua memoria era non andarci, ora che potevo. Inoltre, per quel che ne sapevamo, mia madre poteva essere all'oscuro della morte di suo figlio.

– Io credo che Giorgio vorrebbe che fossi tu a darle la notizia, – mi sussurrò Lamberto, e a quel punto crollai e gli dissi cento volte grazie per aver insistito, per non avermi fatto perdere un'occasione che avrei rimpianto per tutta la vita.

I mesi successivi passarono tra permessi, contatti, preparativi, letture.

Vennero a trovarmi in radio due carabinieri, per controllare che il mio programma non fosse sovversivo e interrogare sul mio conto colleghi e superiori. Il colonnello Bucaroni garantí per me che ero una brava cristiana, moderata, nient'affatto comunista. Poi volle una percentuale anche per quel favore.

Pagai la cifra e ottenni il visto, mentre Lamberto ebbe un lasciapassare come giornalista. Grazie alle sue conoscenze, trovò il modo per viaggiare a scrocco su un piroscafo della ditta Fassio, alloggiati nella cabina dell'armatore, tra riproduzioni di Degas e bicchieri di cristallo, in compagnia di una vecchia bambola di panno Lenci.

Un pomeriggio di luglio arrivammo in vista di Mogadiscio. La nave si fermò di fronte alla città, subito circondata da piccole barche a vela, pronte per accompagnare a riva i passeggeri. Grandi bracci meccanici calarono fuori bordo uomini e bagagli e i sambuchi presero a trasportarci verso terra.

Faceva meno caldo di quanto mi ero immaginata e un vento secco ci veniva incontro dalle strade, carico di una miscela di odori che Lamberto non esitò a definire *puzza*. Annusando bene, in effetti, mi resi conto che i miasmi di latrina erano la nota dominante, anche se impreziositi da spezie sconosciute. *Cacca esotica*, pensai, mentre guardavo i palazzi bianchi, le cupole scure, il verde delle palme e le dune in agguato a ridosso della città, pronte a trasformare in conquista un assedio millenario.

Non doveva esserci molta differenza tra il profilo di alberi e case che accarezzavo con gli occhi e quello che avevo salutato da bimba, insieme al volto di mia madre. Il quartiere italiano, sorto nel frattempo, visto dal mare non era tanto appariscente. Solo la cattedrale spiccava sui tetti, piú simile a un castello medioevale che a una chiesa cattolica. Per il resto, la città aveva un aspetto semplice, arcaico, senza fronzoli. Immaginai che anche Giuseppe Marincola fosse rimasto accecato, come lo ero io, dal riverbero del sole sull'intonaco dei palazzi, incuriosito dagli stessi aromi sospesi nell'aria. Ma forse non era Mogadiscio a essere rimasta uguale negli anni. Uguali, piuttosto, erano gli sguardi lanciati sulla costa dai passeggeri delle navi, in cerca di palme, minareti, case di corallo. La *cacca esotica* foderava le nostre narici, le mie come quelle di mio padre, e il lavoro di spurgo si preannunciava difficile.

Chiusi gli occhi, li riaprii e provai a sentirmi a casa, incollando sul paesaggio visioni piú familiari. La mia amica Silvana, tempo addietro, aveva fatto un viaggio in Puglia e mi aveva mandato una cartolina di Otranto vista dal mare. Quel che avevo di fronte, a ben guardare, ci assomigliava parecchio. Eppure sapevo che una volta sbarcata non mi sarei certo sentita a casa, per il semplice fatto che quel sentimento non lo avevo mai provato, a meno che «sentirsi a casa» non significhi avere addosso gli occhi dei passanti, come mi accadeva a Roma, o essere presi a curbasciate, come a Casal Bertone, o andare a dormire nei camerini di un teatro. Solo negli ultimi sei anni avevo conosciuto qualcosa di simile a una vera casa, quella di Lamberto, ma mi bastava uscire dal portone per diventare straniera. Mi domandai se questo non fosse un vantaggio: la capacità di provare, in ogni situazione, un familiare disagio. La voce di un marinaio somalo gridò in italiano di prepararsi a scendere e mi impedí di trovare una risposta.

Sbarcammo in fretta e appena messo piede a terra, non facemmo in tempo a guardarci intorno, che già ci inghiottiva un'automobile nera targata SOMALIA, per vomitarci poco dopo di fronte all'albergo *Croce del Sud*, come se l'aria di Mogadiscio avesse qualcosa di tossico, che noi europei non dovevamo respirare.

Lamberto poggiò sul letto la valigia, si lamentò di una macchia gialla sulla federa, e subito uscí, per sbrigare le formalità richieste all'arrivo.

– Tu intanto riposati, preparati, mettiti un bel vestito, – mi disse sulla porta. – Stasera c'è un ricevimento in tuo onore.

Ma io non avevo nessuna voglia di sistemare i bagagli, per farmi trovare pronta come una brava mogliettina. Volevo scendere in strada, mescolarmi ai somali, sentire sulla pelle i loro sguardi e valutarne il peso.

Infilai un paio di scarpe comode e mi lanciai per le vie di Mogadiscio, attenta a non allontanarmi troppo dall'albergo, visto il mio senso innato del disorientamento.

La strada era un chiaroscuro macchiato di verde, ombre nere tagliate a coltello sui muri bianchi di edifici moreschi, porticati alla De Chirico, minareti, campanili gemelli, pale a vento, merletti di legno alle finestre. Molti palazzi sembravano sagome in cartongesso per un film italiano sui lontani tropici, altri non avrebbero sfigurato in un sobborgo di Roma. Le scritte sulle insegne erano in arabo e in italiano, a volte corretto, a volte misterioso. *Caffè Nazionale Bar*, *Cinema Italia, Giocco di bibitto*. Ai lati del viale si incrociavano caffetani, camicie aperte o incravattate, fez, papaline, cuffie di ogni tipo, caschi coloniali, fute a scacchi e pantaloni corti da impiegato in vacanza, donne con i capelli raccolti e i capelli velati, bimbi scalzi e con ciabatte di cuoio, soldati in uniforme, canottiere, barbe bianche o rossicce. Alcuni uomini biancovestiti giravano come crocifissi, con una canna infilata tra la nuca e l'incavo delle braccia. Altri si pulivano i denti con un bastoncino sfibrato, altri ancora sgranavano tra le dita una specie di rosario. Rare automobili marciavano scarburando, i cavalli dei calessi scacazzavano bignè, qualche furgone carico di casse pigiava sul clacson, per sorpassare carretti a braccia e somari con la soma.

Feci un breve giro di tre isolati e già mi beavo di passare inosservata, quando un ragazzino col cappello da cowboy, molto piú scuro di me, mi affiancò di buon passo.

– Tu sei Isabella, vero?

– Sí, – gli risposi. – E tu chi sei?

– Sono tuo cugino, – disse il ragazzo, mentre con la mano aggiustava sui fianchi un telo di cotone.

Gli lanciai un'occhiata incredula, ma il suo discorso proseguí come se niente fosse.

– Tua madre aspetta, – continuò in italiano. – Vieni, vieni con me.

E già accelerava per farsi largo in un capannello di donne in sari, ferme a discutere di fronte a un negozio di granaglie.

Attenta, Isabella, mi dissi allora, qui gatta ci cova. Rischi di fare come quei turisti che sbarcano a Palermo, pagano un bimbetto per fare da guida al mercato e si ritrovano in un vicolo a specchiarsi nella lama dei coltelli.

– Ehi, aspetta! – provai a gridare, ma un vecchio col turbante mi guardò in malo modo e mi fece ammutolire, costringendomi a un inseguimento da gara podistica, per non perdere di vista il mio sedicente cugino.

Svoltammo in corso Vittorio Emanuele e mi ritrovai di fronte a un arco di trionfo in stile impero, circondato da palme e verzure, con un'enorme epigrafe incisa sul frontone.

A UMBERTO I
ROMANAMENTE

Viste le circostanze, dovetti superare il monumento di gran carriera, ma mentre torcevo il collo per dargli ancora un'occhiata, mi vennero in mente le parole di Lamberto.

«I somali dicono che Afis non sta per Amministrazione fiduciaria italiana in Somalia. Il vero significato è: "Ancora fascisti italiani in Somalia"».

Mi domandai se una scritta del genere, in Italia, avrebbe resistito alla caduta di Mussolini e dei Savoia, e come mai i giovani somali non l'avessero presa a picconate. È vero che un avverbio maldestro come *romanamente* fa ridere i polli e racconta il cretinismo fascista meglio di tanti discorsi. Però è altrettanto vero che il Ventennio non fu

una barzelletta e che in Somalia – *romanamente* – si rifila-
vano bastonate, esecuzioni sommarie, espropri di terra e
lavori forzati. Difficile stabilire come comportarsi, con le
celebrazioni marmoree di un regime trascorso: se abbatter-
le oppure conservarle, a futura memoria. A Roma, la sag-
gezza popolare aveva battezzato il Vittoriano «pisciatoio
di lusso» e ormai nessuno poteva passarci davanti senza
immaginare che lo fosse davvero. Con un ultimo sguardo
a quel trionfo di cartapesta, mi augurai che i somali lo lasciassero in piedi, per poi trasformarlo in un bel vespasia-
no. *Romanamente*.

Cosí pensando, mi ero di nuovo fatta sotto il presun-
to cuginetto, ma piú gli andavo dietro e piú i miei sospetti
parevano fondati. Ci addentrammo in un quartiere di case basse e vicoli di terra battuta, che per quanto ne sapevo
poteva essere il covo dei tagliagole della città. I visi pallidi
sembravano essersi fermati a una dogana invisibile e questo, per quanto non volessi ammetterlo, mi faceva sentire
meno tranquilla. Gli unici bianchi della zona erano militari
in divisa, che di quando in quando sgattaiolavano furtivi
dentro e fuori le porte, per poi allontanarsi in fretta dalla
scena del delitto. Non ci voleva un genio per capire di che
delitto si trattasse.

Finalmente raggiunsi il cugino e gli domandai dove mi
stesse portando.

– Siamo arrivati, – rispose e mi indicò un uscio aperto che
lasciava intravedere un cortile.

Entrammo, accolti da un cane ringhioso che rimediò subito una pedata. Salimmo una rampa di scale e ci ritrovammo in una stanza spoglia. Il sole entrava senza filtri da una
finestra stretta e accendeva le sagome di quattro donne, sedute a bere tè intorno a un tavolo di formica. Salvo amare
sorprese, non sembrava davvero un covo di tagliagole.

Il ragazzino fece un mezzo giro della camera, sgusciò nel pertugio tra le sedie e una piccola credenza, e posò le mani sulle spalle di una donna.

– Ecco. *Ayaada waa hooyadada.* Questa è tua madre, – disse ad alta voce, come per spezzare l'incantesimo che impediva a quei corpi di muoversi o parlare.

Fino a quel momento, la donna aveva fissato il suo bicchiere, il volto mezzo coperto da una stoffa azzurra che portava sui capelli. Alzò il capo e mi ritrovai di fronte Aschirò Assan, versione in carne e ossa di quella vecchia fotografia che avevo consumato con gli occhi, fino a perdermi nei lineamenti del ritratto.

– Sono contenta, – disse mia madre. – Almeno uno dei due è tornato.

Poi afferrò con le dita un lembo della stoffa che le copriva i capelli e se la tirò sugli occhi, mentre i singhiozzi le martellavano la schiena.

Avrei voluto buttarmi ad abbracciarla, ma tra noi c'era il tavolo e le altre sedie bloccavano il passaggio. Cosí allungai le braccia sulla superficie di formica e le spinsi avanti finché non incontrai le sue mani. Le mani che per prime mi avevano accarezzato, lavato, nutrito. Ci tenemmo strette cosí, con il tavolo in mezzo e mia madre di nuovo immobile, come prima del nostro arrivo.

Fu una delle donne a rompere l'incantesimo. Si alzò, mi fece una carezza e uscí all'aperto. Le altre la imitarono, una per volta, senza dirmi una parola. Forse erano zie, nonne, cugine, ma si guardavano bene dal dirmelo, per non scaricarmi addosso troppe parentele. Oppure erano soltanto amiche di mia madre, venute a condividere le nostre emozioni, a mangiarsene un pezzetto, per evitarci l'indigestione.

Terminata la trafila, uscí pure mio cugino e venne il turno di mia madre. Si alzò, identica alle altre nei movimenti e nei passi, ma quando ci abbracciammo, fu come se la mia carne riconoscesse la sua, come se volesse farsi risucchiare e partorire di nuovo.

Restammo lí a stringerci, senza parlare, ben oltre il limite di un gesto d'affetto, quando ormai non ti domandi piú come comportarti, ma dimentichi il corpo e abbandoni te stesso.

Fuori dalla casa, il cuginetto si offrí di riportarmi in albergo e io ero talmente stordita che accettai subito, prima ancora di aver capito quando e come avrei rivisto mia madre.

Solo una volta in camera, sotto la doccia fredda, mi resi conto di quanto era stato breve il nostro incontro. Mi ero immaginata feste e celebrazioni, con lunghi discorsi a perdifiato, per divorare ogni minuto degli ultimi trent'anni. Mi ero immaginata che mia madre avrebbe cucinato per me e che mi avrebbe offerto di dormire nella sua casa, anche se avevo saputo che non abitava a Mogadiscio e che era venuta in città apposta per incontrarmi.

Tempo al tempo, mi dissi, e già il fatto di dovermelo dire dimostrava la mia impazienza, il desiderio feroce di scavalcare le distanze, per potermi convincere al piú presto che sí, avevo davvero ritrovato una madre, e non soltanto Aschirò Assan, l'estranea che mi aveva messo nel mondo.

Quando uscii dalla doccia, trovai Lamberto seduto sul letto, intento ad allacciare i gemelli della camicia.

– Dove sei stata? – mi domandò, e fui tentata di rispondergli: «Da nessuna parte», perché temevo che fosse geloso anche di mia madre, o meglio, se non proprio di mia madre, quantomeno del nostro incontro, come lo era di ogni esperienza che facevo da sola. Se avessi dormito, mentre lui sbrigava le pratiche di immigrazione, sarebbe stato geloso anche dei miei sogni.

Invece gli dissi la verità e lui rispose: «Ah, bene, com'è andata? – col tono neutro di chi ti domanda notizie su una

giornata di lavoro, segno che aveva accusato il colpo, e mi
convinsi che la causa non fosse solo la gelosia, ma anche il
disappunto del cronista che si vede sfuggire un evento eccezionale, per quanto abbia promesso di non scriverci su.

Ti ho fregato, bello, pensai tra me e non mi passò neppure
per la testa che Lamberto potesse essere dispiaciuto e basta,
dispiaciuto per non aver diviso con me un momento profondo.

– Adesso preparati, – mi disse. – Stasera si cena con gente
importante, poi c'è la festa in tuo onore, nella sala da ballo
piú elegante della città. Ce l'hai con te, quel vestito bianco
che ti ho regalato a Natale?

Frugai nella valigia, lo tirai fuori e decisi di accontentarlo,
ma mentre mi facevo aiutare ad allacciare la zip, un dubbio
mi intralciò i pensieri.

– Ci sarà anche mia madre, vero?

– Dove?

– A cena, con la gente importante.

– Non credo proprio, – rispose Lamberto, col tono cauto
di chi annusa tempesta.

Mi girai di scatto e feci un passo indietro, per allontanarmi da lui.

– Stai scherzando, spero. Se lei non c'è, non vengo neanche io. Come ti salta in mente di organizzare una festa per
il nostro arrivo e di non invitare mia madre?

– Non l'ho organizzata io, la festa, – si difese mio marito, –
e l'incontro con tua madre era previsto per domani. Pensavo
che prima avessi bisogno di riposarti, di acclimatarti un po'.

– Va bene, grazie della premura. Finirò di vestirmi quando mi avrai assicurato che mia madre parteciperà alla cena.
Altrimenti nisba.

Mi misi a sedere sul letto e presi a sfogliare un libro con
aria distratta, mentre Lamberto si attaccava al telefono e do-
mandava alla reception di passargli una linea esterna.

Mia madre si presentò alla cena con un accompagnatore in completo grigio, alto e ben piantato. Pensai si trattasse di suo marito e subito andai a stringergli la mano, facendo lo slalom tra funzionari, ufficiali dell'esercito e commendatori.

– Io sono Salaad Hassan, il diavolo, – si presentò l'uomo, prima di scoppiarmi a ridere in faccia senza alcun ritegno. – Il diavolo, il diavolo! – ripeté con voce stridula, mentre il ricordo di un giorno di maggio mi correva incontro e mi tirava uno schiaffo.

– Tu sei mio zio... – dissi con un filo di voce, e gli mostrai il braccialetto che indossavo, lo stesso che proprio lui mi aveva portato in regalo, nel primo anniversario dell'Impero, quando c'eravamo incontrati a Roma in mezzo ai dromedari e alle truppe coloniali.

Un cameriere in livrea si avvicinò e ci guidò al nostro tavolo con sussiego. Ci mettemmo seduti e le pietanze non tardarono ad arrivare. Il primo piatto erano penne al ragú, immagino in onore di noialtri italiani, anche se io avrei preferito di gran lunga un piatto somalo.

– Tu davvero pensava che me un diavolo? – mi domandò tutto serio il fratello di mia madre, dopo un lungo silenzio fatto di grandi bocconi e forchettate di pasta.

– Non saprei, – mi sforzai di sorridere. – Di sicuro non sapevo che fossi mio zio.

– Non sapevi? – domandò stupito.

– No, – risposi. – Mio padre, Giuseppe Marincola, non mi aveva detto nulla. Credevo di essere figlia di sua moglie, Flora Virdis.

Mio zio restò un attimo immobile, come per essere certo di aver capito bene.

– Tu non sapeva che lei stare tua madre? – disse indicando la sorella, seduta in silenzio di fianco a me.

Mi voltai a guardarla e feci di no con la testa, perché avevo la lingua appiccicata in gola.

La voce di mio zio riprese a parlare, mentre io tenevo d'occhio mia madre. Un lungo discorso in somalo nel quale riconobbi soltanto il suono del mio cognome.

Alla fine, Aschirò disse qualcosa con un punto interrogativo in fondo e zio Salaad tradusse per me.

– Tu quando ha saputo la verità?

– A undici anni, lo stesso giorno che tu mi hai regalato questo, – risposi, indicando ancora il vecchio braccialetto. – La sera, mia sorella mi ha mostrato una foto e mi ha detto: «Ecco, questa è tua madre». L'aveva ricevuta Giorgio, ma io non l'avevo mai vista.

Mia madre fece un'altra domanda e di nuovo mio zio la tradusse.

– Questo molto tempo fa. E dopo?

– Dopo… che cosa?

– Anche dopo tu non ha scritto. Niente lettere, niente foto. Come prima che sapere.

Terminò la frase cosí, senza trasformarla in domanda, lasciando in ombra una sola parola.

Perché?

Dentro di me lo ringraziai di essersela mangiata e di avermi risparmiato l'obbligo di una risposta. La quale, in estrema sintesi e sincerità, sarebbe stata che avevo altro da pensare. Ma vallo a spiegare, a una madre ritrovata, che fino a undici anni d'età non ti sei fatta viva perché non sospettavi nemmeno che lei esistesse, e dopo, da adulta, perché la tua vita era troppo aggrovigliata, e in quel garbuglio non c'era spazio per un affetto che nessuno ti aveva insegnato a provare.

Ripresi a mangiare, forse mi scese qualche lacrima, poi la cena rotolò via come una giostra arrugginita.

Mio zio si sporcò di salsa il completo grigio e mi chiese preoccupato di versargli un bicchiere d'acqua, per provare a pulirlo prima che l'unto penetrasse nel tessuto.

– L'ho preso in prestito quando ci hanno invitato, – disse tirandosi il bavero con le dita. – Domani devo riportare al negozio.

Mia madre mangiava a testa bassa, con l'imbarazzo di chi si sente fuori posto.

Avevo un sacco di cose da dirle e non sapevo da dove cominciare, per paura che se avessi cominciato, il sacco si sarebbe svuotato prima del previsto.

Di certo non era una cena con gente importante, il posto migliore dove scambiarsi le prime intimità.

Maledissi l'insistenza con la quale avevo preteso che mia madre fosse lí e attaccai a sbucciare un frutto che non sapevo nemmeno cosa fosse.

La sala da ballo piú elegante della città si chiamava *Pineta* e stava in un boschetto di acacie, di fronte alla spiaggia del Lido. Visti dall'alto della terrazza-bar, gli avventori apparivano mescolati in una calca festosa, spinti solo dalla musica e dalla brezza marina. A guardarli con piú attenzione, però, si scopriva che i loro approcci erano catturati da un ingranaggio, come succede alle figure di un orologio medioevale. Le donne italiane ballavano soltanto con gli italiani e neppure per sbaglio si avvicinavano ai somali. Una dattilografa di Perugia mi prese da parte e mi spiegò che le somale erano divise in due sottoclan: quello delle mogli, cioè le mogli dei somali presenti, e quello delle *sciarmutte*, le puttane degli italiani. L'unica coppia mista e consacrata, il cavalier Michelucci e signora, erano un anziano commerciante dall'accento toscano, che aveva fatto fortuna con i prosciutti e l'olio d'oliva, e una giovane donna molto elegante, che in Italia sarebbe subito passata per una principessa somala.

Dopo tre pezzi di rumba e un cha cha cha, mi accorsi che le poche donne non accompagnate erano quelle con la pelle del mio stesso colore. Figlie del Ventennio e della Colonia, cresciute in orfanotrofio e in collegio, forse non avevano una famiglia alla quale render conto delle loro serate. Di certo erano molto ambite da tutti e i loro gusti alzavano uno spartiacque tra i galletti in sala. Civettavano con gli italiani, accoglievano volentieri i loro inviti a ballare, ma non si filavano di striscio i somali *puri*, e stroncavano sul nascere le loro galanterie.

Trascorsi un'oretta a stringere mani su mani e a ripetere cento volte il Bignami della mia vita, finché non ruppi gli indugi e mi ritrovai in pista, senza dovermi preoccupare delle paturnie di Lamberto, che considerava il ballo un'inutile tortura e non pretendeva mai di farmi da cavaliere, ben contento, al contrario, che qualcun altro mi pestasse i calli con il suo benestare.

Il mio primo partner fu un bel ragazzo col nome da italiano e il viso da somalo. Domandò a Lamberto il permesso di farmi volteggiare e mi offrí il braccio con un'eleganza d'altri tempi. La musica invitava a muoversi lenti e a dare spazio alle parole.

– Tu sei molto fortunata, lo sai? – mi disse un attimo dopo essersi presentato.

Non capivo di che fortuna parlasse, e glielo domandai senza mezzi termini, col sospetto che volesse alludere al privilegio di stare in pista con uno come lui.

– Hai studiato in Italia! – mi spiegò con tanto d'occhi, stupito che non ci fossi arrivata da sola. – Si sente subito che sei una donna istruita. A me m'hanno allevato le suore, e non aggiungo altro. Mio padre non so nemmeno chi sia, mia madre è analfabeta. Se non era per De Vecchi, crescevo come un selvaggio in mezzo alla strada.

– De Vecchi? – gli domandai – Il governatore fascista?

– Proprio lui. Grand'uomo, – mi rispose convinto e prima che potessi replicare l'orchestra chiuse il brano con una serie di scale, il mio cavaliere si inchinò, accennò un baciamano e fu subito sostituito da un nuovo ballerino.

Il suo nome era Piero Russo e fin dai primi passi mi resi conto che ballare era l'ultimo dei suoi interessi. Scivolammo piano verso i bordi della pista e lí, assecondando appena con le gambe il ritmo di un foxtrot, ci dedicammo alle chiacchiere.

– Ho sentito parlare di vostro fratello Giorgio, – mi disse. – È vero che si era iscritto a Medicina?

– Sí, – risposi. E avrei voluto aggiungere che voleva specializzarsi in malattie tropicali per poi lavorare a Mogadiscio, ma lasciai perdere. Tutte le volte che parlavo di mio fratello, mi si chiudeva la gola e rischiavo di mettermi a piangere come una cretina. Avevo provato molti rimedi – deglutire, mordermi l'interno della guancia, annunciare ai presenti che mi sarei commossa – ma l'unico vero antidoto alle lacrime era starmene zitta e girare alla larga da Giorgio Marincola.

– Allora vostro fratello e io ci assomigliamo molto, – concluse il mio cavaliere. – Anch'io sono figlio di un italiano e di una donna somala, sono cittadino italiano e ho studiato Medicina in Italia. Sono ginecologo: faccio nascere i figli della nuova Somalia.

Dire che rimasi a bocca aperta non renderebbe giustizia all'espressione da pesce lesso che regalai al povero Piero Russo. Ero cresciuta come un marziano a Roma e dopo trent'anni scoprivo che il mio destino non era un caso isolato, un ghiribizzo della fortuna unico nel suo genere.

– In che anno sei nato? – domandai a mezza voce, senza chiedergli il permesso di passare al tu.

– Nel '23.

– Anche l'anno è lo stesso di Giorgio, – commentai con il solito sforzo per masticare il magone.

La musica finí, ci mettemmo a sedere. Venne a reclamarmi un nuovo ballerino, ma gli feci segno d'aspettare. Piero ne approfittò per cambiare argomento e gliene fui grata.

– Vostro marito è un giornalista, vero?

Attese che annuissi e ripartí.

– Mi hanno detto che è qui per fare un reportage sull'amministrazione fiduciaria.

Di nuovo confermai con un gesto del capo.

– Allora mandatelo da me, uno di questi giorni. Ho da rivelare uno scandalo. Come vi dicevo, faccio il ginecologo e aiuto le donne che partoriscono in ospedale. Ebbene: so per certo che i figli meticci, i bambini come noi, sono ancora sottoposti alle leggi fasciste.

– Cioè? Come sarebbe a dire «sottoposti»?

– Sarebbe a dire che i padri non li riconoscono e alle madri è proibito tenerli. Finiscono al brefotrofio, come prima della guerra. Senza cognome, senza patria, figli di nessuno. Non si sa nemmeno quanti siano.

Stavo per rispondere che di sicuro ne avrei parlato con Lamberto, ma di nuovo la musica si interruppe e di nuovo un cavaliere venne a chiedermi di accompagnarlo nel pezzo successivo.

Lo guardai bene in faccia e riconobbi uno degli uomini importanti che avevano partecipato alla cena. Jama Ganni, il commissario di Mogadiscio. Giudicai inopportuno lasciarlo andare a mani vuote, promisi a Piero Russo che gli avrei fatto visita in ospedale, e tornai a scaldare la pista, anche se il brano era di nuovo un lento.

– Voi siete davvero fortunata, – mi disse il «sindaco» soffiandomi nell'orecchio.

Ebbi una vaga sensazione di già sentito e gli domandai se anche lui avesse per caso in mente la mia istruzione superiore.

– Proprio cosí, – mi rispose. – Ve lo ha già detto qualcuno? Sí? E allora aspettatevi di sentirlo ripetere spesso. Per quelli della mia età questo è un grande, come si dice... *fardello*? Volevamo studiare, ma non ci era permesso. Potevamo arrivare giusto fino alla terza elementare. «Un indigeno basta che sappia tenere in mano il fucile o la zappa», ci dicevano. Altre nazioni coloniali hanno fatto solo questo, di buono: istruire i sudditi, e adesso ci sono scienziati kenyoti e senegalesi che hanno studiato a Londra e a Parigi. Qui no. Nessun somalo ha fatto l'università in Italia. Non abbiamo scienziati. L'Italia poteva fare una cosa buona, una sola: ma non l'ha fatta.

Jama Ganni fu il mio primo partner somalo di quella lunga serata danzante. Al momento di rientrare in albergo ne avevo collezionati almeno una trentina e l'unico italiano del mazzo era Piero Russo. Si vede che gli altri connazionali non giudicavano interessante far ballare la rumba a una *come me*: che senso ha perdere tempo con una *negra*, se non te la puoi scopare?

Intorno al ventesimo ballo si fece avanti per la seconda volta l'ammiratore di De Vecchi, ma io gli preferii un ragazzo somalo; primo, perché aveva un'aria affascinante, e secondo, perché ero curiosa di conoscere persone nuove. Il tizio se la prese e girò i tacchi come un bambino permaloso.

A fine serata mi affiancò sulla porta e gli allungai la mano per salutarlo, ma il mio gesto rimase scapolo, come se all'improvviso mi fosse spuntato un braccio trasparente.

– Questo è il tuo primo giorno in Somalia, – mi disse. – Ma sarà meglio che impari in fretta. Quelli che si comportano come te sono la vergogna della razza.

– Quale razza? – domandai.

– Quella dei nostri padri, – rispose con un fremito. – Quella che dovremmo onorare.

Lí per lí pensai farneticasse, magari aveva bevuto troppo whisky di canna, e non gli diedi importanza. D'altra parte non c'era da aspettarsi molta lucidità, da uno che venerava come «grand'uomo» il governatore De Vecchi: un Giulio Cesare in sedicesimo, che in Somalia aveva voluto combattere a ogni costo la sua *guerra gallica* e si era meritato il nomignolo di Sciupone l'Africano.

Soltanto piú tardi mi tornò in mente quella frase di commiato. Stavo studiando le stelle dal balcone dell'albergo, nella speranza che il sonno mi cascasse addosso di lassú, quando capii che il tizio si era risentito non solo perché l'avevo respinto, ma soprattutto perché gli avevo preferito una schiera di ballerini somali, esseri inferiori che mi trascinavano verso i reami piú bassi dello spirito.

Cercai di distinguere la Croce del Sud nel caos del firmamento, ma era peggio che riconoscere le sagome degli animali nei fondi del caffè. Non ero portata per quel genere di cose. La mia specialità era la vergogna della razza e decisi che mi ci sarei dedicata con grande entusiasmo.

Tredici
Bologna, 19 aprile 1992

È Pasqua, campane a festa, Cristo risorge e Itala è in piedi dalle sei del mattino.

Dice che deve farsi bella per il pranzo canonico a casa di Luisa, dove ogni anno si mettono a tavola schiere di parenti. Per l'occasione, le è tornata la fissa del 1956, quando a suo dire venne in Somalia e di sicuro successe qualcosa, un brutto *quale*, talmente brutto che il suo cervello non se lo vuole piú ricordare e tutti gli altri si sono messi d'accordo per fare lo gnorri.

Ti auguri che non insista troppo, ormai è piú di un mese che va avanti con questa storia e non vorresti mai che Luisa finisse per innervosirsi: essere profughi significa non potersi permettere di irritare nessuno.

Perfino con Celeste ti toccherà far pace, in nome della colomba Motta e delle uova di cioccolato. Dopotutto è la compagna di tuo figlio, lui le vuole bene e non ha senso tirarsi dietro uno screzio vecchio di quattro anni. Cristo risorge, fuori c'è il sole, può darsi che non ti costi fatica essere gentile con una stronza. Anche perché l'obiettivo del pranzo, tutto cucinato da tuo figlio, non è soltanto essere piú buoni, buttarsi il passato alle spalle e via stereotipando. Essere profughi significa pure non vergognarsi di avere secondi fini.

Antar e Luisa arrivano in rapida successione, con il loro carico di impazienza e gesti frettolosi. Lasciano la porta aperta sul pianerottolo e vi sospingono verso le scale come cani pastori. Itala sale in macchina, ti saluta con la mano dal finestrino, s'è messa due orecchini spaiati che non le avevi mai visto addosso e forse ha pure un'ombra di trucco intorno agli occhi verdi. Luisa vi domanda se volete un passaggio, ma Antar preferisce esercitare le gambe, anche se ancora cammina con le stampelle.

Per strada c'è un traffico da lunedí mattina, ma gli equipaggi delle auto sono differenti: invece del classico guidatore singolo, ci sono due adulti nei sedili davanti e vecchi e bambini in quello posteriore. Voi siete gli unici esseri umani che passeggiano lungo il vialone principale della periferia est di Bologna, una vecchia profuga mulatta con le gambe anchilosate e un somalo di trent'anni, sciancato e perditempo, mentre i palazzi di via Arno si riempiono di parenti in visita e vapori di brodo, nel giorno di Pasqua 1992.

– Ascolta, Isabella, – esordisce Antar con la faccia del peccato. – Io a Celeste non l'ho accennato che tu pensavi di chiederle…

– Io? Ma se è stata un'idea tua! Il pranzo, la Pasqua, la colomba…

– Appunto, non volevo che sembrasse una strategia prestabilita. Tra me e Celeste c'è molta ruggine, negli ultimi tempi, e se voi due non la piantate di tenervi il broncio…

– Va bene, ho capito, – lo interrompi seccata. – Sei il solito fifone, il solito struzzo. Per paura di passare da opportunista, non mi hai nemmeno preparato il terreno. Ma cosa credi? Anch'io ci tengo a sistemare le cose, ad avere una nuora che parla bene di me con le amiche, anche se non so cucinare la pasta al forno e non so darle consigli sull'ammorbidente. Pazienza, vorrà dire che come sempre me la caverò da sola. Del resto, campi sulla mia groppa come quando avevi sei anni, è normale che debba pensare a tutto mammina.

Antar ci resta male, abbassa la testa ma la rialza subito, perché intanto siete arrivati al portone, vetro e alluminio della peggior specie, e siccome s'è dimenticato le chiavi, deve suonare il campanello in alto a sinistra.

La padrona di casa vi accoglie con un sorriso da manuale, ti fa accomodare sul divano, mentre lo chef si precipita in cucina con aria servile.

– Ci sono varie telefonate per te, – esordisce Celeste e da brava segretaria inforca gli occhiali e legge l'appunto su un foglietto verde. – Il signor... Daud Ali Tahlil di Nairobi, dice che sta bene, ti saluta, ma non ha voluto lasciare un recapito. Il signor Carlo, barista in Val di Fiemme, anche lui sta bene, ti saluta e dice che di quella cosa che sai tu non ha ancora notizie, e per finire la signora Merushe Logoreci, non ha lasciato un recapito ma dice di non chiamarla da suo fratello perché adesso sta a Toronto.

Celeste ti porge il foglietto verde. Tu leggi, ringrazi, poi cerchi di carpire altre notizie ma non ce ne sono, questo è quanto e se richiameranno ti farà sapere.

Passa un'altra mezz'ora e nemmeno te ne accorgi, parlate di architettura e di politica, ci sono appena state le elezioni e per la prima volta nella storia la Democrazia cristiana è scesa sotto il trenta per cento. I leghisti di «Roma ladrona!» hanno fatto il pieno di voti e mentre Siad Barre è a un passo dall'esilio, anche il suo amico Craxi comincia a passarsela male. Pare che non sarà lui, il nuovo presidente del consiglio.

Antar nel frattempo ha preparato la tavola, ha stappato il vino, ha riempito la caraffa d'acqua e ha scodellato nei piatti la pasta alle melanzane. Il pranzo è servito e basta un colpo d'occhio all'apparecchiatura per capire quanto ci tiene tuo figlio a questo incontro di Camp David.

Infilzi con la forchetta un piccolo sciame di farfalle e sugo, aspetti che anche gli altri abbiano deglutito il boccone e con l'aiuto di un buon bicchiere decidi di prendere il toro per le corna, prima che i complimenti per l'ottima cucina spianino la strada alle vuote piacevolezze da pranzo in famiglia.

– Senti, Celeste, Antar e io volevamo chiederti un grande favore.

– È per Isabella, – si affretta a dire il fifone.

– Sí, esatto, un favore per me. Si tratta della residenza.

Celeste si tampona le labbra col tovagliolo, poi le piega in un'espressione stanca, come per dire: ci risiamo, questa torna alla carica per avere un tetto. Tu te ne accorgi e metti subito le mani avanti, le spieghi che la residenza non ti serve nel senso di un domicilio stabile, ma nel senso del documento, perché solo con quel documento puoi incassare gli undici milioni destinati ai profughi italiani della Somalia.

– Cosí tanti? – si stupisce Celeste.

– Se mi aiuti con la residenza, – la incalzi, – appena mi dànno i soldi te ne giro due milioni.

Il riferimento al denaro ottiene l'effetto contrario di quello che immaginavi. Celeste si fa indietro col busto, ti guarda di sbieco, tutto il suo corpo è un abbecedario del sospetto. Forse teme di finire come quel Mario Chiesa, che si faceva pagare le tangenti per gli appalti a Milano.

– Sei generosa, Isabella. Ma che succede se perdi il lavoro e quindi la casa dove abiti adesso? Chi mi garantisce che non impugneresti i documenti per dimostrare il tuo diritto a vivere qua?

– Hai la mia parola, – prometti, sperando di suonare abbastanza onesta.

Celeste scuote il capo, non è convinta, ci pensa su mentre mastica e quando appoggia la forchetta non dice nulla, sospira e basta, e di fronte ad Antar che la prega di fidarsi, stira le labbra, le fa sparire una contro l'altra, poi finalmente le schiude e butta fuori una sola sillaba.

– No.

Una sillaba che ha il suono di un sasso lanciato contro un tirassegno di latta e invece è uno spillo che punge un palloncino. Antar per la tensione ha già scolato tre bicchieri e tu sai che il vino lo regge proprio male: gli sudano i capelli, ha le borse sotto gli occhi, si gonfia tutto. Lo spillo punge il palloncino e il palloncino scoppia.

– Quanto sei stronza, – dice l'esplosione, ed è uno scoppio triste, come quando vinci l'ultima di campionato e sei ormai retrocesso.

– Bravo, – lo ringrazia Celeste. – Almeno per una volta hai detto quello che pensi e non il tuo insopportabile «va tutto bene». Basta finti sorrisi. Basta favole. Voi siete convinti che se io avessi ospitato Isabella, fin dal primo momento, ora la vostra vita sarebbe migliore. Ne siete convinti e non potete perdonarmi di non averlo fatto. Invece io sono sicura che se lo avessi fatto, non solo Isabella, ma pure Antar avrebbe dovuto cercarsi una casa. Avremmo litigato nel giro di pochi giorni e io avrei dovuto sbattervi fuori per evitare di farmi fuori. Già immagino la scena, come quattro anni fa: voi due tutto il tempo a confabulare, sempre contro di me, sempre complici, a fare i comodi vostri in casa mia, con la regina di Saba, qui, servita e riverita da quel rammollito di suo figlio, pronto a farsi in quattro al suo minimo capriccio. Perché sai, Isabella ha avuto una vita di sfighe, un'infanzia difficile, la sua matrigna la frustava, e poi alla sua età, i problemi di salute, gli acciacchi e altre scuse a valanga per una che in casa non ha mai mosso un dito, nemmeno uscivi per comprarti il vino che ti scolavi, sempre appiccicata a tuo figlio, mai che andassi a trovare un'amica, a fare una passeggiata per i cazzi tuoi, no, sempre tra le palle, e mai nessuno che si chiedesse come mi sentivo io. Tutto bene, Celeste? No, chissenefrega, solo i vostri problemi vi interessano, siamo negri colonizzati

sfruttati e offesi, che c'entro io se nell'Ottocento sono venuti a casa vostra e vi hanno portato via tutto, e che c'entro io
se a Mogadiscio avete deciso di spararvi uno contro l'altro?
Già è tanto, Antar, se ti ho tenuto in casa, perché mi fai pena, sei fuori corso, non hai lavoro, hai i chiodi alla gamba,
ti tocca fare la fila in questura per il permesso di soggiorno,
non hai un soldo in banca e non sei nemmeno capace di ac-
corgerti che la nostra storia è finita da un pezzo.

Una bella sfuriata, non c'è che dire. Talmente bella che
per la prima volta nella vita vedi tuo figlio in preda a un in-
controllabile scatto d'orgoglio, si alza in piedi e con tono
enfatico annuncia:

– Va bene. Basta favole, basta finti sorrisi e basta anche
insulti. Togliamo il disturbo. Porto mia madre a casa, poi
torno qua a fare le valigie.

Tu capisci che è finita, peschi le ultime melanzane da un
lago di pomodoro e segui tuo figlio mentre prende la porta,
senza nemmeno aprirla del tutto, come un gatto randagio
col boccone tra le zanne. Chissà cosa c'era di secondo, ti domandi. Frittata di asparagi, a giudicare dall'odore. Pazienza,
adesso l'importante è non fare idiozie, costringere Antar a
ragionare e fargli capire che è stato bello, vederlo finalmente
rispondere a tono, solo che ha scelto il momento sbagliato,
quando l'orgoglio è un corredo che non potete permettervi,
storti e malmessi come siete ridotti.

– Ma quali valigie, Antar? A malapena cammini dritto.
Adesso mi porti a casa, ti calmi e torni da Celeste a chiedere perdono.

– Perdono? Quale perdono?

– Perdono di esistere, – conti uno sulle dita. – Perdono di
avere una madre vecchia e invadente. Perdono di essere un
poveraccio, una pancia affamata con le mani da elemosina.
In un mondo civile ed efficiente, quelli come noi dovrebbero

affogare, morire ammazzati, nessun diritto alla vita per chi sta sotto un certo reddito. Perdono di non saper badare a te stesso, di non avere una casa, di aver fatto finta che tutto andasse bene solo per non ritrovarti in mezzo a una strada.

– Ti sbagli, – ribatte lui con la forza dell'alcol, – io un'alternativa ce l'ho, anzi, ce n'ho piú di una. Quando sei tornata da Mogadiscio, ho sparso la voce ai quattro venti per rimediarti un tetto, e ancora adesso c'è chi mi chiama per dirmi: «Antar, hai poi risolto quella faccenda di tua madre? Perché qui si è liberata una stanza e prima di cercarci un altro inquilino...» Dopo faccio un paio di telefonate e vedrai che entro stasera mi sono già trasferito.

– Ottimo piano di battaglia. E con che soldi vorresti pagarla, la tua sistemazione da eterno studente?

– Perché? Tu non ne hai messi da parte?

– Stai fresco, – gli rispondi e condisci la frase con un marameo a due mani, di quelli che ormai si vedono solo al circo. Poi però allarghi le braccia e te lo stringi al petto, questo figlio derelitto al quale hai rifilato una vita bislacca.

– Sei un gran coglione, Antar, – gli sussurri all'orecchio, – ma non ti cambierei nemmeno per un ingegnere nucleare.

Rientrate a casa reggendovi a vicenda, come una coppia di ubriachi male assortita e per non farvi sommergere dall'amarezza, vi sedete a tavola, mettete insieme gli avanzi e i cibi smarriti negli angoli del frigo, e con quelli nel piatto riprendete da capo il pranzo interrotto, in fondo è Pasqua, Cristo risorge e voi avete nello stomaco soltanto una porzione di farfalle alle melanzane.

Quattro ore piú tardi, quando Itala ritorna accompagnata da Luisa, Antar si è addormentato davanti alla tivú, mentre tu fai appena in tempo a nascondere sotto l'acquaio una bottiglia di Teroldego sottratta dalla riserva di Ernesto Venturoli.

Luisa racconta che sua madre ha passato il pomeriggio a parlare della Somalia e a mescolare i tuoi ricordi con quelli della sua famiglia. Tu pensi che Cristo non è risorto per tutti e già immagini che il resoconto delle mattane di Itala si tradurrà nel licenziamento di chi le ha provocate.

– Mamma è sicuramente peggiorata, – la senti dire, oltre una nebbia alcolica e di paure. – Però erano anni che non la vedevamo cosí allegra. Sí, d'accordo, è anche confusa, ma per quello non c'è cura, il dottore ce l'ha detto, il massimo che possiamo fare è mantenerla vispa e in questo tu sei stata di grande aiuto. Io e mio fratello ne abbiamo parlato e abbiamo deciso di farti prendere la residenza qui, se ne hai ancora bisogno. Cosí ti arriveranno quei benedetti soldi e potrai considerarli almeno in parte come un nostro regalo. Buona Pasqua, Isabella.

– Buona Pasqua, – rispondi incredula e rimpiangi di aver nascosto il Teroldego sotto l'acquaio. Un buon bicchiere di rosso è un ottimo antidoto contro l'imbarazzo.

Essere profughi significa non sapere mai come ringraziare.

Quattordici
Mogadiscio, Afis, giugno - settembre 1956

Mogadiscio era una città piacevole, anche se non c'era niente di interessante da fare. Per mia fortuna, non ero andata fin lí per visitare gallerie d'arte, biblioteche e sale da concerto. I cinema, per quanto numerosi, proiettavano melassa e musical indiani.

Passavo le mattine al Lido insieme a mia madre, pranzavo con Jama Ganni, facevo lunghe passeggiate fino al limite della boscaglia e prima del tramonto tornavo in albergo, dove Lamberto mi annunciava i programmi per la serata.

Ovunque andassimo, avevamo sempre un tizio alle calcagna. Non sempre lo stesso, ma nemmeno troppo diverso da un'occasione all'altra: il borsalino grigio era una specie di marchio di fabbrica. Se entravamo in un locale, aspettava fuori una decina di minuti, poi si accomodava anche lui, a qualche tavolo di distanza. Se andavamo al mercato, ci pedinava tra le bancarelle, cercando di nascondersi dietro pile di ortaggi.

Una sera, Lamberto volle cenare a tutti i costi in una *makaia*, una bettola di terz'ordine dove si mangiava il fegato con una specie di focaccia. Io non ci volevo andare, mi sembrava un posto buio e sporco, ma lui era fatto cosí, diceva di voler trovare la «vera» Somalia. In realtà era uno snob che frequentava i bassifondi per *épater le bourgeois*, ovvero sé stesso.

Il nostro angelo custode si stava piazzando di vedetta all'altro lato della strada, quando Lamberto, ormai sulla so-

glia della taverna, si voltò di scatto e con le mani a megafo-
no intorno alla bocca, gridò:
– Lei cosa prende, signor Guardone? *Angera* o *sambussi?*
L'uomo fece finta di nulla e abbassò lo sguardo sull'orologio, come se stesse aspettando per un appuntamento.
All'uscita lo cercammo a lungo, lo chiamammo invano – Signor Guardone, signor Guardone! – poi sghignazzando tornammo in hotel, convinti di essercelo tolto dai piedi, lui e le
sue controfigure.
Ma non feci in tempo a sentirne la mancanza, che già
l'indomani, a mezzogiorno, un tizio col borsalino mi seguí
dall'albergo fino alla casa di Jama Ganni. Da quel momento
cominciarono a tenermi d'occhio anche in assenza di Lamberto e l'unica tregua che mi concessero fu quando accom-
pagnammo mia madre al suo villaggio, un posto troppo remoto per i James Bond all'amatriciana.
Il villaggio si chiamava Dhusamareb, che in somalo significa qualcosa come «diarrea», un nome poco invitante riferito agli effetti delle acque locali. Io però rischiai di farmela
addosso durante il viaggio, dodici ore di sobbalzi su un autocarro scassato, per cinquecento chilometri a nord di Mogadiscio. La strada finiva in un grumo di capanne, in mezzo a una spianata di terra rossa e massi giganteschi. Capre
e galline si aggiravano libere, inseguite dai bambini, mentre
le mucche e i cammelli sonnecchiavano nei recinti. L'unico
edificio in muratura era un vecchio forte italiano che faceva
da municipio, caserma, ufficio postale, banca e foresteria. Il
colonnello Panchieri, avvisato dalla capitale, ci aveva preparato una stanza, con tanto di zanzariera a baldacchino sul
letto, ma declinai l'invito senza nemmeno guardarla, perché
volevo dormire in casa di mia madre.
Lei ci accolse volentieri, e fu la notte piú penosa della
mia vita, passata a rigirarmi sopra una stuoia dura e a ten-

dere l'orecchio nel buio, per non lasciarmi sorprendere da
iene e scarafaggi.

Arrivò il mattino e mi trovò sveglia. Non avevo chiuso
occhio – o almeno cosí mi sembrava – e al posto della faccia
mi sentivo uno straccio sporco, asciugato dalla polvere e dal
sole. Dovetti resistere alla tentazione di svegliare Lamberto, che invece si era addormentato subito e ancora ronfava,
con mia somma invidia. Mia madre, avvolta in un *guntiino*
rosso con fili dorati, rimestava cibo in un calderone di rame.

Le domandai per favore dove sciacquarmi il viso.

– Vai al pozzo, stronza, – fu la sua pronta risposta.

Non era la prima volta che mi apostrofava in quel modo,
ma se nelle altre occasioni potevo essermelo meritato, in quel
caso davvero non me lo riuscivo a spiegare.

– Perché mi dài della stronza? – domandai offesa. – Che
ho fatto di male?

– Nulla, – disse Aschirò. – Perché male? Tuo padre lo diceva sempre. «Stronzo, fa' questo! Stronza, fa' quest'altro.
Vattene via, stronzo». Non è male. È un modo per chiamare.

Allora le spiegai l'esatto significato della parola «stronzo»
e lei portò una mano alla bocca con gesto fulmineo, prima
per la sorpresa, poi per nascondere una risata.

Anch'io avrei voluto ridere, ma non mi riuscí.

Pensavo che il nostro rapporto era condannato a distri-
carsi tra inconvenienti del genere. Mia madre conosceva a
malapena cento parole di italiano e viveva in un villaggio
di cammellieri, tra baracche di fango, sassi e sterpaglie. Io
non riuscivo nemmeno a pronunciare una parola di somalo,
i suoni mi inciampavano in gola, e la mia vita era sul pianeta Roma, una grande capitale europea, affollata di uomini
e macchinari.

Insultarci senza volere era il minimo che ci potesse capitare e se ripensavo ai giorni che avevamo passato insieme,

poteva ben darsi che tutto, dagli abbracci alle poche parole, facesse parte di un unico malinteso.

Tornammo a Mogadiscio tre giorni prima del previsto e la vita in città riprese al solito ritmo: passeggiate, bagni al Lido, pranzi e pomeriggi in compagnia, cene di rappresentanza.

Con Jama Ganni e altri giovani somali avevo ormai un rapporto intimo e passavo insieme a loro la maggior parte del tempo, mentre Lamberto era impegnato in viaggi e interviste. Mi affascinavano le loro riflessioni sul futuro della Somalia, l'orgoglio di sentirsi chiamati a pensare un paese nuovo. Discutevano di come ridurre il potere dei clan senza buttare a mare le tradizioni, di quale alfabeto scegliere per avere una lingua scritta, di come coinvolgere i nomadi nella vita politica. L'ardore e l'entusiasmo dei loro argomenti scaldava il cuore, se paragonato ai calcoli che sentivo strologare dai funzionari italiani, preoccupati solo di mantenere privilegi, vendere banane e guardarsi le spalle da inglesi ed egiziani.

Nel febbraio di quello stesso anno c'erano state le prime elezioni per l'assemblea legislativa, una sorta di parlamento provvisorio in vista dell'indipendenza. Gli italiani, temendo una vittoria troppo ampia della Lega dei giovani somali, si erano rifugiati – *romanamente* – nel venerando principio del *divide et impera*. La legge truffa del 1953, col suo premio di maggioranza, aveva insegnato ai democristiani che la volontà del popolo si può ammazzare, senza delitto, con le tossine di una legge elettorale. Cosí, con la scusa che i somali sono nomadi e dispersi, si era deciso di limitare il suffragio universale alle sole città. In boscaglia, alcuni grandi elettori avrebbero avuto a disposizione tanti voti quanti erano i membri del loro sottoclan.

Questa legge truffa in salsa somala ebbe come risultato la nascita di un centinaio di partitini, ciascuno legato a una certa famiglia, secondo quella mentalità tribale che proprio i somali migliori volevano estirpare.

Ricordo ancora la faccia schifata di Aden Abdulle, che quattro anni dopo sarebbe diventato il primo presidente della Somalia, mentre cercava di descrivermi i frutti di quella porcheria elettorale.

Anche Lamberto me ne aveva parlato, ma sempre con quel suo tono supponente, della serie: «Adesso te lo spiego io, cos'è il fuorigioco».

– Si ritorna alla *cabila* non per la «mentalità di razza», come dicono i fascisti, ma perché si è uncinati dalle condizioni economiche obiettive. I tuoi amici dànno la colpa alla legge, ma il problema è piú profondo. Senza investimenti produttivi, la Somalia resterà un paese di pastori, clan e clientele.

Se un tempo il suo catoneggiare m'era sembrato affascinante, ora mi aveva stufato e mi causava un'immediata, totale chiusura del cervello. Di sicuro tra noi era svanita la sintonia dei primi tempi, ma mai mi sarei aspettata quel che doveva succedere di lí a poco.

Una sera, rientrando in albergo, lo trovai alle prese con le fibbie di una valigia. Piena.

– Sei in partenza? – gli domandai credendo di scherzare.

– Eh, già, – mi rispose lui serio senza smettere di lottare con le cinghie di cuoio.

– E dove vai di bello?

Pensavo fosse una spedizione andata e ritorno, com'era già successo, anche se la valigia sembrava contenere il suo intero guardaroba.

– Torno in Italia.

– In Italia? – stralunai, neanche avesse parlato degli anelli di Saturno.

Allora mi spiegò che dal giornale gli avevano chiesto di rientrare appena possibile e che la pubblicazione del suo reportage era rimandata alle calende greche.

– Mentre me ne stavo qui a intervistare bananieri, l'Ungheria è uscita dal patto di Varsavia e Israele ha invaso l'Egitto. Dell'Afis non gliene fregava niente a nessuno e a maggior ragione non gliene fregherà adesso. E siccome Nasser ha chiuso il canale di Suez, ho dovuto spendere una fortuna per prenotarmi un aereo.

– Prenotarmi? Hai detto prenotar*mi*?

– Sí, prenotar*mi*, – disse facendomi l'eco, mentre ripriva la valigia e cercava di pressare i vestiti con gli avambracci. – Che c'è che non ti suona?

Alzò gli occhi dalle sue pile di mutande e la mia faccia gli spiegò che non avevo un problema di udito.

– Sono io l'esperto del mondo arabo, – mi disse. – Che ci sto a fare qui, con la crisi tra Egitto e Israele? Al giornale non sanno che scrivere, devo tornare per forza.

Restai in silenzio, a cercare nella sua voce un briciolo di rammarico, ma non lo trovai. Sapevo fin da principio di essermi innamorata di un tirchio egoista, ma non immaginavo che potesse arrivare a tanto.

– E io come ci torno a Roma? A nuoto?

Allargò le braccia e le fece ricadere, come di fronte a uno spiacevole inconveniente.

– Senti, Isabella, cosa ti devo dire? Già è tanto se sono riuscito a comprare il biglietto per me. Ma poi, scusa, sei proprio sicura di voler tornare a Roma? Questo è il tuo paese, no? E allora restaci.

Gli domandai se non fosse impazzito e allora tutto d'un colpo, come un vulcano spento, eruttò il vero motivo della sua partenza solitaria, dove il giornalismo era solo una nube di cenere in mezzo a lapilli di sospetto e gelosia incandescente.

– Fattelo pagare da Jama Ganni, il tuo biglietto. O da Omar Egal, o da Yussuf Ahmed. Però che peccato, tornare in Italia proprio adesso. Adesso che eri quasi riuscita a portarti a letto tutti i somali di Mogadiscio. Dicono che a Roma ti sei scopata l'intera popolazione maschile, tranne Pio XII e Togliatti. Qui il papa non ce l'hanno e nemmeno il partito comunista: se t'impegni, potresti fare l'*en plein*.

Lo mandai al diavolo e gli consigliai di non cercare scuse, se voleva mollarmi lí per inseguire le sue beghe.

– Scuse, dici? Come queste?

Raccolse dal letto una busta gialla, ci ficcò dentro la mano e mi lanciò addosso un mazzo di fotografie.

Le raccolsi una per una e le studiai senza interesse. Ricordavo bene il giorno in cui Jama Ganni mi aveva baciato sulla spiaggia. Eravamo ben lontani dagli stabilimenti balneari e lui s'era lasciato andare, sicuro che nessuno ci potesse vedere. Invece un teleobiettivo aveva immortalato le nostre effusioni, che non erano comunque niente di speciale, in confronto a quelle che ci scambiavamo in privato.

– Mi hai fatto seguire? – domandai divertita dalle sue paturnie. – Il tizio che pensavo fosse un agente segreto era in realtà un detective pagato da te? Povero Lamberto, come ti sei ridotto.

Rimisi in ordine le foto e le poggiai sul comodino. Poi presi la porta e andai a godermi il fresco.

La veranda dell'albergo era piena di uomini e aperitivi. Sentii il rumore delle teste che si giravano e i bisbigli che valutavano se il mio fondoschiena fosse ancora tonico e in forma.

Il culo delle somale era la vera ossessione degli italiani. Croce e delizia che prima li ammaliava, poi troppo spesso li deludeva, diventando largo e sfondato. Una stregoneria maligna della quale tutti avrebbero comprato il segreto.

Fuori, voli di rondini scendevano in picchiata dai tor-
rioni della cattedrale. Il cielo grigio preparava tempesta e
la voce dei muezzin chiamava dai minareti.

Avevo smesso di struggermi per quella cantilena nel crepuscolo di Mogadiscio. La consideravo ormai alla stregua di
un orologio, come le campane delle nostre chiese. In certi
casi mi dava pure fastidio. Forse Lamberto aveva ragione:
non valeva la pena tornare in Italia, ricominciare a tradirlo,
versare al colonnello Bucaroni la sua bustarella mensile. La
Somalia non era il mio paese, ma poteva diventarlo.

L'idea non mi aveva mai neppure sfiorato, ma potevo
prendermi il tempo per pensarci. Studiare la lingua, imparare le tradizioni. L'unico vero ostacolo erano i soldi: se
conoscevo Lamberto, non sarebbe stato generoso, e i miei
amici somali non navigavano nell'oro. Ma me l'ero cavata
a Roma, senza una lira e con nessuna esperienza, e me la
sarei cavata anche a Hamar, dove un piatto di riso non te
lo negava nessuno.

Quando rientrai, Lamberto e la valigia non c'erano piú e
dalla busta gialla, al posto delle foto, spuntava un ventaglio
di banconote. Le contai con gli occhi: c'era di che vivere
per due settimane. Poi avrei dovuto arrangiarmi.

Tirando la cinghia, i soldi bastarono per venti giorni, poi
Aden Abdulle mi trovò lavoro alla fiera di Mogadiscio. C'era
uno stand dedicato al turismo e io dovevo dare informazioni
sulle città della Somalia, distribuire cartoline, magnificare
gli sforzi dell'amministrazione fiduciaria nel valorizzare le
bellezze naturali del paese. Non era molto diverso dal recitare. Sorridevo, stringevo mani e stavo attenta a pronunciare
bene il nome delle regioni: Benadir, Mudug, Alto Scebeli.
Nonostante gli sforzi, un signore distinto mi fece notare con
garbo che la parte piú settentrionale del paese si chiama Mi-

giurti*nia* e non Migiurti*gna*. Lo ringraziai per avermi corretto e quello rispose che avrei potuto ripagarlo accompagnandolo a bere un drink al bar della fiera.

Ci sedemmo, ordinai un'aranciata e attesi l'abbordaggio.

Il tizio si chiamava Rizzi, era un commendatore e definiva il suo lavoro «import-export di macchine agricole».

– Finché ci siamo noi, qui a Mogadiscio si possono fare buoni affari, – mi disse. – Ma poi aria, mi sto già organizzando per fare base in Libia.

Sosteneva che i somali, dopo l'indipendenza, avrebbero distrutto quanto di buono s'era riusciti a fare in cinquant'anni di colonia.

– Sarebbe a dire? – gli domandai. E quello pronto cominciò a sgranare sulle dita il solito rosario del bravo colonialista.

– Le saline di Dante, la ferrovia per Villabruzzi…

– Quella non c'è piú, – gli obiettai. – Ci sono andata con mio marito e abbiamo dovuto prendere una jeep.

– Colpa degli inglesi, – sentenziò Rizzi masticando noccioline. – Se la sono rubata un pezzo dopo l'altro, come le statue del Partenone. Razza di infami. Negli anni del dopoguerra, quando l'intera colonia è rimasta nelle loro mani, hanno fatto di tutto per screditarci, per metterci contro la popolazione, per eliminare ogni traccia del nostro passaggio. Per fortuna, non hanno fatto in tempo a rovinare tutto. Lo zuccherificio della Sais funziona ancora a pieno regime.

– Abbiamo visitato anche quello, – commentai sadica. – E i somali ci hanno mostrato il canale di irrigazione principale. Loro lo chiamano *Asaile*, che vuole dire «lutto», in memoria dei forzati che hanno dovuto scavarlo e sono morti di fatica senza guadagnare una lira.

Rizzi preferí non replicare, inghiottí un sorso di rum e con aria svagata passò all'argomento che lo interessava davvero.

– Suo marito è qui per lavoro?

Mi chinai sotto il tavolo, come per sistemarmi una scarpa, e intanto meditavo la risposta migliore.

– Mio marito è tornato a Roma, – dissi alla fine. – Abbiamo litigato e mi ha mollata qui.

– Davvero? – domandò quello con tanto d'occhi, e in quel momento seppi che pagarmi le cene non sarebbe piú stato un problema.

Rizzi mi si appiccicò alla sottana, versandomi addosso bava e denaro. Nel buio del *Supercinema* lasciavo ogni tanto che mi accarezzasse le cosce, ma piú di quello non ero disposta a concedergli, e la cosa lo mandava nei matti.

– Sto in Somalia dal '35, – mi ripeteva, – e Dio sa quanto vorrei una relazione stabile. Ma finora, niente da fare. E sai perché?

Perché le somale hanno la loro dignità, avrei voluto rispondergli.

– Perché una come te non l'avevo ancora incontrata, – concludeva l'idiota.

Andò avanti cosí fino al giorno che Rizzi mi propose di accompagnarlo a Tripoli. Per fortuna avevo una scusa pronta, un viaggio in Migiurt*inia* che m'ero già organizzata da tempo, proprio con l'intento di sganciarmi dal *cumenda* per qualche settimana. Grazie all'amicizia con un generale somalo, Piero Russo mi aveva trovato posto su un volo militare per Bosaso, il porto dell'incenso e degli aromi, che tanto avevo decantato ai rari visitatori del mio ufficio turistico.

– Vuoi davvero andare lassú? – mi domandò Rizzi con una punta di sdegno. – Sei proprio sicura? È un posto da beduini, una fogna a cielo aperto. Ma pazienza, contenta tu. Quanto pensavi di starci?

– Un paio di settimane.

– Allora, senti: io intanto vado a Tripoli e tu mi raggiungi dopo. Decidiamo la data e ti compro già il biglietto.

– Non lo so, metti che torno piú tardi... Non è meglio
se mi lasci i soldi, cosí il biglietto posso comprarmelo quando mi è piú comodo?

Il cretino infilò la mano in una tasca della sahariana e tirò fuori un rotolo di banconote tenuto stretto con l'elastico. Contò l'occorrente e me lo porse con due dita. Erano
un sacco di soldi e per la prima volta in vita mia, mi dissi
che ero stata volpe e non baccalà. Ma non fu lo stesso una
grande soddisfazione. E presto, molto presto, sarei tornata
in padella con contorno di patate.

Quindici
Burao, 2 maggio 1992

NEL NOME DI DIO, MISERICORDIOSO E COMPASSIONEVOLE

Figlio caro,
da oggi sono a Burao presso l'hotel *Qaloombi Oriental* e penso si tratterà di un lungo soggiorno, perché fuori di qua non sappiamo dove andare. La stanza è uno schifo, ma paghiamo quattro dollari per mangiare e dormire in sei persone, e ci conserviamo vivi.

Quando lavoravo per il primo ministro ho visto molti alberghi in giro per il mondo, di tutte le categorie, anche le piú basse, perché a quei tempi viaggiavamo al risparmio, non volevamo buttar via i soldi del nostro paese, e mi ricordo che tra colleghi avevamo fatto una classifica dei posti migliori e peggiori, e il peggiore in assoluto era un hotel di Dubai, ce l'aveva consigliato un imprenditore inglese, forse pensando che noi somali siamo gente di boscaglia, cammellieri nomadi, e stiamo piú comodi in una catapecchia che in un edificio moderno. Ebbene, il *Qaloombi Oriental* è ancora piú fetido e i proprietari non possono dare la colpa alla guerra, perché le pareti cascano a pezzi per la muffa, non per le bombe.

Quindi se vuoi scrivermi, nei prossimi giorni, usa pure questo indirizzo, ma mi raccomando, scrivi Qaloombi Oriental hotel, Burao, Somaliland e non Somalia, perché qui, da circa un anno, hanno proclamato l'indipendenza, e mi ha detto

uno della mia famiglia che se scrivi Somalia spesso va a finire
che ti strappano la busta e la buttano nel fuoco.

Davvero non pensavo, a sessant'anni suonati, di dover
tornare al punto di partenza, e non parlo della povertà, quella lo so che sta sempre in agguato, non ti molla mai, parlo
del fatto che mezzo secolo fa sono partito per Mogadiscio
proprio da qui, dalla città dove sono nato, Burao, nella colonia britannica del Somaliland, con il pullman in servizio
dalla stazione delle corriere. Sono partito, avevo undici anni, e sono andato a vivere da uno zio che non avevo mai conosciuto, per studiare la matematica e il Corano alla scuola
di Haji Bashir, il mio caro maestro, che Dio lo accolga nella Sua gloria. Lo hanno ammazzato come un cane tre mesi
fa, mentre tornava a casa con la spesa, un uomo saggio e
buono come lui. Certo, se tu adesso vedessi com'è ridotta
Mogadiscio, forse piangeresti di fronte alle rovine della tua
scuola e della tua casa, della moschea dove cercavo di tra-
scinarti e della cattedrale italiana. Piangeresti per le pietre
e per i mattoni, penseresti al tempo che occorrerà per ri-
metterli uno sull'altro, e solo dopo ti verrebbero in mente
gli uomini saggi come Haji Bashir. Per costruire un grande
palazzo servono pochi anni e molto cemento, ma per fare un
grand'uomo ci vogliono decenni e un suolo fecondo, ricco
di nutrimenti. Forse Mogadiscio nell'anno Duemila sarà di
nuovo in piedi, piú bella di prima, ma chi educherà i nostri
nipoti? Io, grazie a quel caro maestro, ho studiato anche
dopo il tramonto. Mio zio diceva che a forza di leggere gli
sprecavo il petrolio delle lampade, e allora io prendevo i miei
libri e me ne andavo di fronte al palazzo del governatore,
dove c'erano lampioni che stavano accesi per molte ore, mi
sedevo lí sotto e finivo di preparare la lezione. Poi tornavo
a casa pensando a mio padre, in viaggio con i cammelli tra
i pozzi della boscaglia. Proprio in una notte come quella,

durante un viaggio come quello, lui e mia madre mi avevano detto che io no, io non avrei pascolato il bestiame per
una vita intera, ma mi sarei fatto onore studiando, perché
il nostro paese aveva bisogno di tutta l'intelligenza dei suoi
figli. Non so chi avesse inculcato loro quella convinzione,
ma di certo era un altro grand'uomo, che si trattasse di un
imām o di un militante della Somali Youth League. Tanti
ragazzini della mia età, negli anni Quaranta e Cinquanta,
hanno calpestato quella pista, dalla boscaglia a Mogadiscio,
con in testa le stesse due ambizioni: una casa in muratura e
un lavoro in città. Perché una casa non muore, dicevamo,
non te la possono razziare né te la mangia la iena; non scappa, una casa, non invecchia, non prende la scabbia come i
cammelli; di giorno e di notte tu ci puoi bere, mentre lei
non ha bisogno di mangiare.

Alcuni di noi hanno scelto di fare i maestri, e a sedici anni già insegnavano ai piú piccoli, altri sono diventati medici, politici, ingegneri. Abbiamo ereditato un paese unito,
non piú Somaliland britannico e Somalia italiana, ed eravamo convinti di doverlo ingrandire ancora, perché i colonialisti ci avevano truffato e si erano tenuti Gibuti, regalando
al Kenya e all'Etiopia altre fette di terra abitate dai somali.
Cinquant'anni piú tardi, al posto della Grande Somalia che
disegnavo sul quaderno alla luce dei lampioni, mi ritrovo di
nuovo in Somaliland, al punto di partenza, come se il tempo fosse passato invano.

Siad Barre ha detto che quando arrivò lui, a Mogadiscio
c'era soltanto una strada e che prima di farsi scacciare avrebbe
riportato la città a quel suo antico aspetto. Ci è quasi riuscito,
ma l'opera di distruzione l'hanno completata i ribelli, giovani venuti dalla boscaglia ma che al contrario di noi sembrano odiare la città, e invece di sognare una casa in muratura,
vogliono ridurci tutti a dormire per terra, come veri pastori,

pronti a sparare per far bere i cammelli. Entrano nelle case abbandonate, arraffano quel che possono, spaccano il resto e come firma cacano nelle stanze. Ho rischiato spesso di farmi sparare addosso pur di chiedere loro: «Perché lo fate? Perché distruggere un città millenaria? Perché ammazzare un uomo come Haji Bashir?» Le poche volte che ho ottenuto risposta mi hanno detto che noi di Mogadiscio siamo tutti corrotti, tutti amici di Siad Barre, e quando gli ho spiegato che Siad Barre mi ha tenuto in prigione per quattro anni, allora mi hanno accusato di essere un codardo, perché loro, al mio posto, avrebbero preso un fucile e gli avrebbero sparato in testa.

Hawa Musse, mia cugina, quando ha visto saccheggiare la casa dei vicini, ha venduto la sua per un terzo del valore e s'è comprata una jeep per fuggire da Mogadiscio. Purtroppo, la notte prima di partire ha fatto l'errore di parcheggiarla nel cortile, ben visibile dalla strada, già carica di bagagli. Era appena andata a dormire quando un gruppetto di banditi le sono entrati in casa. I figli erano armati, si sono difesi, ma quelli erano di piú e li hanno uccisi tutti. Poi l'hanno violentata e le hanno portato via la macchina, cosí adesso non ha piú niente e non sa nemmeno come andarsene dalla città.

Il tuo amico Osman Maie ha perso la moglie per colpa di una pallottola vagante e mentre la seppelliva quelli di Aidid gli hanno messo a fuoco l'ambulatorio con tutti i malati dentro. Ecco cosa succede a quei pochi che ancora cercano di aiutare la gente.

E tu, figlio mio, come stai? Ho saputo che hai fatto un grave incidente, la mamma mi ha scritto che ne avresti avuto fino a marzo, adesso come va? Avete una casa?

Prima di partire mi sono arrivati i vostri duecento dollari, vi ringrazio molto, ma qua costa tutto carissimo, la benzina, il cibo, e nessuno dei tuoi fratelli mi ha ancora spedito un soldo, malgrado abbiano ripetuto piú volte che l'avrebbero fatto. È strano, a pensarci, perché se c'è uno dei miei figli che potrebbe lamentarsi di me, quello sei proprio tu, mentre loro, col fatto che erano sette, facevano pendere la bilancia dalla loro parte. Amina me lo ripeteva sempre: «Io te ne ho dati sette e quella soltanto uno». Il che, dal suo punto di vista, era pure giusto, è normale che una donna protegge i suoi cuccioli, ed è vero che tua madre mi ha dato solo te, non voglio fargliene una colpa, ma è cosí che funziona: sette contro uno è un divario troppo grosso. Io adesso lo ammetto, figlio mio, ti ho trascurato, ma non perché non ti volessi bene. Facevi sempre storie per venire in moschea, ma ti volevo bene lo stesso, e se non te l'ho mai detto è perché noi uomini siamo stupidi e pensiamo che certe cose si devono dire solo alle donne, per farsi dare un bacio.

Mi ha scritto tua madre che non ti sei ancora laureato, è cosí? Ormai sono tanti anni che sei partito per studiare, cosa aspetti? Questo nostro paese avrà presto bisogno di uomini saggi e buoni, e se qua li ammazzano tutti, come Haji Bashir, allora è solo dall'estero che potranno arrivare. Gente come te, Antar, che hai studiato Scienze politiche, e che potresti far parte della classe dirigente della nuova Somalia. Io quando sono andato a Roma ci ho messo quattro anni a fare quella facoltà, e ancora prima che mi laureassi mi avevano offerto il posto come capo di gabinetto. Quanto mi piacerebbe adesso tornare in Italia! Roma è unica, ma anche Bologna dev'essere bella, avrei soltanto bisogno del biglietto aereo e del visto, poi potrei riabbracciarvi come non faccio da piú di un anno e da tutta una vita. Da quel che ho capito, dev'esserci un volo settimanale da Hargheisa al Cairo, e da lí a Roma, appena so quanto costa ve lo faccio sapere, cosí mi dite cosa potete fare.

Ma una casa, nel frattempo, l'avete trovata?

Immagino che Bruna vi abbia già contattato, è partita da
qua in ottobre, stava abbastanza bene, se la sentite dovete
dirle che tre dei suoi gatti sono morti: Gorbaciov, Precious e
Gasparoni. Li aveva lasciati al mercato e quando passavo di
là per la spesa facevo l'appello e controllavo che stessero bene, ormai li conoscevano tutti e quando abbiamo seppellito
quei tre c'erano i macellai ambulanti che mi dicevano: «Eh,
povero Gasparoni, gli piacevano tanto le creste di gallina».
In compenso Jasmin ha avuto tre cuccioli e cosí il saldo della
tribú non è in negativo.

Devi anche dirle, a Bruna, che ho piantato i suoi semi di
basilico, e fino all'altro giorno ho curato le piantine meglio
che potevo, anche se non è stato facile annaffiarle, certe volte
sono andato a prendere acqua dal pozzo della moschea soltanto per loro, ma alla fine era una vera soddisfazione ve-
derle crescere, e sapessi che profumo facevano in giardino.

A proposito di acqua, ho anche dato una mano a Elio Sommavilla, che come saprai adesso non si occupa piú soltanto
dei pozzi, ma di molti campi profughi, e ha messo in piedi
un progetto che si chiama Work for Food, tu lavori per loro
e loro ti pagano in cibo, visto che qua i prezzi sono impazzi-
ti, e se un giorno ti dànno cento scellini, c'è caso che il giorno dopo non ci compri nemmeno una tazza di riso. E poi lo
fanno perché sono convinti che meno soldi girano meglio è,
in questo momento cosí difficile, dove tutti arraffano, rubano e comprano armi.

Elio mi ha detto che con alcuni amici avete messo in piedi un'associazione, e che siete sempre in giro a fare discorsi,
manifestazioni, conferenze stampa per la Somalia. Mi piace
il nome che avete scelto, Comitato pacifista Somalia unita,
perché è proprio quello di cui avremmo bisogno adesso, pace
e unità. Invece sembra avverarsi la maledizione di quel nostro antico proverbio: «Io e la mia *cabila* contro il mio pae-

se, io e la mia famiglia contro la mia *cabila*, io e mio fratello contro la mia famiglia, io contro mio fratello, io contro il mondo». Il vostro impegno ci fa sentire meno soli, però mi raccomando, non trascurare gli studi e prenditi cura della mamma, con tutti i suoi acciacchi.

Davvero è cosí difficile trovare una casa in Italia?

Figlio caro, aspetto tue notizie, e una speranza, per le nostre delusioni.

Tuo padre,

Mohamed Ahmed

Sedici
Bosaso e Mogadiscio, Afis, autunno-inverno 1956
Roma, febbraio 1957

L'aeroporto di Bosaso erano due baracche col tetto di lamiera, piantate sulla schiena di una terra riarsa. La pista non era nemmeno asfaltata e si faticava a distinguerla dal paesaggio intorno. Ad accogliermi, si presentò il tenente Abdalla Farah, che comandava la guarnigione di quel remoto avamposto come castigo per la sua testa calda. Gli portavo in regalo una bottiglia di whisky da parte di Piero Russo, e in men che non si dica ci ritrovammo a scolarla sul divano di casa sua.

Ero ubriaca ma piuttosto consapevole, quando lasciai che mi spogliasse e mi sdraiai sul tappeto. Fossi stata più sobria, forse gli avrei ricordato di stare attento e di venire fuori al momento giusto. Ma non è detto che l'avrei fatto, perché di incidenti del genere me n'erano capitati molti, senza conseguenze, tanto che m'ero convinta di essere sterile. E chissà che quell'idea, per vie traverse, non me l'avesse inculcata proprio la propaganda fascista, che descriveva muli e mulatti come una razza bastarda di ibridi infecondi.

Invece, alla faccia della propaganda, mi ritrovai incinta, anche se non so dire quale fu l'occasione galeotta. Perché altre ce ne furono, in quell'inverno migiurtino, tanto che la mia permanenza finì col prolungarsi fino a due mesi, e sarebbe durata ancora, se non avessi scoperto di avere *quel* problema.

Abdalla Farah era un uomo bello, gentile e intelligente. Andavamo a spasso mano nella mano, per le vie di una città dove quel gesto, tra un uomo e una donna, è considerato indecoroso. A Bosaso certe tradizioni sono molto piú radicate che a Mogadiscio, dove secoli di convivenza tra genti diverse hanno nutrito il seme della tolleranza.

Arrivando in Somalia, mi ero ripromessa di non inciampare sui luoghi comuni da Mille e una notte. Volevo guardare le palme senza pensare subito al giardino dell'Eden e avere rapporti sessuali senza farli discendere, come per legge fisica, dal caldo e dagli odori di spezie, dalla natura selvaggia e dal cibo piccante. Ma a Bosaso, quel mio programma di resistenza fu miseramente sconfitto.

Mi lasciai ammaliare dalle piante d'incenso che lacrimavano resina profumata, dalle vele triangolari sospese nella caligine del golfo di Aden, dalle sorgenti d'acqua calda e dalle palafitte sulla spiaggia. In quello scenario remoto, tenersi per mano, fare l'amore, bere litri di rum, sembravano esperienze nuove, un sogno mai assaporato prima.

Poi, un bel giorno, la sveglia suonò.

Di ritardi nel ciclo non ne avevo mai avuti e dopo tre settimane pensai che non c'era scampo. L'idea di parlarne con Abdalla mi attraversò il cervello per meno di un minuto.

Magari mi avrebbe chiesto di sposarlo, chissà.

Ma io di mariti ne avevo già due, mentre di figli non ne volevo nessuno, perché nessuno ha il diritto di mettere al mondo un infelice. E io ero certa, certissima che il figlio di Isabella Marincola avrebbe maledetto il giorno del suo compleanno.

Mi tornarono in mente le parole di Corrado Alvaro, quand'era venuto in teatro per presentarci la sua Medea.

«Ella uccide i figli perché non diventino vagabondi, perseguitati, affamati. Vuole estinguere il seme di una maledizione sociale e di razza, in uno slancio disperato di amore materno».

Mi dissi che a differenza di Medea, io non avrei ucciso nessuno, se mi sbrigavo a tornare in Italia e a trovare il modo di abortire.

Ad Abdalla dissi che da Mogadiscio m'era arrivata la notizia della morte di mio padre e che dovevo rientrare a Roma immediatamente. Di lí a due giorni, un aereo militare decollava apposta per me dalla terra bruna della pista di Bosaso.

Nel viaggio verso Mogadiscio mi si presentò un dilemma: o risparmiare tempo, e spendere tutti i soldi del commendatore Rizzi per un posto sul primo volo diretto a Ciampino, o risparmiare denaro in vista dell'operazione, e prendere il piroscafo per Massaua, Suez, Napoli.

A tagliare il nodo gordiano ci pensò Gamal Abdel Nasser, faraone d'Egitto, che già da qualche tempo aveva fatto chiudere il canale di Suez, in seguito alle tensioni con Israele, Francia e Inghilterra.

Trascorsi una settimana in saluti, baci, abbracci, senza il tempo di rivedere mia madre. Poi l'aereo partí e diciotto ore piú tardi mi ritrovai a Roma, in pieno febbraio, avvolta in uno scialle di lana leggera, con le tasche vuote e la pancia piena.

Lamberto mi accolse come se fossi stata in giro a fare la spesa. Non mi domandò nemmeno con quali soldi avessi pagato l'aereo. Di me non gli interessava piú nulla e non potevo biasimarlo. Il nostro rapporto era terra bruciata da almeno due anni, e io avevo cominciato a tradirlo anche da prima. Questo non gli impedí, quella sera, di cedere molto presto alle mie carezze, spacciate per un ultimo, estremo tentativo di riavvicinamento.

Facemmo l'amore due volte, in giro per casa, sfruttando in maniera sistematica tutte le superfici orizzontali.

Il giorno dopo telefonai a Marisa, una donna della mia età che lavorava in radio e aveva già fatto dodici aborti. Mi feci dare il numero del suo medico e mi accordai con lui per la visita di controllo, il test di gravidanza e l'eventuale operazione. Quando mi comunicò il costo del pacchetto completo, chiusi gli occhi, e invece di mollare la cornetta, come un'impiccata giú dal telefono a muro, la strinsi ancora di piú, tenni il braccio dov'era e appoggiai la fronte alla parete, con la voce del medico che mi chiamava invano.

L'onorario era tre volte superiore alla cifra che m'era avanzata dopo il viaggio in aereo.

Appena riappesi il telefono, quello squillò di nuovo.

Era mia sorella Rosa, l'unica della famiglia con la quale ancora riuscivo a parlare.

– Ciao, Isa, quando sei tornata?

– Ieri pomeriggio.

– Ho chiamato tutta sera, ma non ha risposto nessuno.

Mi venne in mente che il telefono aveva suonato a piú riprese, mentre Lamberto e io eravamo impegnati nella nostra falsissima rimpatriata.

– Papà non è stato bene, mentre eri via. Ieri mattina gli è venuto un febbrone e… non ce l'ha fatta

– Un febbrone? Ma che dici? Cos'è che aveva?

Dentro la cornetta, sentii la voce di Flora che urlava: – Diglielo. Diglielo che è colpa sua!

Rosa riprese, con piú incertezza.

– S'è ammalato pochi giorni dopo che sei partita. Mamma dice che è stato per il dolore, quando ha saputo che tu eri andata da tua madre. Lui non voleva, lo sai, e…

Questa volta riagganciai con uno scatto deciso e domandai al muro per quante generazioni ancora la pecora nera della famiglia avrebbe espiato i guai di casa Marincola.

Non ottenni risposta e gli mollai un pugno, poi un altro, come per buttare giú a colpi una porta sprangata, ma i mattoni tennero duro e mi ritrovai al tappeto, rannicchiata contro il battiscopa, le unghie piantate nell'intonaco bianco.

Mio padre non era morto di dolore, questo lo sapevo. Era morto nel campo di Gondar, in Etiopia, ed era tornato a casa come un fantasma. I fantasmi non sentono dolore, ma possono svanire nel nulla, se qualcuno declama la formula giusta.

Due settimane prima, per partire in fretta da Bosaso, avevo mentito ad Abdalla Farah e m'ero inventata la morte di mio padre.

Due settimane più tardi, eccomi accontentata.

Avevo pronunciato la formula. Avevo ucciso il fantasma e non potevo far altro che mentire ancora.

Aspettai altri quindici giorni, poi feci il test di gravidanza e andai da Lamberto con i risultati.

– Dev'essersi rotto il preservativo, – gli dissi. – Ti ricordi? Il giorno che sono tornata.

– Bella sfortuna, – fece lui. – Non facciamo l'amore per quattro mesi e *tac!*, la volta che succede si resta inguaiati.

Mi limitai ad annuire, poi visto che Lamberto non diceva nulla: – Che facciamo? – domandai.

– Tu lo vuoi tenere?

– Per niente al mondo, – risposi in un fiato.

– Allora va bene, facciamo a metà. Sai già quanto costa? Calcolai a mente il doppio della cifra e gliela spiattellai.

– Sono un sacco di soldi, – commentò.

– Se trovi uno che lo fa per meno, ben volentieri.

L'incubo di doversi arrovellare per trovarmi un medico vinse la sua naturale tirchieria. Comprò il pacchetto completo e dormí sonni tranquilli. Gli stessi che io non avrei più goduto per molte notti a venire.

A chi non inganna il palato con le spezie della vanagloria, capita prima o poi di assaggiare sé stesso e di provare schifo. Ricordo ancora il sapore acido e malsano che mi invase la gola, mentre tenevo in mano i soldi di Lamberto e mi domandavo quale sarebbe stato il contrappasso per la seconda menzogna.

Purtroppo, sapevo già la risposta.

Il medico dell'aborto suonò alla porta di casa un pomeriggio di domenica. Lo feci accomodare e mi sforzai di rendere la visita meno formale, offrendo tè caldo e biscotti. Rifiutò entrambi e chiese piuttosto di vedere la cucina.

– Qui va bene, – disse passando le dita sul tavolo liscio, mentre io mi pentivo di non aver chiamato un'amica che mi tenesse la mano. Ma anche a pensarci, non avrei saputo dove andarla a cercare.

– Si spogli dalla vita in giú, – ordinò il dottore e invece di farlo lí, davanti a lui, me ne andai in bagno, perché il gesto di tirar via gonna, calze e mutande mi pareva intimo, anche di fronte a un medico. Mi venne in mente che quando facevo la modella, mi levavo sempre i vestiti dietro un paravento, oppure in un'altra stanza, poi nuda cominciavo a lavorare.

Per un attimo, uscendo dal bagno, sognai che ad attendermi ci fosse un pittore davanti al cavalletto, con i pennelli in mano. Poi entrai in cucina e vidi il lenzuolo bianco steso sul tavolo e la borsa del dottore aperta sulla credenza, di fianco alla bilancia. Sbirciai i ferri che si nascondevano là dentro e mi sdraiai lenta in pieno terrore.

– Stia tranquilla, – disse il medico. – Prima di cominciare, le faccio una puntura di sedativo. Non è un'anestesia, ma sentirà meno dolore.

Accolsi la bella notizia mettendomi a tremare.

– Soprattutto, si sforzi il piú possibile di star ferma. Se si contorce troppo, c'è il rischio di perforare l'utero.

Mi porse un fazzoletto bagnato e mi disse di stringerlo in mezzo ai denti.

– Sa com'è, non vorrei che i vicini sentissero le urla.

Misi in bocca la stoffa, serrai la mascella, mentre l'ago pungeva la coscia e i sensi mi abbandonavano, ma non abbastanza.

Non abbastanza per dimenticare il ferro che mi allargava, che mi frugava, che mi raschiava dentro.

L'operazione durò in tutto quarantacinque minuti, piú del previsto.

– Eravamo già oltre le dodici settimane, – mi rimproverò il medico. – Vede? Ho dovuto asportare il feto.

Mi resi conto allora di aver tenuto gli occhi chiusi per tutta la durata dell'intervento.

Li riaprii, sbattendo le palpebre alla luce. Il medico teneva in mano un grumo di sangue grosso come un uovo e me lo mostrava, come se volesse punirmi, perché non avevo fatto bene i calcoli delle settimane di gravidanza e gli avevo complicato la vita.

– Può andare a lavarsi, – disse una voce.

Mi tirai su ed eseguii il compito come se il mio corpo fosse di un'altra persona.

Quando tornai di là, il dottore aveva tolto il lenzuolo e stava sciacquando gli attrezzi.

– Adesso ci meritiamo qualcosa di forte, – sentenziò e non avrei potuto essere piú d'accordo.

Avevo fatto la cosa giusta, e lo sapevo, ma l'alcol avrebbe tenuto a bada il secondo fantasma.

Ci trasferimmo in salotto e bevemmo un paio di cognac, per lo piú in silenzio, a parte qualche mia domanda su come comportarmi in caso di perdite, dolori, malessere.

Poi il medico prese i soldi, uscí dalla porta e io mi versai un altro bicchiere.

Diciassette
Bologna, 3 maggio 1992

– Anch'io l'ho fatto, sai? Però non l'ho mai detto a nessuno, solo Ernesto *al savêva*.

Itala annuisce tra sé, seduta al tavolo di cucina, mentre beve un bicchiere di rosso e mescola le carte, che per lei è una specie di passatempo, con le mani ferme non ci sa stare e allora tira fuori il mazzo dal cassetto e lo *armisda*, come dice lei, lo mescola, anche se non c'è in vista nessuna partita. Infatti è lí da una ventina di minuti che batte sul tavolo il bordo delle piacentine e intanto ascolta i tuoi racconti dell'anno 1956, perché dopo un paio di settimane di tregua è tornata alla carica, e vuol capire come mai non si ricorda piú di essere stata in Somalia, un vuoto di memoria che i suoi famigliari si rifiutano di riempire.

– Be', non proprio come te, – si affretta a precisare, – ma se non lo facevo anch'io, a quest'ora la Luisa e Michele avevano almeno sette fratelli.

Il riferimento ai figli ti fa capire che Itala sta parlando di aborto e ti chiedi se non si tratti della sua solita malattia, prima s'è convinta d'essere stata in Somalia come te, adesso pensa di aver abortito solo perché le hai appena raccontato di averlo fatto tu.

– Al mio paese c'era una medichessa che mi dava da mangiare i ciclamini insieme con delle altre erbe, poi quando faceva buio Ernesto mi aiutava a salire sul muro dietro casa e io da lassú saltavo per terra *trai, quater, zenc vôlt* e in quel

modo lí mi sono risparmiata i ferri, che a me facevano troppa
paura, per via del male, della prigione e anche dell'inferno.

– Ma davvero, Itala? Sei sicura di aver abortito cosí? Io
non l'ho mai sentito dire. So che a Roma c'erano donne che
facevano da sole, ma usavano gli strumenti, non le erbe e i
muri di cinta.

– *Soncamé*, – ribatte lei. – L'aborto si fa con i ferri, la mia
era un'altra faccenda. Quando capivo di essere incinta andavo subito da Ernesto, lui faceva due conti e mi diceva se
con quel che si guadagnava potevamo permetterci un figlio.
Due volte mi ha detto di sí, *mo* dalla terza in avanti ha preferito darmi una mano a salire sul muretto.

Itala smette di mischiare le carte e ti porge il mazzo per
tagliarlo. Tu stai bene attenta a usare la mano sinistra, perché altrimenti non vale, anche se la partita non comincerà
lo stesso.

– Solo Ernesto *al savêva*, – riprende, – perché di parlarne con le amiche non c'era mica il tempo. A lavare i panni
eravamo in troppe, se lo dicevi lí era come *andérel a rujér in
piâza*, mentre dopo il lavoro c'era da star dietro alla casa, *ai
fiû, a mi maré*. Forse a parlarne saltava fuori che anche le
altre andavano dalla medichessa, pure quelle che c'avevano
sette figli.

Provi a dire qualcosa, ma ormai Itala è un fiume in piena,
mischia il mazzo frenetica e non la smette di parlare. Dice
che dev'esserci per forza un collegamento, tra questa storia
dell'aborto e il suo vuoto di memoria sull'anno 1956.

– Ecco perché *a sån andé* in Somalia, – esclama dopo una
sfilza di borbottamenti. – Sono andata ad abortire, perché qua
non si poteva. I salti e le erbe non han funzionato e allora ci
siam fatti coraggio, abbiam preso la nave e siamo andati laggiú.

Tu cerchi di spiegarle che no, non è possibile, e che nel
1956 tu hai fatto il viaggio contrario, dalla Somalia all'Italia,

proprio perché a Mogadiscio non avresti saputo come fare e invece a Roma, in un modo o nell'altro, un intervento clandestino lo si poteva rimediare, a patto di avere i soldi.

Ma lei non sente ragioni, si agita, molla giú le carte e si mette a passeggiare per la stanza, gira intorno al tavolo, ci batte sopra il pugno e ripete che «sí, sí, proprio cosí dev'essere andata».

Dopo vani tentativi di farla ragionare, decidi che è meglio alzarsi, mettere sul fuoco il bollitore e tuffare nell'acqua una maxidose di tisana rilassante. Non l'hai mai vista cosí, la tua amica Itala, e allora la inviti a spostarsi in salotto, a sederti sul divano e accendi il televisore confidando nel suo potere ipnotico.

Lo schermo lampeggia e si riempie di una faccia che non ti è affatto nuova.

– … sindaco di Milano fino a cinque mesi fa, eletto parlamentare alle ultime elezioni, Paolo Pillitteri è stato raggiunto da un avviso di garanzia per ricettazione, nell'ambito dell'inchiesta «Mani pulite». Il pubblico ministero ha disposto che…

Pillitteri! Te lo ricordi bene, anche a Mogadiscio si parlava di lui: era console onorario della Somalia e presidente della camera di commercio italo-somala. Il generale Aidid gli fece causa negli anni Ottanta, per una questione di percentuali sulle commesse tra i due paesi. Sosteneva che Pillitteri gli doveva qualche miliardo.

Ti piacerebbe ascoltare il seguito della notizia, ma per calmare Itala serve qualcosa di piú soporifero, scorri i canali, fai slalom tra i Tg e per fortuna trovi *Beautiful*, su Rai Due, perfetto alla bisogna.

Torni in cucina a controllare l'infusione e cinque minuti piú tardi sei di nuovo in soggiorno, le tazze sopra il coperchio di una scatola di biscotti, a mo' di vassoio, e dopo averle appoggiate sul tavolino vai a sederti di fianco a Itala, le prendi la mano e provi ad appassionarti alle vicende di Ridge e Brooke.

Finita la tisana, fingi che sia ora di andare a letto, tanto Itala non guarda mai l'orologio. La accompagni in camera e quando ti domanda se stai per andare a dormire anche tu, le rispondi che sí, fra dieci minuti vai, sistemi due faccende per domani e poi vai.

Spegni la luce, controlli la fessura tra lo stipite e la porta, e già che ci sei ti porti davvero avanti con un paio di lavori: mettere in acqua i fagioli per la minestra e la biancheria sporca dentro la lavatrice, cosí Itala non la vede in giro e non si mette in testa di lavare tutto a mano.

In realtà, non hai nessuna intenzione di andare subito a letto, prima vuoi essere sicura che Itala prenda sonno, vedere se la tisana fa il suo effetto e le cancella dalla testa quest'idea balzana della Somalia e dell'aborto.

Accendi di nuovo la tivú, ma i telegiornali sono finiti e l'unico approdo possibile, dopo dieci minuti a cambiar canale, è una mezza puntata del *Tenente Colombo*.

Ti svegli al primo chiarore dell'alba, anche se non è la luce a farti aprire gli occhi, ma il rumore di un camion della nettezza urbana che carica e scarica i cassonetti. Pensi che la tisana doveva proprio essere forte, con i tuoi reumatismi non ti succede mai di addormentarti sul divano. Sono le cinque e dieci del mattino e prima che Itala si alzi per la colazione, ti restano almeno quattro ore per una dormita piú comoda, anche se adesso sarà dura ritrovare il sonno, pur con il conforto del cuscino e delle gambe distese.

Passi dal bagno a svuotare la vescica e l'occhio ti cade sul portello della lavatrice, spalancato e senza vestiti dentro.

Strano, ti dici, eri convinta di averla caricata prima di andare a dormire. Controlli il portabiancheria: vuoto, e sul lavabo, l'apposita pallina già pronta, come fai di solito, con la giusta dose di detersivo, ammorbidente e anticalcare.

– Che palle! – esclami sottovoce, e già sei convinta che Itala si sia alzata nottetempo, facile che la tisana fosse pure diuretica, e che venendo in bagno si sia accorta dei panni e li abbia nascosti da qualche parte, per poterli lavare a mano domani mattina.

E infatti, girato l'angolo del corridoio, trovi la porta della sua camera spalancata e la luce accesa, mentre Itala dorme sempre col buio totale, tranne appunto quando si sveglia, accende la lampada sul comodino per vedere dove va, poi si ributta sul letto talmente in catalessi che si dimentica di spegnere e si rimette a ronfare.

Entri nella stanza per ripristinare il buio e rimboccare le coperte alla vecchia, cosí da ridurre, per quanto possibile, l'eventualità che si svegli ancora, rovinando quelle quattro ore di sonno comodo che ormai brami come un ristoro essenziale.

Ma a un passo dal letto ti rendi conto che il corpo di Itala non gonfia le lenzuola e la sua testa violetta non poggia sul cuscino.

– Itala? Itala?

La chiami piú volte, ti aggiri per l'appartamento, controlli gli anfratti, anche quelli troppo angusti per un essere umano, nella speranza che la donna, presa da un raptus di rimbambimento, si sia messa a giocare a nascondino come quando aveva sette anni.

Passi nella tua stanza, a vedere se per caso non è finita nel tuo letto. Guardi in cucina, apri persino il frigorifero. Niente. Poi la vedi: la porta di casa socchiusa e uno spiffero di luce che si infila dentro, la luce fredda del pianerottolo, che nel condominio di via Treviso resta sempre accesa, tutta la notte, perché dice il signor Dante che cosí si risparmia, mentre accendere e spegnere è piú dispendioso.

– Itala?

La voce riecheggia nella tromba delle scale, ma non troppo forte: se svegli tutto il palazzo sei fritta, non si deve sapere che t'è scappata la vecchia.

Pensi che il signor Dante potrebbe aiutarti, stai per suonare il suo campanello, poi però ci ripensi: non ti va di dovergli un favore, visto quello che potrebbe volere in cambio.

Agguanti le chiavi sul mobile con lo specchio, ti infili la giacca e divori gli scalini piú in fretta che puoi, attenta a non inciampare, ci manca solo che ti ritrovano sulle rampe con una gamba rotta e la signora Itala a spasso per Bologna.

Esci nel giardinetto condominiale e fai un intero giro del palazzo, l'aria punge, è una mattina umida, può darsi che Itala sia venuta giú per svuotare la vescica, non ha trovato il bagno e ha deciso di farla in giardino, è già successo un'altra volta che te la sei trovata in un angolo, sotto la vite americana, con le mutande calate.

– Itala?

Niente di niente. Schiacci il pulsante con scritto TIRO di fianco al cancelletto verde e quello si apre con il solito scatto. Sul marciapiedi guardi a destra, guardi a sinistra, nessuna figura umana nel campo visivo, solo auto parcheggiate e saracinesche chiuse.

Dove può essere andata? Hai di fronte l'intera città e non sai nemmeno da quanto tempo è uscita, potrebbe essere successo da ore e poiché la vecchia ha il passo bersagliero, significherebbe stanarla in un raggio di chilometri. Roba da elicotteri e squadre cinofile, tanto vale arrendersi e chiamare la polizia.

No, no, ti dici, niente polizia, se chiami la polizia lo viene a sapere Luisa, e se lo viene a sapere Luisa tu perdi il lavoro, e quindi la casa, e quindi pure la residenza e gli undici milioni per i profughi italiani. Il tuo compito era badare alla vecchia, farle compagnia, non lasciarla andare a spasso di notte.

– Itala? Itala?

Andare a spasso, ecco l'unico tentativo sensato che potresti fare: ripercorrere le tappe della vostra solita passeggiata e se non la trovi chiamare la polizia, ma prima provarci, fate lo stesso giro tutti i santi giorni, non è improbabile che Itala ripeta il percorso per abitudine, o magari è diventata sonnambula, s'è svegliata, ha visto una striscia di cielo azzurro e ha pensato che fosse già ora delle sue piccole rogazioni.

Prima sosta: la panchina nei giardinetti di via Montesole, quella dove Itala solfeggia il ritornello: «Mi chiamo Itala Venturoli», eccetera. Potrebbe essersi fermata lí, decidi, per tappare il buco del 1956 e provare a tirar dritto verso gli anni Sessanta.

– Itala? Itala?

La panchina è occupata da un tizio addormentato, con addosso jeans e camicia e una ventiquattrore a fargli da cuscino. Pensi che potresti svegliarlo, magari prima di addormentarsi ha visto passare una vecchia oppure nel sonno ha aperto una mezza palpebra e se l'è trovata di fronte, a reclamare il suo posto fisso per la recitazione del mattino.

Per un po' te ne stai lí, incerta se svegliarlo e domandargli notizie o se andare diretta al pilastrino di sant'Antonio, seconda tappa prima del bar di Gianni.

Decidi di proseguire, passi di fronte al chiosco dei giornali e l'edicolante è lí fuori che apre pacchi di riviste e mette in ordine i nuovi arrivi. Gli domandi se ha visto passare un'anziana dall'aria smarrita e lui risponde no, dall'aria smarrita, no, però un'anziana l'ha vista, una che andava di fretta, con l'andatura spedita, sicura del fatto suo e della strada da seguire.

– Itala! – esclami, ti fai indicare la direzione e il braccio dell'uomo punta la statua di sant'Antonio, ma quando arrivi lí, della tua amica pazzerella non c'è nemmeno l'ombra. Meglio affidarsi a una preghiera, pensi scoraggiata, se Itala pregava il santo degli oggetti smarriti di farle ritrovare la memoria, allora tu puoi fare altrettanto per ritrovare Itala.

– Sant'Antonio, fammi la grazia, dove sta Itala? – poi riprendi a chiamare: – Itala? Itala? – e come una Giovane Marmotta alle prese con una prova del Gran Mogol, ti chini sul ciglio della strada e perlustri con gli occhi il misto di fango, erba selvaggia, pacchetti di sigarette e cartacce, quasi dovessi cercare un'impronta, un indizio per levarti dai guai. Sei protesa in avanti, piegata in posa da segugio, quando ti rendi conto che la stoffa sporca di terra che fa capolino in mezzo al tarassaco non è una stoffa qualsiasi, sono mutande, e che non sono mutande qualsiasi: sono le *tue* mutande, ben riconoscibili dall'etichetta sull'elastico, una marca indiana che a quanto ne sai non è mai sbarcata in Italia. Le rigiri con un piede, le agganci con la punta, le tiri su fin dove la gamba te lo consente: non ci sono dubbi, sono proprio le tue.

Dunque Itala non ha nascosto i panni in qualche buco della casa, se li è portati dietro. Ma perché?

La risposta ti arriva sotto forma di rumore continuo, uno sciabordare d'acqua che scorre lenta, annoiata della pianura, capace giusto di fare qualche mulinello per divertirsi un po'.

Il fiume. Come diavolo si chiama quello che passa da queste parti?

Il fiume Sàvena. Itala ha preso i panni per andarli a lavare nel Sàvena, come ai vecchi tempi.

Bene, ti dici, peccato che non sia un indovinello della «Settimana Enigmistica», altrimenti l'avresti risolto e potresti passare alle sciarade. Invece ti tocca raggiungere il fiume, prima che Itala rischi di annegare. E per raggiungere il fiume non basta sentirne il rumore e nemmeno scorgerlo dietro i palazzi, zuppa semovente di fango e leptospire.

Dopo molte ricerche, passi falsi, vicoli ciechi e rampe di garage, alla fine trovi il sentiero giusto, in mezzo ai condominî, che aggira gli orti urbani e finisce alla riva.

Il sole ormai ha scacciato le stelle, e la sagoma di Itala è ben visibile, sulla sponda opposta, i piedi che affondano nella melma, mentre intinge una camicia come un biscotto nel caffellatte.

– Itala! Itala! Stai attenta!

Non alza nemmeno la testa, la chiami piú forte: ha tanti malanni, la tua amica picchiatella, ma che fosse pure sorda non te n'eri mai accorta.

Tendi l'orecchio, e sotto il fruscio della corrente e i primi motori a scoppio della città che si sveglia, senti la voce di Itala che canta. Insapona e canta.

Allora cammini, in mezzo alla sterpaglia e alle code di gatto, fino al ponticello pedonale. Passi dall'altra parte e vai a piazzarti proprio sopra Itala, perché la riva del fiume è scoscesa, e il sentiero sterrato corre almeno tre metri sopra la lingua di terra dov'è s'è messa lei. Tre metri belli ripidi, tanto che tu hai paura, se li scendi, di non riuscire piú a tornare indietro, con le scarpe lisce e gli acciacchi e la terra umida che ti precipita giú.

– Itala, Itala! – gridi. – Torniamo a casa, Itala.

Niente. Canta e lava e non si degna di risponderti.

– Dài, andiamo a casa a fare colazione.

Porti le mani a conchiglia intorno alla bocca e provi a urlare con tutto il fiato: pazienza se qualcuno, stamattina, dormirà meno del solito.

Almeno un risultato lo ottieni: smette di cantare, alza la testa, ti guarda.

Ti guarda ma non ti riconosce.

– Sono Isabella Marincola, la tua dama di compagnia, non ti ricordi?

A quanto pare no, perché riprende tranquilla a sciacquare i panni, come se fossi una passante che l'ha distratta dal lavoro.

Bene, ti dici, se adesso la vecchia non mi riconosce, come faccio a riportarla a casa?

Potresti aspettare che abbia finito, ma ormai la gente del quartiere comincia a scendere in strada e aumenta il rischio d'essere viste da qualche passante che potrebbe riferire la scena a Luisa: non sarà grave come una fuga notturna, però come badante non sei lo stesso granché, se permetti che la tua assistita rischi di cascare nel fiume.

No, cosí non può continuare, bisogna che te la vai a prendere, e l'unico stratagemma che ti viene in mente è quello di scivolare sul sedere per metà scarpata, non tutta, che poi risalire diventa difficile, solo metà, grazie a un pioppo robusto che cresce lí in mezzo e che in un modo o nell'altro dovrebbe trattenere la tua valanga di carne. Da lí, non sarà poi difficile allungare una mano a Itala e provare a riportarla verso casa.

Purtroppo il piano si rivela ottimista: la scarpata è troppo umida per scivolarci col sedere, o forse tu sei troppo pesante o magari non c'è abbastanza pendenza, fatto sta che se vuoi scendere devi farlo sulle gambe, e a quel punto nemmeno il pioppo riesce a fermarti: lo manchi di mezzo metro, provi ad aggrapparti, ma le braccia cedono, trascinate a valle dal resto del corpo.

– Io a te ti conosco, – ti accoglie Itala con l'indice puntato.

– Meno male, – rispondi d'istinto. – Allora ci vieni con me a fare colazione?

– Te sei una di quelle che non ha mai lavato un cencio in vita sua, – prosegue Itala senza nemmeno accorgersi che le hai fatto una domanda. – *Mo adés a t al fâg da vadder me,* – e mentre dice cosí, già ti mette in braccio un catino pieno di vestiti, l'asse da bucato e un pezzo di sapone.

– Su, Itala, non c'è tempo di lavare tutta questa roba, e poi fa freddo. Perché non ce ne andiamo a fare colazione?

– E i panni? – domanda lei preoccupata, come se si trattasse di abbandonare i figli in mezzo alla giungla.

– Quelli lasciamoli alla lavatrice, – ti sforzi di dire con un'aria complice, ma il discorso non attacca, Itala s'infervora.

– Io con i panni ho campato la famiglia, anche se la paga era bassa e l'acqua sempre troppo alta per stare asciutte. *Pänsa mò s'a i êra* la lavatrice già negli anni Trenta: a quest'ora pure la Luisa e Michele non erano al mondo, tolti di mezzo coi ciclamini, le erbe e i salti dal muro.

Rinunci a farla ragionare, a dirle che se la lavatrice fosse arrivata negli anni Trenta, magari lei e le sue amiche avrebbero fatto un altro lavoro, senza buscarsi l'artrite e il gonfiore alle dita.

Rinunci a farla ragionare: l'unico modo per tirartela dietro è convincerla a fidarsi, come quando vuoi avvicinare un animale selvatico.

E allora la affianchi, prendi il pezzo di sapone, prendi la tavoletta di legno, tiri su un vestito a caso e ti metti a lavare anche tu, insieme a Itala, tu che non hai mai lavato a mano nemmeno un fazzoletto. Tu che ti sei ripetuta per mesi di non fare la serva, non fare la serva, non fare la serva, adesso lavi le calze della tua amica, come un'umile lavandaia al tempo dei canali. In fondo, se hai fatto la mondina per tre mesi a Veneria di Lignana, e l'acqua dove recitavi immersa era vera come questa, allora puoi fare davvero la lavandaia per un paio d'ore, e avere veri brividi, vere mani gelate, veri panni da lavare e non solo parole.

RINASCITA

novembre - dicembre 1958

BILANCIO DELL'AMMINISTRAZIONE FIDUCIARIA ITALIANA IN SOMALIA

di Giorgio Assan

Il territorio somalo, che si affaccia sull'Oceano Indiano con piú di 2 mila km di coste, non possiede un porto, base di ogni economia dinamica.

Il sistema creditizio è totalmente dominato dal capitale italiano e le correnti di traffico sono dirottate verso l'Italia non ostante i mercati vicini offrano prezzi migliori.

Se si prendono i due prodotti base del capitale italiano, canna da zucchero e banana, ci si accorge che il primo ha un prezzo di vendita di So. 200 al ql mentre importato dai mercati vicini costerebbe circa la metà; il secondo, prodotto per il 98% da agricoltori italiani e venduto in regime di monopolio, costa in Italia per i sopraprofitti dei piantatori e dei grossisti circa il doppio della banana delle Canarie.

Ma si dice: i bananieri sono benemeriti perché sostengono il 60% delle esportazioni somale, e tutto ciò è vero, ma è anche vero che un'economia di tipo parassitario, determina o prima o poi la paralisi della produzione e l'involuzione politica: nessun organismo può prosperare con i cataplasmi. La verità è che gli imprenditori italiani vogliono guadagnar molto, subito e a qualunque costo; e tendono a esportare i loro profitti in Italia o nel vicino Kenya, dove generalmente sono investiti in immobili, così i profitti depauperano ancor più il territorio perché non essendo utilizzati in investimenti locali altra funzione non hanno se non quella di innalzare i prezzi.

Abbiamo udito affermare più volte che «noi regaliamo denaro ai somali». Non è vero.

Il denaro è stato speso per pagare i funzionari dell'Afis e per sostenere gli oneri relativi al funzionamento dei servizi. Vogliamo allora argomentare che questo denaro è stato gettato dalla finestra? No, certo. Però se il contributo italiano, indubbiamente insufficiente per avviare a concreta soluzione i problemi strutturali della Somalia, è stato quasi totalmente speso per il personale e il suo funzionamento, noi dobbiamo concludere che ci troviamo di fronte a una macchina sproporzionata alla funzione; tanto sproporzionata da sacrificare il fine – la trasformazione economica del territorio – per il mezzo – l'impalcatura burocratica per operare la trasformazione suddetta.

In conclusione: i dieci anni di mandato ci costeranno una settantina di miliardi di lire – di questi sarà gala se ne avremo «regalati» dieci ai somali: il prezzo dell'inserimento del territorio nell'atlantismo e del rafforzamento del capitale italiano locale.

Diciotto
Roma, 18 febbraio 1960

Cara mamma,
non ti stupire: il tuo compleanno è lontano eppure ti scrivo. Finora, l'unico nastro di parole che ci ha tenute assieme sono stati i biglietti di auguri. Scommetto che se li tiri fuori adesso e li rileggi di fila, ci trovi le stesse frasi moltiplicate per quattro. Ogni anno, quando veniva il momento, mi sforzavo di ricordare quel che ti avevo scritto la volta prima, per evitare di ripetermi, ma mi sa tanto che non ci sono riuscita. Quattro biglietti in quattro anni: non è granché, me ne rendo conto, ma la mia vita è stata pure peggio.

La storia con Lamberto, l'uomo che hai conosciuto, è finita da un pezzo. Già prima di partire per la Somalia c'era poco da salvare, poi tornati a Roma siamo diventati due bestie di mondi diversi, con in comune il gabinetto e l'abitudine a salutarsi, la mattina, prima di andare al lavoro.

Alla fine, quando gli ho detto che lo lasciavo, Lamberto ha fatto l'inventario delle mie cose fin dentro la dispensa. Poi ha caricato tutto in macchina, me compresa, e ha mollato il fardello sul marciapiede, di fronte a una pensione, strillando come un indemoniato per via di una zuccheriera che gli s'è rovesciata nel bagagliaio.

Da allora non l'ho più rivisto. Ogni tanto gli telefono e litighiamo, per non perdere l'allenamento, e anche perché nel fare l'inventario, guarda caso, il signor Pidocchio ha finito per tenersi un quadro, regalo personale di un mio amico

pittore, che già oggi vale parecchi soldi, e un domani forse
anche di piú.

Adesso abito in un quartiere triste, una stanza in affitto a
piazzale delle Province. La padrona di casa è una donna sui
trent'anni, ancora in cerca di marito, e io le dò una mano
con gli annunci matrimoniali e le lettere d'amore, in cambio
di uno sconto sul canone mensile. Per il resto, mi guadagno
da vivere con le lezioni private di Greco e Latino, qualche
traduzione dall'inglese e altri piccoli lavori.

Tutto questo suona abbastanza terribile, e non te ne avrei
parlato, se non avessi da offrirti anche una buona notizia.

Circa un anno fa stavo lavorando a una traduzione molto difficile, da consegnare in pochi giorni. Sono scesa al bar
sotto casa per bere un caffè e ho visto un gruppo di ragazzi africani che festeggiavano intorno a un tavolino. Li ho
guardati meglio e ho capito subito che erano somali. Allora mi sono avvicinata, ho detto quelle tre parole di somalo che so pronunciare, e loro subito mi hanno offerto una
sedia. Cosí ho conosciuto Mohamed Ahmed, che proprio
quel giorno si era laureato in Scienze politiche all'Università di Roma. Parlando, viene fuori che lui conosce quattro
lingue, sa molto bene l'inglese e io gli chiedo se per favore
può aiutarmi con la traduzione, perché sono disperata e non
ci cavo i piedi. Cosí abbiamo passato qualche giorno insieme, fianco a fianco, e non ci ho messo molto a innamorar-
mi di lui, salvo scoprire che deve rientrare a Mogadiscio,
dove gli hanno promesso un posto come capo di gabinetto
del primo ministro.

Proprio ieri, mentre andavamo al cinema, mi ha chiesto
se vorrei seguirlo in Somalia e diventare sua moglie. Gli ho
risposto che ci avrei pensato, e qui viene il bello. Ci ho pensato, ma non so cosa fare. Poi mentre ci pensavo è venuto a
trovarmi un suo amico, forse suo cugino, che si chiama pure

lui Mohamed, e quando gli ho chiesto consiglio, lui mi hai detto: «Senti, Isabella. Ma tu lo sai che Mohamed è sposato e ha cinque figli?»

Ora non so se tu mi puoi capire: in Somalia è normale essere la seconda moglie di un uomo, ma qui da noi è piuttosto strano. Intendiamoci: non è la stranezza a spaventarmi, io sono ancora sposata con il mio primo marito, Alfredo, e pure con Lamberto, secondo la legge islamica, e quindi Mohamed sarebbe il terzo, per me, senza nemmeno restare vedova o divorziare, e questo, qui da noi, è ancora piú strano della poligamia.

Dunque non ne faccio una questione di numeri, e nemmeno di normalità, quel che mi stupisce è che Mohamed non me ne abbia parlato, come se me lo volesse nascondere. Ma d'altra parte, nemmeno io gli ho raccontato nei dettagli la mia situazione coniugale e a essere sincera non l'ho fatto di proposito, per paura che troppe complicazioni lo facessero scappare a gambe levate.

Gli uomini, qui da noi, dicono che solo un pazzo si metterebbe con una donna che ha piú problemi di lui.

Comunque sia, quando gli ho domandato come mai non mi avesse raccontato di avere moglie e figli, la sua risposta è stata: «Tu non me l'hai chiesto».

Il che senz'altro è vero, ma la verità è sempre variopinta e ho imparato a diffidare da chi vuole dipingerla di un colore solo.

Insomma, cara mamma, che devo fare?

Tu ora penserai che non puoi proprio rispondermi, e hai ben ragione. Dopo quattro biglietti di auguri in quattro anni, questa tua figlia fantasma se ne viene fuori con una lunga lettera e ti domanda a bruciapelo se farebbe bene a sposare un uomo che non hai mai visto e a stabilirsi con lui in Somalia per il resto della vita.

Il fatto è che non conosco molte altre persone alle quali
potrei rivolgere la stessa domanda. Quando facevo l'attrice
avevo tanti amici, qualche buon'amica, poi sono uscita dal
giro e ho smesso di incontrarli, perché mi faceva male vedere che quelli continuavano a essere artisti, mentre io m'ero
fatta mettere la mordacchia. E anche da parte loro, del resto, c'era meno interesse nei miei confronti, quasi che d'improvviso mi fossi trasformata in un'altra donna. Insieme a
Lamberto ho frequentato tanta gente, ma sempre alla leggera, come carezze lasciate sull'acqua. Tutte conoscenze di
coppia che ormai ho perso di vista da parecchio tempo. Fatta questa scrematura ci resta poco davvero, e quel poco che
resta ormai ha una famiglia, dei figli, un'automobile, mentre
io sono tornata a risparmiare sui soldi delle calze e arrivo a
pagarmi sí e no una stanzetta in periferia. Ieri ho telefonato a Silvana, forse la sola amica che mi sia rimasta, comunque la sola che mi è venuta in mente. Recitavamo insieme,
a teatro, poi anche lei ha smesso, per via della vita, e questa
sorte comune in qualche modo ci avvicina.

Le ho parlato della proposta di Mohamed e della decisione che mi spetta. Ebbene, cosa vuoi che m'abbia risposto?
Che voglio cascare dalla padella nella brace, da un marito
geloso a un musulmano con due mogli, dal patriarcato comunista a quello islamico, e bla bla bla, tutto un lungo discorso condito dall'idea che la Somalia è un paese di cannibali,
buono giusto per gli antropologi, i medici di buon cuore e i
fascisti con un debole per le banane.

Invece Mohamed mi ha detto che Mogadiscio è in gran
fermento, pronta per l'indipendenza, e so che una scorpac-
ciata di entusiasmo non potrebbe farmi che bene, se solo riuscissi a inghiottirne un pezzetto. Anche qui a Roma
si respira un'aria frizzante, ricca di occasioni, ma per me
l'unica vera occasione è quando la padrona di casa mi com-

missiona una lettera d'amore, in cambio di mezza mesata di affitto gratuito.

A proposito di occasioni, credo che anche noi due dovremmo concederci un'altra possibilità. Il nostro primo incontro è stato un vero strazio, ma non c'era da aspettarsi niente di meglio. Troppe emozioni a soffocare la verità, troppe distrazioni, per me, in una terra madre che non avevo mai conosciuto. Se invece mi trasferissi a Mogadiscio, potremmo prenderci il tempo per conoscerci, e insieme al tempo, magari anche un interprete, perché non tutto si può dire con gli abbracci.

Mohamed dovrebbe partire da Roma in capo a tre settimane e ha già espresso il desiderio di venirti a trovare, cosí avrai modo di osservarlo e di dirmi che ne pensi. Io di certo non partirò con lui, perché anche se avessi già deciso di farlo, dovrei comunque dargli il tempo di sistemare le cose, presentarsi al lavoro, parlare con la prima moglie e via discorrendo.

Nel frattempo continuerò a meditare, in attesa di tue notizie.

Un grande abbraccio da tua figlia,

Timira Hassan

P. S. Ho riletto la lettera, ho corretto gli errori e spero che troverai qualcuno in grado di farti una traduzione. Immagino di averla scritta soprattutto per me stessa, come accade sempre, ma spero che ci troverai lo stesso qualcosa di interessante.

Un altro abbraccio,

I.

Diciannove
Bologna, 3 maggio 1992

Itala avrebbe voluto stendere il bucato sui rami degli alberi, ma tu sei riuscita a convincerla che è meglio portarseli a casa, cosí adesso passeggiate per il quartiere con il vostro catino di vestiti bagnati, un manico a testa, lei come sempre piena di energie, tu invece col fiatone, le dita che fanno male, i piedi che ululano dentro le scarpe.

Fate una sosta alla solita panchina, il tizio che ci dormiva se n'è andato e in cambio dell'ospitalità ha lasciato un coltellino svizzero, di quelli rossi con lo scudo crociato e gli accessori che saltano fuori dal manico: forbici, sega, lame, cavatappi. Quest'ultimo potrebbe tornarti utile, visto che il metodo Merushe per aprire le bottiglie di vino a mani nude non hai avuto modo di impararlo.

Infili l'arnese nella borsetta e per l'ennesima volta domandi a Itala se va tutto bene, se si sente in forma, se per caso non le dànno fastidio i piedi bagnati. Un po' perché ormai ti viene naturale occuparti di lei, e un po' perché sai che Luisa passerà da casa verso le dieci, insieme a un elettricista che deve fare dei lavori, e non vorresti che Itala si sentisse male sul piú bello, proprio davanti a sua figlia.

– Mai stata meglio, – ti rassicura. – Lavare i panni con te *al m à 'rcurdé äl ciacher ch'as fèva dal canèl*. Avevo tante amiche, allora. Molte han fatto fagotto, altre non le vedo piú, ma almeno adesso ci sei te che mi fai compagnia, anche se lo fai per lavoro e io t'ho da pagare.

– Mi devi pagare, – puntualizzi, – perché non so dove sbattere la testa, ma ti prometto che se mai avrò una casa e due lire in tasca, verrò lo stesso a farti compagnia, anche se non abbiamo tanto da dirci, però che importa? Con quest'idea che per essere amici ci si deve dire un sacco di cose, alla fine di amiche ne ho avute davvero poche, una quando facevo l'attrice e una in Somalia, poi basta, le altre le ho lasciate perdere, perché dopo un po' si restava senza argomenti e io quando non so che dire mi imbarazzo.

La campana della chiesa batte nove rintocchi, meglio avviarsi, fai cenno a Itala che bisogna andare ma lei è di nuovo imbambolata, come qualche ora fa sulla riva del fiume.

– La senti anche tu questa musica, Isabella?

– Sí, Itala. Sono campane.

– No, dico proprio la musica. Non senti? *A mé am pèr* un pianoforte.

Tendi l'orecchio, ma non ce n'è bisogno: la parola «pianoforte» fa emergere il suono giusto in mezzo ai mille strumenti dell'orchestra cittadina.

– Dev'essere qualcuno che si esercita, – sostieni

– *Mocché, mocché*, – ti contraddice Itala sventolando un dito. – Viene dal ristorante laggiú, *andän bän a vadder*.

Tu provi a spiegarle che dovete andare a casa, se Luisa arriva e non vi vede si preoccupa, ma Itala è già partita di gran carriera, col catino dei panni sulla testa, e l'unica opposizione che puoi farle riguarda il tempo. – Solo dieci minuti! – le ripeti piú volte, prima di arrivare sotto l'insegna del *Ristorante Bonaparte*.

Il posto ti è familiare, ma non capisci perché. Appena vi vede sulla soglia, un cameriere gentile vi viene incontro e si offre di farvi strada.

– Venite, prego, da questa parte.

– Aspetti, – lo fermi. – Noi non vogliamo mangiare. È solo che…

Il ragazzo si ferma, si volta, ha l'aria sorpresa.

– Oggi per voi è gratis, – ti dice. – La colazione, il pranzo e pure la musica.

– Ah, vabbe', – rispondi perplessa da quel *voi*, che non sai bene come interpretare. – Se è gratis…

Nella sala interna del ristorante, un gran pavese di bandierine viene giú dal soffitto e sorvola i tavoli apparecchiati. Seduti a mangiare cornetti e fette biscottate, ci sono vecchi mal vestiti, donne smagrite, giovani stranieri, uomini maturi con qualche dettaglio fuori posto: una tasca scucita, la cravatta troppo lenta, una macchia di sugo sulla camicia bianca.

In un angolo, col pianoforte di tre quarti rispetto alla sala, c'è un tizio che canta *Com'è profondo il mare*. È bravo, si ascolta volentieri, e mentre la musica va, ti accorgi che tra i clienti c'è pure quello che stamattina dormiva ai giardinetti, sdraiato sulla panchina.

– Mi scusi, l'ha perso lei questo coltellino? – domandi avvicinandoti al suo tavolo.

Lui si tocca le tasche dei pantaloni e dice brusco: – Sí –. Poi con sospetto: – Dove l'ha trovato? – e già allunga la mano per strapparlo dalla tua.

– Su una panchina qui fuori. Ho pensato fosse suo perché prima… sí, insomma, l'ho vista…

– Mentre dormivo, lí? Può dirlo, sa? Tra di noi mica mi vergogno: la vita ha fatto uno strano giro, mia moglie mi ha sbattuto fuori di casa ed eccomi qua, alla giornata di beneficenza del signor Bonaparte per i poveri senzatetto.

– Per i senzatetto?

– Sissignora. Cosa credeva? Di essere al circolo della maglia?

Per carità, pensi. Al circolo della maglia saresti davvero fuori posto, mentre se questa è una riunione di senzatetto, allora non potevi capitare in un posto piú adatto, anche se tra poco ti arriverà la residenza. Quella di carta.

Torni da Itala e lei ti prega di farle ascoltare ancora una canzone, l'ultimissima, promesso, ma tu guardi l'orologio e le dici che no, proprio non si può fare, bisogna essere a casa prima che arrivi Luisa.

L'orologio è l'unico oggetto prezioso che porti addosso, un Baume & Mercier che ti ha regalato Antar per il tuo compleanno, l'ultima volta che sei venuta in Italia.

Ecco perché entrando qua dentro hai avuto un *déjà vu*. Eravate proprio in questo ristorante, quando ti ha consegnato il pacchetto, la sala era un'altra ma il posto di sicuro è quello. Non lo hai riconosciuto subito perché allora eri in vacanza, e in vacanza tutto sembra diverso, non sei un senzatetto, se non hai una casa, non sei un vagabondo, se viaggi da un posto all'altro.

Appena fuori, col vostro catino per le mani, una voce vi chiama da dietro le spalle: – Signore, signore!

Vi voltate e c'è un vecchio con la barba sfatta e la tua borsa in mano.

– Avete dimenticato questa.

– Grazie mille, – esclami tu, lodando il Padreterno per il contrappasso istantaneo, tu restituisci il coltellino svizzero a uno che l'ha perduto, e nemmeno un quarto d'ora dopo qualcuno ti riporta la borsa che avevi abbandonato sul tavolo.

– Davvero non so come ringraziarla, signor…

– Capitini. Brenno Capitini. Non c'è bisogno di ringraziare, ma se non vi disturba troppo, oso chiedervi in cambio un favore per me. Potreste ascoltare una poesia che ho appena tradotto? Sapete, io facevo il traduttore, le persone leggevano le mie traduzioni, ma adesso ho perso il lavoro e nessuno le legge piú. E che senso ha tradurre una poesia se poi nessuno la può ascoltare?

Tu speri che la poesia non sia un poema, perché il tempo stringe, ma non vuoi far capire al signor Capitini che vai di fretta e avresti preferito ringraziarlo senza perdere altri minuti.

Lui tira fuori un foglietto dalla tasca della camicia, inforca gli occhiali, spinge il petto appena all'infuori, e parte a declamare, con la voce roca del fumatore incallito.

– Non amarmi, mio signore, come una palma, che il vento carezza e abbandona languente. Non amarmi, mio signore, come una porta, che il frettoloso attira e respinge continuamente. Amami, mio signore, come un dattero, che il ghiottone succhia fino al nocciolo, voluttuosamente.

Itala batte le mani contenta, tu fai i complimenti al traduttore e quasi non ascolti mentre lui ti spiega di aver studiato l'arabo, di aver vissuto di traduzioni, di aver perso il lavoro… Cerchi solo un appiglio per sganciarti in maniera cortese, senza doverlo interrompere e dire mi dispiace, adesso dobbiamo andare.

– Questa è una ballata popolare molto conosciuta, ma un titolo vero non ce l'ha. Io l'ho chiamata *Timir*, che in arabo significa…

– Datteri, – lo sorprendi tu buttandoti a capofitto nello spiraglio tra le parole, poi ti rendi conto che un'interruzione del genere non ti aiuterà certo a tagliar corto, perché adesso dovrai spiegare al signor Capitini che per ben due volte ti sei sposata col nome Timira, ovvero dattero, e tutti i perché e i percome della tua lunga vita.

– Lo so per via del tamarindo, – esclami all'improvviso. – *Tamr Hindi*, «il dattero dell'India». C'è scritto sulla confezione dello sciroppo che prendo per andare di corpo. E infatti mi deve scusare, ma quando fa effetto devo proprio correre, lei capisce, le sono davvero grata…

E tirando il catino per tirare Itala marci verso la casa di via Treviso.

Sono le dieci meno dieci, Luisa non dovrebbe essere arrivata, ma in compenso c'è un'auto dei carabinieri parcheggiata in seconda fila davanti al cancello, con quella luce blu accesa che non ti mette mai tranquilla, figuriamoci adesso.

Ti avvicini guardinga, mentre i cappelli con la fiamma si girano verso di te, ti fissano avanzare, poi come un lancio di fionda, vedi Luisa scattare fuori da un capannello di vicini e comari, attraversare la strada e venirvi incontro tutta rossa in viso.

– Mamma! Isabella! È da stamattina che vi stiamo cercando. Che cavolo è successo? State bene?

– Siamo state al fiume, – provi ad abbozzare come se fosse normale. – Itala voleva lavare i panni alla vecchia maniera.

– Ma come al fiume, a quest'ora? Mi ha chiamato il signor Dante, dicendo che stamattina presto ha sentito la porta sbattere, poi piú tardi ha suonato per chiedere del caffè e nessuno gli ha risposto, allora s'è preoccupato.

Macché preoccupato, pensi dentro di te, quello stronzo s'è voluto vendicare perché gli ho chiesto troppi soldi per portarmelo a letto.

Uno dei carabinieri affianca Luisa e subito la sua presenza ti manda in confusione, non riesci piú a valutare se ti conviene mentire, e far finta di essere uscita con Itala alle cinque del mattino per assecondare la sua voglia di lavare panni, oppure se confessare la verità, che la vecchia t'è scappata mentre dormivi e l'hai dovuta inseguire.

Alla fine, scegli la seconda ipotesi: negli accordi che hai preso con Luisa non c'è scritto che non devi dormire. Se ti appisoli e Itala scappa, tu la insegui e la ritrovi nel giro di un paio d'ore, è certo meno grave che portarla di proposito a mollo nel Sàvena.

Quando finisci il racconto, e ometti soltanto la sosta da Bonaparte in favore di un piú responsabile «siamo venute subito a casa», Luisa ha le mani nei capelli, scuote la testa, non parla. Ma a rompere il silenzio ci pensa il carabiniere e manco a dirlo ti chiede:

– Mi fa vedere il permesso di soggiorno?

E bisogna dargli atto che ti ha dato del lei e non ha coniugato il verbo all'infinito.

Tu non dici nulla, non fai precisazioni, non specifichi, tiri solo fuori il passaporto e glielo squaderni in mano.

Lui lo studia e a giudicare dal tempo che ci mette se lo rilegge almeno tre volte.

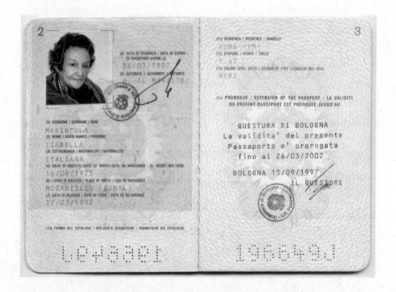

– Lei è cittadina italiana? – ti chiede dubbioso col documento sotto il naso.

– Sissignore, fin dalla nascita, – dichiari, come fosse una nota di merito.

Il militare chiude il passaporto, te lo restituisce con gesto liquidatorio, poi si rivolge a Luisa e le domanda se è tutto a posto.

– Sí, sí, la ringrazio, – annuisce lei mentre con una mano carezza la testa di sua madre. – Mi dispiace di avervi disturbato.

– Dovere, – ribatte quello e prima di infilarsi in auto, a mezza voce, invita Luisa a recarsi in caserma, questo pomeriggio, «nel caso volesse approfondire la questione».

Chissà che vuol dire, pensi, e con la scusa di portare Itala in casa ad asciugarsi, lasci a Luisa il compito di spiegare al vicinato quel che ha reso piú interessante questo sabato mattina.

Nel frattempo, in un terrazzino al terzo piano, schiere di panni lavati alla vecchia maniera si allineano sui fili da stendere.

Dopo pranzo, riordinata la cucina, il borbottare del caffè nella moka ti fa radunare un trio di tazzine, cosí una la puoi bere dopo, tanto Itala ronfa nella sua stanza e anche se non ronfa non prende mai il caffè. Luisa mescola lo zucchero con determinazione, poi si alza, inizia a passeggiare per la stanza, e rompe il lungo silenzio che ha osservato finora.

– Lo pensi anche tu Isabella? Che quel che è successo oggi è grave? – domanda Luisa. – Poteva succedere il peggio, ma per fortuna non è successo.

– Per me non è cosí grave, – ti permetti di dire piazzando i gomiti sul tavolo. – Dipende sempre da dove la guardi, da come la racconti. Scommetto che Itala s'è divertita, stamattina, come non si divertiva da molto tempo.

– Sí, certo, sarà come dici tu, ma tieni presente che mia madre non avverte piú il pericolo, è come una bambina, e farla divertire non è sempre la scelta piú sana. E se vogliamo parlare di punti di vista, allora dal mio c'è solo paura, preoccupazione, morte. Avrò perso dieci anni di vita, questa mattina. Perché, vedi? La responsabilità di mia madre è tutta sulle mie spalle. Michele, mio fratello, quando mai si fa vivo? Certe volte provo a coinvolgerlo, anche soltanto in una decisione, e mi accorgo benissimo che non mi sta ascoltando. I maschi italiani stanno appena cominciando a occuparsi dei figli, prima che si prendano cura anche dei vecchi mi sa che dovranno passare un paio di generazioni. Tu con Antar sei fortunata, si vede che la vostra è una cultura diversa.

– La mia no di sicuro, – ti affretti a dire. – La sua invece, si chiama «sono figlio unico non posso fare altrimenti». Avesse una sorella vedresti, quel mascalzone, come starebbe alla larga da sua madre. .

– L'ultima volta che ho parlato con Michele è stato quindici giorni fa, per Pasqua, quando abbiamo deciso che potevi prendere la residenza qua da noi.

– E io ancora non so come ringraziarvi.

– Be', se davvero cerchi un modo... ecco, un modo ci sarebbe.

– E quale?

– Vedi, Isabella. Anche di questo dovrò parlare con Michele, ma dopo quel che è successo, penso che mia madre abbia bisogno di piú protezione. Piú che di una dama di compagnia, ormai Itala ha bisogno di un infermiere, forse due.

– Ho capito, – ti rassegni. – Due al prezzo di una.

– No, aspetta. So quanto mia madre ti si è affezionata, ma non posso vivere con l'angoscia che ho provato stamattina. Mi dispiace tanto, davvero.

– Tanto quanto? Non abbiamo mai parlato di preavvisi e liquidazioni.

– Be', per la liquidazione, visto che abbiamo fatto tutto in amicizia, senza scrivere nulla, pensavo di darti due mensilità, di piú non ce la faccio, mentre per il preavviso non farti problemi, stai pure qua finché non trovi un'alternativa, ma devo chiederti di non dire nulla alla mamma, di questa nostra chiacchierata, e quando verrà il momento, niente lettere, biglietti, pianti, abbracci, saluti. Ho l'impressione che mia madre non reggerebbe un impatto del genere. Lascerai che ce ne andiamo per il solito week-end e sparirai senza lasciare tracce. Ti chiedo solo questo. Ho la tua parola?

– Te lo prometto, Luisa. Tanto, che sia cantando, cinguettando o stando zitta, per me cambia poco. Ormai è tornato il tempo di migrar.

Interludio
Lettera intermittente n. 3

Pesaro, 17 ottobre 2011

Cara Isabella,
mentre rileggevo i capitoli delle tue avventure lavorative, so-
no morte Marina Doronzo, Giovanna Sardaro, Antonella Zaza
e Tina Ceci. Avevano tutte una trentina d'anni e lavoravano
in nero, per quattro euro all'ora, in una maglieria di Barletta. Il
soffitto del laboratorio è venuto giú e le ha schiacciate, insieme
alla figlia dei proprietari, Maria Cinquepalmi.
Se oggi si inaugurasse una lapide per i morti sul lavoro, in Italia,
nell'anno 2011, bisognerebbe inciderla con cinquecentotrentatre
nomi di uomini e donne. Eppure il paese è in lutto per Steve Jobs,
un imprenditore che tu manco sai chi fosse, ma i giornali dicono
che con i suoi computer ha cambiato la vita a milioni di persone.
E milioni di persone hanno occupato piazze, strade, luoghi
simbolici per gridare al mondo che il signor Capitale e la signo-
ra Democrazia non vanno d'accordo, vivono separati, e i loro
nomi sul campanello di casa servono giusto per salvare le appa-
renze. Una consapevolezza che credevo sconfitta da dieci anni e
che invece risorge, conquista terreno, la vedi spuntare nei luoghi
piú imprevisti.
Antar mi ha mostrato un articolo del «Corriere della Sera»
a proposito della carestia che opprime la Somalia. Nel titolo si
accusava l'indifferenza dell'Occidente, ma anche «il capitalismo
di rapina globale».
Sulle prime mi sono stupito di trovare un'espressione cosí
netta su un giornale moderato.

Poi ho riflettuto sulla specificazione «di rapina», che a me pare pleonastica, e invece in quel contesto ha un senso preciso. Ci sono ricchi buoni e ricchi cattivi. I ricchi cattivi sono ladri e rubano le risorse di un paese. I ricchi buoni se lo comprano e basta, appena iniziano i saldi.

Antar in questi giorni sta incontrando decine di profughi somali, in un campo di raccolta alla periferia di Bologna. Sono affidati alla protezione civile, come se si trattasse di una valanga o di un maremoto, e la protezione civile manda a chiamare Antar perché spieghi ai profughi di non farsi illusioni: l'Italia non è il paese dei balocchi. Antar allora spiega ai protettori civili che i profughi lo sanno già, di essere cascati male, e che chiederebbero volentieri asilo da un'altra parte, se non ci fosse una legge che li costringe a farlo nel primo stato in cui vengono fermati, schedati e concentrati.

«Tu intanto traduci», gli rispondono allora, come se fosse un interprete e non un mediatore.

Un mediatore che per noi due ha fatto un ottimo lavoro.

Ti ricordi quel pomeriggio che sono venuto da te senza registratore, per discutere una volta per tutte di come scrivere il nostro romanzo?

Il primo quarto d'ora se n'è andato via col rituale di sempre: il caffè, le notizie del giorno, le tue lamentazioni per il dolore ai piedi e il vino versato nelle tazze da colazione.

Già mi apprestavo a ciurlare nel manico – un altro giro di rosso e un altro tuffo nella palude Italia – quando Antar ha preso una sedia dalla cucina e l'ha piazzata in mezzo a noi, sull'angolo del tavolo.

«Bene, – ha esordito. – Parliamo di 'sto romanzo?»

Allora ho capito che la faccenda era seria, perché per le faccende serie tu preferisci tenerti Antar vicino, e siccome non m'ero preparato chissà quale discorso, ho dovuto trovare in fretta le parole per cominciare.

«Eeeh, dunque, vediamo...»

Avevo riflettuto a lungo, in quei giorni, e m'erano rimasti in testa due timori.

Il primo riguardava la nostra coppia male assortita: una differenza d'età di mezzo secolo e gusti e giudizi molto distanti. Scrivere narrativa insieme a una donna di ottantaquattro anni mi pareva un'impresa davvero strampalata.

Il secondo timore era quello di tramutarmi in biografo o panegirista, alle prese con un libro di memorie. Volevo sentirmi libero di intrecciare i tuoi ricordi in una trama, cucendoli assieme col filo del dubbio, non della nostalgia.

Ecco perché ti ho proposto di riversare la tua vita nel registratore e di lasciare a me il compito di tradurre quei suoni su carta, per sottoporteli a trasformazione avvenuta.

Ecco perché, lastricando di buone intenzioni la via dell'inferno, convinto di fare il bene e l'interesse di entrambi, sono venuto alle tue coste come un europeo d'altri tempi, per trasformare le tue terre nella mia colonia.

Per fortuna Antar ti ha aiutato a dire no, o si fa tutto insieme o non si fa, cinquanta e cinquanta, dividiamo a metà la scrittura e le fatiche, le lodi e gli insuccessi.

Se avessimo fatto a modo mio, dando ascolto alle mie fisime e alle mie paure, oggi avremmo sulla pagina tre figurine da talk show:

1) la vecchia nonnina, buona solo per rammentare e rammendare il passato;

2) la donna che porta una testimonianza di vita e l'uomo esperto che la interpreta;

3) l'emarginato di pelle scura che può raccontare la sua storia solo indossando il costume del «povero negro», per poi farsi prestare la voce da un ventriloquo di pelle bianca.

Trascorso quel pomeriggio, per alcune settimane ho continuato ad avere paura, spaventato dalle incognite di un viaggio senza mappe.

Poi è arrivata l'euforia da scampato pericolo, la consapevolezza del disastro evitato grazie a voi.

Quindi ho ripreso a temere.

Scrivere insieme, cinquanta e cinquanta, non è garanzia di nulla, e anzi può diventare lo schermo dietro il quale nascondere ulteriori soprusi, con l'aggravante della buona volontà.

Non basta sedersi a tavola insieme per potersi chiamare commensali.

Il Colonialismo con la C maiuscola è uscito dalla porta della Storia solo per rientrare dalla finestra mascherato di carta velina. Il piccolo colonialista occupa in pianta stabile i crani occidentali. Pensare di averlo sbattuto fuori è il modo migliore per farlo prosperare. Se vogliamo metterlo all'angolo e schiacciargli la testa, dobbiamo stare in guardia ogni minuto. A me sono bastati due o tre ragionamenti contorti, per fargli alzare la cresta e guadagnare spazio.

Allora ho cominciato a chiedermi se sia possibile, per uno che di mestiere scrive e racconta storie, porgere la tastiera a chi non l'ha mai usata prima e aiutarlo a mettere in romanzo la sua vita, senza però confiscarla con le metafore e gli arnesi che ha imparato a usare.

Verrebbe da dire che l'unico modo per non essere colonialisti è quello di non sbarcare nemmeno, nella terra dell'altro, di non immischiarsi nei suoi affari: ma da qui a sostenere che ognuno deve stare a casa propria, il passo è breve, ed è un passo che la mia gamba rifiuta.

D'altra parte, eravamo entrambi convinti che la tua terra avesse diritto a un posto sul mappamondo, e che naufraghi e naviganti in cerca di approdo avrebbero gioito nel trovarla dipinta sui loro portolani. Nondimeno, se avessi preso il mare e fossi tornato ai miei lidi – per star certo di non confondere esplorazione e conquista – tu di certo avresti lasciato perdere ogni cartografia. E non perché senza di me non saresti riuscita nell'impresa, ma perché non avresti voluto farlo da sola, come uno che salta la cena perché non ha voglia di cucinare, ma volentieri cucinerebbe, se si trattasse di mettersi a tavola con un amico.

Nella pratica industriale si sta insieme per produrre.

Nella pratica conviviale si produce per stare insieme.

Abbiamo trascorso un anno a cercare la ricetta per un racconto comune: uno sbobina, l'altro corregge, uno ricerca, l'altro ricorda, uno inventa, l'altro contesta, uno legge, l'altro interrompe, uno scrive, l'altro riscrive. E poi scambiarsi libri, film, articoli di giornale e non disperarsi per un pomeriggio di lavoro insieme, conquistato e difeso tra mille impegni, e passato a discutere di politica, piedi gonfi, musica sinfonica ed eutanasia.

Abbiamo trascorso un anno, poi tu hai pensato bene di lasciarmi da solo, e meno male che la cena era già sul fuoco.

Antar e io non abbiamo dovuto far altro che sorvegliare la cottura, riempire i piatti e invitare i passanti a mangiare con noi.

Terza parte

Laddove non ci sono leggi non c'è nemmeno patria.

LOUIS ANTOINE DE SAINT-JUST

DATI E CONNOTATI DEL TITOLARE
SIGNALEMENT DU (DE LA) TITULAIRE
DESCRIPTION OF HOLDER
PASSINHABERBESCHREIBUNG

Professione — — — statura 1,67
Profession
Profession height
Beruf Grösse

nato a — — — occhi — cera
lieu de naissance colour des yeux
place of birth colour of eyes
Geburtsort Farbe der Augen

il — 9-1925 capelli — — —
date de naissance colour des cheveux
date of birth colour of hair
Geburtsdatum Haarfarbe

domiciliato a Mogadis — — — Segni particolari
domicile Signes particuliers
domicile Identification marks
Wohnort Besondere Kennzeichen

FIGLI
ENFANTS
CHILDREN
KINDER

Nome — — data di nascita
Prénom date de naissance
Name date of birth
Vorname Geburtsdatum

Visto
Visa
Visa
Sichtvermerk

d'.5/14561

Firma del (della) Titolare
Signature du (de la) Titulaire
Signature of Holder
Unterschrift des Passinhabers

Ysabella Marincola

Autentificazione della firma
Légalisation de la signature
Authenticity
Beglaubigung der Unterschrift

d. Marincola — — —

Firma dell'Autorità Il Vice-Console
Signature de l'autorité
Unterschrift der Behörde

20 FEB.

N. 6921388

Archivio storico
Reperto n. 7

Lascia che ci facciano la guerra e ci mettano
                    sotto chiave
lascia che ci brucino col fuoco e i proiettili,
                    uomini e donne
i pochi che resteranno, conquisteranno
                    l'Indipendenza.

Lascia che ci usino come portatori e che ci trattino
                    come immondizia
lascia che trattino i saggi della Lega come servitú.

Finché l'Indipendenza per cui combattiamo
                    non sarà reale
non ci lasceremo turbare da quel che fanno
                    gli italiani.

Possano gli italiani essere distrutti e nulla restare di loro
possano esplodere con le bombe ed essere fatti a pezzi
possano essere sacrificati per la bandiera della Lega
possa Dio esaudire le mie preghiere.

                                        TIMIRO UKASH[1]

[1] Poetessa e militante della Somali Youth League, detenuta a Kisimayo nell'agosto 1952. Arrestata incinta durante una manifestazione contro l'Afis, partorirà in carcere una bambina.

CALEIDOSCOPIO CIAC
Cinegiornale
Compagnia italiana attualità cinematografiche - n. 1226

7 luglio 1960   Durata: 57″

IMMAGINI Somali e italiani si stringono la mano e festeggia-
no intorno a un lauto buffet.

VOCE FUORI CAMPO Dal primo luglio la Somalia è indipendente. Alla presenza di rappresentanti della nuova Repubblica
e del corpo diplomatico, Roma ha festeggiato il battesimo
del nuovo stato africano, con cui l'Italia è legata da tanti
vincoli. Nel giorno in cui si ammaina l'ultimo tricolore sul
continente nero, il nostro paese può guardare con orgoglio
al lavoro svolto laggiú negli anni del mandato conferitogli
dall'Onu. Caso un po' raro, oggi, quello di uno stato che
vada d'accordo con una sua ex colonia.

INQUADRATURA FINALE Una bella ragazza italo-somala in
abito da sera e bicchiere in mano.

Uno
Mogadiscio, Somalia, 1962-68

Il mio professore di Italiano al liceo *Umberto I* di Roma,
quando voleva cantarci le lodi della sintesi, recitava un para-
grafo dell'*Educazione sentimentale* di Flaubert, dove vent'anni di vita sono riassunti in tre righe.

> Egli viaggiò. Conobbe la malinconia dei piroscafi, i freddi risve-
> gli sotto la tenda, lo smarrimento dei paesaggi e delle rovine, l'ama-
> rezza delle amicizie interrotte.
> Ritornò. Fece vita di mondo, ebbe altri amori ancora.

A voler seguire quell'esempio, si potrebbe fare un sommario simile per i miei anni Sessanta.

> Scelse la Somalia. Conobbe il sole dell'indipendenza, il dolce sor-
> riso di un figlio, le aule polverose della scuola italiana, l'invidia e il
> disprezzo per il suo sangue misto.
> Sognò. Fece vita di casa, restò fedele al marito.

Il mio vecchio professore ne sarebbe entusiasta, ma a me
non va di liquidare in poche parole gli unici anni spensierati
che ho trascorso in riva all'Oceano Indiano.

Per pagarmi la malinconia del piroscafo dovetti rompere
il salvadanaio, vendere tutto l'oro e anche un paio di busti
che mi aveva regalato non so piú quale scultore.

Arrivai a Mogadiscio con cinque giorni di ritardo, perché
in città c'era un'invasione di locuste e le navi da scaricare non
interessavano a nessuno. Il porto, promessa di civiltà mille
volte rinnovata dai ministri italiani, non era ancora sbarca-

to dal mondo delle idee, ciò che rese il mio, di sbarco, l'avventura degna di un cosmonauta sovietico. Scala traballante giú dalla murata, chiatta a motore, mare agitato, pontile malfermo e attracco in corsa.

La bambola Timira, chiusa nella valigia, credo indovinò lo stesso di essere tornata a Mogadiscio. Le operazioni di scarico non erano molto cambiate negli ultimi anni di parole al vento.

Mia madre nel frattempo si era trasferita in città e per i primi mesi abitai con lei e mia sorella Faduma, nel vecchio quartiere di Shingani. Le due donne litigavano spesso e il clima di casa era bello pesante. Mia sorella si portava in camera diversi uomini e quando mia madre li scopriva, andava su tutte le furie. Sprangava la porta d'ingresso e pretendeva che pagassero per quel che s'erano presi. In piú c'erano sempre discussioni per i vestiti, per i jeans, per i capelli stirati. Mohamed e io, per evitare tempeste, ci incontravamo al Lido o nella sala del *Supercinema*.

Un vecchio commerciante di stoviglie, vedendomi andare e venire sola dalla casa di fronte alla sua bottega, pensò di aver messo gli occhi su un buon partito, e offrí a mia madre una ventina di cammelli per avermi in moglie. Lei non disdegnò l'offerta, ma con grande onestà confessò al pretendente che sua figlia era una *garop*, un terreno già seminato, e il mio valore precipitò a una dozzina di quadrupedi.

– Dodici cammelli sono comunque un affare, – disse mia madre nel tentativo di convincermi. – Invece il tuo Mohamed non offre niente, con tutti i figli che deve campare…

Nonostante la concorrenza, Mohamed non dovette conquistarmi con una mandria di cammelli. Ci sposammo di fronte al cadí, firmammo un pezzo di carta e diventammo marito e moglie senza grandi rituali. Non ci fu nemmeno una festa: credo per non ferire l'orgoglio della prima moglie.

Gli screzi, comunque, non tardarono ad arrivare, per quanto vivessimo in case separate. Mohamed faceva il marito part-time: un giorno qui, un giorno là, un giorno qui, un giorno là. I problemi nascevano in occasione dei suoi viaggi di lavoro. Andava in un'altra città, ci stava magari una settimana, perdeva il conto dei turni, e quando tornava a Mogadiscio non si capiva piú dove dovesse dormire.

Il bubbone scoppiò dopo un suo viaggio al Nord, in quello che un tempo era il Somaliland britannico, la sua terra d'origine. Era la prima volta che volava in aereo e per questo l'attesa del ritorno era piú eccitante del solito. Mi telefonò da Hargheisa per comunicarmi l'orario di arrivo e io decisi di andare ad accoglierlo in aeroporto, ma quando arrivai nella sala d'aspetto, anche «l'altra famiglia», al gran completo, attendeva l'atterraggio del bimotore. Li salutai con garbo e andai a sedermi sulla panca di fronte, mentre un tizio col cappello da pilota ci informava che il volo aveva due ore di ritardo.

Chiusi gli occhi e decisi di passarle dormendo, ma i ragazzini facevano troppo baccano e dovetti sorbirmi i loro giochi e gli sguardi storti della madre.

Il cielo era buio, quando Mohamed scese sulla pista e si accorse di avere un problema.

Sulle prime cercò di guadagnare tempo, prolungando gli abbracci e i convenevoli. Quindi provò a cavarsela con i regali: aprí la valigia e tirò fuori un pensiero per tutti, nessuno escluso. Solo a quel punto disse che preferiva venire a casa con me, visto che ormai era notte e non voleva mettermi su un taxi da sola.

L'Altra obiettò qualcosa, o almeno cosí giudicai dal tono di voce, perché il mio dizionario di somalo era scarno come un cane randagio. Alla fine mi parve ritirarsi in buon ordine, ma sbagliavo.

Verso le dieci di sera, dopo una cena veloce, sentimmo suonare il campanello. Mi affacciai alla finestra e una serenata di insulti salutò la mia apparizione. Soprattutto *sharmutta*, puttana, un epiteto che ormai mi faceva l'effetto di un buonasera. Giú in strada, intravidi una sagoma chinarsi a terra e raccogliere qualcosa. Feci appena in tempo a chiudere le imposte, che un sasso le centrò in pieno, subito seguito da una lunga grandinata. Bussarono alla porta. Mohamed andò ad aprire con la catena agganciata. Lo sentii gridare, forse per la prima volta da quando lo conoscevo. Una mano si infilò rapida nello spiraglio, quattro dita corsero lungo lo stipite in cerca di qualcosa e *bam!*, la fessura si chiuse come una ghigliottina, una bocca invisibile urlò di dolore e ancora *bam!*, la porta si chiuse con un colpo netto.

Gli insulti e le sassate continuarono per qualche minuto, infine i grilli si ripresero la notte. Mi affacciai di nuovo. Davanti a casa sedevano due ombre. Le mostrai a Mohamed e lui non parve sorpreso. Erano le figlie piú grandi, lasciate all'addiaccio per costringere il padre ad accoglierle in casa.

Solo il mattino seguente compresi il motivo di quella mossa. Mentre apparecchiavo la tavola, vidi le due ragazze armeggiare col telefono e distinsi tra i bisbigli le parole *gaal, ganzir, khamro*. E cioè: infedele, maiale, vino. Le mie faccende domestiche erano materia di spionaggio. Non avevo ancora cucinato nulla e quelle già mi appioppavano un menu di pregiudizi. Restarono fino a sera, poi Mohamed le riaccompagnò a casa e si fermò a dormire da loro, per rispettare i turni.

Il mio *ménage* famigliare si trascinò cosí per un anno, finché un sortilegio in carne e ossa non mi tramutò in madre, un ruolo che sentivo remoto almeno quanto quello di figlia.

Dopo l'aborto, l'idea di procreare era talmente sparita dal mio orizzonte che avevo pure smesso di aspettare le mestruazioni, di controllare se venivano regolari. Cosí, quando cominciai a sentire un gonfiore alla pancia, molto persistente, mi preoccupai, perché avevo sentito dire che quello era uno dei sintomi di fibroma all'utero. Andai a farmi visitare dal ginecologo, che era sempre Piero Russo, e quello mi prese in giro e disse che il mio fibroma era in realtà un embrione umano di circa due mesi. Incassai la notizia in silenzio, incapace di reagire. Solo avrei voluto sapere come mai, con tutti gli uomini che avevo conosciuto, il piú delle volte senza grosse precauzioni, gli unici due che mi avevano messo incinta erano somali. Doveva esserci una spiegazione medica, o quantomeno psicologica, per quella fertilità selettiva.

Mohamed fu molto contento e anch'io piano piano mi abituai all'idea. Una donna senza figli, in Somalia, è come un pozzo senz'acqua. L'Altra ne aveva sette e per quanto non volessi imitarla, vedevo bene che quella piccola tribú le garantiva potere, prestigio e attenzioni. Smisi di essere una *sharmutta* e diventai *hooyo*, perché cambiano le lingue, cambia la latitudine, ma l'alternativa secca tra madre e puttana non conosce confini.

Poi Antar nacque, e ogni altra considerazione passò in secondo piano. Bisognava lavarlo, nutrirlo, vestirlo, cambiarlo e non sapevo da che parte cominciare. Si vede che l'istinto materno monta insieme al latte, perché mi ritrovai a secco di entrambi, a ripetermi che la Natura, nella sua benevolenza, cercava di eliminare in fretta il povero disgraziato che avevo messo al mondo.

Tentai di fargli il bagnetto, ma ci rinunciai prima che toccasse l'acqua, per paura di romperlo. Allora, in nome dell'igiene, prendemmo una balia che mi desse una mano e anche mia madre si mise sotto per accudire il piccolo.

Arrivava la mattina presto, per lasciarmi dormire qualche ora in piú, dopo notti spezzate da poppatoi e richiami. Si faceva consegnare il nipote e mi spediva in camera da letto, dove le sue nenie da culla mi raggiungevano sul margine del sonno. Ascoltandole, non potevo fare a meno di pensare a mio fratello e alle melodie che nostra madre ci aveva sussurrato da piccoli. Sepolte in chissà quale memoria, tornavano dopo quarant'anni a farmi lo stesso effetto, e mi addormentavo senza fretta, felice che anche mio figlio sprofondasse le orecchie nel suono della mia infanzia, come se grazie a lui potessi bere di nuovo a una fonte smarrita.

Quando fu abbastanza grande da usare il vasino, mi dissi che era giunto il momento di cercare un lavoro. Appena arrivata in Somalia avevo fatto qualche traduzione per il primo ministro, dall'inglese all'italiano e viceversa, perché il paese non aveva una lingua scritta e a Hargheisa si scrivevano i documenti in inglese, mentre a Mogadiscio li facevano in italiano, col risultato che ogni atto doveva essere trasmesso in due lingue, tutt'e due straniere, diverse da quella che la gente parlava per strada.

Tradurre mi era sempre piaciuto, e avrei potuto riprendere, ma volevo un impiego che mi rendesse autonoma, e non soltanto dal punto di vista economico. Per questo rinunciai, perché gli incarichi mi arrivavano tramite mio marito, e per lo stesso motivo evitai di rivolgermi ai personaggi di spicco che avevo conosciuto nel '56, gente come il presidente della Repubblica Aden Abdulle, o il tenente Abdalla Farah, che dopo avermi *inguaiata* nella terra dell'incenso, era tornato a Mogadiscio con un incarico da generale.

Provai con la radio, ma mi andò buca: cercavano speaker che parlassero anche in somalo, e io non lo parlavo.

Trovai, senza troppa difficoltà, una supplenza fissa alle scuole superiori *Michelangelo Buonarroti*. Il professore di Italiano, Storia e Geografia era uno di quei malati cronici in ottima salute, un genio dell'assenteismo, e per fargli da sostituta non erano richieste né laurea né abilitazione. Cominciai a insegnare e scoprii che mi piaceva, anche se di scolari studiosi ce n'erano ben pochi. Gli alunni italiani vivevano in una Somalia parallela, fatta di spiagge, feste danzanti e caccia grossa, un enorme Ferragosto spalmato su tutto l'anno, per molti anni di fila, in attesa di un impiego sicuro sulle orme dei padri. Molti erano pure strafottenti e non si capacitavano che una *come me*, invece di pulire i cessi, si permettesse di giudicarli ignoranti.

Gli italo-somali non andavano molto meglio, ma avevano almeno una certa voglia di emergere, la stessa che li spingeva a sognare auto, vestiti, profumi e ragazze bianche da portare al night. I ragazzi somali, piú di tutti gli altri, avevano chiaro il concetto che senza istruirsi non sarebbero andati da nessuna parte. Erano i figli della generazione di mio marito, uomini e donne nati in boscaglia e cresciuti in città, sudando sui libri per non passare la vita a pascolare cammelli. L'esempio dei genitori impediva loro di considerare la scuola un inutile passatempo, ma faticavano lo stesso a capire come le guerre puniche, Dante e il Rio delle Amazzoni potessero tornare buoni per mettere in piedi un business redditizio, un'attività commerciale, mal che vada un negozio di frutta, tutte occupazioni molto ambite per il solo fatto che permettevano di maneggiare soldi, e quindi, come per contagio, di partecipare alla ricchezza.

Lavorai sodo, per mettermi in pari con quel che non sapevo. Dei lavori di casa si occupava un boy, che amava solo cucinare e mi dava della fascista perché lo costringevo a pulire il bagno.

– Fascista a chi? – mi scaldavo. – Se ci fosse ancora De Vecchi, altro che bagno pulito. Mio padre, negli anni Venti, faceva sedere mia madre alla sua tavola e solo per questo lo guardavano male. Tu invece mangi con noi, ti pago piú del dovuto, hai una mattina libera a settimana e mi dài della fascista!

– Grazie, signora mia, *mahadsanid*, – mi rispose un giorno col suo tono orgoglioso. – Tu sei fascista *buona*, e io bovero negro.

Andò a finire che ci mettemmo d'accordo e gli concessi di pulire il bagno una volta ogni due giorni.

Nel tempo libero andavo spesso al Lido, anche se non potevo piú sdraiarmi sulla sabbia perché la maternità mi aveva regalato dieci chili, e quando provavo a rialzarmi, sotto il peso di quel panzone, facevo la figura di una blatta a gambe all'aria. Cercai anche di dimagrire, ma come premio presi altri quattro chili e conobbi lo smarrimento di non riconoscersi piú nello specchio di casa.

Imparai a strimpellare il banjo, poi feci a pugni col somalo, incapace di articolare certi suoni da carburatore ingolfato. Mi limitai alla grammatica, come si fa con il greco e le lingue morte, e il risultato fu l'assassinio di una lingua. La letteratura orale somala è ricca di leggende, favole e soprattutto poesie. *Gabay, buraanbur, geeraar*: ogni genere di composizione in versi ha le sue regole precise, basate sulla durata delle vocali e sulle allitterazioni. Donne e uomini se n'erano sempre serviti, e continuavano a servirsene, per protestare, corteggiare, lamentarsi. Ma io di tutto questo non sapevo nulla, lo avrei imparato solo molti anni dopo grazie a Bruna Galvani, l'italiana col passaporto della Repubblica somala. Mentre per me, mezza somala col passaporto italiano, le uniche poesie degne di interesse erano quelle di Leopardi, García Lorca e Neruda.

Galleggiai cosí, come sull'andirivieni della risacca, per cinque anni filati: Antar e la scuola, la scuola e Antar. Qualche pomeriggio con mia madre, e un marito a targhe alterne.

Come la pulizia del bagno.

Due
Bologna, 10 maggio 1992, festa della mamma

Domenica mattina di nuvole grigie e troppi caffè. La casa vuota, la valigia piena, te ne vai da via Treviso in silenzio – niente strascichi, niente abbracci – con la residenza in tasca ma senza fissa dimora, perché solo il vagare è a tempo indeterminato, quando sei profugo nel tuo stesso paese. Chi fugge dalla propria terra possiede almeno una rotta, l'idea fissa di un approdo lontano. Tu invece non hai direzione, perché sei già arrivata, e tutto il resto lo chiamano privilegio.

Ti attende un nuovo lavoro come dama di compagnia, lo stesso che fino a pochi mesi fa definivi «fare la serva», maledicendo Antar per avertelo procurato.

Che ti è successo, Isabella Marincola? Come mai non sbraiti il tuo disappunto? Hai perso l'orgoglio, la dignità? Oppure hai capito la differenza tra i due? Io chiamo orgoglio la gelosia della propria faccia, e dignità la cura della propria legge.

Un'altra vecchia da badare, un altro tetto, il decimo in poco piú di un anno. Un'altra casa da lasciare, prima o poi, con la valigia in mano, e anche di esilî domestici ne hai una bella collezione, tra le pieghe del palmo.

Antar ti ha fatto stivare in uno zainetto tutto quanto servirà per i primi giorni, cosí può tenerlo in spalla e camminarci con le stampelle. Il resto della roba verrà a prenderlo appena possibile con l'auto di Francesco, uno dei due ragazzi che abitano l'appartamento dove s'è trasferito, dopo la litigata pasquale con Celeste.

Nascondi la valigia sotto il letto, per evitare che Itala la veda e si metta a fare domande. Quindi l'ultima occhiata e infine la porta.

Appena metti piede in strada cadono le prime gocce. Non le senti addosso, ma le vedi spiaccicarsi sull'asfalto, impronte bagnate grosse come monete da cinquanta lire, prime avvisaglie di un temporale già estivo.

Vi rifugiate in una libreria, mezzi fradici, e lo scroscio d'acqua sfuma in odore di carta e chitarre distorte.

The black sheep got blackmailed again
forgot to put on the zip code.

I giornali titolano, e i titoli si affacciano uno sull'altro come a formare un'unica notizia. Solo «Cuore. Settimanale di resistenza umana», con le pagine verde chiaro e i caratteri in inchiostro rosso, spicca isolato sul cadavere squisito delle prime pagine.

Travolta dagli scandali, la città è sull'orlo della guerra civile
MILANO COME LOS ANGELES
Duri scontri tra assessori e polizia

Dilagano le famigerate bande i cui nomi evocano violenza e degradazione:
gli Stilisti, i Cumenda, i Copywriters e i Brokers.
Tentato un assalto agli edifici pubblici, ma erano già tutti saccheggiati

Lo sfili dall'espositore e punti gli scaffali dei romanzi. Se la vecchia della quale devi occuparti va a letto con le galline come Itala, hai bisogno di pilastri per sostenere la notte.

Musil potrebbe andare, poi magari Kureishi e Tutuola.

Antar si lamenta perché nella corsa sotto l'acquazzone ha perso il cappello con cui nasconde la calvizie incipiente. Tu cerchi nel portafoglio una carta da cinquanta per pagare libri e giornale. Ce n'è una bella mazzetta, le due mensilità promesse da Luisa, quasi due milioni di lire, che a dirlo cosí sembrano tanti soldi, ma se poi pensi che sono tutti i tuoi averi, che Antar non ha una lira, tuo marito nemmeno, e ti tocca mantenerli come bambini, allora il gruzzolo si ridimensiona parecchio. Quello che hai te lo sei presa e quello che ti sei presa è molto meno di quel che ti serve. E dire che non hai grandi bisogni e l'unico lusso che vorresti concederti è una boccetta ogni tanto di acqua di colonia.

Alle tre del pomeriggio, dopo un panino al volo in un bar del centro, siete di fronte al numero 20 di via del Cestello, vicino al teatro *Duse*, dove arrivasti in tournée con Tatiana Pavlova nel 1949. Una data minore, in mezzo tra Milano e Firenze. Bologna, per il teatro, non è mai stata una piazza importante.

Suonate il campanello e attraversate un cortile verde come una giungla. Gilda Albonesi vi aspetta sull'uscio di casa, una porta giallina dello stesso colore del muro, protetta da una selva di oleandri, alla base delle scale che salgono ai piani.

Ha piú o meno la tua età e un viso fitto di rughe, di quelle che in un uomo si definiscono «affascinanti», mentre per una donna sono «bellezza sfiorita». Trucco leggero, un filo di perle al collo, giusto le unghie smaltate di rosso stonano nel ritratto di vecchia signora da salotto buono.

L'appartamento è grande, un corridoio interminabile con tante porte chiuse a destra e a sinistra. Anche le finestre hanno gli scuri chiusi. Sarà che siamo al primo piano, pensi, e non dev'essere piacevole vedersi passare le auto davanti al naso.

Vi accomodate in cucina, su tre sedie impagliate, e dopo i soliti convenevoli, ascolti l'elenco dei tuoi doveri ancillari: pulire, cucinare, fare la serva. Chiedi alla signora se ha per caso figli, o meglio: figlie, ma lei ti risponde che ha messo al mondo solo due maschi e che vivono entrambi in un'altra città.

Conclusi gli accordi – un pomeriggio libero a settimana, retribuzione ottocentomila, vitto e alloggio compresi – Gilda vi offre un caffè. L'odore attira in cucina una ragazza sui trent'anni, in vestaglia di seta e pantofole con tacco.

Tu esulti: in mancanza di figlie, ecco la donna che penserà ai mestieri di casa al posto tuo. La studi per bene, ma non sembra proprio il tipo della massaia: anche lei unghie smaltate, aspetto curato, movenze affettate da principessa sul pisello.

– Zia Gilda, un po' di caffè anche per noi?

Noi chi? ti domandi, prima che dietro le spalle della donna spunti la testa di un uomo con barba e occhiali, le dita impegnate su un bottone della camicia.

Porgi la mano e ti presenti: – Piacere, Isabella Marincola.

I due babbei ti restituiscono il saluto divertiti, come se li avessi coinvolti in un rituale sbagliato.

Bevete il caffè in silenzio, poi tu e Antar vi congedate per sistemare il bagaglio. La stanza è arredata con poco: letto, comodino, armadio, tutta mobilia scura e infelice, con l'aggravante della finestra tappata. Fai per spalancarla, ma Antar ti ferma, ha paura di far danno. Devi tenere accesa la luce elettrica, che ti mette sonno come se fossero le tre di notte.

Saluti Antar con l'idea di schiacciare un pisolino, ma dopo cinque minuti Gilda viene a dirti che deve uscire, tornerà solo per cena, e allora ne approfitti per dare un'occhiata in giro. Lungo il corridoio, alcune porte sono chiuse a chiave, altre dànno su stanze buie, finestre serrate, tutte allestite in modo simile, con un letto matrimoniale, una specchiera e un mobile toilette di quelli che usavano le signore ai tempi del Regime.

Quando Gilda ritorna, la buona notizia è che ha fatto la spesa, due belle buste pesanti con la scritta Coop. Le appoggia davanti al frigo, sistema ortaggi e barattoli, tira fuori una confezione di minestrone surgelato. Versa il contenuto in una pentola, aggiunge acqua e ti domanda una mano per apparecchiare.

A guardarla muoversi per la cucina, è difficile capire perché una donna cosí in forma abbia bisogno di un aiuto. Dal punto di vista fisico, è senza dubbio piú robusta e piú in gamba di te, e se invece il suo problema fosse nella testa, allora qualcuno dovrebbe spiegarti di cosa si tratta.

Davanti alle scodelle fumanti, decidi di approfondire la questione, anche se la tivú incombe sulla vostra cena a volume sostenuto.

– Scusa, Gilda, c'è una cosa che non capisco. Prima mi hai fatto la lista dei compiti giornalieri, le solite faccende di casa, poi però mi hai preparato il caffè, hai fatto la spesa, hai cucinato... Io, per carità, sono solo contenta, perché il mio mestiere non è fare la domestica, sono una dama di compagnia, in genere assisto persone che non sono autosufficienti, mentre tu, da questo punto di vista, non mi sembra che...

– Magari, Isabella, – sospira Gilda. – Magari! Chi di noi può dirsi davvero autosufficiente? Io no di sicuro, e nemmeno lo vorrei. Ad esempio, guarda: ho preso l'abitudine di mangiare con la televisione accesa e non riesco piú a staccarmene. Vorrei stare attenta a quel che dici, guardarti negli occhi, ma non ci riesco, è piú forte di me, perché sono anni che ceno da sola. Basterebbe soltanto questo a giustificare la tua presenza.

Va bene, ti rassegni, contenta lei, se uno vuol spendere ottocentomila lire al mese per disintossicarsi dalle cene con tivú è libero di farlo.

Il resto del pasto segue il ritmo delle immagini sullo schermo, piú veloce durante gli stacchi pubblicitari e piú lento quando il conduttore fa salire la tensione del suo telequiz.

Domandi a Gilda se puoi ritirarti nella tua stanza, vista la giornata faticosa, e alle nove e mezzo di sera sei già sotto le lenzuola, pronta a dare l'assalto a *L'uomo senza qualità*.

Ma come ti accade spesso, hai sopravvalutato i tuoi muscoli intellettuali e dopo dieci minuti testa e libro cadono sul cuscino. Allora spegni la luce e ti lasci prendere dal sonno, mentre pensi a tuo marito, profugo in patria pure lui, costretto a vivere in albergo nella sua città natale. Pensi a Mohamed e all'ultima volta che hai dormito con lui, in una casa che ormai non è piú una casa, ma un guscio vuoto di intonaco e rottami, sulla terra di un paese che non è piú un paese, ma un chiodo nella carne del mondo.

Ti addormenti nel tempo di due respiri e sai soltanto che sono passate ore, quando senti una mano che ti accarezza le gambe e labbra umide che sfiorano la nuca. Non capisci bene cosa stia succedendo, ma è piacevole e lasci che succeda. La mano risale, s'infila sotto la camicia da notte, la senti sulla pelle. La mano diventa due mani, e la seconda ti afferra un seno e lo stringe tra le dita. Sarà anche piacevole, ma a quel punto ti tiri su, accendi la luce e vedi Gilda mezza sdraiata sul letto e molto poco coperta da una vestaglia senza cintura.

Tu dici solo: – No, no, no, – con il braccio avanti a chiarire il concetto, quindi scappi in corridoio dove hai visto un telefono.

– Pronto, Antar? Questo è un casino, mi vieni a prendere?

– Come dici? – Fa finta di non capire, il farabutto. – Hai già dei problemi? Che c'è?

– C'è che questo è un bordello, capito? Una casa d'appuntamenti e quanto alla signora, altro che dama di compagnia. Vieni a prendermi subito.

Quando rientri in camera per buttare la tua roba dentro lo zaino, Frida non c'è piú. Spalanchi i cassetti, raccatti i vestiti, passi dal bagno a recuperare la dentiera e ti prendi come risarcimento una boccetta di Yves Saint Laurent.

«Mai avuto storie con donne, – mi hai detto un giorno, – non è il mio genere. Però di amiche che hanno provato ne ho avute parecchie e mi dicevano sempre di quanto è bello leccarsi. Non lo metto in dubbio, ma alla mia età, con l'artrosi che mi ritrovo, se resto bagnata rischio di prendere freddo».

Scendi in strada e ti sposti avanti di qualche portone, per evitare che qualche cliente abituale si faccia venire strane idee.

Antar arriva dopo tre quarti d'ora, annunciato dal solito ticchettio delle stampelle. Ormai sono passati dieci mesi dal terribile incidente e hai la netta sensazione che il prolungarsi dei postumi sia soltanto un modo per farti compassione e passare alla storia come il figlio sciancato che avrebbe tanto voluto aiutare sua madre, se solo il destino non gli avesse sbriciolato una tibia.

Mentre camminate sotto i portici deserti gli spieghi l'accaduto e lui non trova di meglio che mettersi a ridere.

– Pensavo l'avessi capito dov'eri finita, – dice trattenendo gli sghignazzi dietro un cancello di dita.

– Tu lo sapevi? – gli domandi con una faccia stupita da cinema espressionista. – E cosa pensavi? Di campare sulle marchette di tua madre? Figlio di puttana!

Lui ti giura che no, prima di entrare lí dentro non ne sapeva nulla, poi però gli era sembrato evidente, e siccome tu non facevi una piega, si era detto: va bene, è una donna adulta, deciderà lei come comportarsi.

– Non sei tu quella che ha chiesto quattrocentomila lire al vicino di casa?

– E tu come lo sai?

– Me l'ha raccontato lui, una domenica. Mi ha chiesto se per favore potevo metterci una buona parola e farti abbassare il prezzo. Comunque, – dice fermandosi senza motivo, – veniamo alle cose serie. Nella casa dove ti porto adesso non devi rompere i coglioni. Stai al tuo posto, tieni bassa la cresta, che se ci mandano via non so piú cosa inventarmi, ormai è piú di un anno che passo il tempo a supplicare. Quindi ascolta bene: i due ragazzi che abitano con me sono lí da molto tempo, hanno le loro abitudini e io sono l'ultimo arrivato. La mia è la stanza piú sfigata di tutte, ma guai a te se provi a lamentarti, a fare le tue battute, a insinuare che sono razzisti. Non fare la primadonna, morditi la lingua, fai finta di non esistere. Dici sempre che saresti potuta diventare una grande attrice: ebbene, dimostralo. Interpreta per me la Donna Invisibile e ti faccio vincere l'Oscar della mortadella.

– Non ti preoccupare, prometto che farò la brava.

– Va bene, facciamo una prova. Non devi dire nient'altro fino a domattina, ci riesci?

Tu gli rispondi col gesto della mano che afferra un cursore invisibile e chiude sulle labbra una cerniera lampo.

La camminata dura una buona mezz'ora, fino a un bel quartiere immerso nel verde. Ti fanno male i piedi, ma non dici una parola.

Siete arrivati.

Entrate in casa come ladri, senza fare rumore. Antar ti indica il suo letto e tu vorresti dirgli che su una trappola del genere non ci puoi dormire, rischi di non alzarti piú, ingoiata dalle molle e dal materasso. Non vuoi protestare, soltanto fargli presente che lí sopra può dormirci lui e tu vedrai di arrangiarti, ma sai che un discorso cosí potrebbe passare per lamentela, e allora taci, aspetti che si liberi il bagno e dopo una lunga doccia vai a cercarti due sedie in cucina, una per appoggiare la schiena, l'altra per stendere le gambe.

Antar è già lí, s'è apparecchiato sul tavolo un cuscino di braccia e ci dorme sopra come un vecchio alcolista.

Tu non lo disturbi, fedele alla consegna. Sistemi le due sedie con mano leggera e ti ci butti sopra.

Per fortuna, tra le abitudini degli inquilini sembra esserci quella di tenere aperte le finestre.

Cosí puoi addormentarti di fronte alla luna, accarezzata dall'aria fresca di maggio e da una timida promessa d'estate.

Tre
Brava, Somalia, 15 ottobre 1969

Brava è una delle piú antiche città della Somalia, fitta di minareti e cupole di moschee, ancora piú bianca e luminosa di Mogadiscio. Gli italiani non l'hanno riempita di palazzi e viali alberati, cosí il suo aspetto è rimasto autentico, come nei vecchi quartieri della capitale, però piú curato e altezzoso. Gli abitanti parlano un dialetto simile allo swahili e sono considerati gente raffinata, per via delle loro tradizioni e della pelle molto chiara.

Arrivammo in auto da Mogadiscio, dopo un viaggio scomodo, rimbambiti dal caldo e dalle buche. Il programma della giornata prevedeva la mattina in spiaggia, il pranzo di pesce in un ristorante italiano – «perché i somali il pesce non lo sanno cucinare» – quindi la visita della città.

Eravamo una carovana di quattro vecchie Fiat, parenti e amici a bordo di ciascuna. La gita fuori porta era per festeggiare il ritorno di mio fratello Jinny dall'Unione Sovietica, dove aveva studiato in un'eccellente scuola per geometri, pagata con i risparmi di mio marito Mohamed.

Parcheggiammo su una pista malmessa, in una zona disabitata dove i cespugli della boscaglia cedevano il passo all'erba delle dune. Il mare era appena increspato, il cielo limpido e il mondo vasto come tabula rasa. A perdita d'occhio non si vedeva anima viva, tranne un venditore ambulante di conchiglie che affrettò il passo verso di noi. Stendemmo le stuoie sulla sabbia e non avevamo ancora finito di sistemarci, che già i piú giovani si tuffavano in acqua. Jinny avrebbe voluto rincorrerli, ma fu agganciato dagli interrogativi degli adulti, che bramavano racconti sulla patria del socialismo.

– A Mosca hanno la metropolitana, – rispose lui in italiano, – hanno fabbriche, industrie, grandi macchinari e i poveracci non esistono, nessuno chiede l'elemosina, non vedi la gente con le gambe storte agli angoli delle strade. Gli americani saranno anche andati sulla Luna e i russi no, ma i russi non ne hanno bisogno: stanno su un altro pianeta anche con i piedi per terra.

– Ehi, Jinny, non sarai diventato comunista? – domandò una voce scherzosa.

– No, comunista no. Per diventare comunisti bisogna studiare Marx, e io in questi anni dovevo pensare al diploma. Però sono sicuro che la Somalia ci guadagnerebbe, se fosse un po' piú amica di Mosca e un po' meno degli imperialisti.

E cosí dicendo ci voltò le spalle e si lanciò verso le onde.

Gli adulti rimasti all'asciutto non proseguirono la discussione sul sol dell'avvenire, per evitare una Guerra fredda formato famiglia. Nessuno immaginava che di lí a poco un generale dell'esercito somalo, già sottotenente dei carabinieri e zaptiè delle truppe coloniali, avrebbe esaudito alla lettera i desideri politici di quel ventenne in costume da bagno.

Ero seduta, attenta a non sprofondare troppo, di fianco a un nipote di mia madre, che a quanto avevo capito si chiamava Abdeqassim.

Non lo avevo mai incontrato prima, o almeno cosí credevo, finché non aprí bocca e mi domandò: – Ti ricordi di me?

La mia espressione svampita lo invitò a proseguire.

– Ti ho portato io dalla zia Ashkiro, la prima volta che vi siete conosciute. Quanto tempo è passato? Quindici anni?

– Tredici, – lo corressi, mentre cercavo di ricostruire il suo viso ragazzino a partire da quello che avevo di fronte.

– Che giornata, quella! Ero emozionato come se fosse arrivata una principessa –. Dondolò la testa, sorpreso dai suoi stessi ricordi. – E tu? Com'è stato ritrovare tua madre?

Lo guardai con aria interrogativa, come se il rumore delle onde si fosse portato via un pezzo della domanda. Abdeqassim la riformulò con altre parole, ma io avevo capito benissimo e stavo solo prendendo tempo, incredula di fronte a un'attenzione che nessuno, prima di quel lontano cugino, mi aveva mai dimostrato. Al punto da far sembrare insolita una curiosità naturale. Una rara empatia che decisi di premiare con la massima sincerità.

– Avevo cercato di non farmi aspettative, – gli risposi dopo un respiro salmastro. – Eppure sono rimasta delusa, e lo sono ancora. Tutte le volte che stiamo insieme, il rimpianto per quello che ci siamo perse supera la gioia per ciò che abbiamo riconquistato. Prima che ci conoscessimo, sapevo che nella mia vita c'era un vuoto, ma non ero in grado di dargli un nome, né di toccarne i confini. Era piú vago, piú sfumato, e di conseguenza meno doloroso. Potevo illudermi che con gli anni si sarebbe ristretto, che lo si potesse tappare con altri affetti. Ora so per certo che la voragine è incolmabile, e che mi sono accampata a un passo dal precipizio.

Abdeqassim inarcò le sopracciglia, in un misto di ammirazione e ironia per le mie perle di sofferenza.

– Ma Ashkiro che dice? Com'è stato per lei?

– Be', – cominciai e subito mi resi conto di aver poco da aggiungere a quel verso da pecora. Cosí per la seconda volta scelsi la verità, senza travestimenti.

– Non lo so. Non gliel'ho mai chiesto. Pensavo che fosse lei a dovermelo dire, se ne aveva voglia. E forse ce l'aveva, ma il fatto di non parlare la stessa lingua è sempre un grosso ostacolo, tra noi due.

– Un ostacolo da poco, – commentò il cuginetto con un'occhiata furba. – Mi offro come interprete, se lo desideri.

La sua proposta mi fece pensare a una lettera, mai spedita, che avevo scritto a mia madre nove anni prima, quando dovevo scegliere se restare a Roma, a elemosinare qualche petardo del boom economico, o seguire Mohamed e insabbiarmi a Mogadiscio. Anch'io avevo pensato che un interprete potesse regalarci una maggiore intimità, ma tornata in Somalia, m'ero resa conto che quel pensiero era una contraddizione e ci avevo rinunciato volentieri.

– Non voglio sentimenti per interposta persona, – risposi convinta. – E non mi interessa sentirle dire cos'ha provato, quando ci siamo riabbracciate. C'eravamo tutt'e due, in quella stanza, e se non l'ho capito allora, in diretta, non credo di poterlo capire oggi, con i sottotitoli. Piuttosto vorrei che mi parlasse di mio padre, se l'ha dovuta costringere a lasciarci partire o se era d'accordo anche lei –. Esitai, le dita che stringevano sabbia: – Tu pensi che risponderebbe? Magari sbaglio, ma mi sono fatta l'idea che non ami parlare di certi argomenti.

– A te invece piace? – domandò Abdeqassim.

– Sta' a vedere, – dissi e stesi il braccio destro perché mi aiutasse ad alzarmi.

Mia madre si era seduta a poca distanza e chiacchierava con due sorelle che non vedeva da tempo. Mi avvicinai a piccoli passi, domandai scusa e le feci capire che desideravo parlarle. Quindi tornai verso mio cugino con il pollice sollevato, come un pilota americano fiero del suo napalm.

Ashkiro non tardò ad arrivare. Aveva i capelli raccolti in uno *shash*, come nella prima foto che avevo visto di lei. Trent'anni dopo, la sua fronte s'era coperta di pieghe e il viso era quello di un'anziana. Gli orecchini a grandi anelli, da ragazza giovane, erano la sua unica ribellione alla legge del tempo.

– Eccomi qua, cosa volevi dirmi? – domandò preoccupata.

– Niente d'importante. Abdeqassim e io parlavamo di te –. Mi voltai verso il cugino in cerca di consenso, ma lo scellerato fissava l'oceano come un poeta da quattro soldi. – Gli dicevo che non abbiamo mai parlato di mio padre, di come l'hai conosciuto, e lui s'è stupito che io non sapessi certe cose. Gli ho risposto che forse non ti andava di raccontarle, per paura di non farti capire, e allora lui, Abdeqassim, si è offerto di fare la traduzione, se il motivo è quello e non ti secca che lui stia qua.

Mia madre si mise a ridere, l'unica reazione che non mi sarei aspettata. – Quante parole, – disse in italiano, – per fare domande tanto semplici. Non serve interpreto, anche risposta è semplice. A quattordici anni, io sta sposata con un uomo di famiglia, un uomo piú grande. Non abbiamo figli, Allāh non li manda, cosí lui sta arrabbiato con me. Prende un'altra moglie, lei sta incinta e mandano via me. Questo al nostro villaggio, Harardere, quando ancora ci sta il sultano. Allora io vado a Hamar, Mogadiscio, e lavoro per taliani come boyessa. Una bella casa, vicino piazza Crispi, che la sera mangiano in cortile, giocano le carte, bevono, tanti taliani. Lí conosco Marincola, perché un giorno viene e mi dice se voglio andare con lui, a Mahaddei, che lui mi dà due volte i soldi che mi dànno l'altri. E cosí vado. Pensavo che i figli non li potevo avere, e invece viene Giorgio, e poi Isabella.

Non dice *tu*, dice *Isabella*, come se parlasse di un'altra persona. E mi fa sorridere che anche mia madre sia rimasta incinta perché s'era convinta di non poter procreare.

– Ma Giuseppe com'era? Come ti trattava?

– Lui era… – Si interrompe, richiama l'attenzione di Abdeqassim. – *See la dhihi kara? Nin…* – e poi altre parole che scappano via.

– Gentile, affettuoso, – risponde lui, sempre senza voltar-
si. E adesso capisco che fa cosí per non disturbare. Fa finta
di non esserci, di essere solo una voce.

– Sí, lui era gentile, – conclude mia madre. – Però era
anche *madaax weeyne*... – e di nuovo chiede aiuto al nipote, c'è un batti e ribatti, e alla fine Abdeqassim tira fuori la
frase giusta.

– Era una grossa testa, cioè, come si dice... una testa dura. Diceva che quelli del suo paese sono tutti cosí, testa dura. I suoi capi lo seccavano perché teneva Ashkiro in casa a
dormire, invece di mandarla nella sua capanna, nel villaggio
indigeno, per poi magari andare a trovarla lí, di notte. Faceva cosí perché era piú comodo, ma i capi lo seccavano, e allora lui la teneva anche a tavola, le faceva regali vistosi, per
dare fastidio, ecco, come una sfida. Piú che un innamorato
era una testa dura. Voleva che i suoi figli avevano il suo cognome, e gliel'ha dato. Non voleva che stavano in Somalia,
e li ha portati via.

– E tu eri d'accordo? – mi inserisco al volo, e di nuovo
la faccio ridere.

Risponde in somalo, ormai ci ha preso gusto e forse l'imbarazzo per la presenza dell'interprete comincia a svapora-
re, tanto che Abdeqassim le deve far cenno di fermarsi, altrimenti si dimentica quello che deve tradurre.

– Il suo parere non l'ha chiesto mai, però le ha spiegato
che i suoi figli erano italiani, perché il loro papà era italiano,
come da noi un figlio è della gente di suo padre. Un italiano deve crescere in Italia, le ha detto, deve studiare in Italia, dove ci sono ottime scuole, università. Qui ancora non
c'è niente. Un giorno noi faremo tutto, le disse, ma ancora
non c'è niente e bisogna arrangiarsi. Cosí ha preso Giorgio
e l'ha portato in Italia.

– Era giusto, – annuisce mia madre.

– Quindi eri d'accordo?

– No, ma era giusto, anche se io stavo male.

Poi di nuovo riprende a parlare in somalo e mi tocca aspettare la traduzione.

– Eravate i miei primi figli, non ne avevo altri, – attacca Abdeqassim parlando in prima persona, come se davvero prestasse la voce a mia madre. – Vi ho portati dentro di me, vi ho allattati, vi ho tenuto tante ore contro la schiena, avvolti nella fascia, mentre andavo in giro o facevo i lavori. Vi ho raccontato *sheeko*, favole, anche se Marincola mi diceva di no, di parlare italiano.

Abdeqassim si ferma, mia madre aggiunge qualcosa, io aspetto.

– Tuo fratello Khalif è andato a Hamar che aveva dodici anni. Stava da uno zio, studiava molto e tua madre non l'ha piú rivisto, fin quando anche lei s'è trasferita in città e lui ormai era un uomo di venti. Anche Jinny a quindici anni è andato a Mosca ed è tornato solo l'altro ieri. Le donne somale dell'età di tua madre, quelle nate fuori città, sono abituate a lasciare i figli, per il loro bene. Ma un ragazzo di dodici anni ha ormai la pelle forte, mentre un bimbo come voi è ancora carne della madre. Se glielo porti via, è come strappare la carne, come togliere un braccio. E ancora di piú se quei figli spariscono, come se sono morti, e di loro non sai piú niente, se studiano, cosa studiano, se si fanno valere.

– Quindi Giuseppe non ti ha mai scritto niente di noi? Niente di niente?

– Mai niente. Solo soldi, una volta all'anno, per una decina d'anni.

Dice qualcosa in somalo, con aria di disprezzo.

Abdeqassim cerca le parole.

– L'affitto per la mia pancia.

Ci resto male, anche se già lo sapevo. Ho sentito molti figli di donne somale arrampicarsi sugli specchi per giustificare i loro padri italiani. Almeno quelli che hanno avuto l'opportunità di conoscerli.

«Lui non era un fascista, è venuto in Somalia per guadagnarsi da vivere». «Lui non è stato un colonialista, era soltanto un soldato e faceva il suo mestiere». «Non ci ha fatto mancare nulla, era una brava persona». «Erano davvero innamorati». «Era venuto qua per costruire le strade, i ponti». «Non posso biasimarlo».

Tutto vero, tutto comprensibile. Anch'io, per lungo tempo, mi sono raccontata che mio padre è stato un gentiluomo, che ha fatto un gesto generoso, molto insolito per quei tempi. Darci il suo cognome, il nome dei nonni. Ma ora che ascolto mia madre, ora che lei può parlare, mi rendo conto che devo accettarlo: sono figlia di una violenza, e lo sarei anche se i miei genitori si fossero tanto amati, come in un bel fotoromanzo. L'amore ai tempi delle colonie è impastato di ferocia. Un pugnale affilato minaccia e uccide, anche se lo spalmi di miele. Sono la figlia di un razzista, uno che in tutti i modi ha cercato l'oblio per la sua avventura africana. Uno che con le sue bugie ha rovinato la vita di sei persone, compresa Flora Virdis. Chissà cosa mi avrebbe detto, la signora Marincola, se un interprete avesse tradotto in parole le sue frustate. Chissà cos'avrebbe risposto, se avessi potuto chiederle come s'era sentita, quando le avevano portato in casa i figli di un'altra, per di piú neri. Se le avessi chiesto: «Eri d'accordo?», forse anche lei si sarebbe fatta una bella risata. Ma altro che interprete, ci vorrebbe, per farle certe domande. Avrei giusto bisogno di un'altra vita.

– Non vi ha mai parlato di me, vero?

– No, nemmeno da grandi.

– E voi gli avete chiesto?

– No, era come… come parlare di sesso, una cosa sporca.
Tu avresti parlato con tuo padre di mestruazioni? Come si
dice «mestruazioni», Abdeqassim, traduci un po', cosa ci stai
a fare? Papà è morto appena sono tornata da qua, nel '57. E
sai cosa mi ha detto sua moglie? «L'hai ucciso tu, è morto
per il dispiacere. Lui non voleva che incontrassi tua madre».

– Si vergognava di me, – commentò lei in italiano, poi
passò alla sua lingua.

– Del resto anch'io, – tradusse Abdeqassim, – mi vergo-
gnavo di lui. Ero stata con un *gaal*, ero una *sharmutta*, nessuno piú mi avrebbe voluto sposare. E invece…

Un urlo disperato ci raggiunge dalla battigia.

Lo seguo con gli occhi e vedo un piccolo drappello venir
fuori dal mare, gesti agitati, trascinano qualcuno.

Jinny e un altro ragazzo corrono verso di noi, si sbracciano, urlano: «Aiuto!»

Abdeqassim e mia madre si alzano di scatto, io non ce la
faccio. Devo inclinarmi su un fianco, mettere una gamba
sotto il sedere e darmi la spinta con quella. Devo decidermi
assolutamente a seguire una dieta.

Mentre penso alla mia ciccia incrocio Mohamed e un altro
parente di non so quale grado che filano verso le auto.

– Che è successo? – domando.

La risposta si perde nell'ansimare dei fiati.

Per fortuna vedo Antar in piedi, per mano a suo zio, proprio quando realizzo che in acqua c'era pure lui e che in acqua dev'essere successo qualcosa. Di solito ce l'ho sempre
appresso, non lo perdo mai di vista, ma a forza di fare la figlia m'ero dimenticata di essere madre.

Raggiungo il gruppo, c'è un semicerchio di persone in piedi
e due donne inginocchiate, mia madre e la nuora, che tampo-
nano con stoffe e vestiti la gamba destra e il torace del figlio
di Khalif, cioè mio nipote. Il sangue impasta la sabbia e i tes-

suti come sciroppo d'amarena. Il ragazzo ha la testa piegata di lato e muove le labbra in una litania incosciente.

– Mamma?

La mano di Antar mi tira per un braccio. Mi domando se non dovrei portarlo via, impedirgli di guardare una scena tanto orrenda. Come sempre mi rispondo che no, non voglio nascondergli nulla, non voglio ripetere l'errore di Giuseppe Marincola.

– Papà dice che è stato uno squalo, perché Nuruddin era andato troppo al largo.

– Sí, Antar, dev'essere cosí. E tu devi promettermi di stare sempre dove si tocca, capito?

– Sí, mamma. Sto dove si tocca. Ma allora perché vuoi che imparo a nuotare?

Guardo Khalif e mio marito sollevare il corpo del ragazzo, prenderlo su per gambe e braccia, puntare in fretta verso le auto.

Prego Allāh che aiuti mio nipote: anche se non credo in Allāh, mi sono abituata a invocarlo, come fanno tutti. Alla luce della sua volontà, ogni cosa ha un senso, anche una vita dispersa come la mia.

Antar mi stringe di nuovo il braccio, per ricordarmi che non ho risposto alla sua domanda, mentre l'ho abituato a non accontentarsi mai del silenzio e nemmeno delle risposte.

– Perché si impara a nuotare, se al largo ci sono gli squali?

– Perché l'oceano è grande, – mi viene da rispondergli. – Molto piú grande di uno squalo.

Dopo un intero pomeriggio in infermeria, tra odori di lisoformio e camici bianchi, saliamo in auto al tramonto. La famiglia di mio nipote ha preso una camera d'albergo e resterà a Brava per il tempo necessario. I medici hanno ricucito la ferita, ma il rischio di un'infezione è ancora molto alto.

Il viaggio di ritorno è lugubre e silenzioso, immerso nel buio di campi, dune e boscaglia. In quattro ore di guida, le uniche luci che incontriamo sono quelle di Afgoy, a meno di trenta chilometri dall'arrivo.

Sarà l'impazienza di chiudere gli occhi su una giornata nefasta, ma ho l'impressione che Mogadiscio sia piú lontana del solito. Antar dorme, beato lui. Scruto la notte oltre i vetri dell'auto e mi accorgo stupita che siamo già in città. Alla mia destra sfilano le case del quartiere Medina, ma i lampioni sono spenti, e solo il riverbero di qualche finestra illumina la strada. Dunque non può essere il solito black-out, altrimenti il buio sarebbe totale.

Non faccio in tempo a domandare se quell'oscurità è soltanto una mia impressione, quando di fronte al parabrezza si stagliano tre sagome, illuminate dai fari di una jeep e dalle torce in fiamme che stringono in mano.

Mohamed pesta sul freno e una mano bussa al finestrino. È un soldato con il fucile a tracolla e il basco di traverso. Il cugino Abdeqassim mi fa da interprete anche stavolta.

– Polizia militare. Dove state andando?

Il fascio di una torcia elettrica perlustra i sedili e le nostre facce.

– Torniamo da Brava, siamo andati al mare con la famiglia.

Dietro le spalle, sento aprirsi il bagagliaio. Voci sommesse frugano ridacchiando i nostri asciugamani e i costumi da bagno.

Nel frattempo il soldato ritira i nostri documenti e scompare con quelli nell'autocarro verde a lato della strada.

– Bene, – dice quando ce li restituisce. – Andate subito a casa e restateci fino alla fine del coprifuoco.

– Coprifuoco? E perché? Cos'è successo?

– Non avete sentito Radio Mogadiscio? Il presidente Shermarke è stato ucciso mentre era in visita nel Nord. Pare che gli abbia sparato una guardia del corpo. E adesso forza, andatevene a casa.

Il militare scribacchia su un registro, stacca il foglio di carta e lo fa scivolare sul cruscotto.

– Se incontrate altri posti di blocco, fate vedere quello e vi lasceranno passare.

Mio marito ringrazia, piú per abitudine che per convinzione, e l'auto avanza lenta in una città di ombre e rumori, vuota di persone che non portino una divisa, attraversata solo dal vento e dai cingoli dei carri.

Mohamed ha gli occhi sbarrati, ma non è soltanto per vedere nel buio.

Ali Shermarke, prima di diventare presidente della Repubblica, era stato primo ministro, e come capo di gabinetto aveva scelto Mohamed. Avevano studiato alla Sapienza negli stessi anni e condiviso i primi passi della nuova nazione: la prima guerra con l'Etiopia, il rifornimento d'armi dall'Unione Sovietica, la rottura con la Gran Bretagna per via delle terre somale del Kenya.

Furono giorni di lutto nazionale, uffici chiusi, saracinesche abbassate.

Anche se il coprifuoco non durò piú di mezza giornata, si usciva lo stesso di casa malvolentieri e il piú delle volte per rintanarsi subito da amici o parenti, lontano da orecchie indiscrete, a parlare del giovane assassino e delle ipotesi di complotto. Si facevano scommesse sul nome del nuovo presidente e sul suo orientamento in politica estera: Filoamericano? Sovietico? Non allineato? Ci si interrogava sull'assenza del primo ministro Egal: mentre il presidente veniva ucciso, quello si rilassava a Palm Springs, in California, ospite dell'attore William Holden (in quei giorni al cinema con *Il mucchio selvaggio*). Coincidenza? Cospirazione? Volontà di Dio?

Mohamed, nonostante le circostanze, scelse di non stravolgere le sue abitudini e continuò a dormire a giorni alterni da una moglie o dall'altra.

Per me, che conducevo una vita ben poco mondana, fu l'occasione di avere gente a cena e in terrazzo fino a notte inoltrata, e di conoscere certi amici di mio marito che fino a quel momento avevo solo sentito nominare.

Il giorno del funerale i militari tornarono in gran numero a pattugliare le strade.

Migliaia di persone accompagnarono il feretro al cimitero, mentre la bandiera stellata sventolava a mezz'asta sui palazzi del governo. Fino a una settimana prima, quando Ali Shermarke era in vita, lo si sentiva spesso accusare di corruzione, come del resto capitava a tutti i mammasantissima della Somali Youth League. All'improvviso, era come se quelle critiche si fossero dissolte per incarnare nel suo corpo l'indipendenza, l'autonomia e l'orgoglio del popolo somalo.

Terminato il rituale, accompagnai Mohamed a un ricevimento in memoria del defunto. In quelle occasioni, ero sempre io la moglie da esibire, perché l'Altra era meno elegante e semianalfabeta.

Verso mezzanotte recuperammo l'auto nel parcheggio e ci dirigemmo a casa.

Alla rotonda della Fiat, un militare con la torcia si piazzò in mezzo alla strada e fece segno di accostare.

Scena già vista. Parole già sentite.

Gli allungammo i documenti con aria stanca e aspettammo che ce li restituisse.

Tornò soltanto il mio.

Mohamed chiese spiegazioni e io maledissi di non aver imparato il somalo come si deve.

Guardai mio marito scendere dalla macchina, discutere con i soldati, scuotere la testa.

Poi si rimise alla guida, accese il motore e gli domandai per quale motivo un autocarro militare ci stesse venendo dietro a breve distanza.

– Ci scortano a casa, – fu la risposta.

– Ci scortano? E il tuo passaporto?

– Devo seguirli in caserma per un controllo, una formalità. Tu vai a letto e rimani in casa. C'è di nuovo il coprifuoco, fino a domani sera.

Sistemò gli occhiali sul naso e accese gli abbaglianti, per illuminare la strada oltre l'ultimo lampione.

Archivio storico
Reperto n. 8

Mercoledí, 22 ottobre 1969

L'UNITÀ

ORGANO DEL PARTITO COMUNISTA ITALIANO

A cinque giorni dall'assassinio del presidente Shermarke

COLPO DI STATO IN SOMALIA

I poteri assunti da un «Consiglio rivoluzionario»
composto da ufficiali dell'esercito e della polizia
Il «putsch» non avrebbe provocato spargimenti di sangue
Tutti i ministri arrestati
Il nuovo regime vuole «proseguire la politica di Shermarke».

Nairobi, 21 ottobre

Colpo di stato in Somalia: un «Consiglio rivoluzionario» militare ha preso il potere da questa notte, con un'operazione fulminea che, stando alle informazioni di Radio Mogadiscio, si è svolta senza spargimento di sangue. Tutti i membri del governo sono stati arrestati e saranno processati: l'annuncio è stato dato dal Consiglio rivoluzionario. Il colpo di stato è stato compiuto da ufficiali delle forze armate e della polizia, a poche ore di distanza dai solenni funerali del presidente Shermarke, assassinato mercoledí scorso a Las Anod, una cittadina dell'interno, da un giovane poliziotto.

Se è facile riconoscere che il *putsch* di stanotte rappresenta una drammatica svolta in una situazione resa estremamente tesa dall'assassinio di Shermarke, è difficile per ora individuare i caratteri dell'operazione e gli obiettivi degli autori del colpo di stato.

La sola fonte di informazioni è infatti rappresentata da Radio Mogadiscio, ribattezzata «Voce del Popolo Somalo», la quale ha finora trasmesso un paio di laconici comunicati del Consiglio rivoluzionario. [...]

L'annuncio dell'assunzione del potere è stato dato all'alba di stamane dal gen. Mohamed Fiyad [*sic*], comandante in capo dell'esercito. È stato proclamato lo stato di emergenza in tutto il paese. Coprifuoco di diciotto ore, dalle quattro pomeridiane alle dieci del mattino: chiusi tutti i posti di frontiera, gli aeroporti e i porti; perquisizione di tutte le automobili; interrotte le comunicazioni telegrafiche e telefoniche con l'estero. La popolazione è stata ripetutamente invitata a non opporre resistenza ai militari.

Discorso Rivoluzionario di Mohamed Siad Barre.

Giovedí, 24 ottobre 1969

Vorrei affermare con chiarezza la ragione per cui le forze armate hanno preso il controllo del paese. Voglio che il nostro popolo sappia che tutto procede come al solito e che non sono sorti problemi in seguito alla Rivoluzione. L'intervento delle forze armate era inevitabile. Non era piú possibile ignorare la corruzione, l'abuso, il nepotismo, il furto di beni pubblici, l'ingiustizia e il disprezzo per la religione e le leggi del nostro paese. Le leggi erano accantonate e la gente faceva tutto ciò che preferiva.

Noi non daremo la minima speranza a quelli che fanno il male e infrangono le leggi.

Aboliremo l'abuso, la raccomandazione e il tribalismo. Il tribalismo è il solo mezzo che hanno gli stranieri per dividere il nostro popolo. Noi chiuderemo tutte le strade usate dai colonialisti per entrare nel nostro paese e nei nostri affari. Noi costruiremo una grande Somalia, fortemente unita e saldata insieme per vivere in pace. Noi faremo rispettare la religione dell'islam, se necessario con tutta la forza che abbiamo. Faremo della Somalia un paese rispettato sia in politica interna che in politica estera. Vorrei chiedere a tutti i somali di farsi avanti e costruire la loro nazione, una nazione forte, e di usare ogni sforzo, energia, salute e cervello per lo sviluppo del paese. Astenetevi a ogni costo dal mendicare. Gli imperialisti, che vogliono sempre vedere il popolo affamato, ammalato e ignorante, ci osteggeranno per costringerci all'elemosina. Diffonderanno vari generi di bugie per cercare di stravolgere le nostre nobili intenzioni e obiettivi.

Cercheranno di convincere il mondo, e persino altri stati africani, a credere nelle loro bugie. Oltre a queste bugie, essi ci chiameranno con molti nomi cattivi. Fin d'ora stanno raccogliendo armi, soldi e altre cose che sono loro necessarie per tramare contro di noi. Noi siamo felici nel vedere la concordia tra le forze armate e il popolo somalo. La nazione ci ha dato un vero sostegno e le siamo riconoscenti. Nulla potrà farci del male se continuiamo a sostenerci l'un l'altro per il bene del nostro paese e della nazione. Uniamo le mani, dunque, per annientare i nemici della nostra terra.

Uno degli obiettivi della Rivoluzione è quello di ritrovare il nostro nazionalismo perduto. Sono certo che ancora molte persone vi parlano con il linguaggio con il quale hanno cercato di dividere i somali in fazioni. Qual è questo linguaggio?

È il linguaggio: «Clan X, quanti soldati abbiamo nelle forze armate? Quanti incarichi abbiamo?»

Il progresso del governo, lo sviluppo, l'interesse nazionale, l'innalzamento degli standard educativi e della produzione economica sono incompatibili con il dividersi secondo schemi tribali.

Ma chi sono le persone che vogliono dividerci, e per conto di chi? Esse sono al servizio degli stranieri e si mettono in tasca le loro paghe. Hanno venduto il sangue e il futuro dei fratelli e ancora vanno in giro travestite da somali.

È tipico di una nazione in salute premiare chi la serve in onestà e vendicarsi contro coloro che nuocciono ai suoi interessi. Oggi, tutti quelli che prima d'ora non hanno mai fatto del male alla Somalia, si trovano di fronte una pagina bianca. Dipende da ogni individuo decidere cosa mettere su questa pagina – se parole buone o parole cattive.

Quattro
Bologna, 15 maggio 1992

La carta d'identità con la residenza in via Treviso ti arriva quando in via Treviso non ci abiti piú da una settimana.

Dopo la notte trascorsa sulle sedie di cucina, i due ragazzi che vivono con Antar ti hanno rimediato un materasso e una branda, abbastanza alta da poter mettere giú i piedi e tirarti su senza fare acrobazie.

Luca e Francesco sono due tipi in gamba: uno piú timido, ombroso, ama stare per i fatti suoi, e l'altro piú espansivo, solare, ti tratta come una nonna venuta da lontano, ma al di là della simpatia, è chiaro che una stanza di tre metri per tre, giusto lo spazio per due letti addossati alle pareti, non può essere una soluzione duratura. Per questo, ora che non hai piú impegni come dama di compagnia, il tuo mestiere quotidiano è fare la profuga.

Sveglia alle sette del mattino, rapida colazione, poi tutta la giornata in giro per uffici a ripetere la giaculatoria dei tuoi tormenti.

«Buongiorno, sono Isabella Marincola, sono una profuga italiana dalla Somalia, sono la sorella di un partigiano...»

Forse sarebbe piú razionale rivolgere una preghiera alla statua di sant'Antonio che ti ha fatto ritrovare Itala. Almeno quella s'è rivelata efficace. «Sant'Antonio, fammi la grazia, ho perso il mio paese, fammelo ritrovare».

Invece, come prima tappa della nuova processione, varchi la porta a vetri del quartiere Saragozza, infili un corridoio luminoso, aspetti in piedi, strappi le foglie ingiallite da un ficus benjamina, ripeti ad Antar di non mangiarsi le unghie, leggi ogni scritta possibile, ogni avviso, ogni manifesto e alla fine viene il tuo turno.

– Posso vedere la carta d'identità? – fa in tono cortese l'assistente sociale.

– Pronti! – rispondi e le porgi orgogliosa il documento nuovo di zecca.

– Ma signora, lei risiede in via Treviso, quartiere Sàvena. Questo è Saragozza. Lei deve andare nel quartiere di residenza.

Le spieghi che la residenza l'hai presa là quando ci lavoravi, ma adesso non ci lavori piú e ti sei dovuta trasferire in via Dotti, quartiere Saragozza, in una situazione al limite dell'agibilità. Per questo, pur avendo la residenza, stai cercando una casa, o almeno una stanza piú grande, perché la residenza, quella in via Treviso, è giusto un pezzo di carta, e ti serve per ottenere gli undici milioni di lire che il governo ha promesso ai profughi italiani dalla Somalia, ma solo se residenti sul territorio nazionale.

Da come annuisce, è chiaro che l'assistente sociale del quartiere Saragozza:

1. non ha capito un tubo di quello che hai detto, a dispetto della tua dizione da Accademia d'arte drammatica;

2. non ha un'idea delle normative emanate dal governo per fronteggiare l'emergenza Somalia;

3. non ha un'idea di dove stia la Somalia.

L'unica sua certezza, alla quale si aggrappa come a un salvagente, è che il cittadino in difficoltà dev'essere preso in carico dai servizi sociali del quartiere di residenza.

Quindi tanti saluti e come unico risultato, l'indirizzo della sede del quartiere Sàvena e una mappa degli autobus per arrivare in zona.

L'assistente sociale Rosa Castelli vi riceve dopo una breve attesa, hai fatto appena in tempo a leggerti una brochure
con tutte le precauzioni per non prendere l'Aids.

– Buongiorno, mi chiamo Isabella Marincola, sono una
profuga italiana dalla Somalia...

La donna sorbisce il mantra con attenzione e sembra capire
il problema meglio della sua collega. Si vede che al Sàvena,
in periferia, con qualche profugo ci hanno già avuto a che
fare, mentre al quartiere Saragozza gli unici stranieri residenti devono essere i filippini delle ville sui colli.

– Bene, signora, – risponde alla fine. – Ora le spiego, in
tutta franchezza, cosa può fare il mio ufficio per lei.

Tu ringrazi in anticipo, con voce speranzosa.

– Guardi, – fa la Castelli, – non vorrei che si caricasse di
aspettative: quello che possiamo offrirle è un servizio mensa e due buoni Coop da cinquantamila lire al mese per fare la spesa. Questo fino al 15 settembre. Invece, in merito
all'alloggio, le consiglio di andare in comune, all'assessorato
per le Politiche sociali, e di parlare con la mia responsabile,
la dottoressa Maria Farinacci. Oggi riceve di pomeriggio,
dalle 14,30 alle 17. Se vuole, posso provare a prenderle un
appuntamento.

Antar ti anticipa e risponde che sarebbe perfetto. La Castelli telefona, insiste, ripete che si tratta di un caso urgente
e cosí la seconda tappa si conclude con il servizio mensa, i
buoni spesa e un colloquio in comune fissato per le tre.

Appena usciti, lungo il tragitto verso la fermata, Antar
propone di sfruttare le ultime ore della mattina per passare in prefettura e tentare un colloquio con la responsabile
profughi.

– Sapessi quanto mi fanno male i piedi, – protesti. – E
guardami le gambe, come sono gonfie.

– Isabella, – risponde lui senza pietà, – purtroppo la profuga sei tu, io sono soltanto il figlio della profuga, con il permesso di soggiorno in scadenza e una richiesta di cittadinanza ancora in alto mare. Bisogna che i funzionari vedano te, capisci? E se hai male alle gambe, tanto meglio. Una profuga azzoppata con un figlio in stampelle farebbe compassione anche a Erode. Se poi ci va buca con le istituzioni, possiamo sempre andare a piangere a *Domenica in*...

Scendete dall'autobus in pieno centro e attraversate piazza del Nettuno con un sole che schiaccia per terra.

Alla guardiola della prefettura, sudati, scoprite che la responsabile profughi è la dottoressa Vizzali.

– Avete un appuntamento? – domanda l'usciere.

– No, – rispondete in coro.

– Sapete che in Italia per vedere i funzionari bisogna prendere un appuntamento?

Tu come sempre affili la tua pronuncia da attrice, macchiandola con un vago accento romano per un effetto piú verace: – Sí, ce ne scusiamo, ma ci avremmo urgenza de vede' la dottoressa.

L'usciere prova a mettersi in contatto con l'interno desiderato, ma la dottoressa non risponde.

– Si accomodi là, – ti suggerisce indicando una batteria di sedie .– Cosí appena riesco le prendo l'appuntamento. Lei come ha detto che si chiama?

– Mi chiamo Isabella Marincola, sono una profuga italiana dalla Somalia...

Mesti e pesti andate a sedervi con la nuca contro il muro. Tu ne approfitti per levarti le scarpe e massaggiare le appendici doloranti che gli altri chiamano piedi.

Dopo venti minuti, l'usciere di buon cuore si avvicina e con aria trionfante ti comunica:

– Oggi è il suo giorno fortunato: la dottoressa Vizzali può riceverla tra un'ora.

Le vostre facce stanche non sono un gran premio per il daffare che s'è dato, ma un sorriso finto sarebbe pure peggio.

Intanto s'è fatto mezzogiorno, Antar prende dallo zaino il contenitore di plastica con l'insalata di riso e domanda all'usciere se potete mangiare sul posto, per non dovervi cercare una panchina sotto il sole.

Ottenuto il permesso, vi apparecchiate il desco su una delle sedie: acqua, bicchieri, scodelle di plastica, posate, pane, tovaglioli di carta. È il picnic del *burovago*, il vagabondo della burocrazia, l'accampato da sala d'aspetto, il Diogene in cerca dei diritti dell'uomo. Antar prepara da mangiare alla vigilia delle vostre spedizioni, per risparmiare i soldi di un pranzetto al bar, che a Bologna sono l'equivalente della spesa quotidiana per una famiglia numerosa. Dovete risparmiare il piú possibile per mettere da parte i soldi di una caparra d'affitto: tre mesi anticipati sono un muro invalicabile per chi non ha stipendio né conto in banca.

– Sai cosa penso, Antar? – dici dopo aver fatto fuori la tua porzione in silenzio. – Invece di chiedere un aiuto per la casa, perché non cambiamo strategia? Sentiamo se mi pagano un biglietto per Mogadiscio, sola andata. Almeno là, se proprio butta male, non c'è bisogno di trovare il coraggio per suicidarsi. Basta uscire di casa.

– Mi sa che Mogadiscio te la puoi scordare, – risponde Antar con gli occhi sul pavimento. – Ho visto un video girato da Riccardo e mi sono spaventato: anche le piante fanno paura, per come sono ridotte. Piú che una città fantasma, si direbbe una città zombie.

Alza lo sguardo, appoggia il cucchiaio sul tavolo improvvisato e batte le mani con un'energia imprevista.

– Ora basta pensieri, non perdiamo tempo. Ho qui dei
fogli e una penna. Perché mentre aspettiamo non scrivi una
delle tue famose lettere? Lascia stare i politici, quelli oggi
sono faraoni e domani te li ritrovi dietro le sbarre, come ca-
pobanda da quattro soldi. Scriviamo al prefetto, piuttosto.
Scriviamo ai giornali, alle televisioni, al papa...

Ti porge i fogli, tu pulisci le mani nel tovagliolo e cominci a scrivere:

«Mi chiamo Isabella Marincola, sono una profuga italiana
dalla Somalia in guerra, sorella di un partigiano...»

La dottoressa Vizzali, donna imponente, capelli biondi,
voce roca e trucco pesante, vi riceve puntuale. Ascolta i sal-
mi del rifugiato e a differenza delle altre due, mostra di sapere che la Somalia non è un'isola dei Caraibi.

– Sapete? – fa con aria nostalgica. – Io ho visitato il vostro paese, ai tempi d'oro: il cielo immenso, le case bianche,
l'Oceano Indiano. Mio zio lavorava come ingegnere alla Fiat
di Mogadiscio. Avete presente? Che bel palazzo! Mogadiscio è una di quelle città dove puoi sentirti orgoglioso di essere italiano. Intendiamoci, non che il colonialismo sia stato una bella cosa, però di sicuro si sta peggio adesso. O no?

Tu e Antar annuite in coppia come piccioni sul becchime.

– Noi italiani, – prosegue la Vizzali, – ci teniamo a fare bella figura di fronte al mondo. E infatti lo dicono tutti: le due
città piú ordinate dell'Africa sono Addis Abeba e l'Asmara,
e Mogadiscio sarebbe la terza, se non l'aveste rovinata. E dire che dopo l'indipendenza vi abbiamo dato un sacco di soldi
per aiutarvi a crescere.

Voi scuotete la testa come a dire: «Che disastro abbiamo
combinato».

La Vizzali intanto controlla l'orologio.

– Ditemi, siete qua per...

– Siamo qua perché sappiamo che il governo riconosce a noi profughi italiani della Somalia...

La dottoressa stringe gli occhi come se dovesse metterti a fuoco.

– Vede, – la soccorri, – io sono di padre italiano e di madre somala, e quindi sono...

– Sí, sí, capisco, – ti interrompe lei.

Ma per essere sicura che abbia capito davvero, espliciti il concetto: – Sono cittadina italiana e come tale so di aver diritto a undici milioni di lire, divisi in due parti.

– Proprio cosí, – conferma la donna, sfogliando le carte che le hai messo di fronte. – La prima parte è l'indennità di sistemazione, di cui all'articolo 5 della legge n. 763 del 26/11/1981 a favore dei profughi italiani costretti al rimpatrio e in stato di bisogno. Lei, signora, è residente a Bologna?

Tu confermi e sfoderi la carta d'identità, che già mostra i segni di tutto questo fila e sfila dalle tasche del portafogli.

La dottoressa studia i documenti con attenzione, mentre tu fai altrettanto con i disegni alle sue spalle, assiepati sulle ante scorrevoli di un grande armadio di metallo grigio. Ci sono famiglie che si tengono per mano, bimbe sorridenti alte come una casa, uomini-girino con le braccia incollate alle tempie, animali esistenti e da bestiario.

Pensi che d'ora in avanti per chiarire ai funzionari la tua situazione potresti fare un disegno. Essere profughi significa avere troppe parole tra sé stessi e il mondo.

– Ascolti, signora, – la voce della Vizzali ti strappa dal mondo dei bebè. – Lei è stata rimpatriata dalla Somalia il 24 aprile dell'anno scorso, giusto? E allora guardi, la prima somma, i quattro milioni, non potrà mai averli. Potrà avere solo i sette milioni. Vede, signora, questa indennità di sistemazione si può avere solo a decorrere dal rimpatrio fino a un massimo di tre mesi. Quindi lei, che è partita da Mogadiscio il 24 aprile '91, entro il 24 luglio dello stesso anno doveva prendere la residenza e richiedere la somma. Adesso non può piú farlo, capisce? E quei soldi sono perduti.

Tu abbozzi una ribellione, ma tanto sai che è inutile. La Vizzali vuole pure dimostrarti che se non hai preso la residenza prima, allora è colpa tua.

– Ma scusi, signora. Lei non ha parenti in Italia?

– No, – rispondi tu, per non doverle raccontare la storia della famiglia Marincola e dei suoi mille dissidi.

– E lui allora chi è?

– Mio figlio.

– E perché non l'ha presa da suo figlio, la residenza?

– Perché neanche lui ha una casa.

– Andiamo bene, – sbotta la Vizzali. – E quindi adesso dove vivete?

– Antar ha una stanza, e per ora sto da lui.

– E non poteva prendere la residenza nella stanza di...

– Ce l'ha da poco, questa stanza, – rispondi. E per non dover raccontare tutta la storia di Antar e Celeste e dei loro mille dissidi, ti affretti ad aggiungere: – Prima stava al dormitorio pubblico. Non è che ci sarebbe un posto, almeno lí? Io ci andrei volentieri. So che ci vive gente molto rispettabile, addirittura un famoso traduttore di poesie arabe...

– Mi dispiace, signora. L'età massima per essere accolti in dormitorio sono sessantacinque anni. Lei ne ha già sessantasei, giusto?

E cosí la terza tappa si conclude in un caldo soffocante, salutando con la mano i quattro milioni di cui all'articolo 5 e il posto in dormitorio per raggiunto limite d'età.

Alle tre spaccate, dopo una sosta sulla gradinata di San Petronio in compagnia di tossici e turisti, bussate col braccio ormai fiacco alla porta grigia di Maria Farinacci.

– Buongiorno, dottoressa, – dici con i documenti già pronti in una mano. – Mi chiamo Isabella Marincola, sono una profuga italiana dalla Somalia in guerra...

La Farinacci punta il naso sulle tue carte, ci fa scorrere il dito, e quando sente che hai finito la cantilena, alza gli occhi su Antar e domanda secca:

– Il signore chi è?

– Mio figlio, – le rispondi. E subito precisi, a scanso di equivoci. – Al momento abito da lui, ma stiamo in due in una stanza grande la metà di questa, e in casa vivono altri due studenti. Dormo su una branda e al mattino riesco a malapena ad alzarmi, perché ho problemi alle gambe, vede come sono gonfie? – E spingi indietro la sedia perché la dottoressa possa apprezzare la circonferenza dei tuoi polpacci.

Ma nemmeno quella vista riesce a stanarla dal bunker della dura realtà.

– Senta, – comincia, e hai già un'idea di quali saranno le parole successive, – devo essere molto franca. Purtroppo viviamo in un momento difficile, con risorse scarse. Ci sono stati grossi tagli e le categorie piú colpite sono appunto profughi, senza fissa dimora, tossicodipendenti. In merito alla vostra sistemazione, dovete andare all'ufficio case del comune e fare domanda per un alloggio popolare, vedranno con quali punteggi si presenta la signora, poi dovrete aspettare.

– Scusi, dottoressa, – interviene Antar, – ma mi hanno detto che per l'assegnazione bisogna aspettare anche due anni.

– Se va bene! – fa la Farinacci.

– E nel mentre? – domandi tu per collezionare risposte.

– E nel mentre stia nella stanza di suo figlio, non so che dirle, signora Marincola, si armi di molta pazienza. Però, mi scusi, ma per quale motivo lei è venuta in Italia, sapendo di non avere nessuna opportunità, nessun parente tranne un figlio cosí giovane, nessuna offerta di lavoro? Lei è qua da piú di un anno e la sua situazione non s'è ancora sbloccata. Ma allora, scusi, sa? Perché non torna nel suo paese?

Al che, raggelata nonostante i trentatre gradi, vorresti risponderle che in Somalia c'è la guerra, ma ti viene il dubbio che anche Maria Farinacci sia una di quegli italiani che la Somalia non la ricordano piú, peggio di Itala Venturoli con l'anno 1956, magari è rimasta ai titoli dei giornali di metà gennaio '91, quando tu eri ancora a Mogadiscio e la stampa esultava perché un blitz dell'aeronautica aveva tratto in salvo «gli ultimi connazionali». Per molti la guerra in Somalia è durata giusto un mese, poi basta, Siad Barre se n'è andato ed è tutto finito. Intanto «guerra» è diventato sinonimo di Desert Storm, bombardamenti inquadrati all'infrarosso, Baghdad, il Kuwait, Saddam Hussein, Cocciolone. E i primi spari dalla ex Iugoslavia.

Dunque, signora Marincola, perché non torna nel suo paese?

– È questo il mio paese, l'Italia. Ed è stato il governo italiano a portarmi qua: non la guerra, non i somali e nemmeno la speranza. Io sono italiana. Un'italiana dalla pelle scura.

Cinque
Mogadiscio, Somalia, 24 settembre 1972

Mi svegliai sudata fradicia, dopo una notte senza tregua. Il materasso era una spugna umida, le lenzuola bagnate. Fuori dalla finestra, contro gli scuri accostati, batteva l'eterno sole implacabile che gli italiani considerano un toccasana per la depressione.

A me faceva l'effetto contrario. Dopo giorni e giorni, anche l'azzurro del cielo diventa crudele.

Per questo avevo imparato a riconoscere ogni minuscolo segno dei cambi di stagione: i cavalloni sulla spiaggia, il soffio del *tanganbili*, i voli sgraziati degli scarafaggi rossi.

Quando la vita ti sorride, è dolce non distinguere una settimana dalla successiva, lasciarsi stordire dal caldo e usarlo come scusa per ogni sciocchezza, ma non appena il vento gira e stipa il cuore di nubi, allora invochi cumuli grigi anche sopra la testa, pronti a far piovere e allagare le strade, per poter dire a te stessa che sono tornati i monsoni e un altro anno è passato.

Preparai la colazione e andai a chiamare Antar, mentendo sull'orario perché si desse una mossa. La sua scuola era in fondo alla strada, eppure ogni mattina gli toccava correre per non entrare in ritardo. Io invece non avevo di che preoccuparmi: dopo il colpo di stato, la riforma scolastica mi aveva lasciato senza lavoro.

Nelle scuole nazionali la lingua di base era diventata il somalo, mentre l'italiano era sparito dai programmi, alle elementari come alle superiori, per poi tornare d'obbligo all'università, dove si studiava e si faceva lezione sugli stessi libri adottati a Roma, Padova, Milano.

Dante e Petrarca sopravvivevano grazie alla tutela del ministero degli Esteri, che aveva ottenuto di mantenere un suo percorso di studi, ma le regole per insegnare erano cambiate. Bisognava entrare nel giro della cooperazione e avere i titoli giusti, ovvero una laurea, ma non quella scartoffia senza valore che potevi prendere all'Università di Mogadiscio, quella era roba da *negri*, per quanto ci insegnassero i nostri professori. No, serviva una laurea patriottica, pura, conseguita sul sacro suolo d'Italia, e questo requisito, pur con tutta la buona volontà, mi metteva fuori dai giochi.

Svitai il tappo al barattolo delle pastiglie e ne feci scivolare una sul tavolo. La ingoiai con un sorso d'acqua mentre passavo in rassegna gli impegni della giornata: ce n'erano abbastanza per meritarmi un'altra chicca. Ficcai l'indice nella bocca del flacone e contai col polpastrello quante ne restavano. Dieci. Appena sufficienti per arrivare a sera. Dovevo passare in farmacia per un rifornimento e ringraziare il cielo che nessuno mi chiedesse mai una nuova prescrizione. Mostravo sempre il solito, vecchio foglietto con gli angoli arrotolati, firmato due anni prima dal dottor Pirani. La medicina si chiamava Dimafen, e fin dal nome prometteva ai ciccioni di farli dimagrire. Il dottore mi aveva detto di andarci piano, massimo due compresse al giorno, ma non mi aveva spiegato il motivo e io non m'ero presa la briga di leggere il bugiardino, né di andare piú a fondo nell'etimologia di quel nome, Dimafen, che oltre alla promessa di una figura snella, conteneva anche un riferimento alla sua natura piú subdola: *fen* sta per fenflu-*qualcosa*, un derivato dell'anfetamina.

In meno di un anno persi trenta chili e arrivai a pesarne cinquantadue. Persi anche i denti e forse non si trattò di un effetto collaterale: chi non può masticare dimagrisce piú in fretta, risultato garantito. In compenso, quando decisi che la cura poteva bastare, scoprii che una mezza giornata senza Dimafen era peggio di un'intera infanzia nella casa di mio padre.

Ne parlai con il dottore e lui mi disse che il farmaco andava tolto a scalare, non si poteva interrompere la terapia tutta d'un colpo. Quanto alle crisi d'ansia e all'angoscia perenne, quello dipendeva senz'altro anche da altri fattori.

– Ad esempio, signora, scusi se glielo dico, ma certi sintomi sono tipici della menopausa e non mi meraviglierei se alla sua età…

La menopausa, certo. Come avevo fatto a non capirlo subito?

– Sí, dottore, dev'essere come dice lei. Perché vede: ho perso il lavoro, mio marito è in galera, non ho piú un dente in bocca e per camminare mi serve un bastone. Che altro può essere, se non la menopausa?

Antar uscí dal bagno in mutande e disse che a scuola non ci voleva andare.

– Ho mal di pancia, – si affrettò ad aggiungere. Sapeva che non lo avrei tenuto a casa senza una malattia, anche se negli ultimi tempi cercavo di essere comprensiva. Il cambiamento era stato difficile anche per lui. Dopo quattro anni di lezioni in italiano, si era trovato di colpo a fare lezione in somalo, la lingua di suo padre, che nel frattempo era finito in carcere insieme a tutta l'amministrazione della Prima Repubblica. Io gli avevo proposto di iscriversi alla scuola italiana, ma Antar non ne aveva voluto sapere. Voleva restare in classe con i suoi amici, gli stessi che frequentava per strada e alla scuola di Corano. La scuola italiana era un posto per bambini diversi, mentre Antar aveva un disperato bisogno di sentirsi uguale agli altri. E come gli altri, si era convinto in fretta che quella scuola improvvisata non avesse nulla da insegnare.

– Oggi devi proprio andare, Antarocchio. Fai uno sforzo. Io ho quell'appuntamento importante, ti ricordi? Vado a parlare con il presidente, per vedere di aggiustare la questione del mio lavoro, cosí oggi pomeriggio diamo una bella notizia a tuo padre, d'accordo?

– No, dài, portami con te. Abdel mi ha detto che a Villa Somalia ci sono i leoni. Voglio vedere i leoni!

Lo guardai pestare i piedi e mi dissi che non c'era da stupirsi: lo avevo cresciuto senza mai un segreto, e ora non potevo pretendere che di punto in bianco si ritirasse in buon ordine al suo posto di bambino. Negli ultimi mesi, poi, mi aveva visto spesso in condizioni disperate: ubriaca, sciolta nelle lacrime, incagliata sul divano come un relitto. Ebbi l'impressione che volesse tenermi d'occhio. Di sicuro aveva capito quanto sua madre avesse bisogno di lui. Solo che un colloquio con Siad Barre non era soltanto «poco adatto» per un pischello di nove anni. Era pure pericoloso. Antar aveva la lingua lunga, non stava mai zitto, poteva scappargli detta una frase compromettente. D'altra parte, visto che andavo a Villa Somalia per chiedere una mano, la presenza del pargolo poteva essermi d'aiuto.

– Va bene, – dissi alla fine. – Però prometti che se ti fanno una domanda, prima di parlare guardi verso di me, e se vedi che annuisco, cosí, allora dici la tua, ma in poche parole, sí, no, grazie, e altrimenti tieni la bocca chiusa, d'accordo?

– D'accordo, – rispose e mi allungò la mano per suggellare il patto.

Un patto tra compagni di gioco.

Villa Somalia stava sopra una collina e da quella posizione dominava gli antichi quartieri di Mogadiscio. La tenuta

presidenziale comprendeva un parco fitto di alberi, edifici
bianchi, postazioni militari e torrette.

Siad Barre ci ricevette all'aperto, seduto su una poltrona
di vimini dall'alto schienale, sotto un albero di sicomoro,
nell'unico punto della città che in quell'arrosto di giornata
ricevesse un refolo di brezza marina.

– Le porto i saluti di mio cugino Abdeqassim Salad Hassan, – dissi come prima cosa dopo le presentazioni, tanto
per ricordargli che mio cugino era un pezzo grosso del ministero dell'Interno.

Ma la memoria, a quanto pare, non faceva difetto al compagno presidente.

– Noi ci siamo già conosciuti, non è vero? – mi domandò
con aria sorniona. – La *Pineta* era una bella sala, negli anni
Cinquanta. La migliore di Mogadiscio.

Con un piccolo sforzo decifrai l'allusione. Millenovecen-
tocinquantasei: la festa danzante organizzata in mio onore.
Avevo ballato con una ventina di uomini e a parte i due o
tre piú memorabili, non riuscivo a riportare in superficie
né i nomi né le fattezze degli altri. Mohamed Siad Barre
non doveva essere nel pacchetto dei piú fascinosi, e tremai
all'idea di essere stata poco gentile con lui, magari sarca-
stica, mannaggia alla mia lingua, o anche soltanto sbrigati-
va. Io nel frattempo me n'ero dimenticata, ma lui magari
si portava dietro una ferita, un graffio perenne sullo specchio di Narciso.

– Lei era un ottimo ballerino, presidente, – lo adulai con
la mia pronuncia sdentata. – Il miglior foxtrot che ho ballato quella sera.

Siad Barre sorrise soddisfatto, mentre io sospiravo di sollievo. Lui di certo non si ricordava se il ballo era stato un
foxtrot o un cha cha cha, ma se me lo ricordavo io, be', doveva essermi piaciuto davvero, a lode e gloria del suo grande

carisma. E se per caso lo avevo trattato con sufficienza, di certo era colpa di una svista, un piccolo malinteso, perché a distanza di anni nulla era rimasto nella mia testa di quel piccolo episodio, offuscato dalle virtú danzatorie del futuro *Guulwade*, il Capo vittorioso della Rivoluzione.

Sistemato cosí l'orgoglio del presidente, passai a scusarmi per la presenza di Antar, che purtroppo era malato già da diversi giorni, e mi toccava portarmelo dappertutto, visto che il padre...

– Suo marito ha avuto un giusto processo, – si affrettò a dirmi il generale. – La corruzione era molto diffusa, prima della Rivoluzione. Anche persone oneste sono finite nel meccanismo, perché non c'era alternativa: ma questo non significa che non siano responsabili di quanto hanno fatto.

– Certamente, generale, ma non è di questo...

– Quanti anni dovrà scontare, suo marito?

Risposi che il giudice gliene aveva affibbiati tre.

– Ha fatto un buon lavoro, – commentò Barre. – Una persona scrupolosissima. Lei conosce il giudice Nur?

Mi limitai a rispondere con un sí, senza aggiungere che una notte aveva frequentato il mio letto.

Antar e io avevamo presenziato a tutte le fasi del processo contro Mohamed. Eravamo sempre in aula, in prima fila, e non doveva essere un belvedere, questa donna sdentata e rinsecchita, con accanto un bimbo di nove anni che avrebbe fatto meglio a starsene a casa.

Il giudice Nur era un bell'uomo, gentile, cercava di rassicurarci. Quando mi invitò a cena fuori, raccomandandosi di non portare Antar, gli risposi che non era possibile e gli girai l'invito alla nostra tavola. Venne, mangiò di gusto e al momento del caffè, Antar gli domandò se il menu fosse stato di suo gradimento.

Il giudice si accarezzò lo stomaco e disse che era tutto buonissimo.

«Allora adesso lascerà stare mio padre?» domandò il frugoletto con aria innocente.

L'uomo di legge disse che quelli non erano discorsi per bambini e io lo assecondai, ordinando ad Antar di filare a letto.

Poi mi sorbii tutta una filippica su quello che è giusto far sapere ai minori e quel che è giusto nascondere, finché il giudice non mi mandò a controllare che Antar avesse preso sonno, quindi mi mise le mani addosso e lo lasciai fare. Chi trova riprovevole che una donna faccia l'amore con l'uomo che sta processando suo marito, può raccontarsi la storia che Isabella Marincola lo fece con la speranza di influenzarne il giudizio. Io stessa me la sono raccontata per molte stagioni, questa favola del sacrificio, ma la verità è che in quel momento avevo solo bisogno di stare con qualcuno.

Il giudice, gentile nei modi e nelle parole, sotto le coperte si rivelò volgare.

Antar si svegliò, o forse aveva finto di dormire. Aprí la porta, mise la testa dentro, aspettò che ci fermassimo e disse:

«Adesso lo lascerà stare mio padre, vero?»

Da quella notte, il giudice Nur non mise piú piede in casa nostra e a parte buongiorno e buonasera, smise pure di rivolgermi la parola. Non sopportava che Antar sapesse di noi due, e Antar era sempre lí, di fianco a me, che lo giudicava colpevole anche solo con lo sguardo.

– Bene, signora Marincola, – la voce del generale mi riportò sotto il sicomoro di Villa Somalia. – Ho letto la sua lettera su «Paese Sera». Lei è cittadina italiana, ha un marito in prigione, un figlio a carico e vorrebbe riprendere a insegnare. Ebbene, se lei parlasse il somalo, – disse con tono di rimprovero, – un posto nella nostra scuola l'avrebbe già

trovato. Abbiamo molto bisogno di buoni insegnanti. Invece
cosí, può provare solo alla scuola italiana, che dipende dagli
italiani, non da me. Dovrebbe prendere appuntamento con
il ministro Scalfaro.

– Ma quello sta a Roma, – protestai.

– E lei è sicura di voler restare a Mogadiscio? Forse non
le farebbe male, tornare nel suo paese. Finché suo marito
non ha scontato la pena.

Allora mi lanciai in una sperticata dichiarazione d'amore per la Somalia, dicendo che ormai era la mia vera patria,
anzi, la mia patria era l'Italia, mentre la Somalia era la mia
matria – dissi proprio cosí, *matria*, di fronte al generale Mohamed Siad Barre, si vede che le anfetamine bruciano davvero
qualche neurone – e aggiunsi che no, non potevo andarmene
proprio quando la *matria* nutriva una speranza in piú grazie
alla Rivoluzione, e poi non potevo lasciare mio marito in un
momento come quello, tanti me l'avevano consigliato, «Tor-
natene in Italia», ma io rispondevo che mi sarebbe sembrato meschino, troppo meschino. E di tutto quel pistolotto,
l'unica parte sincera era l'ultima: molte brave persone, che
si sarebbero scandalizzate per il mio rapporto fedifrago con
il giudice Nur, mi ripetevano a gran voce di andarmene, di
tornare in Italia, di cercarmi un lavoro a Roma, che tanto
Mohamed ne aveva pure un'altra, di moglie, e quindi l'assistenza non gli sarebbe mancata.

Il mio discorso *matriottico* non mancò di fare la giusta impressione sul compagno Siad. Si complimentò con me per la
mia fedeltà – cosa che non mancò di farmi sorridere – e qualche settimana piú tardi ebbi un incarico alla scuola italiana:
una supplenza di tre mesi, pagata in dollari, con una busta
paga dieci volte superiore a quella che prendevo prima della
riforma. Al momento di versarmela, l'economo si stupí che
non avessi un conto in Svizzera, per evadere le tasse italiane,

e mi suggerí di aprirne uno al piú presto, se volevo far carriera nel settore dei cooperanti. Poi il titolare della cattedra rientrò e di stipendi in dollari non ne vidi piú per il resto della vita.

Ci congedammo da Siad Barre senza tanti salamelecchi e quando il generale accarezzò la testa di mio figlio, la dolce creatura mi guardò disperata e senza piú trattenersi domandò:

– E i leoni?

Lo pregai di lasciar perdere, ma il generale s'interessò alla questione.

– Quali leoni?

Antar cercò la mia approvazione e io annuii, tanto la frittata era bell'e cotta.

– Il mio amico Abdel dice che qui a Villa Somalia ci sono due leoni dentro una gabbia.

Barre rise di gusto e io tirai un sospiro di sollievo.

– Qui di leoni non ce n'è nessuno, – disse. – Tranne me.

E cosí dicendo ruggí, mi strinse ancora la mano e girò i tacchi sogghignando.

Molto tempo dopo, negli anni Ottanta, ho letto un'intervista a *jaalle* Siad, dove si diceva che questi leoni, a Villa Somalia, c'erano davvero. Suppongo che allora, quando ci passammo noi, non li avesse ancora presi. E può darsi che l'idea gliel'abbia data mio figlio, quel giorno che andammo a pregare il generale di rimediarmi un lavoro.

Sulla strada verso casa, Antar mi chiese se si era comportato bene e io distratta gli risposi di sí.

– Allora merito un premio! – esclamò contento.

– Sentiamo. Cosa vorresti?

– Non voglio andare piú alla scuola di Corano.

– Come no? E perché? Lo sai che tuo padre ci tiene.

– Il *moallim* mi picchia, mi dà le bacchettate sulla testa e sulle dita.

– Si vede che ti comporti male, – risposi cercando di sca-
gionare l'insegnante, per puro spirito di corpo.

– No, – si difese Antar, – lui mi picchia perché non so
scrivere certe parole in arabo, o perché non le so leggere. Allora io gli chiedo di dirmi cosa significano, cosí almeno me
le ricordo meglio, ma lui subito si arrabbia, perché non lo sa
nemmeno lui, vuole che impariamo a memoria queste parole senza senso, punto e basta.

Parlava con un misto di stupore e di rabbia, che mi fece
tornare in mente quando madama Flora ci portava alla messa,
in un salone al primo piano di un palazzo accanto al nostro. Il
parroco veniva apposta dalla basilica di San Lorenzo, perché
Casal Bertone non aveva ancora la sua chiesa, ed era talmente
lontano dalla civiltà, che per il resto della settimana le anime
del suburbio erano affidate a un manipolo di missionarie della
Consolata, lo stesso ordine religioso dell'orfanotrofio di Mogadiscio. Anche il salone – che le suore chiamavano *cappella* –
era dedicato alla Madonna della Consolata, con tanto di copia
di una famosa icona, da secoli venerata nella chiesa madre di
Torino. L'originale, si diceva, era un quadro miracoloso, ritrovato da un cieco sotto un cumulo di macerie. Questi suoi
poteri magici mi mettevano soggezione, avevo sempre paura
di non stare abbastanza ferma e composta e di non rispondere bene alle invocazioni del prete. Se solo avessi capito quello
che si diceva, forse avrei fatto la mia parte con piú sicurezza,
ma quando domandavo lumi alla mia cara mammina, quella
mi diceva di ripetere e basta, *eccunnuspiritutú*, che poi al cate-
chismo mi avrebbero spiegato, ogni cosa a suo tempo. Ma si
vede che quel tempo non arrivò mai, e finii per fare la cresima
che capivo a malapena il significato del *Pater noster*.

Alla fine Antar si accontentò di un fucile Bengala, quello
che «sparava davvero» i gommini rossi e che vent'anni piú
tardi mi avrebbe fatto passare un brutto quarto d'ora.

Arrivati a casa, mi buttai sotto la doccia. Col caldo che faceva era difficile uscire in strada e camminare per piú di un quarto d'ora senza sentire il bisogno di darsi una sciacquata. Chi poteva permetterselo si spostava in auto, con i finestrini abbassati o il condizionatore acceso, e andarsene in giro a piedi era considerata un'abitudine da poveracci.

Dopo essermi rinfrescata, mangiammo un riso alla somala e schiacciai un pisolino. L'afa scioglieva le forze e dovetti mandar giú tre confetti per affrontare il pomeriggio con un minimo di tono.

Il carcere dove tenevano Mohamed era piuttosto lontano e non avevo lo stomaco di farmela a piedi. Fermai un taxi e gli indicai il percorso per non rischiare un salasso.

La scorciatoia lo costrinse in una sfilza di vicoli butterati, dove le squadre di lavoro «volontario» avevano appena cominciato l'opera di rattoppo. Sbucammo sulla grande piazza della Solidarietà africana, di fronte al manifesto cubitale di un gigante nero che spezzava i tentacoli della Piovra Bianca. Gli altoparlanti montati all'esterno del tribunale speciale diffondevano il solito pasticcio di musica e proclami. Molti artisti si erano schierati con Bocca Larga e il *kacaan*, la canzone rivoluzionaria, era diventato un genere d'intrattenimento. Io non ci capivo un'acca, ma non mi dispiaceva, perché mi avevano detto che tra gli inni per Siad Barre e le forze armate, ce n'era uno che diceva: «Tu, opportunista, la tua fine è il linciaggio senza bisogno di processo. Hai respinto la pace e ora c'è un cappio pronto per te». Quando la radio lo mandava in onda, voleva dire che un detenuto come mio marito stava per fare una brutta fine.

L'edificio delle prigioni, voluto dagli italiani nel 1910, sorgeva di fronte al mare, in una landa di sabbia, sterpi e capretti al pascolo. Il giorno di visita era il mercoledí e c'erano in tutto due ore di tempo, da dividere con l'altra famiglia e con gli amici che ogni tanto venivano. Le prime volte non eravamo riusciti a stare piú di dieci minuti e il piccolo Antar c'era rimasto male. La guardia che sorvegliava il parlatorio se n'era accorta e s'era impietosita, anche perché era un *issaq*, la stessa *cabila* di Mohamed, gente del Nord che non aveva simpatia per il nuovo regime. Da allora, ci concesse di rimanere un quarto d'ora in piú, mentre i secondini accompagnavano alle celle gli altri prigionieri.

Mohamed era dietro la solita grata di ferro, che tagliava in due l'intero stanzone e non permetteva di toccarsi. La divisa da galeotto, una camicia bianca con il colletto azzurro, cominciava a stargli larga. Era dimagrito in faccia e nello sguardo.

– Ti ho fatto mettere da parte il pane, – esordí, riferendosi alle pagnotte che gli portava un amico e che lui non mangiava. – Però non voglio che vieni piú. Ho chiesto a mia figlia Amina di passare a prendere Antar e di portarlo lei, d'ora in avanti.

– Mohamed, ma che ti prende? – gli domandai perplessa.

– *I don't want to see you anymore*, – rispose passando all'inglese, che era il suo modo di parlarmi in presenza di Antar, quando non voleva che capisse i nostri discorsi.

– Non vuoi vedermi piú? Ma perché, che ho fatto?

– *Kenaan was here. He said you're killing yourself with drugs.*

Kenaan era il domestico che mi dava della fascista per via del bagno di casa, ma da qualche mese lo puliva soltanto una volta alla settimana, perché non avevamo piú i soldi per pagarlo a tempo pieno. Doveva aver capito che ero ridotta male ed era venuto da Mohamed a riferire, chissà se per premura, per vendetta o per un mischio delle due.

– Non sono droghe, – protestai. – Kenaan è un ignorante, non capisce niente. Sono medicine per dimagrire che mi ha dato il dottore.

– Benissimo, – rispose lui tornando all'italiano. – Se sono le medicine a ridurti cosí, allora smetti di prenderle, datti una sistemata e torna a trovarmi quando sarai sicura che non debba vergognarmi di te.

– Sei ingiusto, Mohamed, io…

– *Aammus!* Sta' zitta! – sbottò. – Non voglio piú vederti, ridotta cosí. Kenaan dice che hai bisogno di aiuto, e allora fatti aiutare. Io da qui dentro non posso fare altro.

Provai a ribattere, ma mi ordinò di tacere e non trovai la forza per contestarlo.

Appoggiò la mano aperta sulla rete di ferro, di fianco al volto stralunato di nostro figlio, e gli disse un paio di frasi in somalo, dalle quali capii soltanto: «Ci vediamo mercoledí».

Quindi si alzò, chiamò la guardia e si fece riportare in cella, mentre io, senza alzare la voce, lo pregavo di ripensarci, di tornare indietro. Ma la porta si chiuse alle sue spalle e il sorvegliante, con la borsa del pane in una mano, venne a dirmi che il colloquio era terminato e dovevamo uscire.

Sul taxi, Antar rimase in silenzio e io mi sforzai di non piangere: le lacrime erano l'unica verità che volevo risparmiargli.

Ci fermammo in un negozio di giocattoli, a comprare il fucile Bengala che gli avevo promesso, poi in farmacia, perché un premio sentivo di meritarlo anch'io.

Questa è l'ultima, mi dissi, mentre lasciavo cadere nella borsa la confezione di pasticche.

Arrivati a casa, Antar sparí a giocare col fucile, mentre telefonavo a mia madre per domandarle se poteva passare da noi, e magari fermarsi a cena.

I nostri rapporti si erano molto raffreddati da quando Mohamed era caduto in disgrazia. Anni prima, le avevo portato in famiglia un uomo affermato e un nipotino adorabile, e il suo blasone di nonna si era impreziosito, poi di figli non

ne avevo piú sfornati e mio marito era finito sotto processo.
Nel frattempo Jinny, che s'era pagato gli studi con i soldi di
Mohamed, aveva fatto carriera, fino a diventare l'uomo di fiducia di un ricco mobiliere italiano. Cosí le attenzioni di mia
madre, come la freccia di una banderuola, si erano spostate
pian piano verso il figlio minore. E infatti disse che sarebbe passata, ma senza trattenersi a cena, perché Jinny doveva
portare lei e la famiglia al famoso ristorante *Cappuccetto nero*.

– Antar, – strillai mentre riattaccavo. – Vado a sdraiarmi
un attimo, sono stanca morta.

Attraversai la cucina e sporsi la testa in camera sua. Stava
prendendo di mira il barattolo delle matite colorate.

– Tra poco arriva la nonna, capito? Se hai bisogno di qualcosa chiedi a lei, io devo proprio riposare.

Mi liquidò con un: «Va bene, mamma», emesso dalla
bocca per puro automatismo. Allora andai in camera, presi
la foto di Giorgio che tenevo sul comodino e apparecchiai
il tavolo di cucina con quella vecchia cornice, un bicchiere
d'acqua e il flacone del Dimafen.

Svitai, rovesciai sul palmo della mano, contai le pasticche.
Trenta.

Dovevo inghiottirle tutte e andare a sdraiarmi. Andare a
sdraiarmi e aspettare di morire. Mia madre sarebbe arrivata,
se ne sarebbe accorta, le avrei rovinato la cena.

Ma erano abbastanza trenta pasticche di fenfluqualcosa
per la cura dimagrante definitiva?

O sarei rimasta paralizzata, magari deficiente, ma abbastanza lucida da rendermene conto?

Strinsi il pugno e mi accasciai con la testa sulle braccia
incrociate, gli occhi chiusi.

Immaginai il ritrovamento del mio cadavere, il funerale
islamico e una tomba al Verano, accanto a quella di Giorgio.
Immaginai metodi alternativi per togliermi la vita e mi par-

vero tutti troppo insicuri o troppo cruenti. Il gas, il veleno per topi, le vene squarciate, una pallottola in testa.

La voce di Antar esplose nella stanza e mi sparò tre volte.

– *Pum, pum, pum.*

Schiusi appena le palpebre, senza sollevare il capo.

Un ragazzino di nove anni mi teneva sotto tiro con la sua arma giocattolo.

– Micidiale questo fucile, mamma. Sei morta ancora prima che sparassi!

E cosí dicendo rotolò sul pavimento come un marine in azione e scomparve oltre lo stipite della porta.

Mi alzai, aprii lo sportello sotto l'acquaio e rovesciai nella pattumiera le pastiglie, sventolando la mano per farcele cadere tutte, anche quelle che s'erano appiccicate al palmo per via del sudore.

Sei
Bologna, 17 maggio 1992

Dopo gli inutili colloqui in quartiere, comune e prefettura, Antar decise di cambiare strategia e ispirato da una canzone che passava spesso alla radio, compose un ritornello per rendere noto al mondo il suo mutamento di prospettiva.

Sopravvoliamo sul mito di Bologna
sopravvoliamo, è tutta una menzogna.

Spiegò a Isabella che le istituzioni di una grande città, per quanto progressista, avevano troppe gatte da pelare e non potevano occuparsi di una singola, sfigatissima profuga italo-somala. A gennaio del '91, quando gli italiani erano scappati in massa da Mogadiscio, si era creato quantomeno un grosso problema, centinaia di persone in fuga da una guerra che aveva spazio nei tigí, e questo aveva costretto sindaci e parlamentari a fronteggiare l'emergenza. Ma per risolvere un problema piccolo, individuale, bisognava rivolgersi a un piccolo comune, uno di quei paesi nella cintura della metropoli, che hanno abbastanza residenti per far cassa con le tasse e pochi casi umani ai quali dedicare i fondi dello stato sociale.
– Bravo, – commentò Isabella, – però io la residenza ce l'ho in via Treviso, e già se vado al quartiere Saragozza se ne lavano le mani. Con che faccia mi presento a Zola Predosa o a Marzabotto?

– Bisognerebbe trovare una famiglia di profughi italiani, – ragionava Antar. – Di quelli che in Somalia hanno fatto i soldi e grazie ai soldi, in quest'anno e mezzo, sono riusciti a sistemarsi. A Mogadiscio vi conoscevate tutti, no? E allora, vuoi che non ci sia una vecchia conoscenza pronta a farti risultare residente in casa sua, nel suo paesello, per godere i privilegi di uno stato sociale a misura d'uomo?

Isabella si lasciò convincere dal ragionamento, anche se le sembrava solido come un palazzo abusivo. Primo, perché nella comunità italiana di Mogadiscio non aveva mai coltivato amicizie. Secondo, perché tendeva a non fidarsi di quelle improvvise rivelazioni che siamo soliti chiamare «l'uovo di Colombo». Si chiese per quale motivo Antar non l'avesse fatta prima, la geniale pensata. Avevano dunque inseguito la fata Morgana della residenza, per mesi e mesi, fino a perdere il diritto di incassare quattro milioni, per poi scoprire che la solidarietà tra sfigati e un paesello nella Bassa padana erano la soluzione a tutti i loro problemi?

Antar nel frattempo si era precipitato al telefono e già tornava in cucina con un sorriso raggiante.

– Lidia Furlan! – annunciò entusiasta.

– Come dici?

– Ho chiamato l'avvocato Concia, dell'associazione profughi italiani. Mi ha detto che Lidia Furlan abita qui vicino, a San Giorgio di Piano.

– Ma è perfetto! – esclamò Isabella battendo le mani. – Ti ricordi i suoi ragazzi? Sono stati miei studenti e suo fratello era il proprietario di quel bar, come si chiamava?, il ritrovo degli italiani piú ricchi di Mogadiscio. Se c'è una che può aiutarci, quella è Lidia Furlan. Ti sei fatto dare il numero di telefono?

– Certo, – rispose Antar, – la vuoi chiamare adesso?

– Sí, sí, subito, – si eccitò Isabella. – Però le domanderei se possiamo andare a trovarla, certe richieste è meglio farle di persona. Poi magari ti vede, sciancato e in stampelle, pensa ai suoi figli, le prende la compassione…

Il treno per San Giorgio di Piano era un regionale logoro e accaldato. Sullo schermo dei finestrini si proiettava una campagna ancora verde di grano, pioppi, viti e specchi d'acqua torbida simili a enormi passati di verdura.

Antar aveva preso il walkman di Luca per avvolgersi in un bozzolo di musica e resistere alle lamentele di sua madre.

Sopravvoliamo, sul territorio urbano
sopravvoliamo, su tutta la città.

Scesi alla stazione di San Giorgio di Piano, Antar e Isabella si infilarono in un bar per ordinare un bicchier d'acqua e raccogliere indicazioni stradali. Scoprirono cosí che nei paesi di provincia non è sempre tutto a portata di mano e può succedere che una via si allunghi per chilometri in mezzo ai campi, prima di arrivare al numero 187. Scoprirono anche che nei paesi di provincia non è sempre facile trovare un'auto pubblica, perché spesso non esiste la professione del tassista, e chi si dedica al trasporto passeggeri non è affatto detto che sia reperibile o disponibile oppure sobrio. Non ebbero bisogno di scoprire, invece, che due africani male in arnese, in provincia come nel capoluogo, fanno molta fatica a trovare un passaggio in autostop.

Ci son valori che non sono ancor crollati
conviene andare sempre in giro corazzati.

Il numero civico indicato nel foglietto si trovava in una sotto-sottodiramazione della strada statale. A rendere piú difficile la ricerca, i numeri dipinti sui muri delle cascine erano diversi da quelli, piú nuovi, incisi sulle targhette di latta avvitate ai cancelli. Antar arrivò a destinazione sudato e impolverato, per via degli ultimi trecento metri di strada bianca. Isabella arrivò sudata, impolverata, con i piedi doloranti, le gambe a pezzi e la lingua impegnata in una ginnastica di improperi.

Antar spense il walkman e suonò il campanello.

– Chi è?

– Sono Isabella Marincola, – rispose Isabella. – Sono una profuga... – Si morse un labbro, e a voce piú alta disse: – Sono venuta a trovare la mia amica Lidia.

La porta si aprí e sull'uscio comparve una donna robusta, fasciata in un grembiule a fiori, che esitò a parlare per alcuni secondi, ferma immobile, con una mano sullo stipite e l'altra sul battente. Se non fosse che di sicuro era interdetta nel trovarsi di fronte due facce scure, si sarebbe detto che il Padreterno l'aveva tramutata in un blocco di cera per chissà quali peccati.

La donna di fiori introdusse madre e figlio in un atrio lungo e stretto, col soffitto a volta e l'estremità opposta chiusa da una vetrata. A metà della stanza, sulla sinistra, partiva un ampio scalone, ma la donna girò a destra e fece entrare gli ospiti in un piccolo salotto dall'aspetto rustico: un divano in tela, un tavolino basso di legno grezzo, due sedie imbottite e un camino grande quanto la parete. Appollaiata su una delle due sedie, Lidia Furlan stava all'immagine che Isabella conservava di lei come un piccione a un'aquila reale. Si era rinsecchita, e gli occhi non conservavano traccia di quel suo sguardo altezzoso e rapace.

– Cara Lidia, che piacere vederti, – la abbracciò Isabella. – Ti trovo bene, nonostante tutto.

– Magari! – rispose la donna con un gran sospiro. – Sto qua in campagna da piú di un anno e sai cos'ho scoperto? Che la campagna mi fa venire l'orticaria. Non ne posso piú.

– Ma non dirmi! – si meravigliò Isabella con uno stupore da palcoscenico. – E noi che stavamo pensando di trasferirci da queste parti.

– Contenti voi, – alzò le spalle Lidia. – Io se potessi non ci starei un giorno di piú. Ma cosa vuoi, i figli hanno le loro famiglie, le loro abitudini, uno vive a New York, l'altro a Stoccolma e il terzo ha già in casa la suocera, figuriamoci se può sorbirsi anche me.

Isabella raggiunse Antar sul divano e gli mollò una pacca sulla coscia perché si sedesse composto.

– Ti capisco, – disse mentre si puntellava con le braccia per non sprofondare nei cuscini e ritrovarsi in trappola. – Con i figli ci si sente sempre di peso.

– E non solo con i figli, – annuí Lidia convinta, mentre con il mento indicava la porta chiusa, oltre la quale era sparita la donna di fiori.

– Giusto, – commentò Isabella. – A volte anche avere la domestica in giro per casa può essere fastidioso.

– Ma quale domestica? Quella è una cugina di mia madre. Se non fosse per lei, starei in mezzo a una strada.

Isabella si portò una mano alla bocca, con l'aria di una bimba che ha ruttato in chiesa, e mentre cercava di tradurre in una frase cortese la domanda: «Ma come in mezzo a una strada? Con tutti i soldi che hai?», Lidia parve leggergliela in faccia e disse:

– Quando è scoppiata la guerra, ero al mare con mio fratello, in Kenya, per festeggiare il Capodanno. Abbiamo ascoltato un notiziario alla radio e siamo corsi subito al consolato per capire cosa fare. Lí ci hanno sconsigliato in tutte le salse di tornare a Mogadiscio, troppo pericoloso, e ci hanno rimpatriato con un primo gruppo di italiani atterrati a Mombasa. Siamo arrivati in Italia con l'abbigliamento da spiaggia e niente altro. In sessant'anni di Somalia la mia famiglia aveva

messo da parte un bel patrimonio, ma era tutto investito in
case e ville nei dintorni di Mogadiscio, e quél che non era investito lo tenevamo in cassaforte, perché tutti dicevano che
delle banche somale non c'era da fidarsi.

– Quindi tutto quello che avevi è rimasto laggiú? – domandò Isabella pensando alla sua valigia di massimo venti chili.

– Tutto, – confermò Lidia. – Tutto, a parte quell'album
lí sopra.

Isabella seguí la traiettoria originata dall'indice di Lidia
Furlan e andò a sbattere con gli occhi su un quadernetto elegante, copertina azzurra di cartone artigianale, angoli rinfor-
zati in ottone. Lo prese, lo aprí e Antar inclinò la testa per
sbirciare le pagine.

– In Kenya abbiamo festeggiato anche il Natale e mio
fratello Sergio mi ha regalato quello. Sono cinquanta foto
scelte da lui, che ripercorrono la storia della nostra famiglia.

Isabella osservò le immagini in bianco e nero, complete di
didascalie scritte a mano, con una bella grafia inclinata.

C'erano varie scene di caccia, lo sbarco a Mogadiscio, il sorriso di Primo Furlan dietro il bancone del bar, un funerale con decine di casse da morto, scatti famigliari di cugine, amici, parenti in visita, fino alle stampe a colori degli anni piú recenti, con i motorini Piaggio parcheggiati a frotte dietro lo stabilimento balneare della Casa d'Italia.

Antar puntò il dito su una foto con tre ragazze somale, una di fianco all'altra, in posa su un terrazzo assolato, con gli abiti lunghi e i capelli velati. La didascalia le definiva «Le nostre boyesse». Non con i loro nomi, che so, Asha, Faduma, Khadija, no, «Le nostre boyesse», come uno potrebbe dire «i nostri alberi di fico». Due pagine piú avanti, l'immagine di un gatto enorme acciambellato sul cuscino era accompagnata dalla scritta «Il vecchio Nerone».

– Le due foto di Primo che ci sono lí, – disse la voce fuori campo di Lidia Furlan – Sono l'unica cosa che mi rimane di lui.

Isabella alzò la testa dall'album e vide la donna asciugarsi una lacrima col dorso della mano.

– È come se me l'avessero ucciso una seconda volta, – aggiunse con la gola stretta e Antar comprese che la sua nuova strategia sui comuni dell'hinterland avrebbe raccolto presto il primo insuccesso. Ciò nonostante, una mezz'ora dopo, provò a domandare lo stesso se per sua madre, per caso, c'era la possibilità di prendere la residenza, giusto per il pezzo di carta, perché si sa, i piccoli comuni…

Lidia indicò il divano e disse che l'aveva dovuto aprire davanti ai vigili urbani, quand'erano venuti a verificare che abitasse davvero lí, e trasformarlo in un letto sotto i loro occhi, per convincerli che la sua domanda di residenza non era una truffa. Nei piccoli comuni della Bassa padana, la società del controllo è molto piú efficiente.

Alla fine del pomeriggio, stanca di cercare argomenti di conversazione, Isabella domandò se per caso, cortesemente, qualcuno poteva dar loro uno strappo fino alla stazione. Ma anche la patente di Lidia era rimasta a Mogadiscio, mentre la donna di fiori non sapeva guidare e suo marito sarebbe tornato soltanto all'ora di cena.

> *Io per comprarmi la marmitta catalitica,*
> *mi son dovuto vendere tutta la macchina*
> *tanto sarà tutta corsia preferenziale*
> *per collegare ministeri e trattoriole ed osterie.*
> *«Onorevole, che prende?»*
> *«Salto il primo, di secondo cosa c'è?»*

Arrivati a casa, trovarono Luca che sparecchiava la cena, mentre Francesco si era chiuso in camera a studiare.

– Sempre in giro, voi due! – esclamò Luca mentre versava nell'acquaio il sapone per piatti. – Ma dalle facce che tenete, mi sa che v'ha detto male anche stavolta.

– Eh, sí, – ammise Isabella e subito controllò se il frigo celava qualche avanzo commestibile. – Siamo andati a chiedere aiuto alla signora Furlan, che quando stava a Mogadiscio era una gran signora e invece adesso è messa come me. Dorme su un divano, non ha una lira, e non le resta che piangere un marito morto ammazzato come mio fratello.

– Un partigiano anche lui? – domandò Luca con la spugna in mano.

– No, che c'entra? Primo Furlan è morto in Somalia, insieme ad altre settantuno persone.

– Durante la guerra?

– No, durante la pace. Era l'11 gennaio 1948. Mai sentito parlare dell'eccidio di Mogadiscio?

– No, mai. Che è successo?

Isabella si versò del vino, lo rigirò nel bicchiere mentre raccoglieva le idee, quindi bevve un sorso e attaccò a parlare.

– Posso dirti quel che mi hanno raccontato, perché io nel
'48 stavo ancora a Roma. Dunque, se non sbaglio era domenica, molta gente era in chiesa, e molti altri aspettavano
la messa di mezzogiorno. Per gli italiani di Mogadiscio la
domenica è un giorno importante: riempiono la cattedrale,
sfilano per le strade in ghingheri, lavano le auto, vanno al
Lido, insomma si fanno vedere, dimostrano di esserci, di essere numerosi, di avere prestigio e tradizioni robuste. Solo
che nel '48 la comunità si è rinsecchita, c'è stata la guerra,
l'Italia ha perso le colonie e a Mogadiscio da sette anni comandano gli inglesi. Molti italiani hanno fatto le valigie e
quelli che sono rimasti girano a testa bassa, ma non quella
domenica, perché proprio in quei giorni, nella capitale, sono
arrivati i funzionari delle Nazioni Unite che dovranno decidere il destino della Somalia. Ti puoi immaginare il clima in
città, un'intera settimana di manifestazioni: se alla mattina
sfilano i somali spalleggiati dagli italiani, e chiedono a gran
voce il ritorno del tricolore, al pomeriggio ci sono i somali
amici degli inglesi, che cantano in coro *God Save the King*,
e infine a sera i somali che vogliono subito l'indipendenza,
senza inglesi o italiani tra i piedi. Domenica 11 gennaio è
la giornata decisiva, poi la commissione lascerà Mogadiscio
e prenderà in esame le varie proposte. Il governo militare
britannico, all'ultimo momento, ha dato il permesso per un
solo corteo, quello della Somali Youth League, il partito
nazionalista che sogna la Grande Somalia e che tra italiani
e inglesi, dovendo scegliere, preferisce senz'altro i sudditi
di Giorgio VI. Com'è normale che sia, visto che gli *ingiriis*
hanno consentito ai somali di associarsi e di fondare partiti. Prima, sotto l'Italia fascista, quella libertà non c'era per
nessuno, nemmeno per gli italiani. Così, fin dalla mattina
presto, migliaia di somali si riversano nella capitale, con la
fascia rossa della Lega stretta intorno al braccio. Cantano,

ballano, sventolano, gridano. *Somalia ha noolato!*, «Che viva
la Somalia!» E gli italiani si sentono assediati, hanno paura. Qualcuno pensa a chiudersi in casa, a tornare in fretta
da messa o dalla pasticceria. Qualcun altro pensa che quei
selvaggi sono davvero troppi, c'è il rischio che la commissione si lasci impressionare. Quando le carte non girano per
il verso giusto, l'unico modo per non perdere è ribaltare il
tavolo. Ecco allora una ganga di ceffi con torce accese, fucili da caccia, coltelli, archi e frecce, che si dirige minacciosa
verso la sede della Lega. Sulla soglia, uno dei fondatori del
partito sbraita e si sbraccia per cacciarli via. Quelli sparano,
l'uomo si accascia e al suo posto compare una donna con un
bastone in pugno. Si chiama Hawa Taako e non fa in tempo
a parlare che una freccia la colpisce nel petto. Nel frattempo
– ma forse prima, forse dopo, forse a causa di – nei quartieri
residenziali parte la caccia all'italiano. Le villette vengono
assalite, i cancelli forzati. Bande di somali entrano, armate di
coltelli, lance e bastoni. Gli inquilini tentano di scappare, di
rifugiarsi in chiesa o all'albergo *Savoia*, di salvarsi la vita in
cambio di soldi e gioielli. Scappano anche i boy e le boyesse
senza nome, con i *guntino* che intralciano i passi, temendo
di essere scambiati per leccapiedi del nemico. *Talyaniga haa
dhintaan!*, «Morte agli italiani!» è l'urlo di battaglia che ro-
tola nella polvere, e gli italiani si dànno alla fuga, disperati,
stupiti per questa mareggiata di odio, tanto che alla fine ac-
cuseranno gli inglesi di avere organizzato tutto, di non aver
mosso un dito per fermare i selvaggi, di aver portato a Mogadiscio gli autori della mattanza. Gente venuta *da fuori*,
perché nella testa degli italiani non può entrare l'idea che
anche nella *loro* capitale, la città piú bella di tutta l'Africa,
possa esserci qualcuno che li odia. No, giammai, siamo stati
colonialisti buoni, tutti ci vogliono bene e infatti li senti? I
nostri somali ci chiedono a gran voce di tornare e di formare

una classe politica degna di tal nome, visto che finora non li abbiamo fatti studiare. Io non so dirti se davvero gli inglesi portarono a Mogadiscio i loro sgherri dal Nord, o addirittura dal Kenya. Mi stupisce che gli italiani concepiscano quest'unica spiegazione, non ce ne sono altre, un'orda di cannibali che colpiscono alla cieca, assetati di sangue bianco e vittime innocenti, fedeli agli ordini dei loro padroni. Per i pochi italiani che ancora ricordano, l'11 gennaio del '48 è una data nefasta, piangono i loro cinquantaquattro morti e forse nemmeno sanno che ce ne furono altri diciassette, e tra questi Hawa Taako, la donna uccisa da una freccia, nel giorno che i somali chiamano *Ha noolato!*, «Che viva!»

Luca stira il mento come per dire «accipicchia», fa i complimenti a Isabella per l'interpretazione, ma non ci sta a passare per l'ignorante che non sapeva nulla di una storia del genere e allora si alza, si affaccia nella stanza di Francesco e gli chiede se per favore può passare un attimo in cucina.

Ricompaiono in due. Luca si siede e scimmiottando una commissione d'esame, domanda all'amico che cosa accadde nel *famoso* eccidio di Mogadiscio, l'11 gennaio del 1948.

Francesco fa scena muta e per chiarire meglio il concetto dopo un attimo aggiunge:

– Boh?

– Vedete? – esulta Luca. – Non lo sa nemmeno lui, e dire che studia Storia, mica Biologia come me.

– Faccio Storia moderna, – si difende Francesco. – Al 1948 non ci arriviamo. Però adesso mi avete incuriosito: me lo dite lo stesso cos'è capitato, o devo ripassare alla prossima sessione?

Luca domanda a Isabella di concedere il bis, lei non si fa pregare e arrivati alla fine Francesco si illumina e dice:

– Massí, ho capito. È lo stesso massacro dov'è morto quel prete, com'è che si chiama? Me ne ha parlato il parroco l'al-

tro giorno, dopo la messa. Ha saputo che in casa ci siete voi
due e mi ha chiesto: cosa sono? indiani? etiopi? E quando
gli ho detto che siete somali, ha tirato fuori il nome di questo suo amico prete, morto a Mogadiscio, e ha promesso che
prima o poi vuole passare di qua per parlare con voi e sapere
se l'avete conosciuto. Com'è che adesso non mi viene il suo
nome? Era una cosa come... Cristoforo Colombo?

Isabella strabuzza gli occhi, si sporge in avanti e fa: – Monsignor *Salvatore* Colombo, vuoi dire?

– Esatto, proprio lui, – schiocca le dita Francesco.

– Quello è morto due anni fa, – lo gela Isabella. – Io lo conoscevo, sí, era un uomo buono, lo hanno accoppato nel cortile della cattedrale.

Luca molla una sberla in testa a Francesco. – Quanto si'
'gnurante, – gli dice e i due si lanciano in una specie di com-
battimento tra pinguini, con le braccia mulinate in aria e il
petto in avanti.

Poi, come fulminato dal lume della ragione, Luca si blocca, respinge gli ultimi assalti dell'amico e batte una mano sul
tavolo.

– Resta il fatto che questo monsignor Colombo era amico del parroco di San Lorenzo, la chiesa qui vicino, dietro
le scalette che chiudono la via. Se fossi in voi, non aspette-
rei che venga lui a trovarvi, visti i problemi che avete. Ci
andrei dritto filato e gli chiederei una mano, anche se non
sono cattolico. Ci avete già provato con qualche prete, nei
vostri giri per la città?

– Un prete? – domanda Antar. – Un prete no, non credo
proprio. Siamo stati varie volte all'assessorato per le Politiche
sociali, dagli assistenti sociali di quartiere, dal generale Papi-
ni del Nastro Azzurro, dal difensore civico avvocato Masini,
dall'avvocato Concia dei profughi italiani, dall'avvocato Battaglia dell'Istituto autonomo case popolari, dalla dottoressa

Vizzali della prefettura di Bologna, da Antonietta Sotto dei Verdi, ma da un prete mai.

– Certo che no! – si inalbera Isabella. – I miei problemi non riguardano come si vada in cielo, ma come trovare una casa. E mio fratello non è morto per Gesú Cristo, ma per questa Repubblica senza memoria. Non ho nessun motivo di andare da un prete: se vorrà venire lui da me, per parlare della buonanima di monsignor Colombo, faccia pure, quattro chiacchiere non si negano a nessuno. Ma non voglio né l'elemosina, né l'acqua santa, né l'estrema unzione.

Antar capí che non era il momento di insistere, meglio *sopravvolare*, ma già vedeva prendere forma, sull'orizzonte, una nuova strategia.

Sopravvoliamo, anche sulla parrocchia
sopravvoliamo, ma poi ci s'inginocchia.

Sette
Mogadiscio, 16 febbraio 1981

Alle sei del pomeriggio cominciai a preoccuparmi davvero.

Quella mattina, Antar era uscito come sempre poco dopo le otto, per arrivare a scuola con il suo cronico ritardo di venti minuti. A diciassette anni, avevo smesso di tormentarlo con le mie manie di puntualità, anche perché non trovavo piú argomenti per tener testa alle sue risposte.

– La prima mezz'ora di lezione la passiamo a giocare con i fiammiferi, – mi aveva spiegato un giorno. – Sai come si fa? Si mette una scatola di svedesi sul bordo del banco, in modo che sporga per un paio di centimetri. Poi uno gli dà un cricco col pollice, da sotto in su, e gli altri scommettono su come cadrà la scatola. Se casca in piedi, vince chi ha tirato, se no, a seconda delle puntate. Il prof di Geometria è un campione assoluto, ci batte sempre. Allora si esalta e ci racconta cos'ha fatto la sera prima, poi l'ultimo quarto d'ora prova a spiegarci qualcosa. Che bisogno c'è di arrivare in orario?

Avevo provato a rispondergli che la prima ora non c'era sempre Geometria, ma anche Estimo e Italiano.

– Quello di Estimo con i fiammiferi è meno forte, preferisce tirare a canestro con le palline di carta nel cestino. Invece la prof di Italiano ci porta sempre in biblioteca e ci dà dei libri da leggere.

– E allora vedi? – mi ero illuminata. – Ecco una lezione che vale la pena di seguire dall'inizio.

– A dire la verità no, perché la prof ci dà i libri, poi se ne va e il piú delle volte finisce che ce li tiriamo o strappiamo le pagine per farci le cerbottane. Se devo leggere, preferisco farlo a casa.

Questa era la situazione nell'ultima classe in lingua italiana di tutta la scuola somala, all'istituto per geometri. Una terra di nessuno dove Antar era finito per resistere al mio desiderio di iscriverlo alla scuola italiana.

«Io sono somalo», ripeteva, e io paziente gli facevo osservare che anche i somali andavano alla scuola italiana, perché la consideravano migliore, e poi l'università si faceva in italiano, e in tanti venivano da me a imparare la lingua per poter seguire le lezioni.

– È tutta un'altra storia, – ribatteva Antar. – Io sono un somalo figlio di un'italiana. Se vado alla scuola italiana, sembra che mi vergogno di essere somalo. E infatti è per questo che mi ci vorresti mandare, no? Cosí questo tuo figlio cannibale si civilizza almeno un pochino, studia la *Divina commedia*, impara a scrivere nella lingua di Moravia…

Alla fine, dopo mille screzi, avevamo trovato il compromesso, grazie a quell'unica classe italiana che ancora sopravviveva nella scuola nazionale: un'appendice in cancrena, destinata a morire nel giro di cinque anni.

Vista l'atmosfera caotica che mio figlio respirava per l'intera mattina, non mi feci strani pensieri quando per pranzo non lo vidi rientrare. Capitava spesso che si fermasse a mangiare a casa di un amico e ogni volta si dimenticava di avvertirmi. Poi c'erano giorni che a scuola non ci metteva piede, andava in spiaggia con qualche compagno a masticare il *khat*, e dopo era talmente su di giri che preferiva smaltire la sbornia e non farsi vedere a casa fino al tardo pomeriggio.

Mangiai il mio solito piatto di riso con qualche pezzo di carne e andai a sdraiarmi una mezz'ora, in attesa che arrivassero gli studenti per il secondo turno di lezioni.

Erano quattro anni che avevo messo in piedi una mia scuola privata. La spintarella di Siad Barre, a suo tempo, mi aveva procurato solo tre mesi di supplenza, poi piú niente. Ero ridotta talmente male che nemmeno con le raccomandazioni di un dittatore potevo accaparrarmi un posto fisso. Mi avevano elargito giusto un contentino, per non avere tra i piedi un'italiana disperata, con il marito in carcere, pronta magari a incatenarsi di fronte all'ambasciata di un paese amico. Se non altro, quei tre mesi di incarico mi erano serviti a liberarmi del Dimafen. La mattina dovevo insegnare, il pomeriggio preparavo la lezione e avevo meno tempo per pensare alle pasticche. Con i soldi del primo stipendio mi ero regalata una dentiera, avevo recuperato un aspetto decente, avevo ripreso a truccarmi. Se mi veniva voglia di mangiare fuori pasto, mi accendevo una sigaretta e me la facevo passare. Certo la nicotina non fa scoppiare di salute, ma posso garantire che sul breve periodo, venti sigarette al giorno sono meglio che dieci confetti alla fenfluqualcosa.

Quando mio marito uscí dal carcere, ero già bella disintossicata e gli facemmo una festa con le ghirlande di fiori e un grande banchetto. Siad Barre lo convocò a Villa Somalia e gli offrí di essere reintegrato: il paese aveva bisogno di funzionari esperti. Mohamed declinò l'invito e negli anni successivi tentò di mettersi in proprio come avvocato. Andò male, forse gli misero i bastoni tra le ruote, e alla fine decise di andare a lavorare in Arabia Saudita. Io davo lezioni private agli alunni della scuola italiana, ma quel che guadagnavo era appena sufficiente a fare la spesa. Accadde per caso che una ricca signora, moglie di un ministro, venne a chiedermi se potevo insegnare l'italiano a suo figlio, che non ne parlava una parola, perché voleva mandarlo a studiare a Torino. Accettai la sfida e la notizia si diffuse talmente in fretta che almeno una ventina di altre famiglie vennero a chiedermi la stessa cosa: volevano che i figli imparassero l'italiano per toglierli al piú presto dalla scuola nazionale, che a quanto dicevano era in rovina.

«Siad Barre ha speso tutti i soldi per far la guerra all'Etiopia e riprendersi l'Ogaden, e il risultato è che non ci siamo presi l'Ogaden, abbiamo perso l'appoggio dei russi e le casse dello stato sono alla bancarotta».

Per i primi mesi, avevo cercato di mantenere lo schema delle lezioni private individuali, poi m'ero fatta due conti e avevo capito che mi conveniva sgomberare il salotto e organizzare delle vere e proprie classi: al mattino, corso di base con inclusa merenda; al pomeriggio, corso avanzato con tè e biscotti. Pagamento mensile anticipato e sconti per i fratelli.

Detta cosí, potrebbe sembrare che il business fosse molto redditizio. In realtà, nessun lavoro onesto, pagato in scellini, poteva essere redditizio nella Somalia di quegli anni, se si escludono certi negozi molto ben avviati. L'inflazione era talmente vorace che nel giro di un anno si mangiava un quinto del mio stipendio. Per contro, un autista d'ambasciata, pagato in dollari, poteva permettersi un villino elegante, due boyesse, banchetti luculliani e caccia grossa.

Al suono del campanello mi tirai su dal letto e gli studenti del corso avanzato si accomodarono intorno ai tre tavoli che usavamo come banchi. C'era pure Aisha, una ragazzina saudita, figlia di un diplomatico, che arrivava e tornava con lo chauffeur, e mi faceva penare perché suo padre si era raccomandato che gliela tenessi d'occhio – «Mi fido di lei, signora Marincola» – mentre io non avevo nessuna voglia di sorvegliarla, facesse quel che le pareva, povera figlia, ma

allo stesso tempo avevo paura del padre, e appena vedevo
che uno dei ragazzi provava a sussurrarle qualcosa, subito
lo mettevo in punizione, nel tavolo dei cattivi, con una dose
extra di compiti a casa.

Cominciai la lezione, ma piú le lancette giravano sull'orologio a muro della Campari, piú mi accorgevo di essere distratta, perché il tempo passava, passava, e Antar continuava a non farsi vivo. Durante la guerra contro l'Etiopia, era
successo diverse volte che gli studenti venissero riuniti, fin
dal primo mattino, per ascoltare un discorso di Siad Barre,
e che il generale comparisse solo verso le cinque di pomeriggio, col fresco, dopo che l'uditorio aveva aspettato sotto il
sole per mezza giornata. Ma in quelle occasioni le famiglie
venivano avvertite, si sapeva che ci sarebbe stato il discorso,
e conoscendo il compagno Siad, si sapeva che non sarebbe
stato affare da poco.

Dopo la pausa per il tè, dettai tre titoli da tema e lasciai
le ultime due ore per lo svolgimento. Proprio non ce la facevo a fare conversazione fingendo di essere a Roma in un
ufficio postale.

Alle sette precise ritirai i compiti, senza concedere un
minuto di piú. Spiegai ad Ahmed che per quella sera non
potevo tenerlo a cena, in attesa che suo padre lo passasse a
prendere. Avevo altro da pensare: che scroccasse un passaggio da uno dei suoi amici.

Quindi mi precipitai fuori e mi diressi alla casa di un compagno di Antar. Non stava lontano, ma da qualche tempo
uscire a piedi al crepuscolo non era piú sicuro, cosí affret-
tai il passo e arrivai a destinazione in meno di un quarto
d'ora. Mi aprí il padre, un uomo basso e sgraziato che per
fortuna sapeva farsi intendere con l'italiano. Mi disse che
la moglie era uscita da un paio d'ore, in cerca di notizie del
figlio, perché anche lui non s'era visto per tutta la giornata.

– Credo lei da madre di Yussuf, – aggiunse, e mi spiegò dove stava questo Yussuf e come dovevo fare per arrivarci.

Persi la strada un paio di volte, girai al largo da un gruppo di ragazzi che mi guardava storto, e quando finalmente arrivai, le due donne non c'erano. Grazie a un misto di gesti, inglese, somalo e italiano, capii che erano partite da mezz'ora, insieme ad altre due madri, ed erano andate dal preside della scuola, nel quartiere di Wardigley, per domandargli che diavolo fosse accaduto.

Mi feci segnare su una mappa l'indirizzo del preside e camminai per altri venti minuti, finché i piedi non cominciarono a reclamare, mentre nelle orecchie avevo altri reclami, quelli di una quindicina di donne, schierate sotto la finestra del preside Farah.

Mi guardai attorno, non ne conoscevo nessuna. I loro figli venivano spesso a cena da noi, o a far finta di studiare, ma tra me e le altre madri non c'era il minimo rapporto.

Il preside si affacciò, disse qualcosa, e non appena ebbe terminato, la sua spiegazione fu accolta da grida di malcontento.

– Che ha detto? – domandai alla piú anziana del gruppo, una che a giudicare dall'età doveva conoscere l'italiano almeno un pochino.

I suoi occhi mi squadrarono come se avesse visto un cammello parlante.

– Antar Mohamed Ahmed, – le dissi allora toccandomi il petto. – Mio figlio. *Wiilkeyga waaye.*

Il volto della donna si dischiuse, annuí, e disse che i nostri ragazzi erano partiti per un addestramento militare a sorpresa, di durata indefinita e in un luogo segreto.

– *Nooshega meesha aad u wadden!* – gridò una voce.

Questo lo capivo da sola: «Diteci dove li hanno portati».

– *Nooshega goorme* e bla bla bla, – lo incalzò un'altra.

– Diteci quando torneranno i nostri bambini, – tradusse per me la vicina.

Il preside parlò di nuovo e di nuovo la donna mi fece da interprete.

Nemmeno lui sapeva dove li avevano portati, comunque non lontano. E nemmeno a lui avevano detto quando sarebbero tornati. Comunque presto.

Nuovi improperi accolsero le sue parole, piú fitti di prima.

L'uomo si rifugiò dietro la finestra chiusa e un paio di sassi rimbalzarono sugli scuri.

Poi la gazzarra si spense di colpo, come interrotta dal calare di una lama.

Un fuoristrada militare avanzava sobbalzando dal fondo della via. Nel cassone posteriore sedevano quattro berretti rossi, ovvero soldati della guardia presidenziale.

– *Maxaa dhacay meshaan?* – domandò il piú anziano non appena saltò a terra, barbetta spruzzata di bianco e occhi eccitati. «Cosa succede qui?» I suoi compari ci puntarono addosso i mitra con estrema disinvoltura.

Il silenzio rimase inviolato finché il tizio in mimetica non ripeté la domanda rivolto a una donna in particolare.

– *Caruurtena skoolka ka ma soo noqon*, – fu la risposta.

«I nostri bambini non sono tornati da scuola».

Dalla bocca accanto uscirono altre parole, ma afferrai solo «fin da stamattina».

Il berretto rosso fece un'altra domanda e la signora al mio fianco tradusse per me.

– Chiede che cosa ci facciamo qui, nel suo quartiere, invece di starcene a casa a preparare la cena.

La stessa voce di prima diede la sua risposta e subito quella del preside fece eco dall'alto. Doveva aver ascoltato la conversazione da uno spiraglio di finestra, quindi rassicurato dalla presenza dei militari s'era affacciato di nuovo.

– Dice che stanno in una caserma fuori Mogadiscio e lui altro non sa. Questo è quel che gli ha detto il colonnello Ibrahim quando è venuto a prendere i ragazzi per l'esercitazione.

L'uomo in mimetica allargò le braccia e un sorriso untuoso.

– Dice che allora tutto è risolto, che ci stiamo a fare ancora qui? Il colonnello Ibrahim ha la fiducia del presidente Barre, forse noi non abbiamo la stessa fiducia? I figli torneranno quando avranno finito gli esercizi, non c'è che preoccuparsi.

Quindi si rivolse al preside Farah, lo ringraziò e gli augurò una buona serata.

– *Si fiican, si fiican*, – aggiunse battendo le mani e sfregandole come sotto l'acqua. – *Hadda, meshaan ka taga, nimankinna u noqda.*

A quanto capivo, ci stava consigliando di tornarcene dai nostri mariti.

– *Ninkeyga saas buu u baxay*, – sibilò una voce strisciando fuori dal gruppo di donne.

«Mio marito se n'è andato allo stesso modo».

– *Maxaa, maxaa?* – «Come, come?» s'interessò il militare, e fece un passo avanti. – *Yaa hadlay?*

«Chi ha parlato?»

La domanda serpeggiò sulle nostre teste e d'istinto ci fece serrare i ranghi e allungare il passo, per trascinar via chi rischiava di rovinarsi con una frase rabbiosa.

Ci ritrovammo cosí, spinte dalla paura e incapaci di salutarci per strada, nel cortile di una casa poco lontana. La proprietaria era la madre di Liban, uno dei compagni che Antar mi nominava piú spesso. Vennero portate sedie, panche di legno, un tavolo e ci accomodammo a bere *shaah* sotto una palma da datteri spelacchiata.

La donna che mi aveva fatto da interprete sedette accanto a me e continuò la sua opera di mediatrice culturale. Venni a sapere cosí che molte altre donne avevano i mariti all'estero, soprattutto in Arabia Saudita, in Egitto e a Dubai. Tre invece erano finiti in carcere, e le mogli lo confessavano con vergogna. Quel che era successo ai nostri figli non trasformava quell'incontro in una riunione clandestina di oppositrici del regime. C'era anche una ragazza che aveva perso il marito nella guerra per l'Ogaden, e lo ricordava con l'orgoglio della vedova di un martire. La sua fedeltà al vecchio Bocca Larga non s'era incrinata nemmeno per quella perdita. Però il figlio no, il figlio non glielo dovevano toccare.

– È peccato che non parli la nostra lingua, – mi rimproverò la mia interprete dopo l'ennesima traduzione. Si chiamava Zainab, aveva quarantasei anni e un largo sorriso a labbra strette.

– Troppo difficile, – le risposi, la mia solita scusa. – Ho studiato la grammatica, capisco le frasi piú semplici, ma quando provo a parlare mi sento ridicola e allora ho preferito rinunciare.

– Si vede che non ti serve, – commentò. – Tra italiani parlate italiano.

– È vero, – dissi, – ma io di italiani ne frequento pochi. Alle loro cene non m'invitano e le rare volte che capita, ho sempre paura che mi scambino per la boyessa.

– E allora invitali a casa tua, cosí non corri il rischio.

– Per carità! Se dovessi organizzare una cena come si deve, brucerei tre stipendi in una sera. Quelli sono abituati a caviale e champagne.

– Invita noi allora, – e fece un gesto a indicare le donne riunite sotto la palma. – Noi ci accontentiamo di un riso con carne.

– A casa vostra, ma dalla tavola di un *gaal* vi aspettate di piú. Che ci fa in Somalia un italiano se non fa soldi a palate? Se veniste a mangiare a casa mia, pensereste che sono tirchia, o peggio, che mi tengo i soldi per inviti piú importanti.

– Oh, quanti problemi! – esclamò Zainab con un'alzata di spalle. – Se inviti me, basta che fai un semolino. Vedi questi? – stirò le labbra e mi mostrò due arcate di denti
tutte bucherellate.

– Io sono messa anche peggio, – commentai con un cricco sulla dentiera. – I denti veri li ho persi, per colpa di una
medicina.

– A me invece tre si sono spezzati e tre me li ha rotti mio
padre, perché non voleva farmi andare alle riunioni della
Lega. Diceva che la politica non è cosa per donne, ma io gli
ho risposto: *Haweenku wa garab!*, le donne sono un pilastro. Lui allora mi ha preso a pugni e calci, e poi mia madre,
di nascosto, mi ha regalato i suoi gioielli, per farmi mettere i denti d'oro. Stavo per usarli, ma quando ho raccontato
la storia alle sorelle del partito, una di loro mi ha risposto
con una poesia, breve breve. «Anche la mia bocca sdentata
merita che la si riempia d'oro, ma ancor piú meritevole di
quell'oro, è la liberazione del mio paese».

Zainab mi guardò in faccia e si accorse che non avevo
capito cosa c'entrasse l'ortodonzia con l'indipendenza della Somalia.

– A quel tempo, – spiegò, – molte donne vendevano i
loro gioielli per aiutare la Lega. Era un gesto grande, perché l'oro è la nostra ricchezza, lo si vende solo per aiutare
la famiglia. Infatti mio padre, quando seppe che ne avevo
fatto, mi diede altre botte e io mentre le prendevo pensavo: «Maledetto, il tuo tempo è finito». Invece non era finito per niente.

Riconobbi, nel timbro della sua voce, lo stesso rancore
vuoto che mi usciva dalla gola ogni volta che provavo a raccontare di Flora Virdis e del suo *curbash*.

– Gli uomini della Lega non erano molto diversi da mio
padre, – continuò Zainab. – Ci dissero grazie e ci dimenti-

carono. Nessuna donna al congresso nazionale, nessuna nel
governo. Due sorelle andarono a parlare con Aden Abdulle e
lui rispose che purtroppo le donne non avevano educazione,
non conoscevano la politica. Lo stesso discorso che avevano
fatto gli italiani ai somali tutti: non siete pronti per l'indipendenza, dobbiamo insegnarvi come si fa, non avete studiato. E
invece c'erano alcune sorelle che si erano laureate all'estero,
non certo io, ma alcune ce n'erano, e si videro passare davanti uomini con la terza elementare.

Zainab si interruppe, prese un lungo sorso di *shaah*, poi
rimase in silenzio e io pensai che una donna cosí non l'avevo
mai conosciuta, in vent'anni di Somalia. Forse perché non
ne avevo mai conosciute del tutto, e non ne avevo mai conosciute perché ogni volta che ne incontravo una, mi sembrava
di incontrare mia madre e preferivo lasciar perdere.

Ashkiro Hassan non aveva saputo restituirmi l'affetto che
m'ero persa e a cui pensavo di avere diritto. Era una donna
spigolosa, mezzo analfabeta, resa scabra dalla vita. A ruoli
invertiti, sarebbe stata una perfetta Flora Virdis. Non c'eravamo mai ritrovate davvero e ormai non aveva piú senso
provarci. Mia madre si era fatta costruire una casa di fianco
alla villa di Jinny e viveva sotto la sua protezione. Quel suo
figlio minore sí, che le dava soddisfazioni. Era diventato il
ricco proprietario del mobilificio dove un tempo lavorava come dipendente. La moglie del vecchio padrone, un italiano,
s'era innamorata di lui e insieme avevano messo a punto una
trappola per sbarazzarsi del marito. Avevano aspettato che
andasse in Italia per le vacanze estive e lo avevano denun-
ciato al regime come trafficante di armi e non so cos'altro.
Erano gli anni d'oro della Rivoluzione, le fabbriche venivano
nazionalizzate, e i giudici erano stati ben contenti di togliere
l'azienda dalle mani di un colonialista per affidarla a un somalo in gamba. Il buon Crippa era stato dichiarato persona

non grata, non poteva piú mettere piede in Somalia, e i suoi beni erano passati allo stato, che li aveva poi ridistribuiti. A mio fratello Jinny era toccato il mobilificio.

Un ritmo di mani e parole di canto mi riportarono sotto la palma e le stelle di Mogadiscio. La mia interprete s'era lanciata nell'esecuzione di un *buraanbur*, la forma di poesia tipica delle donne somale. Mi dispiacque non capire niente di quel che diceva, quella donna mi stava simpatica e pensai che mi sarebbe piaciuto invitarla a prendere un tè, un giorno o l'altro, anche se conoscendomi sapevo che non l'avrei fatto.

Di giorni invece ne passarono due, prima che Antar tornasse. Con le altre madri ci sentivamo ogni mattina, poi i figli rientrarono e non ci sentimmo piú.

Antar aveva un livido sulla fronte e me ne mostrò altri sul resto del corpo, mentre si spogliava in silenzio e rimandava ogni racconto al termine della doccia.

Otto
Mogadiscio, 18 febbraio 1981. Il racconto di Antar

Se non fosse per il gioco dei fiammiferi, oppure un altro gioco qualsiasi, purché ci si potesse scommettere sopra, andare a scuola era un'inutile tortura, a partire dall'uniforme che dovevamo infilarci tutte le mattine: pantaloni cachi e camicia bianca.

All'inizio dell'anno avevo nascosto un cambio di vestiti nel retrobottega di un fruttivendolo. Al mattino salutavo mia madre, giravo l'angolo, mi liberavo della divisa e filavo al mare con i miei amici. Purtroppo la vacanza durò soltanto un mese, poi mia madre incontrò per caso il prof di Geometria, gli domandò come andavo, e quello rispose che di sicuro non andavo a scuola.

Mio padre, al telefono dall'Arabia Saudita, ordinò come punizione di chiudermi in clausura per sei settimane. Solo scuola, studio e a fine pomeriggio la preghiera in moschea.

Di tutte quelle mattine inutili, la piú inutile in assoluto era il mercoledí, con le sue tre ore di Cultura militare, tre ore di scuola passate a smontare e ingrassare le armi, costruire trincee, trattare gli esplosivi e altri addestramenti in vista dell'ennesima guerra con l'Etiopia.

Un mercoledí avevamo raccolto in cortile tanti sassolini, ce li eravamo portati in classe, e ogni volta che l'ufficiale ci dava le spalle per disegnare uno schema alla lavagna, noi gli sparavamo un sasso sulla schiena, ma piano, senza far male, giusto per manifestare il nostro disinteresse per

la Grande Somalia, le terre irredente e il martirio nel nome della patria.

Alla terza scarica, il militare interruppe la lezione e prese
la porta senza dire nulla.

Noi esultammo, convinti di averlo battuto e di esserci
guadagnati l'esonero da un corso demenziale di eroismo in
provetta.

Passammo una settimana tra festeggiamenti, scommesse
e qualche libro calpestato per puro disprezzo. Il mercoledí
successivo, come ogni mattina, ci schierammo in cortile per
l'alzabandiera, e cantando le lodi del compagno Siad, vedemmo entrare dal cancello tre camion telonati color verde oliva.

Di ritorno in classe, la trovammo occupata da otto militari armati che, dopo aver chiuso la porta, ci fecero aprire
le finestre e ci spinsero fuori. Per fortuna eravamo al pianoterra, una trentina di alunni tra ragazze e ragazzi. Ci caricarono sui camion e misero in moto, senza dire niente, a
parte ordini secchi come: «Forza», «Muoviti», «Di là». Ci
bendarono stretti con una fascia nera e una voce stridula ci
intimò di non toglierla per nessuna ragione.

Il convoglio viaggiò per una mezz'ora sull'asfalto, poi, a
giudicare dai sobbalzi, imboccò una pista di boscaglia fuori
da Mogadiscio.

Per farmi coraggio, strinsi la mano di un compagno che
non sapevo chi fosse.

Nessuno parlava, solo folate sabbiose e odore di benzina.

Dopo un paio d'ore, sento un cigolio, come l'aprirsi di un
cancello.

Una presa dura sul braccio, dita che stringono forte.

– Alzati, bastardo.

Mi fanno scendere dal camion, muovere pochi passi, poi
di nuovo seduto, per terra, sotto un sole cattivo.

– Compagni, – grida una voce di fronte a me, – vi dò il benvenuto a nome dell'esercito rivoluzionario. Siamo davvero felici di ospitare qui i nostri giovani studenti e mi auguro che la vostra permanenza si riveli proficua. Voi lo sapete perché siete qua?

La voce di Rashid, il mio compagno di banco, strilla un «Nooo!» che gronda paura, come se a farlo parlare fosse un dolore improvviso.

– Per un paese giovane, alle soglie di un futuro glorioso, i giovani sono la risorsa piú importante. Lo sapete questo?

Un coro di sí, per quanto zoppicante, accoglie la domanda dell'ufficiale.

– Sí cosa? – insiste la voce.

– Sappiamo che la Rivoluzione è giovane come noi, – risponde la voce di Halima, che ha due fratelli nel partito e conosce la retorica di Siad Barre meglio di tutti noi.

– Sí, – ci aggreghiamo convinti. – La Rivoluzione è giovane come noi.

– Molto bene, – si compiace la voce. – Dunque sapete anche perché siete qua, giusto?

Il no strozzato esce questa volta dalla gola di Soleiman.

– Che strano, – commenta la voce. – Tanti giovani intelligenti e nessuno riesce a rispondere a una domanda semplice. Ve la ripeto: sapete voi perché siete qua?

Farah, Fardosa, Khalid, Ahmed, Mariam: tutti lo stesso nooo terrorizzato e offeso.

– Allora tu, Capello Morbido, – dice la voce con aria stanca, ed è come se vedessi il suo dito indicarmi, perché nella classe sono l'unico con i capelli lisci e chiamarmi *timo jilaac*, «capello morbido», è già una gentilezza, in confronto al piú semplice *wecel*, bastardo.

– Se il vostro Capello Morbido riesce a rispondermi perché siete qua, vi facciamo assaggiare il cibo della mensa e vi rimandiamo a casa senza nemmeno divertirci. Allora, Capello Morbido, è tutto in mano tua. Ci hai pensato bene?

Mi dico che sí, dev'essere senz'altro per via dei sassolini che abbiamo tirato al militare, ma proprio quando sto per rispondere, la punta di un bastone mi colpisce in mezzo alle costole, non tanto forte da forare la carne, ma abbastanza per farmi rispondere come tutti gli altri.

– Nooo, nooo, non lo so.

– Allora, – conclude il comandante, mentre lo immagino che sorride e si frega le mani, – dobbiamo fare in modo di schiarirvi le idee. Molto bene. Iniziamo subito.

Di nuovo la presa sul braccio, le dita che stringono e tirano, un cammino cieco piú lungo di prima. Salgo cinque gradini, poi mi spingono giú, su una sedia, e uno schiaffo d'acqua mi batte la faccia. Il freddo cola sulle tempie e sento un ferro che mi raschia la testa, mentre la voce di Fardosa grida: – No, per favore, i capelli no.

La tosatura è rapida e indolore, passo una mano sul cranio rasato e immagino le mie orecchie a sventola in piena evidenza.

Quando finalmente ci tolgono la benda, sbatto gli occhi alla luce e guardo l'orologio. Sono le 17,30. Siamo rimasti ciechi per quasi dieci ore ed è da questa mattina che non beviamo un sorso d'acqua.

Ci portano in una grande stanza, una classe improvvisata, panche lunghe, tavoli, una lavagna e il nostro professore di Cultura militare, che come se niente fosse comincia la sua lezione: avanzare in territorio nemico, prevenire un'imboscata, prendere la mira con un lanciarazzi.

Tre ore filate senza che voli una mosca, poi il professore se ne va e arriva nella stanza un odore di cibo, seguito da un carrello d'acciaio con pile di piatti e un pentolone di riso bollito.

I militari ordinano di servirci da soli e noi ci buttiamo sul cibo, incuranti del loro disgusto. Ai loro occhi siamo tutti rammolliti, figli di mamma, poco di buono, abituati a fare la bella vita fingendo di studiare, mentre loro sgobbano, servono davvero il paese e vivono lontano dalla famiglia.

A questo si aggiunga che noi fighetti siamo sporchi, puzzolenti, fradici di caldo e di strizza.

Piú che fare compassione, mi sa che facciamo schifo.

Al mattino seguente, dopo una notte sulla nuda terra, i militari ci svegliano con un'allegria sospetta.

– Oggi vi facciamo cantare, – ripetono ed è facile intuire che non si tratterà di salire su un palco e di esibirsi in gorgheggi con accompagnamento di chitarra.

Infatti mi mettono a sedere, le braccia legate dietro e le caviglie strette alle gambe della sedia. Uno di loro mi molla un calcio nel petto e mi rovescia per terra, gli altri con gli anfibi mi salgono sulle caviglie, pestano, calciano, poi mi tirano su e s'inventano un modo diverso per farmi cadere di nuovo e passarmi sopra con le suole.

Ridono, mostrano i denti, si divertono per una mezz'oretta e alla fine mi portano fuori, in cortile, per un bel bagno di sole.

Prima di uscire passiamo di fronte ad altre stanzette dove altri miei compagni subiscono lo stesso trattamento. Con una differenza: mentre i ragazzi devono cantare seduti, le ragazze ballano a testa in giú, appese per i piedi a un gancio sul soffitto e spinte come un pendolo, da un soldato all'altro, magari un seno spunta fuori da sotto la camicetta e quelli toccano e ridono eccitati, come se fossero a una festa delle medie.

In cortile, dopo non so quanto tempo di caldo e polvere, Daud domanda dell'acqua, si sente svenire.

Gliene portano due secchi.

– Finiscila tutta, mi raccomando. L'acqua è preziosa. Se la sprechi, ti dobbiamo punire.

Daud la finisce e un attimo dopo comincia a vomitare, non la smette piú, devono portarlo in un angolo e lasciarlo lí, in una pozza di liquido giallastro.

Nessuno di noi chiede piú acqua fino all'ora di cena.

Il terzo giorno ci fanno sedere per terra, in file ordinate. I soldati passeggiano tra noi con lunghi bastoni flessibili e ogni tanto ci mollano una scudisciata, tanto per tenerci attenti.

La voce del capitano ripete la solita domanda.

– Allora. Chi di voi sa dirmi perché siete qua?

Silenzio. Nonostante la sete, il caldo, la terra, i canti, i balli, le botte, ancora non ci azzardiamo a dare una risposta, per paura che siano tutte sbagliate.

– Per essere puniti! – prova a gridare Osman, ma subito lo zittisce un colpo sulla testa.

– Il nostro paese ha bisogno di giovani obbedienti, – prosegue il comandante, – giovani che non tirano sassi alle sentinelle della Rivoluzione. Il vostro professore di Cultura militare, nella vostra classe, non può portare a compimento il suo alto compito, e questo, per quanto piccolo, è pur sempre un inciampo nel cammino che il Capo Vittorioso ha indicato a tutti noi, per guidarci in un'epoca di grandezza e di prosperità. Chi ostacola quel cammino è un controrivoluzionario. Chi lo fa in maniera consapevole, va punito, ma voi, che siete giovani e stupidi, non siete ancora consapevoli e pertanto non siete venuti qui per essere puniti, ma per essere educati. Sono certo che d'ora in avanti non sarete piú d'ostacolo alla Rivoluzione.

– Mai piú, mai piú, – gridiamo sotto la sferza dei militari.

– Molto bene. Questi tre giorni sono stati proficui. Al vostro arrivo, non capivate nemmeno perché vi avessimo portati qua. Adesso lo avete capito.

– Sííí.

– E qual è la risposta?

– Per essere educati, – gridiamo in coro, senza nemmeno bisogno di stimoli esterni.

Nel pomeriggio ci caricarono sui camion, a due a due. Ci bendarono come all'andata e ci riportarono a scuola, all'uscita delle altre classi.

A chi ci chiedeva dove fossimo finiti, cosa ci avessero fatto, rispondemmo soltanto: – Ci hanno educati.

Poi ognuno per proprio conto ce ne tornammo a casa, a fare una doccia prima di qualsiasi cosa.

Nove
Bologna, 19 maggio 1992

Dopo due settimane di vita a stretto contatto, tu e Antar iniziate ad azzannarvi, come cavie di un esperimento scientifico. Blaise Pascal diceva che tutta l'infelicità degli uomini deriva da una sola causa: dal non saper starsene tranquilli in una stanza. Infatti, bastano quattro mura e uno spazio ridotto per spingere due individui a farsi del male, a torturarsi con le parole senza nemmeno il gusto di farlo, con la spontaneità di un frutto che allega sui rami. Si dice che gli esseri umani, in certe situazioni, regrediscono ai loro istinti animali, ma sarebbe piú corretto dire che diventano come piante e che germogliano rabbia e disperazione. Se poi gli esseri umani in questione sono madre e figlio, entrambi adulti, allora diventano piante carnivore, un'evoluzione che a te sembra contronatura, mentre a pensarci è del tutto normale. Antar è cresciuto, s'è innamorato di una donna, l'ha persa per via del tuo arrivo e adesso quando si sveglia e quando va a dormire, invece di avere lei accanto si ritrova sua madre. Vogliamo biasimarlo perché ogni tanto è nervoso?

Tu gli ripeti a nastro che è un inetto, lui se la prende e ti dà della fallita.

– Oggi mi ha chiamato Merushe, te la ricordi, Antar? Mi ha fatto proprio una bella sorpresa. Dice che adesso sta a Toronto, da suo figlio, e che non le manca niente. Dice che hanno una bella macchina e che anche tu dovresti prendere la patente, cosí puoi guidare una bella macchina. Ma io

le ho risposto che no, figurarsi, a te piace portarmi in giro a
piedi, cosí mi viene male alle gambe, zoppico, faccio pietà,
e magari una casa riusciamo a rimediarla.

Antar si tiene calmo con un lungo respiro e dice che, se
vuoi, dal parroco di San Lorenzo ti ci porta pure in spalla,
basta che ti decidi a incontrarlo e a chiedergli aiuto.

– Ti ho già detto come la penso, – rispondi secca e con
aria da principessa peschi un libro nel pantano di documenti
che copre il tavolo di cucina e ti metti a leggere al capitolo 2.

Antar insiste, non si dà per vinto.

– Hai presente quella fiaba somala dei quattro uomini
che incontrano la vacca? No? Allora te la racconto, tanto
è breve. C'erano una volta un cieco, un sordo, uno zoppo e
un uomo nudo. Il cieco disse: ho visto una vacca! Il sordo
aggiunse: sí, sí, l'ho sentita muggire. Lo zoppo propose: dài,
corriamo a prenderla. Ma l'uomo nudo li fermò e disse: io
non vengo. Non vorrei che gli spini mi strappassero la futa.

Alzi gli occhi dal libro e domandi a tuo figlio che diavolo
c'entra questa storiella con il parroco di San Lorenzo.

– Tu sei come l'uomo nudo, – risponde lui. – Pensi di essere vestita e questo ti impedisce di andare a prendere la vacca.

– Mi risparmio la fatica. Tanto la vacca non esiste e tu sei
il cieco che crede di averla vista.

Scrolli le spalle e ti rimetti a leggere, anche se ancora non
ti è chiaro di che libro si tratta, l'hai tirato su a caso giusto
per far capire ad Antar che non vuoi starlo ad ascoltare. Ma
lui perde la pazienza, fa due passi avanti e te lo strappa di
mano, lo getta nell'acquaio insieme ai piatti sporchi e mo-
strandoti il pugno dice:

– Sentimi bene, razza di fallita: sai perché come attrice
non hai fatto carriera? Te lo dico io, è inutile che ti racconti
la storia di Lamberto che ti ha impedito di fare quel mestiere perché voleva tenerti a casa. Balle. Il fatto è che tu pen-

si di avere un credito col mondo, pretendi di riscuoterlo da chiunque incontri e cosí ti bruci la terra intorno. Sei tornata in Italia, dici che è il tuo paese, ma per trovarti un tetto ho dovuto smuovere mari e monti: dove sono i tuoi amici, i tuoi fan, la gente che ti voleva bene?

– Non ho nessuno, d'accordo, – rispondi col magone tra i denti, – e ti ringrazio di avermelo ricordato. Ero un po' giú per aver passato in casa l'intera giornata, mi ci voleva proprio una sferzata di buonumore.

Vorresti fermarti qui, ma non sopporti che questo figlio senza arte né parte venga a mettere in discussione le tue doti di attrice. Tu sei stata nella compagnia di Tatiana Pavlova, in uno spettacolo di prim'ordine, mentre lui sta in Italia da otto anni e non ha ancora combinato niente.

– Sai qual è la differenza tra me e te? – lo incalzi. – Io non ho mai fatto finta di avere amici pronti ad aiutarmi. Invece tu hai detto a Elio Sommavilla che potevi benissimo sistemarmi, che partissi pure in qualunque momento, tranquilli, c'è qui il Superman di Mogadiscio. E invece, guarda: è passato piú di un anno e ancora viviamo con due studenti che non puliscono la casa, però non glielo posso far notare perché ti ho promesso di non rompere i coglioni.

Antar si sfila la maglietta, la appallottola e te la tira in grembo.

– Un'attrice del tuo calibro non dovrebbe far fatica a mettersi nei panni di un altro. Ecco, prova a metterti nei miei. Pensa al senso di colpa che mi sarei sentito addosso se per caso qualcuno ti avesse uccisa. Riesci a capirlo? No, non sei portata per questo tipo di interpretazione. Mio padre, tuo marito, è bloccato in un albergo di merda, senza le sue medicine e tu ti metti un gran problema per andare a parlare da un prete, e dici che sono le istituzioni a doverti aiutare. E per quale motivo poi? Perché tuo padre ha firmato un pezzo

di carta, piú di sessant'anni fa, dove si dice che sei cittadina
italiana, e perché quel fesso di tuo fratello s'è fatto ammazzare per liberare l'Italia.

Antar lo sa, e l'ha fatto apposta. Quando ti toccano Giorgio, l'effetto è assicurato: chini la testa, piangi, ma almeno
smetti di dire cattiverie.

«Tutta l'infelicità degli uomini deriva da una sola causa:
dal non saper starsene tranquilli in una stanza».

Forse per questa ragione Antar ti volta le spalle, va in camera a mettersi una maglietta pulita e se ne esce di casa senza chiudere la porta.

Dieci
Mogadiscio, 20 settembre 1985

La visita di Bettino Craxi a Mogadiscio rinverdí i fasti di casa Savoia. Quei pochi che potevano rammentarlo, dissero che il governatore De Vecchi aveva preparato un'accoglienza simile, per celebrare l'arrivo in colonia del principe Umberto. Era la prima volta che un presidente del consiglio della Repubblica italiana si recava in Somalia per un viaggio ufficiale e il compagno Bocca Larga aveva deciso di riservargli un trattamento da re.

Non andai alla parata, un genere di spettacolo che mi ha sempre annoiato, ma lo stesso sentii sparare il cannone della Garesa e dalla terrazza vidi sciamare i ragazzetti in divisa da pionieri e le bandiere azzurre con la stella bianca a cinque punte, per indicare le cinque terre dei somali, tre delle quali ancora irredente.

Partecipai al banchetto di benvenuto, giusto per scroccare il pranzo. Per l'occasione, il consolato non aveva badato a spese: dovevano aver invitato tutti i residenti italiani a Mogadiscio, se anche una poveraccia come me era finita nella lista.

Il viale di fronte alla Casa d'Italia era tappezzato di gagliardetti tricolore, palloncini bianco-azzurri e petali scarlatti, poiché entrambi i leader si definivano socialisti. All'interno, nelle diverse sale, lunghi tavoli apparecchiati con stoviglie di lusso e ciotole di cristallo piene d'acqua, dove galleggiavano decine di garofani rossi, simboli del partito di Bettino I, re d'Italia.

I pranzi di quel genere ai quali avevo partecipato si contavano sulla punta delle dita. Uno in occasione di non so piú quale anniversario patrio, un altro quando ero riuscita a far intitolare a Giorgio un'aula dell'Università e l'ultimo per la vittoria dell'Italia ai Mondiali dell'82. Quello però era il primo che mi vedeva presenziare senza mio figlio a fianco.

Nel 1983, dopo un fallito tentativo di arruolarsi volontario nell'esercito saudita, con mio grande sollievo Antar se n'era andato in Italia per laurearsi. Non potendo mantenerlo a distanza, avevo dovuto rivolgermi a mio cugino Abdeqassim per una borsa di studio, perché le speranze di ottenerla senza una raccomandazione erano pari a zero, e mio cugino Abdeqassim era diventato ministro dell'Istruzione.

Ciò nonostante, quando avevano pubblicato i risultati delle assegnazioni, il nome di Antar non era nella lista e a momenti m'era venuto un colpo. Temevo potesse trattarsi di una vendetta di mia madre, il mio contatto tribale con il cugino ministro. Da qualche tempo, con Ashkiro, eravamo arrivate ai ferri corti, tanto che piú d'una volta s'era rifiutata di ricevermi o aveva finto di non essere in casa quando l'andavo a trovare.

Il motivo del nostro litigio era meschino come pochi e riguardava la pensione di mio fratello Giorgio, come caduto in guerra e medaglia d'oro al valor militare. Fino alla morte di mio padre, quei soldi erano andati a lui, ma in seguito nessuno si era fatto avanti per riscuotere il dovuto. Io mi c'ero messa d'impegno – di solito una sorella non ne avrebbe diritto – ed ero riuscita a farmi intestare il soprassoldo con tutti gli arretrati, che alla fine erano un bel gruzzoletto.

Quando glielo dissi, mia madre diventò una iena. Gridò che quei soldi erano suoi e per chiarirmi il concetto, appoggiò il dorso delle mani sulle cosce e si indicò la vagina.

– Lui è uscito da qua, – si infervorò. – Da questa qua.

– E allora? – la affrontai. – Te n'è mai fregato qualcosa di lui? Mi hai mai chiesto una sua foto? E quando ho fatto intitolare l'aula con il suo nome, tu dov'eri? Al ristorante con Jinny?

Ashkiro mi lanciò un paio di maledizioni e uscí da casa mia lasciando la porta aperta. Morí due anni dopo e la rividi forse un paio di volte. Ma ai tempi della borsa di studio per Antar era ancora viva e vegeta e ce l'aveva a morte con me. Io mi ripetevo che era solo per via della grana, per la sua proverbiale avidità, e mai avrei ammesso che mi stavo comportando come mio padre, che le aveva portato via i figli senza chiederle un parere. D'altra parte, anch'io sentivo che mio fratello m'era stato rubato, anche se non capivo bene di chi fosse la colpa, e a seconda dei momenti accusavo me stessa, mio padre, l'Italia, i nazisti o l'eroismo testardo dei vent'anni.

In un libro di Frantz Fanon avevo letto una storiella che m'aveva lasciato a bocca aperta. Tre uomini arrivano un giorno ai cancelli del cielo: un bianco, un mulatto e un nero.

«Cos'hai desiderato di piú sulla terra?» domanda san Pietro all'uomo bianco.

«I soldi».

«E tu?» domanda al mulatto.

«La gloria».

E quando si volta verso il nero, quest'ultimo dichiara con un bel sorriso: «Io sto solo portando le valigie di questi signori».

Dunque, nello stereotipo razzista, il mulatto mira alla gloria e allora mi chiedevo se a uccidere mio fratello non fosse stato anche quello stereotipo. Se sei italiano e hai la pelle scura, sei una contraddizione vivente. Devi dimostrare che sei *davvero* italiano, devi essere piú italiano degli altri, devi combattere

fino all'ultimo. Anche Antar, del resto, si era fatto catturare
da un ingranaggio simile. Tanti ragazzini somali andavano a
studiare alla scuola italiana, ma lui, figlio di una *gaal*, per essere *davvero* somalo doveva esserlo piú degli altri, e mi aveva
pregato di iscriverlo alla scuola «normale». E prima di deci-
dersi a fare l'università in Italia, aveva tentato l'ingaggio nelle milizie saudite, il tipico sogno di tanti suoi coetanei. Non
voleva privilegi per via del sangue italiano e anche volendo,
non ne avrebbe avuti. Il nome di suo zio, in patria, non apriva nessuna porta, casomai le chiudeva. Il nipote di Giorgio
Marincola, medaglia d'oro al valor militare, poteva risiedere
in Italia solo con il permesso di studio e una borsa mensile di
quattrocentomila lire, ottenuta per intercessione di un altro
zio, il ministro dell'Istruzione della Repubblica somala, Abdeqassim Salaad Hassan.

Scoprii che il nome di mio figlio era stato depennato dalla lista per far posto a un altro parente, che a detta di Abdeqassim aveva piú bisogno. Misi in cantina l'orgoglio e lo
supplicai senza ritegno. Come insegnante, non gli avevo mai
chiesto nulla, nemmeno un posticino da supplente, ma per far
uscire Antar da un paese senza futuro, ero disposta a qualunque forma di sciopero. Alla fine, facendomela pesare come
un macigno, il cugino ministro decise di mandare a Londra
il parente piú bisognoso e mio figlio prese la borsa di studio
per la facoltà di Scienze naturali dell'Università La Sapienza. In realtà, Antar non aveva alcuna intenzione di studiare
Scienze naturali, ma le regole dicevano che solo scegliendo
un corso di laurea che non esistesse già a Mogadiscio si poteva ottenere la borsa di studio per l'Italia. E siccome Scienze
politiche a Mogadiscio c'era già, aveva deciso di iscriversi a
Scienze naturali, come sua madre quarant'anni prima, per
poi fare il cambio appena possibile, senza perdere il permesso di stare in Italia.

Per questo non poté partecipare al grande banchetto in onore di Craxi e godersi la scena dell'assaggiatore somalo, messo a disposizione dal compagno Siad, che provava le pietanze prima dell'ospite italiano, per dimostrare che non erano avvelenate. Il che mi parve stupido, dal momento che certi veleni agiscono magari dopo diverse ore.

Craxi tenne una lunga concione, della quale non ricordo nulla, perché le pause che metteva tra una frase e la successiva, e spesso all'interno della stessa frase, erano talmente tante e talmente solenni, che tra una e l'altra già mi dimenticavo quel che aveva detto prima, e in capo a due minuti non ero piú in grado di ricostruire il senso del discorso.

Al termine del pranzo, rimasero sulla tavola, ancora chiuse, due belle bottiglie di Montepulciano d'Abruzzo, che subito intascai senza colpo ferire, infilandole in borsa come al supermercato. Non avevo alcuna reputazione da difendere, in quel consesso, e il fatto che un paio di signore mi guardassero stranite, non faceva che rendere il furto ancor piú divertente.

Fuori, sotto il cielo, un vento secco aveva scacciato l'umidità e mi prese la voglia di affacciarmi sull'oceano. Scesi verso la cattedrale, superai un grande ritratto del Capo Vittorioso e raggiunsi la mezzaluna di sabbia dietro l'*Hotel Uruba*. Il luogo offriva un bel colpo d'occhio sull'antico faro e sul volto marino della città vecchia, ma la spiaggia in sé non aveva grandi attrattive, chiusa com'era fra le strutture del vecchio e del nuovo porto. Il Lido, un paio di chilometri piú a nord, era invece vastissimo, bianco e ricco di tesori: spugne, granchi, conchiglie, piccole vasche di roccia che venivano allo scoperto con la bassa marea. Un vero paradiso, se non fosse per la presenza degli squali Zambesi, capaci di azzannarti anche in un palmo d'acqua. Una novità per la quale, a quanto si diceva, bisognava ringraziare il genio italiota. Con l'apertura del porto alle grandi navi da carico, s'era dovuta tagliare la barriera corallina, che tratteneva al largo gli ospiti indesiderati. Questi, sulle prime, non avendo motivo di spingersi sottocosta, erano rimasti nelle acque profonde. Poi però, grazie a un bel finanziamento, i nostri esperti avevano progettato il nuovo mattatoio cittadino, e l'avevano costruito a pochi metri dal mare, comodissima pattumiera per gli scarti della macellazione. A quel punto gli *zambi*, invitati al banchetto, non s'erano tirati indietro. Per rimediare all'errore, gli esperti avevano promesso di appaltarsi al piú presto la costruzione di una modernissima barriera antisqualo.

Pensai che rompere un equilibrio per poi rattopparlo è la regola d'oro di ogni faccendiere: dallo spaccio di droga alla guerra, lo stemma gentilizio degli uomini d'affari è un serpente che si morde la coda.

Mi accomodai alla meglio su una trave di cemento, a contemplare navi che manovravano lente nella baia artificiale, sparse partite di calcio tra squadre di ragazzini e una coppia di avvoltoi che pasteggiava sulla carcassa di un grosso pesce.

Trascorsi cosí piú tempo del previsto, mi concessi lo spettacolo del tramonto e ormai si faceva luna quando mi decisi a rientrare, lungo il corso che i fascisti avevano intitolato a Vittorio Emanuele.

Arrivata a casa, appoggiai sul tavolo le bottiglie di Montepulciano e puntai i fornelli con l'idea di prepararmi uno *shaah* e di berlo in compagnia di un buon libro, ma il richiamo del vino fu piú forte del tè.

Nelle mie intenzioni, le due bottiglie rubate dovevano servire per festeggiare la mia laurea in Lingue di dieci giorni prima. M'ero messa a dare gli esami subito dopo la partenza di Antar, in una specie di gara a chi avrebbe conquistato l'ambita pergamena. Avevo vinto io, diventando cosí la prima laureata della famiglia Marincola. Un primato inutile che non mancava di darmi un certo gusto: ero cresciuta in un'Italia dove essere laureati era ancora un traguardo di prestigio. Il giorno della proclamazione, Bruna e io avevamo dovuto brindare con l'aranciata, perché il vino buono costava troppo e il vino cattivo tanto valeva non berlo. Già non era stato facile trovare l'aranciata a un prezzo abbordabile: lo scellino somalo perdeva di valore ogni giorno, mentre io potevo ritoccare la quota d'iscrizione alla mia scuola casalinga solo alla fine del mese. Per alcuni prodotti, come l'insetticida, l'adesivo per la dentiera e le pile, ormai facevo i conti solo sui pacchi che Antar mi spediva dall'Italia due o tre volte all'anno. L'economia della Somalia era un cavallo azzoppato e la visita di Bettino Craxi, col suo mezzo miliardo di aiuti allo sviluppo, era quel che ci voleva per mantenere in sella il compagno Bocca Larga e i suoi insaziabili manutengoli.

Stappai, versai e andai a mettermi in poltrona insieme a *Palomar* di Italo Calvino.

Trenta pagine e mezza bottiglia piú tardi, sentii bussare alla porta.

Poiché non aspettavo nessuno, immaginai che fosse Bruna. Per non rimanere da sola, doveva essere andata a pranzo da qualche amico, visto che alla Casa d'Italia non la invitavano piú, da quando aveva ottenuto la cittadinanza somala.

Ci eravamo conosciute alla scuola italiana, verso la metà degli anni Sessanta, per poi perderci di vista dopo il golpe di Siad Barre e la sua riforma dell'istruzione pubblica. In quegli anni, Bruna Galvani aveva lavorato in radio e nella redazione di un giornale italiano. Rispetto al mio ménage da strapazzo, la sua fortuna era la pensione di anzianità, maturata in vent'anni di insegnamento nelle scuole del Bel Paese. Non che si trattasse di una cifra astronomica, ma in Somalia era abbastanza per vivere tranquilli. A Bruna però la tranquillità non interessava granché, le piaceva insegnare, e quando aveva saputo della mia scuola domestica, s'era offerta di darmi una mano e di dividere le spese. Cosí c'eravamo trovate a convivere e quando sentivo bussare a orari imprevisti, nove volte su dieci era proprio lei, che spesso usciva di casa senza le chiavi e qualche volta pure senza le scarpe.

A sorpresa, invece, sentii la voce di Mohamed dall'altra parte della porta.

– Sí, eccomi, arrivo, – gridai indietreggiando con passi leggeri, quindi mi precipitai sulle bottiglie di vino e le nascosi sotto l'acquaio, dietro una latta d'olio. Prima di aprire, provai ad annusarmi il fiato mettendomi una mano davanti alla bocca, ma il metodo di rilevazione non mi parve affidabile e decisi che avrei fatto meglio a parlare il meno possibile e comunque a denti stretti.

– Mi sono dimenticato le ciabatte, – disse mio marito quando me lo trovai davanti.

– Prego, accomodati, – risposi facendomi da parte con troppa cerimonia.

Mohamed fece una decina di passi, si voltò di scatto e mi puntò col dito.

– Hai bevuto di nuovo?

Mi sforzai di non restare a bocca aperta, per via dell'alito, ma come diavolo aveva fatto a beccarmi tanto in fretta?

Poi guardai la poltrona e vidi il bicchiere sporco, in equilibrio precario sul bracciolo sdrucito.

La prima scenata per colpa del vino risaliva a un paio di mesi prima. Allora non gli avevo nascosto nulla, perché non sapevo della sua svolta bacchettona. Eravamo a tavola, un venerdí sera, e come ammazzacaffè avevo tirato fuori una bottiglia di rum somalo, distillato in casa dal padre di un mio studente.

L'avevo appena versato per me e Bruna, quando Mohamed s'era alzato, aveva preso bicchieri e bottiglia e li aveva vuotati nell'acquaio.

– Ma che fai? – gli avevo domandato. – Ti sei impazzito?

E lui, senza perdere la calma, mi aveva spiegato che il vino è una merda e che il suo posto sono le fogne.

Io m'ero limitata a scuotere la testa. Non valeva la pena di litigare per un intruglio che andava bene giusto come
sciacquabudella. Il Mohamed che conoscevo s'era perso in
Arabia Saudita e al suo posto ne era tornato un altro, con la
barba lunga, il vestito bianco e un'idea tutta nuova della sua
fede in Allāh, il Clemente e Misericordioso. Quando c'eravamo sposati, Mohamed era un musulmano credente, andava
in moschea piú volte alla settimana, digiunava nel mese di
Ramaḍān e faceva le sue cinque preghiere quotidiane, però non aveva mai preteso che facessi altrettanto. Nei nostri
discorsi l'islam non entrava quasi mai, e le poche volte che
faceva capolino, era sempre per soddisfare qualche mia curiosità. Soltanto la nascita di Antar aveva messo la religione
all'ordine del giorno, ma per poco tempo, perché Mohamed
voleva farlo circoncidere, mentre io avrei preferito di no, per
paura di fargli male, poi m'ero lasciata convincere. Gli anni del carcere lo avevano reso piú bigotto. Il Corano era uno
dei pochi libri concessi ai detenuti e la preghiera un ottimo
antidoto allo smarrimento, ma si trattava ancora di un fatto
privato, del quale ci si accorgeva solo osservandolo bene, per
via della cura che metteva in certi dettagli e piccoli rituali. Il
soggiorno in Arabia, invece, lo aveva trasformato. Qualcuno penserà che gli avessero fatto il lavaggio del cervello, ma
non sarebbe l'immagine giusta. Anni di umiliazioni avevano
preparato il terreno. Prima la prigione, poi il fallimento, poi
l'emigrazione lontano dalla famiglia, in un paese ostile, dove i
neri possono solo lavorare, lavorare e stare zitti e farsi notare
il meno possibile. Mohamed s'era aggrappato alla religione
wahabita come un orfano alle mille regole del brefotrofio.
Le altre leggi che conosceva lo avevano tradito: la legge di
Maometto, invece, era l'unica che non fosse svanita, e per

non rischiare di perderla, Mohamed se l'era legata addosso come una camicia di forza. E nemmeno quello gli bastava: un giorno che dovevamo uscire insieme, mi aveva chiesto di coprirmi i capelli. Io gli avevo fatto marameo e lui se n'era tornato a casa da solo. Poi c'era stato l'episodio del rum. E infine, il Montepulciano d'Abruzzo.

– Te l'ho già detto, – mi disse con rabbia. – Non voglio che si beva in questa casa.

– Eh, no, caro, – gli risposi. – Tu mi hai detto che il vino è una merda e deve stare nelle fogne. Benissimo, opinione tua, ed è già tanto se per rispetto evito di bere quando ci sei tu. Non puoi pretendere che…

– Questa è casa mia, – mi interruppe. – O sbaglio? Mi pare che sono io a pagare l'affitto. E allora sei tu che non puoi pretendere di fare come ti pare. In casa mia non voglio che bevi, punto e basta.

– Avanti, Mohamed, sii ragionevole. È davvero tanto grave questa cosa del vino? Scommetto che anche tu hai le tue debolezze. Perché non mi concedi di avere le mie?

Cercavo di essere accondiscendente perché tutto sommato mi faceva pena. Con quella barba lunga e i capelli grigi, il corpo magro avvolto in un telo bianco, sembrava piú un vecchio disperato che un marito dispotico deciso a farsi obbedire.

– Va bene, d'accordo, – mi disse. – Accetto le tue debolezze, come le chiami tu. Ma se t'è rimasto del vino, lo devi buttare via. Altrimenti non è un semplice sbaglio: è voglia di sbagliare.

– Ma l'ho finito, – mentii. – Ce lo siamo bevuti con Bruna prima che lei uscisse. Me l'hanno regalato alla Casa d'Italia, non l'ho comprato.

Mohamed mi aggirò con due passi veloci e puntò dritto allo sportello sotto l'acquaio. Buttò per terra la latta dell'olio e si voltò verso di me con le due bottiglie in mano.

– Finito, eh? – disse con aria di sfida, un attimo prima di fracassarle sul pavimento. – *Adesso* è finito, – commentò trionfante, prima di tornare verso la porta senza le ciabatte che era venuto a cercare.

Il coccio di vetro che gli lanciai addosso non lo raggiunse in tempo, mentre le mie maledizioni furono forse piú efficaci, ma non ne sono sicura, perché per qualche mese non si fece vedere e quando tornammo a frequentarci eravamo tutti e due stanchi e pieni di acciacchi.

Undici
Bologna, 18 maggio 1992. Tre ore dopo

Antar non torna piú.

È uscito di casa tre ore fa, con un fardello di ruggine e amarezza, in cerca di una discarica dove smaltirlo. Tu sai che è stupido preoccuparsi, evocare disgrazie e foschi scenari, sai che è stupido ma non puoi farci niente, ogni vago arrivederci ti ficca in testa pensieri di morte.

Anche tuo fratello partí *quatto quatto*, come il pinguino della canzone, lasciando in bianco la data di ritorno. E infatti non ritornò.

Provi a leggere il solito libro, *L'uomo senza qualità*, ma le frasi scivolano come pioggia su un vetro appannato. Sfogli un giornale, una rivista, il catalogo degli sconti di un supermercato: nemmeno quelli sono buoni come ansiolitico. Esistono mille tecniche e mille esercizi per rafforzare la memoria, ma nessun espediente per esercitare l'oblio. Ogni sforzo per dimenticare ci fa ricordare con piú vividezza. Non a caso i sonniferi sono i farmaci piú venduti e il papavero da oppio il fiore piú ambito del pianeta.

Allunghi le gambe sotto il tavolo, le appoggi sulla seggiola di fronte, come se una seduta piú comoda potesse rendere comodi anche i pensieri. Infine ti vai a sdraiare, sperando che il sonno ti venga in aiuto.

Ma il sonno non arriva e ti lascia sul letto a fissare una mosca. Vola intorno al portalampada e a ogni passaggio ripete le stesse virate, lo stesso poligono sghembo, come se a rinchiudere le sue traiettorie ci fossero le pareti di una scatola invisibile, la gabbia senza sbarre dei suoi piani di volo.

Dalla finestra aperta sul cielo estivo, vedi spiccare oltre gli alberi i volumi squadrati della chiesa di San Lorenzo. Antar vorrebbe spedirti a parlare col parroco, quello che tutte le mattine ti sveglia alle sette e tre quarti col suo richiamo di campane. Te lo immagini anziano, tignoso, fiero delle sue certezze, ma non è per quelle né per le campane che disdegni la sua carità. Antar non lo può capire: è cresciuto ai tempi di un dittatore che usava le istituzioni come gioielli di famiglia, medaglie da distribuire a destra e a sinistra dopo averle lucidate con l'olio dell'arbitrio. Antar è assuefatto all'arrangiarsi, a ringraziare il cielo quando un pezzo di carne gli cade nel piatto e ad affrontare i digiuni con un'alzata di spalle. Tu invece sei abituata a reclamare, a far valere i tuoi diritti, anche se ormai non è chiaro quali siano davvero. I documenti che custodisci sotto plastica rossa dicono verità contraddittorie. Uno afferma che sei cittadina italiana, residente in via Treviso. L'altro che sei profuga in Italia dalla Somalia in guerra. Ma come si fa a essere profughi nello stesso paese dove si è cittadini residenti? È come essere ospiti a casa propria, come mettersi le mutande sopra i pantaloni. O non sei davvero profuga (ma la branda dove stai sdraiata suggerisce il contrario) oppure non sei cittadina (ma allora il governo italiano ti avrebbe lasciato crepare in Somalia). Quindi, che cosa sei?

Spinta da questa domanda ti sollevi dal letto con la solita fatica e spulci armadi e scaffali in cerca di un dizionario. Lo trovi in camera di Francesco, due volumi di mole autorevole e copertina in similpelle.

Cerchi alla voce *profugo*.

Aggettivo e sostantivo maschile. Persona costretta ad abbandonare il suo paese in seguito a eventi bellici, a persecuzioni politiche o razziali, oppure a cataclismi.

Dunque, ecco una prima risposta: almeno secondo il vocabolario, non sei una profuga. Infatti sei cittadina italiana, dunque l'Italia è il tuo paese e tu sei stata costretta a *ritornarci*, in seguito a eventi bellici: non ad abbandonarlo.

Ti affidi allora alla lista dei sinonimi, forse lo spettro del lessico nasconde la sfumatura che fa al caso tuo.

Rifugiato.

> Individuo che, già appartenente per cittadinanza a uno stato, è accolto, in seguito a vicende politiche o persecuzioni, nel territorio di un altro stato, e diviene oggetto di norme internazionali intese ad assicurarne la protezione.

No, nemmeno questo va bene: primo, perché ti trovi *nel territorio dello stesso stato* di cui sei cittadina, e secondo, perché l'accoglienza lascia molto a desiderare. Piú che rifugiata, sarebbe giusto chiamarti *rifugianda*.

Ti passi l'indice sulla lingua e giri le pagine fino alla lettera S.

Sorvolare, smagato, senape... *Sfollato*.

> Che ha dovuto allontanarsi, per circostanze dipendenti dallo stato di guerra, dal suo luogo di residenza abituale.

Questo è il termine che piú si avvicina alla tua condizione: un buon tirocinio da sfollata in fondo lo hai già fatto, nell'estate del '43, sai cosa significa e come ci si deve comportare, mettersi in fila con la tessera e scappare in cantina al suono della contraerea. Con la differenza che adesso l'Italia è in pace, la guerra è in Somalia, tu hai la residenza a Bologna e non sono piú i bombardamenti a tenerti sotto sfratto.

Richiudi i due volumi del dizionario enciclopedico e mentre li ricollochi nella libreria, provi a mettere in fila quello che hai scoperto.

Se tu sei cittadina italiana, allora non puoi essere profuga in Italia. Ma tu sei profuga, questo è sicuro: dormi su una branda, non hai fissa dimora e quella che avevi se l'è mangiata la guerra.

Come sarebbe la tua vita, se non fossi profuga? Molto, molto diversa.

E come sarebbe se non fossi cittadina italiana? Perfettamente uguale. O meglio: finché stavi *fuori* dall'Italia, essere cittadina italiana ti ha dato grossi privilegi: il C-130 per Nairobi, il *Norfolk Hotel*, il volo della Kenya Airways. Ma da quando sei *dentro* l'Italia è come se fossi in una terra di nessuno, dove tra essere cittadina italiana, somala o turca non c'è nessuna differenza.

Ma una differenza che non fa differenza, è una differenza che non ha significato. Un mero pretesto per dar fiato alla bocca. Quindi, anche se le carte nella plastica rossa affermano il contrario, tu *non* sei cittadina italiana.

Le carte, si sa, non sempre dicono il vero. I cosiddetti *falsi invalidi* possiedono carte, in apposite carpette, che li dichiarano ciechi, muti e paralitici e invece quelli vedono, parlano e fanno gare di sci.

Nel loro caso si tratta di una truffa, un inganno consapevole, ma nel tuo, ti domandi, qual è il motivo della *falsa cittadinanza*?

Di nuovo ti alzi, di nuovo torni in camera di Francesco, prendi il dizionario in due volumi con la copertina in similpelle, sfogli il primo, arrivi alla lettera C e trovi la definizione di *cittadinanza*.

> Sostantivo femminile, vincolo di appartenenza a uno stato, richiesto e documentato per il godimento di diritti e l'assoggettamento a particolari oneri. Può essere vista come un rapporto giuridico tra lo stato e una persona fisica.

Dunque, rifletti, se la persona fisica c'è, in carne e ossa, e se ha tutti i requisiti per essere cittadina italiana, carte comprese, ma in realtà risulta profuga in Italia, allora quel

che manca, nel rapporto giuridico detto cittadinanza, non
è il cittadino: è lo stato sovrano. Ma se manca lo stato, allora non sei profuga soltanto tu, o Lidia Furlan, o il signor
Franco, che era il miglior idraulico di Mogadiscio. Questa è
soltanto la prima linea, l'eccezione che diventa la regola. Se
manca lo stato sono profughi anche Luca e Francesco e Itala e Luisa e l'assistente sociale Rosa Castelli.

Ecco perché Antar dice che dovresti parlare con quel prete. Non c'entra Gesú Cristo, la Conferenza episcopale o il
Vaticano. C'entra che lo stato non esiste piú, dunque non
esistono cittadini, ma solo uomini e donne senza altre etichette, e le uniche istituzioni che sembrano aver a cuore i
loro diritti sono le istituzioni universali, come la chiesa cattolica, che da questo punto di vista non ha davvero rivali: è
talmente universale che per farne parte bastano poche gocce d'acqua sulla testa, anche in assenza di volontà, mentre
per cancellarsi dai suoi registri bisogna condurre estenuan-
ti battaglie di carta. Per la santa chiesa tu sei soltanto una
figlia ribelle: se torni a casa e ti penti, paparino metterà ad
arrostire il vitello grasso.

Eppure ti costa, ti costa da morire cedere al ricatto, perché è facile urlare: «Lo stato è morto, evviva, niente piú
tasse, multe e cavilli», ma la voce si spegne in gola se hai
un fratello morto per averci creduto, in uno stato libero e
giusto, mentre il papa chiamava Mussolini «l'uomo della
provvidenza».

Da oltre un anno la tua zattera malconcia naufraga per
stanze, affitti, parole sgarbate e occhiate ostili. Hai cercato aiuto con ostinazione, convinta che il male peggiore,
per un essere umano, sia coltivare l'onnipotenza. Nessuno
si salva da solo, ti ripeti. Una verità banale che finora hai
sempre inteso come invito a riconoscerti debole, bisogno-
sa, fragile. A lasciare che gli altri si facciano carico di te.

Ma dal momento che siamo tutti profughi, la frase acquista un significato nuovo. Ci salveremo tutti, oppure nessuno. L'approdo dei naufraghi è una baia in fiamme: soltanto insieme si può spegnere l'incendio. Chi sbarcasse da solo, morirebbe bruciato.

Profugo è tuo figlio Antar, e la cittadinanza italiana che ha tanto inseguito è solo un inganno.

Profugo è tuo marito Mohamed, in una stanza sporca del *Qaloombi Hotel* di Burao.

Se imbarchi pure loro, sulla tua scialuppa, il dilemma del che fare svanisce in un soffio.

Verrà un giorno, ti dici, nel quale ai profughi sarà dato rifugio, senza bisogno di marchiarli con il sigillo di un dio o di un sovrano. Verrà un giorno nel quale all'ospite sarà data accoglienza, senza bisogno di una legge che lo dichiari sacro o bandito. Ma poiché quell'alba non è ancora sorta – o almeno tu non ne vedi il chiarore – in mancanza dello stato, quando anche i diritti umani sono lettera morta, rivolgersi a un prete è l'ultimo dei peccati.

Passi veloce dal bagno per sciacquarti la faccia, truccare gli occhi, mettere sul collo una goccia di colonia. Ti infili le scarpe ed esci giú in strada, le scalette che salgono alla parrocchia sono in fondo alla via, dopo una schiera di villini e giardinetti privati, dimora di gente ricca che ancora non sa di essere profuga, solo perché la loro patria si chiama denaro.

Si parte finché si spera di fare quell'incontro che deciderà della nostra vita. Ma poi, quando la vita è vissuta, si temono gli incontri.

Percorri l'asfalto con gli stessi timori di Medea, «antenata di tante donne che vagano senza passaporto e popolano i campi di sterminio e i campi profughi». Due luoghi piú simili di quanto si voglia ammettere.

Tutte le strade, allora, non conducono piú verso l'ignoto. In fondo a ogni strada è quello che tu conosci. C'è il tuo nemico.

Ti aggrappi al corrimano di ferro e sali i gradini sporchi di muschio. Sbuchi sulla strada superiore e ti ritrovi a sinistra il piazzale della chiesa, un incastro di cubi color granata con un portone scorrevole che pare un garage.

Quando si è tagliata come me la via del ritorno, l'ultima difesa della donna sono le creature che hanno bisogno della sua protezione.

Suoni il campanello con su scritto «Parroco» e dal citofono esce una voce sottile, di quelle che non t'immagini di fianco all'altare, ad arringare i fedeli sul senso delle scritture.

– Buongiorno, padre, mi chiamo Isabella Marincola, sono una profuga dalla Somalia in guerra, ho conosciuto monsignor Colombo e mi hanno detto…

– Venga, venga, sono al primo piano.

Che cos'è questo, nutrice? È questo essere civili? Allora meglio il mio paese.

Spingi la porta e prendi fiato prima di affrontare le scale. Don Marino ti viene incontro sul pianerottolo e ti porge la mano. È un uomo minuto, con pochi capelli, e quei pochi piú bianchi che neri. Del prete non ha nulla, tranne un vago sentore di cera.

Fermati qui, Medea, e cresci nei tuoi figli cittadini ragionevoli. Mi viene la vertigine se penso che esiste una terra come la tua, popolata di mostri coi piedi di bronzo e il fiato di fiamma.

– Che piacere vederla, signora Marincola. Suo figlio mi ha detto che lei era malata, bloccata in casa, invece mi fa piacere vederla in salute.

– Mio figlio? – domandi con finta sorpresa, perché ti è già chiaro cos'ha combinato quel ballista di Antar.

– È stato qui un paio d'ore fa. Mi ha raccontato la vostra vicenda e gli ho promesso che avrei fatto qualcosa per aiu-

tarvi. Questo dev'essere un pomeriggio di miracoli, bisogne-
rà ringraziare il Signore, perché mentre lei guariva dai mali
che la inchiodavano a letto, io ho fatto qualche telefonata e
ho già trovato un parrocchiano che potrebbe darvi una mano. Non è straordinario?

Dodici
Mogadiscio, estate 1988
Estratti da *Ma gli italiani sono proprio cosí?*
Dattiloscritto inedito di Isabella Marincola e Bruna Galvani Baxsan

Notti stellate e piene di luna, in Somalia. Un piccolo terrazzo, blandito dai rami delle papaie, un tardo volo di ibis che fa ritorno al nido e il suono remoto dei veicoli nel buio. Il monsone rinfresca la calura del giorno e induce a distendersi. In questa atmosfera, al termine di lunghe giornate, due donne, due amiche, sorelle di cuore, scambiano oziosi discorsi, discutono problemi, godono della reciproca compagnia.

E cosí scherzando, ridendo, per gioco, hanno cominciato a domandarsi come siano davvero gli italiani, prendendo in esame quelli che hanno conosciuto a Mogadiscio. Una galleria di caratteri, di tipi, tutti originari della stessa terra, della stessa nazione, ma colti nel loro aspetto di espatriati.

Non siamo certo le prime ad aver notato che i nostri connazionali, appena sbarcati in Somalia, cambiano personalità. Già il duca di Pirajno, che fu medico personale del duca d'Aosta in Africa Orientale, scriveva che al passaggio del canale di Suez, quella che per gli amici di casa era sempre stata la sciura Rosetta, la sora Rosa o la 'gna Rusidda si sentiva chiamare donna Rosa; all'altezza di Assab, per il commissario di bordo che leggeva D'Annunzio era donna Rosanna e quando sbarcava a Mogadiscio aveva molte probabilità di diventare contessa. Il duca si appuntava volentieri sulla sciocchezza femminile, ma gli uomini che arrivano in Africa non sono certo da meno.

Il primo italiano di Somalia che ho conosciuto di persona è stato un bananiere. Correva l'anno 1956 ed eravamo su un piroscafo della ditta Fassio, salpato da Genova alla volta di Mogadiscio. Si fanno le presentazioni e ci si dovrebbe stringere la mano, ma il trippone si guarda bene dall'onorare il galateo e scambia il saluto soltanto con mio marito. Io penso si tratti di una svista e non ci faccio troppo caso. Ci sediamo a un tavolo, ordiniamo un aperitivo, e i due maschietti si mettono a chiacchierare fitto. Scopro cosí che l'uomo è un caro amico del signor Dumini, «bravissima persona», e già responsabile dell'omicidio Matteotti. Un tipo scomodo che il duce premiò per toglierselo dalle scatole, con una concessione agricola sullo Uebi Scebeli. Di qui, il discorso scivola sulla buccia delle banane e il nostro pancetta si lamenta di quanto i lavoratori somali siano d'intralcio a una produzione scientifica. Non hanno voglia di lavorare, sono stupidi come capre e finiscono sempre per intralciare la sua iniziativa, che invece sarebbe brillante, ricca di ottime idee pubblicitarie per invogliare gli italiani a consumare banane.

– Ad esempio, – dice, – ho convinto i colleghi a finanziare un concorso canoro, con un premio assai allettante, affinché i nostri migliori musicisti si cimentino in un inno alla banana, che poi diverrebbe la colonna sonora di alcuni stacchetti radiofonici e televisivi. E uno scultore italiano di fama internazionale, di cui non posso rivelarvi il nome, è già al lavoro su una gigantesca banana in polistirolo, che poi vorrei riprodurre in decine di copie, da mettere in luoghi strategici, ai bordi delle strade statali, sui lungomare piú trafficati, nelle stazioni dei treni.

Dopo aver parlato di sé stesso e delle sue banane per venti minuti buoni, questo genio della réclame, per puro dovere di cortesia, domandò a mio marito che cosa andasse a fare a Mogadiscio, e quando si sentí rispondere che il suo scopo era scrivere alcuni articoli di giornale, e accompagnare sua moglie, cioè la sottoscritta, a incontrare la madre, il panzone sgranò gli occhi, si alzò in piedi e venne dritto dritto a stringermi la mano.

– Perché non l'avete detto subito che siete la sposa di questo caro signore? – mi disse porgendomi le sue scuse.

E cosí mi resi conto che il suo mancato saluto, durante le presentazioni, non era stato affatto casuale.

Sei anni piú tardi, nei primi Sessanta, ho sposato un somalo e mi sono trasferita a Mogadiscio. Mio marito aveva un ruolo nell'amministrazione e cosí ogni tanto venivamo invitati ai preziosi ricevimenti degli italiani che se lo volevano arruffianare.

Il salotto piú rinomato era in realtà un *patio* – come lo chiamavano i proprietari –, cioè un cortile molto ben tenuto, pieno di belle piante e bougainvillee rampicanti, dove venivano allestite cene e grandi bevute. Gli ospiti piú assidui potevano contare su riserve di whisky e vermut importati su richiesta, con tanto di nome e cognome scritto su un cartoncino e appeso al collo delle bottiglie.

Un altro famoso anfitrione era il signor D., che spesso organizzava serate musicali per spiriti eletti. Sui biglietti d'invito faceva scrivere «Sonata per pianoforte numero tal de' tali, di Ludwig van Beethoven», oppure «Concerto per violino, opera kappa qualcosa, di Wolfgang Amadeus Mozart». E sotto, in caratteri piú piccoli: «È gradito l'abito scuro».

La prima volta che presenziammo dovetti comprarmi un vestito per l'occasione e ci rimasi piuttosto male quando mi accorsi che il gran gala consisteva nell'ascolto di un paio di dischi.

– Ti ricordi M.? – domanda Bruna. – Quel tecnico alto
alto che lavorava al ministero dell'Agricoltura? È stato lui
a farmi ammirare il mio primo tramonto africano, in un ba-
retto sull'oceano appena fuori città. Non ci conoscevamo
granché, eppure succede, quando si ha l'animo tormenta-
to, di confidarsi volentieri con un'estranea. Mentre il cielo
si infuocava in un trionfo pittorico, la sua voce monotona
mi illustrò la trama del suo dramma. «Partirò per l'Italia fra
pochi giorni, – mi disse. – Qui sono stato bene, sono stato
anche felice, ma ora sono disperato. Amo una ragazza e devo lasciarla. Lei mi sposerebbe, ma dovrei diventare musulmano e crescere i figli secondo la fede islamica. Io non sono
praticante, non è che della religione mi importi granché, ma
che gli racconto ai miei fratelli, agli altri parenti, ai vecchi
amici? Ci faccio la figura del debole che s'è fatto converti-
re. È che ho paura del giudizio altrui, mi sconvolge proprio.
Anche il fatto di presentarmi con una nera, non posso proprio affrontarlo. Finché stavamo qua era un altro discorso,
ma in Italia... – Vuotò il suo bicchiere di rum somalo e domandò il conto. – Se questo significa essere razzista, allora
sí, ho scoperto di esserlo, e non mi fa piacere».

Casalinga lei, sottufficiale dell'esercito lui, i signori R.
vivevano in provincia di Roma e sognavano di comprarsi,
grazie alla Somalia, una bella villa.
– Mio marito si fa i tre anni canonici, – ripeteva lei, – poi
ce ne torniamo a Roccafritta con un bel gruzzoletto. Di piú
non si può proprio restare: le figlie ormai sono grandi e bisogna lasciare anche ad altri l'occasione di venire.
Cenammo a casa loro per l'Epifania. In cucina, troneggia-
va un frigorifero da ristorante. Il marito era di poche parole,
i figli anche. Lei invece amava parlare, mentre la cameriera

ci serviva, la cuoca controllava l'arrosto e la «generica» si metteva avanti con il lavaggio delle pentole. I suoi argomenti preferiti erano proprio la servitú, i figli e la condizione della donna. Di sé stessa, diceva che il marito non le avrebbe mai regalato abbastanza gioielli, come omaggio ai lunghi anni di sacrifici e lavori domestici. Quanto alle somale, sosteneva che l'Italia non aveva fatto abbastanza per emanciparle e renderle indipendenti.

Il preside M., dopo il primo consiglio d'istituto, ci invitò alla Casa d'Italia a prendere un drink, e lí iniziò a catechizzarci su come trattare le classi miste, dove a suo dire bisognava stare molto attenti alla provenienza «tribale» degli alunni somali, perché se mettevi in banco assieme un Hawiye e un Darod, rischiavi che passassero il tempo a litigare.

Una mia collega, la professoressa F., rispose che a quanto le risultava la Somalia era uno stato moderno e socialista, non un'accozzaglia di tribú. Al che un gelido silenzio scese sul tavolino, piú freddo dei cubetti ghiacciati a mollo nel mio Campari.

Di ritorno verso la scuola, F. mi confidò di essere arrivata in Somalia dietro raccomandazione di un deputato comunista, ben determinata a non farsi risucchiare da certi atteggiamenti neocoloniali. Voleva conoscere i somali, capire la Rivoluzione, non starsene chiusa nel solito recinto degli italiani.

In seguito, infatti, cambiò casa tre volte, per i piú svariati motivi. Giardino troppo piccolo, salone poco accogliente, niente piscina. Di somali ne conobbe parecchi, tutti quelli che le servivano per ottenere un incarico stabile, e grazie a questo feeling con il socialismo di Barre, riuscí a far venire a Mogadiscio anche sua madre, una maestra in pensione, che subito trovò lavoro nella scuola italiana.

La madre di una mia alunna del liceo, vissuta per anni in Kenya, era arrivata in Somalia dopo la morte del marito. Il fratello aveva un'impresa di ristrutturazioni edili molto ben avviata, vicino all'ambasciata francese di Mogadiscio. Quando la figlia cominciò a frequentare un ragazzo italo-somalo, fece di tutto per interrompere il rapporto, che suo malgrado terminò con un matrimonio «di riparazione». La famiglia del ragazzo era piuttosto agiata: lui si iscrisse all'università e il padre non gli fece mancare nulla, ma la signora era scontenta, non le bastava mai, e parlando del genero, mi ripeteva sempre con aria imbronciata: «Ha voluto la donna bianca? Che adesso la mantenga come si conviene!»

Il professor C. insegnava Lingua e letteratura italiana all'istituto tecnico. Si dava arie da padreterno e gli studenti dovevano ripetere le sue lezioni parola per parola, altrimenti guai. Aveva come compagna una ragazza somala, e un figlio illegittimo nato da pochi mesi, quando la moglie, dall'Italia, decise di venire a trascorrere una vacanza in Somalia. Il tizio, allora, consegnò alla ragazza una bella sommetta e le ordinò di sparire, finché la moglie gli fosse rimasta tra i piedi. Ma il volpone non aveva fatto i conti con gli amici della Casa d'Italia, una sorta di dopolavoro dove si andava a ricevere gli omaggi del barista e a seminare maldicenze. Le signore non persero l'occasione di punire chi aveva tradito con una somala la legittima consorte. Così la moglie di C. venne subito informata dell'illecita relazione e della prole che ne era discesa. L'effetto della spiata fu che il professore dovette tornare in Italia con la sua signora, ma in capo a sei mesi era di nuovo sulla breccia, accolto con i tappeti rossi dal preside dell'istituto tecnico, pronto a riprendere il suo ruolo di castigamatti.

L'università somala è sostenuta dall'Italia, che le invia i suoi docenti con ingaggi da capogiro. Del resto, bisogna ben retribuire chi si sobbarca la fatica di un trasferimento, spesso lontano dalla famiglia, e accetta la sfida di inculcare agli africani qualche barlume di scienza. Uno di questi luminari mi invitò un giorno a casa sua, perché aveva sentito parlare di mio fratello Giorgio e voleva conoscere la sua storia. Faceva gli onori di casa una giovanissima ragazza somala, che verso le dieci di sera si scusò e disse che sarebbe andata a dormire.

– Poveretta, – commentò l'uomo con un sorriso ironico, – è proprio stanca morta. Ha passato il pomeriggio a comprarsi vestiti.

– E come farà quando te ne sarai andato? – interloquí uno degli ospiti.

– Siamo d'accordo che le lascio cinquantamila scellini e tutto quello che le ho regalato in questi anni. Ti pare poco?

Gli risposi che senz'altro era stato generoso, ma forse non pensava che la sua ragazza si era abituata a una vita che non sarebbe mai stata sua. L'auto, il cibo, i vestiti, la villa, i divertimenti... Nemmeno centomila scellini l'avrebbero ripagata di quell'alienazione.

Il professore si strinse nelle spalle.

– Quando l'ho presa con me non aveva nulla. Adesso ha qualcosa, conosce una lingua, le lascio dei soldi... Poi, diciamocela tutta, tempo due mesi da che me ne sarò andato e si troverà un altro pronto a farle fare la bella vita.

Sul conto di G. F., una specie di Garibaldi con relativa barba bionda, correvano le voci piú disparate. Nessuno capiva come avesse fatto ad arrivare in Somalia, senza cooperazione tecnica, raccomandazioni politiche o enti vari alle spalle. Si diceva che fosse passato per Mosca, che fosse marxista, che fosse atterrato a Mogadiscio dopo vari fallimenti. Si adattò a svolgere i lavori piú umili, finché non gli riuscí di entrare nella redazione del giornale italiano.

Quando Siad Barre prese il potere, e firmò l'atto di nascita di un paese socialista, G. F. andò in brodo di giuggiole, prese contatti a destra e a sinistra, e ottenne un cospicuo finanziamento per dare vita a una biblioteca del popolo, con libri in somalo, in inglese e in italiano. L'idea era senz'altro meritevole: Mogadiscio non brillava certo per l'offerta letteraria. I libri in italiano, in particolare, si trovavano solo sulle bancarelle dell'usato, e c'era giusto qualche giallo e molti romanzi rosa. Purtroppo la biblioteca del popolo venne infarcita di libri e riviste sul comunismo, a discapito di tutti gli altri. I pochi malcapitati che la frequentavano, fuggivano in preda alla noia. Fu un insuccesso totale. Poi Siad Barre decise di mettersi con le potenze occidentali e il nostro passò diverse settimane a spiegare che mai e poi mai era stato comunista, ma al contrario s'era sempre definito socialista, che è ben diverso.

I volumi di Mao ed Enver Hoxha finirono sugli scaffali piú alti, sostituiti da preziose chicche, come il libro-intervista di Paolo Pillitteri al compagno Siad, con prefazione di Bettino Craxi.

Giovane e bella, M. P. si era sposata con un somalo, e alla Casa d'Italia avevano chiuso un occhio perché l'uomo occupava un posto di rilievo, e poteva tornare utile alla comunità. Poi però erano arrivati i figli e la signora aveva accettato di mandarli alla scuola coranica. Apriti cielo! Sulle prime, l'avevano accolta con animo battagliero, dicendole che si doveva ribellare: cosa credeva quello, di imporre la sua religione a tutta la famiglia? Quando però avevano scoperto che la donna non aveva nulla in contrario, che nessuno l'aveva costretta, allora avevano fatto scattare la reprimenda, sostenendo che una scelta del genere danneggiava tutti, era un precedente pericoloso, un cedimento, che se togli il dito dalla diga finisci annegato, e via di questo passo.

Da quel giorno, M. P. non s'era piú fatta vedere al circolo e i colleghi di scuola la additavano come pessimo esempio di una che s'era fatta assorbire, invece di tenere alto il buon nome della cultura patria.

In conclusione, che dire? È una caldissima notte, e lo spettacolo delle nostre papaie, tutte rinsecchite dalla stagione arida, ci viene deprimendo. Abbiamo cenato sul terrazzo con pane e formaggio, manghi e spremuta d'arancia, e ci rendiamo conto che la nostra galleria di personaggi non può continuare oltre.

– Diamine! – sbotta Isabella. – Sono sempre le stesse cose.

– E che vorresti? – risponde Bruna. – Sono loro, i personaggi, che alla lunga sono tanto simili. Di sicuro ce ne sono anche di altro tipo, ma non abbiamo la fortuna di conoscerli. Per questo, torno a ripetermi la domanda: ma gli italiani sono proprio cosí?

– Che intendi dire?

– Intendo dire che non ho ancora capito se un certo modo di fare è tipico di noialtri, oppure se si tratta di una miscela che potresti ritrovare pari pari nelle altre comunità di espatriati, piú o meno con gli stessi effetti: i soldi, il prestigio fittizio, il clima vacanziero, il razzismo, la *noblesse oblige* da telenovela...

– Un tecnico inglese amico di Mohamed mi ha raccontato che qualche anno fa, per la notte di San Silvestro, lui e alcuni colleghi francesi e tedeschi sono passati dalla Casa d'Italia per fare gli auguri, con una bottiglia di champagne, e quelli non li hanno fatti entrare perché non erano italiani.

– Forse erano pure belli ubriachi, – ribatte Bruna. – Però d'accordo, infiliamo nella miscela anche il nazionalismo spicciolo. E poi che altro?

– Ti ricordi l'altro giorno, quando passeggiavamo con N. e abbiamo incontrato quel ragazzo, quella sua vecchia conoscenza?

– Un suo ex alunno.

– Esatto. E che ci faceva in Somalia? L'esperto di banane. Eppure, candido come un lenzuolo, ammetteva di non aver mai visto un banano in vita sua, ma che non gli era parso un motivo sufficiente per rifiutare un'offerta tanto vantaggiosa.

– Sí, giusto, mettiamoci pure le raccomandazioni, che non aiutano a selezionare gente meritevole. E poi le dimensioni della comunità, che per chi la frequenta è come vivere in un paesino di mille abitanti, e il fatto che intorno ci sia Mogadiscio o Saturno, non fa differenza. Quel che conta è poter cucinare spaghetti, fare quattro chiacchiere e avere la «generica», somala o saturniana che sia.

– Un mio vecchio alunno di origine yemenita diceva sempre che somali e italiani sono come il caffè e il latte: molto diversi a prima vista, ma molto omogenei quando li mescoli. Forse è proprio questo che rende gli italiani diversi dagli altri espatriati, qui a Mogadiscio. L'italiano fa uno sforzo in piú per differenziarsi, sente di doverlo fare… e questo lo rende ridicolo.

Tredici
Mogadiscio, 16 settembre 1990

– Allora, che dici, Isabella, festeggiamo il tuo ingresso
nella vecchiaia?

Bruna versò lo spumante e mi passò il bicchiere, sorvolando col braccio le sessantacinque candeline che aveva preteso
di piazzare sulla torta. Spegnerle tutte era stata un'impresa,
c'erano voluti tre soffi e non pochi sputazzi.

– Vecchia sarai tu, – le rinfacciai. – Io mi sento ancora
fresca come una ragazzina –. Poi abbassai gli occhi e mi corressi: – Se non fosse per queste gambe maledette e questo
corpaccione che non è manco il mio. Chissà chi me l'ha rifilato. Di sicuro una ricca signora dell'alta società, che adesso
se ne va in giro con i fianchi stretti di quand'ero una modella. Sai che ti dico? Peggio per lei. Magari s'è venduta l'anima al diavolo per restare giovane e quello, furbo com'è, le
ha rifilato una *sòla*.

Bruna lasciò perdere i miei sproloqui e alzò un calice farlocco per lanciare un brindisi.

– Alla nostra vecchietta, allora. Cin cin.

Ricambiai la cortesia con una linguaccia e il gesto dell'ombrello.

– Tiè, altro che diavolo. Se quella veniva da me e mi pagava bene, glielo davo io, l'elisir della giovinezza.

– Ma non mi dire! – batté le mani Bruna. – Oltre che
vecchia sei diventata pure strega? Cos'è, fai collezione di
stereotipi?

– No, faccio collezione di stronze. Se mi regali la tua figurina, completo l'album e vinco un viaggio all'inferno per due persone. Mi ci accompagni?

Sorseggiai l'Asti Cinzano lasciando che le bollicine mi scoppiassero nel naso. Bruna tagliò due fette di torta e le scodellò nei piattini. Appoggiò il coltello e fece una pausa studiata, per farmi sbavare come un cane di Pavlov. Quindi, con gesto plateale, passò alla distribuzione: una fetta di fronte a sé e l'altra per terra, nelle grinfie di Gorbaciov, l'unico gatto di mia conoscenza capace di mangiare cioccolata e pasticcini.

Gli squilli del telefono mi impedirono di protestare. Stesi la mano verso l'apparecchio grigio e alzai la cornetta.

– Pronto?

All'altro capo del filo, quello stonato di mio figlio si mise a cantare *Tanti auguri a te*.

– *Bashbash iyo barwaaqo*, – mi augurò alla fine. «Abbondanza e prosperità». – Come va la vecchiaia? – domandò ridacchiando.

– Come sempre, – gli risposi seccata e mi venne il sospetto che quei due deficienti si fossero messi d'accordo per rovinarmi il compleanno.

– Il mio regalo ti è arrivato?

– No, non ancora. Cos'è, una confezione di Baygon?

– Esatto, – sogghignò Antar. – Cosí quando ti va ci condisci l'insalata. Hai presente come fa la canzone? *'Mazza la vecchia, col flit!*

Bastardo, oltre che stonato.

Ma sapevo come fargliela passare, tutta quella voglia di prendere per i fondelli.

– Allora, come vanno gli esami? Ti stai per laureare, una buona volta?

Antar bofonchiò parole incomprensibili, rumore di ingranaggi costretti a sfornare una balla a tempo di record.

– Ho chiesto la tesi, – mentí spudorato, – ma il prof è un tipo tosto, mi farà sudare parecchio. Prima dell'estate non se ne parla, anche perché nel frattempo ho iniziato a fare il cameriere.

– Bravo! – esultai. – Proprio il lavoro giusto per un negro. Sorridente e servizievole con tutti. Ma almeno l'hai presa, la cittadinanza italiana?

– Eh, guarda, per quella c'è un problema. Nei documenti che mi hai spedito, io risulto figlio di Timira Hassan, mentre la cittadina italiana è Isabella Marincola. Bisogna che ti fai fare un foglio dove si dice che queste due persone in realtà sono la stessa, altrimenti qua non ci crede nessuno.

– Va bene, mi faccio un appunto. Ci vorranno settimane per avere 'sto foglio. Qua non funziona piú niente. Ci hanno tolto pure il gas, te l'avevo detto? Siamo tornati a cucinare col carbone, come trent'anni fa.

– Magari è la volta buona che la gente si ribella e fa sloggiare il Vecchio. Qua ci sono tanti somali che non aspettano altro.

– Fossi in loro, non mi farei troppe illusioni. I giovani migliori stanno tutti all'estero e i vecchi non sanno fare altro che indignarsi. Dopo la strage allo stadio, si sono messi insieme in un gruppetto e hanno mandato una lettera a Siad Barre. Buoni consigli, buoni propositi, valori morali. Tra i firmatari c'era pure il mio vecchio amico Aden Abdulle e tanti altri. Tutti arrestati e messi sotto processo per alto tradimento. E scommetto che se li faranno fucilare, ci sarà un bel pienone, al poligono di tiro.

– Papà che dice? Sono due mesi che non lo sento.

– Dice che Siad Barre non era mai stato contestato in pubblico, prima dei fischi che s'è preso allo stadio. Secondo lui quei fischi, e la rappresaglia successiva, hanno messo la rivoluzione su un piano inclinato. Forse è per questo che tanti italiani se ne sono andati, in quest'ultimo anno. Siamo un popolo allergico alle rivoluzioni.

– E tu? Non sei spaventata? Prima il vescovo Colombo, poi quel ricercatore di fisica... Di italiani assassinati cosí non se ne vedevano dal '48.

– Certo, ma che vuoi che faccia? Questo è il mio paese, ormai, e rispetto alle statistiche ho già vissuto piú del previsto. Comunque vada, creperò a Mogadiscio e mi daranno in pasto alle iene. Non vedono l'ora, quelle. Sai che bel pranzo abbondante!

– Va bene, senti, meglio che ti saluto, se no spendo una fortuna. Ti chiamo la prossima settimana, d'accordo? Salutami anche Bruna.

– Sí, sí, anche Bruna, anche i gatti. E tu vedi di cominciarla davvero, quella tesi, capito? È da quando ti sei messo con quella stronza che hai smesso di studiare e...

Tu-tu-tu-tu-tu. Il ballista impenitente mi riattaccò in faccia e lo maledissi tra i denti, sapendo quanto mi sarebbero mancate le sue bugie. Si vede che mi piacciono, pensai. Sono stata allevata nella menzogna e non riesco piú a farne a meno. In caso di penuria, me la cavo bene anche con l'autoproduzione.

Jasmin si materializzò sulla tavola e prese a giocare con le mosche. Arraffai una fetta di torta prima che una zampa di gatta ci sprofondasse dentro.

– Buona, – dissi rivolta a Bruna. – Cosa ci hai messo?

– Segreto! Te lo dico soltanto se mi dài la ricetta del tuo elisir di giovinezza.

– Ah, è presto detto. Ti basta un solo ingrediente, in dosi da cavallo. Fritto, frullato, arrosto o in salmí: come ti pare, tanto fa schifo comunque ed è indispensabile sorbirselo tutto.

– Olio di fegato di merluzzo? – azzardò Bruna, e il naso le si arricciò al solo pensiero.

– Molto peggio. Ascolta: sai per me quand'è che si diventa vecchi davvero, al di là delle rughe e dei reumatismi? Quando si smette di cambiare. Infatti, quando non cambi proprio piú, vuol dire che sei morto.

– E allora?

– E allora sai perché mi sento giovane? Perché ho fatto mille sbagli, errori su errori che mi hanno costretta a cambiare di continuo. Quindi, ti sembrerà strano, ma la mia medicina contro la vecchiaia si chiama fallimento.

– Sicura? – Bruna allungò il braccio e si mise la gatta sulle ginocchia. – Io ho sempre pensato il contrario. I fallimenti sono una gran fatica, e chi fa troppa fatica invecchia prima degli altri. Almeno su di me hanno avuto questo effetto.

– Perché non li hai digeriti. Siccome il fallimento ha un sapore schifoso, hai pensato che fosse una specie di veleno e hai fatto di tutto per vomitarlo. Ed è quello sforzo che ha finito per consumarti.

– Sarà come dici, ma allora anche tu sei destinata a invecchiare. Ormai ti sei sistemata, no? Non sarà una pacchia, ma di spazio per altri sbagli sinceramente non ne vedo. Basta che di fronte a Mohamed continuiamo a bere aranciata e teniamo il vino ben nascosto per i nostri *tête à tête*.

– Sí, hai ragione, – ammisi colmando di nuovo i bicchieri, – ho messo i miei pezzi in equilibrio, ma è una calma apparente. Gli sbagli non si archiviano, si rattoppano, e il filo può sempre scucirsi, da un momento all'altro. Ho un lavoro instabile, senza prospettive di pensione, in un paese sul lastrico, di cui non parlo la lingua. Ho un figlio a seimila chilometri di distanza, che non si decide a laurearsi, e un fratello morto come il piú inutile degli eroi. Mio marito è diventato una specie di prete e la mia unica amica vuole convincermi a tutti costi che sono una vecchia cotica da buttar

via. Direi che ce n'è abbastanza per non stare tranquilla, a
prescindere dalle stranezze che vorrà riservarmi il futuro.

 – E quindi, Isabella? Auguri o In šā' Allāh?

 – Auguri, Bruna. E speriamo che Dio ci lasci finire la
bottiglia.

Fotocopia conforme all'originale convalidata
ai sensi del art. 2719 del Codice Civile
Mogadiscio, 10 DIC. 1990

CONSOLATO GENERALE D'ITALIA
Mogadiscio

Mogadiscio, 25.5.1977

ATTO DI NOTORIETA'

Si è presentata la Sig.ra MARINCOLA Isabella, nata
a Mogadiscio il 16 settembre 1925, residente in Mogadiscio di professione Insegnante della cui identità
personale io Console sono certo, la quale mi richiede di voler ricevere il presente atto di notorietà.

A tal scopo mi presenta n. 2 testimoni idonei non
interessati in questo atto ed a me noti e cioè:

- PANZA Bruno, nato a Settefrati (Frosinone) il 27
maggio 1920, residente in Mogadiscio, di professione
Direttore Didattico;

- VANNUCCINI Valerio, nato a Poggio Caiano (Firenze) il 25 agosto 1928, residente in Mogadiscio,
di professione Commerciante.

Previa ammonizione fatta da me Console circa l'importanza morale del giuramento, sul vincolo reli-

gioso che con esso i credenti contraggono di fronte
a DIO, sull'obbligo di dire la verità e sulle pene
comminate dalla Legge ai rei di falso giuramento,
ho letto loro la formula di rito: «Consapevoli della responsabilità che con il giuramento assumete di
fronte a Dio e agli uomini giurate di dire la verità, null'altro che la verità».

Al che ciascuno di essi ha risposto: «Lo Giuro».

Interrogati circa l'oggetto della loro comparizio-
ne, l'uno dopo l'altro e separatamente, hanno reso
la seguente dichiarazione che, una per tutti, cosí
si riassume: «E' a nostra conoscenza e possiamo at-
testare che con le generalità di TIMIRA HASAN figurante sul certificato di nascita n. 5357 si identi-
fica la MARINCOLA Isabella la quale risulta pertanto
essere la madre naturale del cittadino somalo ANTAR
MOHAMED AHMED, nato a Mogadiscio il 30 giugno 1963.

I dichiaranti hanno aggiunto che la Sig.ra Marincola fu costretta a fornire all'Anagrafe di Mogadiscio
cui la nascita fu denunciata, le predette generalità fittizie perché impossibilitata a riconoscere il
figlio nato fuori dal matrimonio in quanto coniugata
all'epoca col Sig. ZENNARO Alfredo.

Del che si è redatto il presente verbale, del quale ho dato lettura alla richiedente e ai testimoni,
i quali tutti dichiarano di pienamente approvarlo
perché conforme alla loro volontà ed al vero.

Quattordici
Bologna, 23 maggio 1992

Passano i giorni, ma il signor parroco non si fa sentire.

Pensi che dopo la gita negli uffici comunali e di quartiere, ora potresti ripartire con un *grand tour* delle parrocchie. Solo a Bologna città ce ne devono essere un centinaio. Non fosse per le gambe doloranti e gli stramaledetti piedi, sarebbe un pellegrinaggio da sperimentare. Se non hai piú diritti da reclamare, e si tratta solo di far l'elemosina, allora le chiese sono i luoghi piú adatti.

Siamo tutti profughi rispetto al paradiso.

Passi le tue giornate in camera, a tessere lamentazioni e leggere Musil, in attesa di qualcosa, anche di un infarto.

Antar si è messo a scrivere la tesi, segno che pure lui è davvero disperato, mentre Luca e Francesco, per quanti sforzi facciano, non riescono piú a nascondere il fastidio per la vostra presenza. Fingono di non vedervi, ma la legge dei topi in gabbia farà presto il suo corso.

Una mattina il telefono squilla, tu resti seduta e ascolti gli altri rinfacciarsi il culo di pietra, la faccia di bronzo e «io non sono la segretaria di nessuno». Dice proprio cosí, la voce maschile nel corridoio: «segretaria», declinato al femminile.

– Isabella? È per te! – strilla Francesco e un attimo dopo senti il rumore della cornetta sbattuta con stizza sul legno della mensola.

Ti alzi piú in fretta del mal di schiena, provi a dimenticare quello alle gambe e raggiungi l'apparecchio prima che all'altro capo del filo si siano stufati di aspettare.

– Pronto?

– Pronto, signora Marincola? Sono don Marino, il parroco di San Lorenzo.

– Don Marino, che piacere sentirla! Ci sono novità?

– Sí, sí, grosse novità. Ascolti: lei questo pomeriggio pensava di venire alla processione della Madonna?

La risposta corretta sarebbe no, e tu hai già la lingua sul palato, quando ti viene in mente che forse un sí potrebbe tornarti utile. Un sí per non essere soltanto una poveraccia da aiutare, ma una cittadina del regno di Dio.

– No, padre, – rispondi alla fine, stanca di ogni appartenenza. – Le processioni non fanno per me.

– Capisco, – commenta il parroco dispiaciuto. – Sa cosa diceva Giuseppe Dozza, il sindaco comunista di questa città? «Io sono ateo, ma credo nella Madonna di San Luca, come tutti i bolognesi». Comunque, se vuole evitare la processione, possiamo incontrarci prima che cominci. Diciamo alle due e mezzo, davanti al cancello di Villa Spada?

– Affare fatto, – concludi e mentre lo dici spingi avanti la mano come se dovessi fartela stringere per siglare l'accordo. Quindi agganci il ricevitore e fili in camera per raccontare ad Antar, ma lo trovi con la testa sprofondata nei libri, una buona volta, e preferisci non distrarlo con una notizia bomba.

– Chi era?

– Bruna, ti saluta tanto.

Mentire al ballista è un grande piacere, ma passato quello, è l'ansia dell'attesa ad avere la meglio: lo sguardo fisso sulle cifre della sveglia, la tavola apparecchiata con largo anticipo e sul piú bello la fame che se ne va, lo stomaco che si stringe

e Antar che si stupisce perché non mangi, mentre lui si ab-
buffa con pasta e zucchine.

– Esci? – ti domanda dopo il caffè, appena vede che ti avvicini alla porta e raccogli le chiavi dal cesto sulla mensola.

– Vado a leggere a Villa Spada, qui non si respira.

– Ti accompagno, – fa lui come un cane con il guinzaglio
in bocca. A volte pensi che Celeste ha ragione, quando dice
che tu e Antar siete come busta e francobollo, sempre ap-
piccicati. *Simbiotici*, come dice lei.

– Ho voglia di stare da sola, – lo blocchi. – Ci vediamo
piú tardi.

E prima che abbia il tempo di ribattere sei già fuori, sei
già sul marciapiede, hai già attraversato via di Casaglia e davanti al cancello di Villa Spada c'è già don Marino.

– Allora, signora Marincola, – esordisce col sorriso prete-
sco. – Ho parlato con quella famiglia che le dicevo, i signori
Tancredi, e credo proprio che possano aiutarvi. Ma prima,
mi hanno chiesto di farvi alcune domande. A proposito,
dov'è suo figlio?

– È rimasto a casa, – rispondi, – sta studiando per la tesi.

– Ah, bene, che bravo ragazzo. Questo dobbiamo proprio
dirlo al professor Tancredi, perché vede, questi miei parroc-
chiani sono gente di buon cuore, però hanno paura di avere
fastidi, e tutto sommato li capisco. Sono stato diverse volte
alla missione cattolica di Lagos e ho visto che nelle vostre case c'è spesso confusione, gente che va e viene, e in generale
un modo di vivere diverso dal nostro, che qua in Italia può
dare problemi coi vicini.

– Non si preoccupi, padre, – lo rassicuri. – Nessuno di
noi suona il tamburo. Io di solito ascolto Rimskij-Korsakov,
ma sempre a volume basso e mai dopo le 22.

Il parroco si illumina, poi aggrotta le sopracciglia per sembrare severo.

– Ho la sua parola? Sapete, qui la gente non ama il chiasso, sono molto riservati, soprattutto in questo quartiere, dove…

Si interrompe e indica un tizio sotto il portico, dall'altra parte della strada.

– Ah, ecco il professore!

Don Marino alza il braccio, si fa notare. Il professor Tancredi viene verso di voi e con uno sguardo da entomologo ti porge la destra per un saluto guardingo.

Subito don Marino appoggia le mani sulle vostre e le stringe, in un gesto a mezza via tra la santa messa e il mercato dei buoi.

– Stavo proprio raccontando alla signora Marincola quant'è importante la tranquillità per la gente del quartiere.

– Esatto, – annuisce Tancredi, – e di quel condominio in particolare. Prima ci abitava una mia zia, ma è venuta a mancare proprio il mese scorso, e l'appartamento sarebbe libero anche da subito. Ma lei, signora, è da sola o…

– C'è anche mio figlio, – ti affretti a rispondere. – Almeno per i primi tempi, poi spero che si trovi una stanza per i fatti suoi. Adesso viviamo tutti e due nella stessa camera, in un appartamento con due studenti e meno male che quelli non ci sbattono fuori.

– Don Marino mi ha raccontato la vostra situazione, – ti argina il professore, – e infatti mi aspettavo ci fosse anche… come si chiama suo figlio?

– Antar, come il grande eroe arabo e la sinfonia numero due di Nikolaj Rimskij-Korsakov, la conosce?

– No, signora, però mi piacerebbe conoscere suo figlio. Come mai non è venuto anche lui?

– È che sta studiando, professore, sta studiando tanto. Deve scrivere una tesi sulle radici del razzismo europeo, per la laurea in Scienze politiche.

– Ah, Scienze politiche, – commenta il professor Tancredi, con l'aria di chi sottintende: «Preferivo ingegneria».

– Però se vuole lo vado subito a chiamare, stiamo qui a due passi.

– Guardi, facciamo cosí. Ormai tra meno di mezz'ora passa la Madonna, e io vorrei assistere insieme a mia moglie. Subito dopo, verso le quattro, possiamo ritrovarci qui.

Tu naturalmente rispondi che sei d'accordo, saluti, ringrazi e mentre torni verso via Dotti provi a immaginare la faccia di Antar quando gli racconterai dove sei stata.

Un'ora piú tardi siete di nuovo in strada, incapaci di starvene chiusi fra quattro mura, a bere tè, cambiare canale e controllarvi la ghigna nello specchio.

Sbucate su via Saragozza, ma il marciapiede è ingombro di fedeli che attendono la discesa della Madonna di San Luca, una tradizione vecchia di cinquecento anni, legata a un miracolo della pioggia e alla festa dell'Ascensione.

Le teste del popolo di Dio puntano l'Arco del Meloncello, là dove il portico che scende dal santuario sul colle della Guardia scavalca la via per Porretta e diventa tutt'uno con le case, pianoterra di condominî dall'intonaco giallo. Il corteo è ancora dietro la curva, ma gli altoparlanti lo precedono, rilanciando dai muri e dai pali elettrici una voce nasale che sgrana il rosario, cantilena litanie e racconta dell'acqua tramutata in vino alle nozze di Cana.

Ci sono bimbi per mano a un palloncino o sulle spalle dei padri, donne che lanciano petali di rosa, anziani sulle sedie di plastica portate da casa e intere famiglie affacciate alle finestre, con gli addobbi rossi che penzolano dai davanzali e dalle ringhiere.

Sotto le volte del portico, dove si annidano i negozi, è difficile capire se i clienti del bar *Pipa* sono qui per la Ma-

donna, per un prosecco o per tutt'e due. Di fronte alla vetrina di Sandra, la parrucchiera, due donne con i bigodini
in testa e l'asciugamano a mo' di stola, attendono la benedizione della Vergine prima di tornare a quella della mes-
simpiega.

Il profumo d'incenso si fa piú avvolgente, sconfigge cre-
me e sudori, ed ecco apparire sulla strada il baldacchino rosso che ripara l'icona della Madonna Odighitria, colei che
mostra la via, protettrice dei viaggiatori e quindi anche dei
profughi, affogata dentro una cornice d'oro e di fiori. Una
Madonna nera, marroncina, mulatta. Una Madonna «scura
come le tende dei beduini, bruciata dal sole».

Intorno, quattro diaconi biancovestiti reggono i sostegni
del baldacchino e altri quattro puntano al cielo grandi lan-
terne spente.

Suore di ogni ordine e grado sfilano come pulcini dietro la
chioccia, in un tripudio di stendardi e insegne, da san Francesco a padre Pio. Gli altoparlanti cantano le lodi di Maria
vergine, le riversano su stole gialle, piviali azzurri, cotte,
dalmatiche, rocchetti, mozzette rosse, mantellette, amitti,
cingoli, camici, pianete. Signore ben vestite e pizzicagnoli in
grembiule, completi scuri da security, carabinieri col pennac-
chio e fasce tricolori di sindaci e autorità. Congregati avvolti
in tuniche nere con croci bianche, bianche con croci rosse,
da soldati di Cristo e da inquisitori.

Santa Madre di Dio, salmodia la voce altoparlata. *Prega per
noi*, risponde il coro che avanza e pian piano si ferma, tra le
sponde gremite di via Saragozza. *Vergine clemente*, incalza
la litania. *Prega per noi.*

Un chierico accosta il microfono alle labbra del vescovo.
Quello alza le braccia e fa chinare le teste, i bigodini, le papaline e i veli, i pennacchi e le fasce tricolori, mentre crocifissi e gonfaloni si drizzano per ascoltare meglio. Molti fedeli

si attaccano al telefono per trasmettere in diretta ai parenti lontani la benedizione solenne.

– Per intercessione della beata vergine Maria, Dio benedica questa città e tutti i suoi abitanti. Nel nome del Padre e del Figlio e dello Spirito santo.

Un amen colossale accoglie i nomi della Trinità, quindi la processione riparte, sfila, scorre sull'asfalto e lascia per terra petali di rosa e palloncini colorati a spasso tra le nuvole.

Vi ritrovate sommersi da una slavina di avemarie e di misteri gaudiosi, gloriosi e dolorosi, in mezzo a preti in sottana e vigili urbani.

Risalendo la corrente e infilandovi nei pertugi lasciati da chi rincasa, giungete al solito cancello del parco di Villa Spada, al termine di un fiume carsico di attese e rimandi.

Il professor Tancredi è accanto a una bella donna, alta e sottile quanto lui, cosí che entrambi, anche volendo, non possono evitare di guardarvi dall'alto in basso.

– Ci tenevo a conoscerla, – dice Tancredi rivolto ad Antar, – perché mia moglie e io abbiamo pensato di proporvi uno scambio, cioè di assegnarvi un'incombenza, con la quale diciamo che vi paghereste l'affitto, almeno in maniera simbolica.

Tu capisci subito che l'affitto simbolico è un'arma a doppio taglio. Perché da un lato è ancora beneficenza, in quanto *solo* simbolico, e dunque non vi dà alcun diritto, dall'altro non è *proprio* un regalo, e quindi potrebbe aumentare, triplicare, trasformarsi in sfratto.

– La casa, adesso la vedrete, confina proprio con il giardino della nostra, dove teniamo una coppia di levrieri afghani. Noi vi chiediamo, due volte al giorno e per trecentosessantacinque giorni all'anno, di portare da mangiare a questi due cani. Intendiamoci: la pasta, la carne, il pane, i dadi e anche la pentola ve la diamo noi, voi dovete cucinare il tutto, portarlo in giardino, riempire l'acqua nelle ciotole, e durante l'estate, quando noi andiamo in vacanza, dare le granaglie agli uccellini nella voliera e innaffiare il giardino. In cambio, dovrete pagarci solo le spese condominiali e le bollette di acqua, luce e gas. È tutto chiaro?

– Sí, professore, tutto chiaro.

Trecentosessantacinque giorni all'anno, pensi tu, e le ferie d'agosto? Quelle non sarà certo un prete a farvele ottenere. Di fronte all'elemosina si può solo ringraziare, perché la beneficenza è il contrario del diritto.

E infatti ringrazi, ringrazi di cuore e vorresti baciargli le mani, al professor Tancredi, mentre ripete che nel condominio vivono tutte persone perbene, che non amano la confusione, e che alla prima lamentela gli tocca sbattervi fuori, perché non ha nessuna voglia, e tantomeno il tempo, di mettersi a discutere con quei rompiscatole dei vicini.

– Avete capito bene?

– Sí, professore, – rispondete in coro sullo stesso tono dell'amen che è risuonato poco fa sotto le volte del portico. – Abbiamo capito e ci sta bene tutto. Vedrà, non le daremo alcun motivo di lamentarsi.

– E allora, venite. Vi faccio vedere la vostra nuova casa.

Posludio
Lettera intermittente n. 4

Bologna, 26 ottobre 2011

Cara Isabella,
oggi o domani o dopodomani la specie umana del pianeta Terra scavalcherà il crinale dei sette miliardi d'individui. Eravate poco più di tre miliardi, quando Antar è nato, e circa due quando sei nata tu, «al primo piano di una casa in muratura posta in rione Amaruini, denominata Beit el Margil».

Sono morti Andrea Zanzotto, il poeta partigiano di Giustizia e libertà, Marco Simoncelli, che a ventiquattro anni correva sulle moto, e il colonnello Gheddafi, che prese il potere un mese prima di Siad Barre. Vent'anni fa si parlava di una possibile libanizzazione della Somalia, oggi si evoca lo spettro di una somalizzazione della Libia.

Dopo l'Egitto di Mubarak e la Tunisia di Ben Ali, ecco il terzo paese del Nordafrica liberato da un tiranno, ma per prendere Tripoli i ribelli hanno avuto bisogno dei bombardamenti della Nato e io resto convinto che i mezzi cambiano il fine. Pensa a quanto sarebbe diversa l'Italia se i partigiani l'avessero liberata da soli, senza sbarchi alleati e truppe anglo-americane.

E a proposito di partigiani, mi sono dimenticato di darti una notizia importante. Esattamente un anno fa, il 26 ottobre 2010, hanno dedicato a tuo fratello il laboratorio di scienze del liceo classico Pilo Albertelli – quello dove hai studiato anche tu, quando ancora si chiamava Umberto I, e adesso porta il nome del professore che insegnò a Giorgio l'antifascismo.

Tu hai sempre sostenuto di non amare le lapidi, eppure ti sei battuta, quando stavi in Somalia, affinché un'aula della scuola italiana di Mogadiscio portasse il nome di Giorgio Marincola.

Oggi quella targa non ha più nemmeno il muro per stare appesa.

In Italia, non appena ti sei sistemata nella nuova casa, subito hai lottato per trovare una dimora anche a tuo fratello, alla sua storia profuga nelle terre di un passato che qui troppo spesso si chiamano oblio.

Gli avevano già intitolato una via in un quartiere di Biella, dove ha combattuto, e poi un'altra alla periferia di Roma, senza nemmeno invitarti all'inaugurazione.

Più di quelle due insegne non sembrava lecito sperare, poi tre anni fa è arrivato il libro di Carlo Costa e Lorenzo Teodonio: Razza Partigiana. Storia di Giorgio Marincola.

Antar me lo ha portato a casa pochi giorni prima che uscisse, alla fine di aprile del 2008.

Leggendolo ho capito finalmente che cosa volesse da me quella storia, incontrata cinque anni prima sotto un cedro del Libano, nel parco di una clinica per malattie mentali.

Ho sfilato la cartelletta rossa da una sezione del mio armadio che chiamo «il freezer» e con quella nella borsa mi sono precipitato alla libreria Modo Infoshop, *per assistere alla presentazione del libro, ringraziare gli autori, salutare Antar e fare la tua conoscenza.*

Non ti avevo mai vista, prima di allora, se non in un paio di foto d'infanzia, ma dopo gli interventi e le domande, i salatini e lo spumante secco, ti ho individuato senza fatica in mezzo alla piccola folla, sprofondata nella tua sedia a rotelle. Mi sono avvicinato, ho atteso che finissi di abbracciare una ragazza bionda, e senza distrarre Antar dalle chiacchiere di rito, ho allungato la mano e ho detto:

– Buonasera, signora Marincola. Posso rubarle un minuto?

Un minuto che poi è durato due anni, fino al 31 marzo del 2010, il giorno delle elezioni regionali.

Sarà stata l'una di notte, forse anche piú tardi. Per tutta la sera avevo seguito il responso delle urne e m'ero deciso per il letto solo da pochi minuti, fiaccato dall'annuncio che un leghista era il nuovo governatore del Piemonte.

Di sicuro non dormivo ancora, altrimenti non avrei sentito la vibrazione sul legno del comodino, non avrei cercato a tentoni il cellulare, non avrei visto nel buio, sullo schermo illuminato, le cifre di un numero qualsiasi mutare di scatto nel nome di tuo figlio.

Non ho risposto subito, come ci si aspetterebbe in un caso del genere. Anni fa, sul lavoro, ho dovuto garantire la reperibilità assoluta, ventiquattr'ore su ventiquattro, e da allora odio il telefono mobile come un metalmeccanico la catena di montaggio: quella costringe a mettere all'opera ogni minuto del turno in fabbrica, quell'altro fa lo stesso con ogni minuto dell'esistenza. Il mio primo pensiero, quando sento squillare la suoneria, non è piú: «Vediamo chi ha bisogno di me», ma piuttosto: «Chi è che rompe i coglioni?»

Al quinto richiamo, schiaccio il tasto con la cornetta verde.

– Pronto, Antar, che succede? – e mi rendo conto che ho la voce di chi vorrebbe dire: «Senti, spero sia qualcosa di grave visto che mi chiami a quest'ora», ma in realtà non lo spero affatto, che sia qualcosa di grave, solo basta poco per scoprirsi piú meschini di quel che si vorrebbe.

– Pronto, Giovanni, Isabella è morta, vieni subito.

Farfuglio qualcosa a proposito dell'ambulanza e mi butto fuori dalle coperte. Mi vesto, avverto mia moglie, scendo le scale di corsa.

In auto, sul viale che corre intorno alla città, stringo il volante e penso ad alta voce: – Sono uno stronzo.

Perché solo uno stronzo poteva aspettare cinque anni prima di togliere dal «freezer» una cartelletta rossa con tre documenti.

*Cinque anni. Troppi, per te che già allora ne avevi settan-
totto e una lista di acciacchi grossa come un dizionario. Come
ho fatto a non capirlo subito, a prendermela comoda, a inseguire farfalle?*

– Sono uno stronzo, – *ripeto al parabrezza.*

*Arrivato in via Saragozza, parcheggio sul lato del portico e
vedo l'auto del pronto soccorso proprio di fronte a casa tua,
con la luce allarmante blu che stampa lampi sull'asfalto e contro le arcate.*

*Suono il campanello, Antar viene ad aprire e ci abbracciamo
sull'uscio, giusto il tempo per due singhiozzi, perché il medico ha
fretta di dare istruzioni, far firmare i moduli del decesso e tornare disponibile per altre chiamate. Quando spiega a tuo figlio
quel che deve fare, ogni tanto mi lancia un'occhiata, come per
controllare se anch'io lo sto ascoltando, e non capisco se fa cosí
perché teme che Antar non sia abbastanza lucido per la burocrazia, o che sia troppo nero per capire l'italiano.*

– Aveva un brutto raffreddore, qualche linea di febbre, – *racconta Antar quando restiamo da soli.* – Abbiamo cenato, poi
lei s'è messa a letto e io davanti alla televisione per seguire le
elezioni. Ogni tanto mi affacciavo in camera sua per vedere come stava e darle qualche notizia. Purtroppo di buone ce n'erano poche. «Dài, vieni di là con me», le dicevo, ma lei scuoteva
la testa e restava lí. «Sto pensando al romanzo», mi ha detto a
un certo punto, quando l'ho avvisata che Cota era il nuovo governatore del Piemonte. Sono tornato in sala e un attimo dopo
l'ho sentita rantolare. Sai che tra le altre cose soffriva pure di
asma, no? Mi sono precipitato nella stanza e…

*Suonano alla porta. Sono i due barellieri che devono por-
tarti via. Li facciamo accomodare, ma quando vedono il tuo
corpaccione steso sul letto matrimoniale, decidono di tornare
fuori, per poi ripresentarsi un attimo dopo spingendo avanti un
lettino su ruote.*

– *Dovete toglierle qualcosa?* – *domanda il più anziano dei due, che ha i capelli grigi pettinati con l'onda come un Clark Gable fuori tempo massimo.*

– *La catenina,* – *risponde Antar sicuro.* – *La catenina d'oro della prima comunione.*

Si abbassa su di te, fa per sganciarla, ma l'operazione è più complicata del previsto. Il gancetto è sulla nuca, la nuca è sul cuscino, e la catenina, infossata tra le pieghe del collo, non vuole saperne di scorrere.

– *Mi dài una mano?* – *domanda Antar alla fine e io allora ti sollevo per le braccia, mentre lui sgancia la catenina e tu protesti con un rutto per la ginnastica improvvisa.*

È la prima volta che ho a che fare con un morto così da vicino. Mio padre, i miei nonni, mia zia li ho visti passare dalla vita alla bara come se in mezzo non ci stesse niente, tutt'al più una macchina per il teletrasporto. Ai funerali, non sono di quelli che si avvicinano al feretro per l'ultima occhiata, l'ultima carezza. Non vado mai al cimitero e mi ripeto che il culto dei morti è un'abitudine primitiva, ma è solo il mio modo di voltare le spalle al precipizio.

Invece per te sono venuto anche al cimitero, prima per l'ultimo saluto, poi a leggere due pagine che avevamo scritto insieme, mentre Antar spargeva le tue ceneri su un cerchio di ciottoli bianchi e altri pochi amici suonavano i loro strumenti o si abbracciavano pensosi.

Dieci giorni dopo averti affidato al vento e all'acqua di una fontana, tuo figlio mi ha chiamato per domandarmi se il nostro romanzo potevo finire di scriverlo insieme a lui. Ho risposto di sí, ci siamo messi al lavoro e questo è il risultato. Ti sto scrivendo a penna, con la grafia stretta stretta, sul retro bianco dell'ultimo foglio del plico. Lo spazio è ancora poco, ho finito le mie correzioni e dopo pranzo devo incontrarmi con Antar per mescolarle alle sue. Di sicuro cambieremo ancora molte paro-

le, aggiungeremo e taglieremo brani, ma la sequenza dei primi capitoli penso che rimarrà intatta, come l'avevamo pensata in uno dei nostri mercoledí.

E se tutto il resto non sarà di tuo gradimento, spero ci scuserai, ma non possiamo far altro che dedicarlo a te.

Archivio storico
Cronologia

Mohamed Ahmed è morto per cause naturali all'ospedale di Burao, Somaliland, nel mese di luglio 1992, mentre Antar e Isabella preparavano le carte per il ricongiungimento famigliare.

Mohamed Siad Barre è morto a Lagos, Nigeria in seguito a crisi cardiaca, il 2 gennaio 1995.

Antar Mohamed Marincola si è laureato in Scienze politiche il 12 luglio del 1996.

Abdeqassim Salad Hassan è stato eletto presidente della Repubblica somala il 27 agosto 2000. È rimasto in carica fino al 14 ottobre 2004, per lo piú risiedendo e lavorando a Gibuti.

Il 29 settembre 2006, a Roma, gli ufficiali giudiziari hanno sfrattato dallo studio di via Margutta 54 tutti gli attrezzi e i calchi dello scultore Assen Peikov, lí conservati dal figlio Rodolfo.

L'8 giugno 2007 è morto a novantanove anni Aden Abdulle Osman Daar, primo presidente della Repubblica somala e primo capo di stato africano a cedere il potere a un successore democraticamente eletto.

Isabella Marincola è morta il 30 marzo 2010, a Bologna, nella casa dove abitava dal 23 maggio 1992, lo stesso giorno della strage di Capaci.

Titoli di coda

Qualsiasi narrazione è un'opera collettiva, anche quando un solo individuo la traduce in testo e la firma con il suo nome e cognome. La scrittura non funziona come un recinto: se metto una storia sulla pagina, non la faccio *mia*. Al contrario, ne moltiplico gli autori.

Prima di tutto, perché qualunque scrittore cuce scampoli di frasi ritagliate da diversi contesti: altre pagine, altre voci, i tavolini di un bar, lo schermo di un cinema, la strada, un giornale.

Secondo, perché lo scenario dei singoli capitoli – specie quando si tratta di raccontare ciò che non si è vissuto di persona – ha un debito con cartoline, fotografie, documentari, lettere, mappe, memoriali, archivi, dipinti.

Terzo, perché l'autore, per quanto solitario, ha spesso la fortuna di non essere l'unico a lavorare sul testo: amici e parenti, editor e correttori di bozze gli dànno una mano a ripulirlo da idiozie.

Quarto, perché se lo scritto ha la forma di un libro, allora contribuiscono al suo significato anche la copertina, le bandelle, la quarta di copertina. E ci sono figure professionali che si occupano di questi dettagli e piú in generale dell'oggetto cartaceo: grafico, impaginatore, tipografo.

Quinto, perché grazie ai lettori il testo acquista nuovi significati e genera poi discorso, passaparola, commenti, recensioni, riscritture, trasposizioni.

Le storie sono di tutti – nascono da una comunità e alla comunità ritornano – anche quando hanno la forma di un'autobiografia e *sembrano* appartenere a una persona sola, perché sono le *sue* memorie, la *sua* vita, com'è il caso di questo romanzo meticcio.

Eppure, anche il racconto che ciascuno chiama *io* è un prodotto collettivo – nessuno si fa davvero da sé – e dunque a maggior ragione sarà collettivo il racconto che uno fa della propria vita attraverso le pagine di un libro.

Il *memoir*, il *biopic* e l'*autofiction* sono le narrazioni piú collegiali che esistano. Peccato che spesso – come generi letterari – assumano una forma solipsistica, asociale, egocentrica.

Avete mai provato a scrivere guardandovi allo specchio? Intendo dire: guardando nello specchio il foglio di carta e la mano che impugna la penna. Provateci. Il risultato è faticoso, la grafia pessima. Un bimbo che abbia da poco imparato il corsivo ci riuscirà meglio di voi. Per lui la scrittura non è abitudine, e proprio per questo se la cava bene in una situazione inedita. L'adulto invece «scrive a memoria», e lo specchio, che rovescia i gesti, lo confonde, lo costringe a dimenticare quel che ha registrato nel cervello. Dunque: piú memoria si ha, e piú si fanno sgorbi, scrivendo allo specchio.

È tempo di rendere giustizia alla natura collettiva dell'autobiografia. Piú si scrive e meno si appartiene a sé stessi.

Per questo motivo abbiamo deciso di mettere a nudo le collaborazioni (spesso involontarie) che ci hanno permesso di modellare e arricchire le memorie di Isabella. È un omaggio doveroso a tutti i coautori di questo racconto, quelli che nella convenzione cinematografica troverebbero spazio almeno nei titoli di coda, mentre in quella romanzesca vengono semplicemente taciuti, con la scusa che il lettore dev'essere lasciato libero di giocare col testo e di trovare da solo citazioni e rimandi.

Chi volesse dedicarsi a quel gioco, non deve far altro che saltare le pagine che seguono.

Titolo.

Nella grafia corretta della lingua somala – che utilizza l'alfabeto latino – il titolo di questo romanzo sarebbe *Timiro*, con la *o* finale (cfr. la poetessa *Timiro* Ukash, citata anche nell'Archivio storico). Wu Ming 4 ci ha però ricordato che la *o* finale, in italiano, viene associata d'istinto al genere maschile, mentre la nostra storia ha una donna come autrice/protagonista, e la condizione femminile come tema fondamentale. Per questo motivo ci siamo messi alla ricerca di un titolo che facesse entrare da subito la *femminilità* nel codice semantico della narrazione.

Alla fine abbiamo scelto di modificare la grafia del nome *Timiro*, sostituendo la *o* finale con una *a*, confortati dal fatto che la stessa Isabella scriveva il suo nome a quel modo (una simile trascrizione, infatti, rende meglio, per il parlante italiano, l'effettiva pronuncia somala, che termina appunto con un suono molto vicino alla nostra *a*).

Per l'altra obiezione di Wu Ming 4 («*Timiro* suona piú giapponese che africano»), è probabile che la *a* finale abbia acuito l'effetto invece di attenuarlo (per assonanza con Akira, che tra l'altro è un nome maschile...)

Piú in generale, rispetto alla grafia dei nomi somali, abbiamo scelto di sostituire le lettere X e C con i due corrispettivi italiani piú simili per pronuncia, ovvero rispettivamente: H (molto aspirata) e nessun suono. Questo per rendere chiaro al lettore italiano che, ad esempio, il nome somalo *Cali* si pronuncia (piú o meno) *Ali*, mentre *Axmed* si pronuncia (piú o meno) *Ahmed*. Abbiamo anche eliminato le doppie vocali, per cui *Cabdirashiid* diventa Abdirashid e *Dhuusamareeb* diventa Dhusamareb. Per alcuni personaggi e luoghi noti, abbiamo scelto di utilizzare le grafie piú comuni, ormai entrate nell'uso: cosí *Siyaad Barre* diventa Siad Barre, *Aadan Cabdulle* diventa Aden Abdulle. Nel caso del nome *Maxamed* – che è il patronimico di Antar – lo abbiamo reso *Mohamed*, seguendo anche in questo caso l'uso piú comune.

Naturalmente, quando abbiamo riportato intere frasi in somalo, queste sono scritte con la grafia corretta, senza togliere C, X e vocali doppie.

Esergo.

Il film di John Landis *Ladri di cadaveri* (*Burke & Hare*, 2010) si apre con la scritta: «Questa è una storia vera, eccetto le parti che non lo sono». Il nostro esergo differisce da quella per una sola parola («Questa è una storia vera, *comprese* le parti che non lo sono»).

Ciò significa che questo romanzo è fedele alle testimonianze di Isabella Marincola e le rielabora senza stravolgerne il contenuto. Esso dunque non intende raccontare una verità assoluta ma piú modestamente la verità-di-Isabella, il suo punto di vista sul mondo reale e sugli esseri umani che vi ha conosciuto.

Preludio. Lettera intermittente n. 1.

La frase di apertura ricalca l'attacco del *Cristo si è fermato a Eboli* di Carlo Levi («Sono passati molti anni, pieni di guerra, e di quello che si usa chiamare la Storia»). La scelta non è dettata solo dall'ammirazione per quel testo, ma in particolare dalla lettura postcoloniale che ne ha dato Roberto Derobertis nel corso della «Giornata di studio sulla letteratura coloniale e postcoloniale in Italia» organizzata dalla Fondazione istituto Gramsci dell'Emilia Romagna, il 19 gennaio 2010. L'intervento in questione era intitolato: *Da colonizzati a colonizzatori. I contadini lucani e la Guerra all'Etiopia in* Cristo si è fermato a Eboli: *una rilettura postcoloniale.*

La ragazza tunisina che non ha (ancora) fatto la storia si chiama Zineb Naini. Lo scritto a cui si fa riferimento s'intitola appunto *Io non ho fatto la storia* e risale al febbraio 2011:

> I nostri popoli hanno fatto la storia. I nostri popoli, non noi. Io NON ho fatto la storia. NON ho rischiato il mio lavoro, non ho rischiato di essere imprigionata e imbavagliata, non ho rischiato la vita e neanche un mal di testa a forza di pensare alla rivoluzione. Io NON ho fatto la storia del mio popolo arabo, ma sono ancora in tempo a fare la storia del mio popolo italiano.

L'amico ricoverato nella clinica per malattie mentali dove «tutto è cominciato» si chiamava Adriano Morselli, e non è la prima volta che finisce suo malgrado dentro un romanzo di Wu Ming. Speriamo non gli dispiaccia.

Prima parte. Uno (e Tre).

Il diario di Isabella si basa sul vero diario da lei tenuto nel gennaio-febbraio 1991 e parzialmente pubblicato a giugno '92 su «Soo-Maal» – foglio autoprodotto stampato a Pavia – col titolo: *Quando la Somalia risorgerà dalle sue ceneri?*
A questa base abbiamo aggiunto dettagli tratti da varie fonti, tra cui le principali sono:
– la testimonianza di Bruna Galvani Baxsan pubblicata nello stesso numero di «Soo-Maal» con il titolo *Una testimonianza*;
– il diario di H. O. Ahmed, *Morire a Mogadiscio*, supplemento a «Africa e Mediterraneo», trimestrale dell'Iscos, gennaio-marzo 1993;
– il testo dell'ambasciatore italiano a Mogadiscio: M. Sica, *Operazione Somalia*, Marsilio, Venezia 1994;

– il *memoir* di Claudio Pacifico, consigliere diplomatico a Mogadiscio nel 1991, dal titolo *Somalia. Ricordi di un mal d'Africa italiano*, Edimond, Città di Castello 1996.

Inutile dire che per consultare questi libri, come pure la stragrande maggioranza di quelli che troverete citati da qui in poi, abbiamo saccheggiato il Polo bibliotecario di Bologna e in particolare la biblioteca del Centro Amilcar Cabral, senza la quale questo romanzo sarebbe assai diverso.

Prima parte. Due.

L'articolo che abbiamo riprodotto (*Fugge ministro somalo*) è tratto da «la Repubblica» del 24 gennaio 1991.

La puntata di *Samarcanda* – registrata da Antar con un vecchio Vhs – non è certamente andata in onda il 24 gennaio '91, ma comunque in una data non molto dissimile.

Il signor Davide Folco, i cui parenti telefonarono in diretta durante la trasmissione per avere notizie, è stato ucciso nella sua piantagione ad Afgoy e trascinato nello Uebi Scebeli. Il corpo non è mai stato ritrovato. Della sua fine si parla nel libro di Giovanni Porzio e Gabriella Simoni, *Inferno Somalia. Quando muore la speranza*, Mursia, Milano 1993.

Prima parte. Archivio storico. Reperto n. 1.

Per comporre la relazione di De Vecchi abbiamo integrato in un unico testo la relazione originale (pubblicata in L. Goglia e F. Grassi, *Il colonialismo italiano da Adua all'Impero*, Laterza, Bari 1981) e alcune frasi significative estratte da un volume dello stesso De Vecchi, *Orizzonti d'impero*, Mondadori, Milano 1935, sorta di *De bello gallico* sull'attività del governatore in Somalia.

Il testo integrale della poesia *Aakhiru-seben* (*La fine dei tempi*) è pubblicato in F. Antinucci e A. Faarax Cali (a cura di), *Poesia orale somala*, in «Studi Somali», Roma 1986, n. 7. Quello qui riportato è soltanto un breve estratto.

Prima parte. Quattro.

L'episodio della fustigazione in moschea raccontato da Mohamed è riferito nel diario di Ahmed, *Morire a Mogadiscio* cit.

La frase: «Ricordare è richiamare alla memoria quello che abbiamo dimenticato» è di M. Onfray, *La politica del ribelle*, Fazi, Roma 2008.

Prima parte. Archivio storico. Reperto n. 2.

In mancanza dell'originale del foglio di riconoscimento di Isabella Marincola, questo testo è stato costruito integrando la sua dichiarazione di nascita con il foglio di riconoscimento del fratello Giorgio. Entrambi i documenti sono stati recuperati a Pizzo Calabro da Carlo Costa e Lorenzo Teodonio, grazie alla disponibilità di Rosella Marino che li aveva conservati nel suo archivio privato.

Prima parte. Cinque.

La lettera di Giuseppe Marincola al fratello Alberto è puramente inventata (si tratta infatti di un capitolo e NON di un reperto dell'Archivio storico). Per comporla, abbiamo rielaborato lettere, documenti e riflessioni contenuti in diversi testi sul rapporto tra i coloni italiani e le donne africane. In particolare:

– G. Barrera, *Patrilinearità, razza e identità. L'educazione degli italoeritrei durante il colonialismo italiano*, in «Quaderni Storici», 109, anno 37, aprile 2002, n. 1. Lo si trova anche in rete in formato Pdf.

– B. Sorgoni, *Parole e corpi. Antropologia, discorso giuridico e politiche sessuali interrazziali nella colonia Eritrea (1890-1941)*, Liguori, Napoli 1998.

– G. Stefani, *Colonia per maschi. Italiani in Africa Orientale, una storia di genere*, Ombre corte, Verona 2007.

– C. Volpato, *La violenza contro le donne nelle colonie italiane. Prospettive psicosociali di analisi*, in «Deportate, Esuli, Profughe. Rivista Telematica», maggio 2009, n. 10. Anche questo si può consultare in rete.

– R. Bonavita, *Lo sguardo dall'alto. Le forme della razzizzazione nei romanzi coloniali e nella narrativa esotica*, in *La menzogna della razza. Do-*

cumenti e immagini del razzismo e dell'antisemitismo fascista, a cura del Centro Furio Jesi, Grafis, Bologna 1994.

Per la forma epistolar-coloniale dell'epoca ci è stata di grande aiuto la raccolta di lettere curata da G. Dore, *Un bellunese in Somalia. Lettere di Edoardo Costantini a Polpet (1934-1936)*, Isbrec, Belluno 2001.

Prima parte. Sei.

Per la descrizione di Mogadiscio, lungo il tragitto tra la casa di Isabella e l'aeroporto, abbiamo attinto a una tale quantità di fonti che è difficile ricordarle tutte.

Sia Google Earth che Wikimapia contengono molte foto di Mogadiscio, dagli anni Trenta fino ai giorni nostri, ed etichette che specificano il nome dei diversi luoghi.

Su Flikr e su YouTube si trovano altre foto e video amatoriali sulle condizioni della città durante i primi mesi del 1991.

Abbiamo ricostruito la storia di piazza Quattro Novembre e del monumento ai caduti delle guerre coloniali, grazie alle foto d'epoca riportate su mogadishuimages.wordpress.com, nonché sulla pagina Facebook di Paolo de Vecchi di Val Cismon.

Il negozio con l'insegna «Armani» è descritto – ancora intero – nel *memoir* di Giampaolo Barosso, *AAA, volume sesto, settembre-dicembre 1987, Somalia*, pubblicato in Pdf nel febbraio 2002.

Nello stesso testo abbiamo trovato una descrizione dell'aeroporto di Mogadiscio che ci è stata utile per ricostruire quello scenario.

Per il «volo tattico» di Isabella a bordo del C-130 dell'aeronautica militare ci siamo basati sul resoconto di un viaggio verso l'Afghanistan, fatto con lo stesso mezzo, e pubblicato in forma anonima sul «quotidiano di opinione virtuale» del Trentino Alto Adige «L'Adigetto.it».

Prima parte. Sette.

Sulle suore della Consolata in Somalia, abbiamo consultato due testi:
– L. Ceci, *Il Vessillo e la Croce. Colonialismo, missioni cattoliche e islam in Somalia (1903-1924)*, Carocci, Roma 2006.

– P. G. Bassi, *Cenni storici dell'istituto suore missionarie della Consolata*, *Vol. I*, Nepi (VT) 2006. Scaricato da internet in un pomeriggio fortunato.

Le missionarie della Consolata di Mogadiscio provenivano in gran parte dalla zona di Torino, dove ha sede la casa madre dell'ordine. Per questo motivo, il capitolo è stato sporcato di piemontese da Simone Franchino, pericoloso ribelle della Val di Susa.

Per le operazioni di imbarco a Mogadiscio ci siamo rifatti alla descrizione (e alle foto) che compaiono nelle lettere di Edoardo Costantini (*Un bellunese in Somalia* cit.).

Di una tournée italiana degli orfani *meticci* del brefotrofio di Mogadiscio – in occasione dell'esposizione nazionale di Torino del 1928 – si parla in un articolo di «Il Resto del Carlino» riportato in G. Gabrielli (a cura di), *L'Africa in giardino. Appunti sulla costruzione dell'immaginario coloniale*, Grafiche Zanini, Anzola dell'Emilia (BO) 1999.

Nell'immaginare le reazioni di Flora Virdis all'arrivo di Isabella, ci siamo ispirati a Norina, il personaggio della novella di Luigi Pirandello *Zafferanetta*, in *Novelle per un anno*, Mondadori, Milano 1990. Il testo si trova molto facilmente anche in rete.

Prima parte. Otto.

Il brevissimo accenno alla vita da profugo in Kenya di Daud Ali Tahlil è ispirato alla testimonianza del già citato diario di H. O. Ahmed e a quelle raccolte dal grande scrittore somalo Nuruddin Farah in *Rifugiati. Voci della diaspora somala*, Meltemi, Roma 2003.

Prima parte. Nove.

La pausa gelato prima di partorire non è un aneddoto della vita di Isabella, bensí della madre di Wu Ming 2, prima di mettere al mondo il medesimo. Scrittura conviviale vuol dire anche scambiarsi i ricordi (e nei ricordi, perfino le mamme).

La descrizione dell'ultimo congresso del Pci a Rimini è ricavata da diversi articoli sui giornali dell'epoca e in particolare: *Nasce acquario, come il Pci*, in «la Repubblica», 2 febbraio 1991, p. 12.

Prima parte. Dieci.

I dettagli topografici e architettonici sul Casal Bertone del 1937 sono ricavati da G. D'Andreta, *Casal Bertone. Quartiere della Consolata*, s. e., Roma 1995.

Le frasi in sardo pronunciate da Flora Virdis si devono a Giacomo Casti, pericoloso pirata cagliaritano del *Marina Café Noir*.

La battuta di Giuseppe Marincola sull'incapacità dei *dubat* nell'allineare le tende è presa dall'articolo di Luigi Barzini jr, *Al campo degli ascari*, in «Corriere della Sera», 8 maggio 1937:

> Sono alloggiati in tende allineate geometricamente con tale perfezione d'angoli che gli ascari ne sono rimasti un po' disturbati. Non è loro abitudine, spiegava l'ufficiale di picchetto oggi, allineare le tende, o perlomeno, per quanta buona volontà ci mettano, non riescono mai a metterle in fila. Considerano quindi questo campo il piú perfetto, il piú miracoloso che sia mai esistito.

Prima parte. Undici.

La frase «i vecchi, come le donne, sono i negri del mondo» si riferisce al titolo della canzone di John Lennon *Woman Is the Nigger of the World* (1972). A sua volta il titolo è tratto da un'intervista a Yoko Ono pubblicata sulla rivista «Nova» nel 1969.

Prima parte. Dodici.

Esempi del metodo Merushe per aprire una bottiglia di vino senza cavatappi, si possono osservare su YouTube, digitando semplici parole chiave.

Sugli ebrei salvati grazie alle leggi tradizionali albanesi, abbiamo consultato il libro fotografico di N. H. Gershman, *Besa. Muslims Who Saved Jews In World War II*, Syracuse University Press, Syracuse, 2008. Le foto di Gershman sono state in mostra, per la prima volta in Italia, al museo ebraico Carlo e Vera Wagner di Trieste.

Per il personaggio di Merushe (e per i suoi proverbi albanesi) abbiamo utilizzato i materiali raccolti da Anna Rosa Iraldo e Paola Musarra nel progetto *Per una nuova immagine delle donne albanesi*. Lo si trova in rete sul sito di MeDea (!): medea.provincia.venezia.it

Prima parte. Tredici.

La canzone che Isabella canta a suo fratello è *Il pinguino innamorato*, testo di Nino Rastelli, musica di Nino Casiroli e Mario Consiglio, portata al successo nel 1940 da Silvana Fioresi.

La poesia di Rainer Maria Rilke è *Prima elegia duinese*. La traduzione, piuttosto letterale, non è dell'epoca, ma si rifà a quella di M. Ranchetti e J. Leskien pubblicata da Feltrinelli, Milano 2006.

Sull'Italia fascista come rifugio per gli ebrei del Terzo Reich prima delle leggi razziali, abbiamo consultato:
– K. Voigt, *Il rifugio precario. Gli esuli in Italia dal 1933 al 1945*, La Nuova Italia, Scandicci 1993.
Ringraziamo Marco Palmieri per averci indicato diversi titoli sugli ebrei romani durante l'occupazione nazista di Roma.

Sull'occupazione di Giuseppe Marincola nel riciclaggio di materiale bellico, abbiamo visto *I recuperanti*, film per la televisione di Ermanno Olmi, sceneggiatura di Tullio Kezich e Mario Rigoni Stern, ambientato sull'altopiano di Asiago.

Prima parte. Sedici.

Questo è un capitolo del tutto immaginario (infatti si apre con le parole «Ti immagino...»)

Non sappiamo se a Stramentizzo ci sia davvero un bar e certo il dialetto del posto non è lo stesso che parlano i nostri avventori, ai quali invece abbiamo messo in bocca parole e frasi tratte da due dizionari: uno di cembrano (la parlata della Val Cembra, che confina col territorio di Molina di Fiemme) e uno del fiemmese di Ziano (a una quindicina di chilometri da Stramentizzo):

– A. Zorzi, *Parole da sti agni. Dialetto di Ziano di Fiemme*, Longo, Ravenna 1982.

– A. Aneggi, *Dizionario cembrano*, Museo degli usi e costumi della gente trentina, San Michele all'Adige 1984 (se ne trova una versione anche online).

Le diverse opinioni espresse sulla strage di Stramentizzo sono desunte da due lavori di Lorenzo Gardumi:

– *Maggio 1945: A nemico che fugge, ponti d'oro. La memoria popolare delle stragi di Ziano, Stramentizzo e Molina di Fiemme*, Fondazione museo storico trentino, Trento, 2008.

– *Maggio 1945: le stragi di Molina e Stramentizzo di Fiemme. L'immagine dei partigiani nei testimoni di oggi*, in *La memoria che resiste*, in «memoria/memorie», Centro studi Ettore Luccini, 2006, n. 1 (quest'ultimo reperibile anche in rete).

Seconda parte.

Il proverbio somalo citato in esergo è tratto da G. Soravia, *Manuale pratico italo-somalo*, Bonomo, Bologna 2007.

Seconda parte. Uno.

La canzone che passa in radio è *Baghdad 1.9.9.1.* del collettivo Uniti contro la Guerra, ripubblicata nell'album *Terra di nessuno* di Assalti Frontali.

Le frasi che Antar pensa e legge mentalmente durante l'intervista sono tratte nell'ordine da:

– Volantino del Comitato pacifista Somalia unita, 1991

– *Ibid.*

– M. Bulgarelli, *Proposta alternativa di documento conclusivo dell'indagine della Commissione parlamentare di inchiesta sulla morte di Ilaria Alpi e Miran Hrovatin*, Camera dei deputati, Roma 2006.

– L. Fabiani, *Gli aiuti non si toccano*, in «la Repubblica», 26 luglio 1990.

– A. Botta, *L'avevan tanto amato*, in «L'Europeo», 25 gennaio 1991.

– *Ibid.*

– G. Leoni von Dohnanyi e F. Oliva, *Somalia. Crocevia di traffici internazionali*, Editori Riuniti, Roma 2002.

– Volantino, si veda sopra.

– *Ibid.*

Seconda parte. Due.

La battuta di Bruno Barilli su Mombasa e la Somalia è tratta da B. Barilli, *Il sole in trappola*, Sansoni, Firenze 1941.

Seconda parte. Sette.

Per la grafia del bolognese intramurario standard abbiamo seguito, quasi alla lettera, l'ortografia lessicografica moderna proposta, fra gli altri, da D. Vitali, *Dscârret in bulgnais?*, Perdisa, Bologna 2005.

Ci siamo presi qualche licenza, qua e là, per non infittire il testo con troppi segni diacritici.

Seconda parte. Otto.

Sul percorso che portò la Mangano a essere scritturata per il ruolo della protagonista in *Riso amaro*, esistono diversi miti, testimonianze, aneddoti. Due versioni alternative a quella che abbiamo raccontato si trovano in: T. Kezich e A. Levantesi, *Dino De Laurentiis, la vita e i film*, Feltrinelli, Milano 2001.

Da questo testo abbiamo ricavato anche la notizia della reazione, sul set del film, all'attentato contro Palmiro Togliatti del 14 luglio 1948.

I provini per il film si tennero tutti nella sede della Lux Film a Roma. L'ambientazione del capitolo a Cinecittà si è imposta dopo la visione del cinegiornale *Nel Mondo del cinema Cinecittà risorge. La Settimana Incom n. 94*, 12 novembre 1947. Lo si può trovare sul sito dell'Istituto Luce e della Mediateca di Roma.

Seconda parte. Nove.

La canzone che i ragazzini ascoltano al parco è *Stop al panico* (1991) della Isola Posse All Star.

Il video musicale che Isabella guarda alla televisione è quello di *Black or White* (1991), dall'album *Dangerous* di Michael Jackson.

Seconda parte. Dieci.

Abbiamo guardato *Fabiola*, il film di Alessandro Blasetti, in cerca della scena descritta da Isabella (quella in cui si copre il seno con i capelli). Abbiamo trovato Isabella, ma non la scena in questione. Se la ripresa è stata fatta davvero, allora di sicuro è stata tagliata in fase di montaggio.
Il film è dedicato «agli offesi, ai perseguitati, alle vittime di ogni violenza».

La frase pronunciata da Corrado Alvaro sul personaggio di Medea («antenata di tutte le donne che hanno subito la persecuzione razziale») è presa e riadattata da C. Alvaro, *La Pavlova e Medea*, in «Il Mondo», 11 marzo 1950, citato in T. Biancolatte, *1949. Da carnefice a vittima. La Medea perseguitata di Corrado Alvaro*, Semestrale di studi (e testi) italiani, giugno 2007, n. 19 (reperibile in rete).

Abbiamo ritrovato il testo integrale di *Lunga notte di Medea*, insieme ad altre notizie sullo spettacolo, nella rivista «Sipario», agosto-settembre 1949, nn. 40-41. Lo stesso testo si trova anche in M. G. Ciani (a cura di), *Medea. Variazioni sul mito*, Marsilio, Venezia 2004.

Le considerazioni di Lamberto sono prese e riadattate dall'articolo di Giorgio Assan che compare piú avanti nell'Archivio storico: *Bilancio dell'Amministrazione fiduciaria italiana in Somalia*. Giorgio Assan era il *nom de plume* usato dal marito di Isabella in quegli anni e formato a partire dal nome del fratello (Giorgio) e dal cognome della madre di lei (Hassan, italianizzato anche da Isabella in Assan).

Il posacenere con la scritta sulla donna intellettuale compare in: S. Cichi, *La donna esclusa. Storia del matrimonio e della famiglia*, Domus, Milano 1974. L'autrice è la stessa Silvana Cichi che interpretava il ruolo della schiava Perseide nella tragedia di Alvaro.

Anche la frase «Col matrimonio si viene promosse casalinghe» è tratta dallo stesso libro.

Seconda parte. Dodici.

Per la descrizione di Mogadiscio nel 1956, abbiamo integrato i ricordi di Isabella con la visione di due filmati d'epoca, entrambi disponibili sul sito dell'Istituto Luce:
– *Somalia d'oggi*, prodotto e diretto da A. Zancanella, Universo Film, 1955.
– *Missione italiana in Somalia*, numero speciale di *La Settimana Incom* («dal nostro inviato speciale Lamberto Patacconi»), 1952.

Anche il romanzo di Shirin Ramzanali Fazel, *Nuvole sull'equatore*, Nerosubianco, Cuneo 2010, ci ha aiutato per i dettagli e l'atmosfera del periodo.

Lo scandalo che in questo capitolo abbiamo fatto denunciare a Piero Russo – il trattamento fascista dei bambini meticci anche durante l'Afis – è da sempre al centro di iniziative e rivendicazioni da parte della comunità italo-somala. Si vedano in proposito F. Caferri, *I figli dimenticati d'Italia*, in «la Repubblica», 17 giugno 2008, e i video, reperibili su YouTube:
– *Chi l'ha visto?*, puntata del 22 aprile 2009.
– TgRepubblica, intervista a Gianni Mari e Antonio Murat.

Seconda parte. Quattordici.

La spiegazione che Lamberto dà del ritorno al cabilismo è tratta da Assan, *Bilancio dell'Amministrazione fiduciaria italiana in Somalia* cit.

Seconda parte. Quindici.

Nella lettera di Mohamed, abbiamo inserito quasi testualmente le parole della poesia di Hurre Aadan Muuse, *Dhofay Cumarow!* («Ho deciso, Cumar!»), dove si elencano i motivi per i quali possedere una casa è preferibile al possedere una mandria di cammelli. La poesia è riportata in Antinucci e Faarax Cali, *Poesia orale somala* cit.

Seconda parte. Diciassette.

Il racconto di Itala sulle sue esperienze di aborto è ispirato alle testimonianze raccolte in: L. Perini, *Quando la legge non c'era. Storie di donne e aborti clandestini prima della legge 194*, in «Storicamente», 2010, n. 6, disponibile in rete.

Seconda parte. Diciannove.

La poesia tradotta e recitata da Brenno Capitini è riportata in G. Assan, *La Libia e il mondo arabo*, Editori Riuniti, Roma 1959, p. 25.

Abbiamo scoperto l'origine della parola «tamarindo» grazie a un articolo di Nuruddin Farah, *Of the Tamarind and Cosmopolitanism*, pubblicato in italiano e inglese nel giugno 2004 nel numero 4 di «El Ghibli. Rivista online di letteratura della migrazione».

Nell'articolo, l'autore racconta la distruzione del Tamarind Market di Mogadiscio, uno dei luoghi piú cosmopoliti della città, e la sua trasformazione in Bakhaaraha Market, «il mercato dei silos». Nel passaggio da un albero sempreverde a un contenitore di merci accaparrate, dal cosmopolitismo al «capitalismo militarizzato», Farah rintraccia la metafora di una città «ormai spogliata della sua ricchezza culturale».

Terza parte. Archivio storico. Reperto n. 7.

La poesia di Timiro Ukash è riportata nel saggio di Z. M. Jama, *Fighting to Be Heard, Somali Women's Poetry,* in «African Languages and Cultures», 1991, n. 1, vol. 4, pp. 45-53.

Terza parte. Uno.

Il brano dell'*Educazione sentimentale* di Gustave Flaubert è citato come esempio mirabile di sommario in: A. Marchese, *L'officina del racconto*, Mondadori, Milano 1990.

Terza parte. Due.

La canzone che Isabella ascolta in libreria è *On a Plain*, da *Nevermind* (1991) dei Nirvana.

Terza parte. Tre.

La considerazione espressa da Ashkiro sulle donne somale della sua generazione, abituate a separarsi dai figli adolescenti, è ricavata dall'intervista di Pietro Petrucci a Mohamed Aden Sheikh, che sta alla base del libro *Arrivederci a Mogadiscio*, Edizioni Associate, Roma 1994.

Buona parte dello stesso materiale è stato integrato, ampliato e rivisto in M. A. Sheikh, *La Somalia non è un'isola dei Caraibi*, Diabasis, Reggio Emilia 2010. Il titolo di quest'ultimo libro compare tra i pensieri di Isabella nel capitolo 4.

Mohamed Aden Sheikh è morto a Torino, il 1° ottobre 2010.

Terza parte. Archivio storico. Reperto n. 8.

Per ottenere il «discorso rivoluzionario» di Siad Barre abbiamo montato il discorso originale del 24 ottobre 1969 con una coda presa da un intervento molto piú lungo, rivolto alle forze armate, e pronunciato il 9 novembre dello stesso anno. Sia il primo che il secondo si trovano su un sito internet di nostalgici siyadisti: www.jaallesiyaad.com

Terza parte. Quattro.

La frase di Antar su politici, faraoni e capobanda si rifà alla canzone di Francesco De Gregori, *La ballata dell'uomo ragno* (1992) e in particolare alla strofa: «È solo il capobanda ma sembra un faraone, | ha gli occhi dello schiavo e lo sguardo del padrone, | si atteggia a Mitterrand ma è peggio di Nerone».

Terza parte. Cinque.

I dettagli sulla cappella della Consolata di Casal Bertone e sulla vita religiosa del suburbio negli anni Trenta, sono tratti da D'Andreta, *Casal Bertone* cit.

Lo scenario di piazza della Solidarietà africana nel 1972 è invece descritto in B. Rossi, *Un anno in Somalia*, Arti Grafiche Jasillo, Roma 1973. Il libro è esaurito, ma l'autore, nel 2011, ha messo online una versione in Pdf con il titolo *Memorie dalla Somalia*.

Il *kacaan* mortifero: «tu, opportunista, eccetera» è invece riportato in Hassan M. Abukar, *Mogadishu Memoir (Part VIII): Crimes and Concoctions*. Si tratta di un *memoir* in piú parti, pubblicato online sul sito www.wardheernews.com. Cercando in Rete altre occorrenze della canzone, non ne abbiamo trovate, nonostante Abukar sostenga che si trattasse di un brano molto noto. Per questo motivo abbiamo deciso di inserirlo come un «si dice» che Isabella ha captato, senza peraltro poterlo verificare, data la sua scarsa conoscenza della lingua somala.

Terza parte. Sei.

La canzone che Antar ascolta è *Sopravvoliamo*, dall'album omonimo (1992) di Rokko e i suoi fratelli, sigla della trasmissione televisiva *Avanzi*. L'ultima strofa, quella sulla parrocchia, è una nostra invenzione.

Lidia Furlan è un personaggio di fantasia, ma la foto di tre donne somale, corredata dalla didascalia «Le nostre boyesse», ha invece un fondamento reale nell'*Album 2* pubblicato sul sito www.somalianonsolo.it

L'episodio noto in Italia come Eccidio di Mogadiscio e in Somalia col nome di *Ha noolato!* («Che viva!») è ovviamente molto controverso, poco studiato dagli storici e ricordato dai protagonisti con grande pathos e parzialità. Per la ricostruzione che ne dà Isabella abbiamo consultato svariate fonti (articoli di giornale, testimonianze in italiano, inglese e somalo), oltre naturalmente alle sue opinioni personali, visto che questo, lo ripetiamo, è un romanzo con un preciso punto di vista. A chi volesse approfondire la conoscenza di quell'evento, suggeriamo la lettura di tre saggi storici, che pure ci sono stati molto utili nell'orientarci tra i vari documenti di prima e seconda mano:

– G. Calchi Novati, *Gli incidenti di Mogadiscio del gennaio 1948: rapporti italo-inglesi e nazionalismo somalo*, in «Africa», anno 35, settembre-dicembre 1980, nn. 3-4.

– E. de Leone, *Qualche precisazione su «Gli incidenti di Mogadiscio del 1948»*, ivi, anno 36, marzo 1981, n. 1.

– S. Aidid, *Haweenku Wa Garab (Women Are a Force): Women and the Somali Nationalist Movement, 1943-1960*, in «Bildhaan: An International Journal of Somali Studies», 2010, vol. 10, reperibile anche in rete.

Terza parte. Sette.

Sul ruolo delle donne somale nel cammino per l'indipendenza, abbiamo trovato molto utili tre saggi in particolare:

– Aidid, *Haweenku Wa Garab* cit.

– Jama, *Fighting to Be Heard* cit.

– Affi, *Men Drink Tea While Women Gossip*, in A. Kusow (a cura di), *Putting the Cart before the Horse*, Africa World Press, Asmara 2004. Anche quest'ultimo, come i primi due, è reperibile in rete.

Il *buranbur* sui denti d'oro e l'indipendenza è opera di Raha Ayanle, la prima donna eletta nel comitato centrale della Somali Youth League.

Il paragone tra gli uomini della Syl e i colonialisti italiani è invece opera di Hawa Jibril, una delle due «sorelle» che andò a protestare con Aden Abdulle nel 1959.

Terza parte. Nove.

La favola dei quattro uomini e della vacca compare nel volume *Sheekooyiin. Favole somale raccontate da Axmed Cartan Xaange*, L'Harmattan Italia, Torino 1998.

Terza parte. Dieci.

Abbiamo ricostruito alcuni dettagli della visita di Bettino Craxi a Mogadiscio grazie agli articoli di Pietro Veronese, *Craxi accolto da re nella Somalia di Barre*, pubblicato su «la Repubblica» del 21 settembre 1985, e di Beniamino Placido, *19 salve di cannone. E Craxi ringraziò: Africa, ciao*, sempre su «la Repubblica» del 6 ottobre 1985.

Sulla presenza degli squali Zambesi nelle acque del Lido – con annessi e connessi – abbiamo trovato utili notizie tanto nel *memoir* già citato di Giampaolo Barosso che nell'articolo di Ugo Mattei, *Un diritto alla libertà oltre lo stato e il mercato*, in «il manifesto», 27 novembre 2010.

La storiella razzista sui tre uomini che arrivano alle porte del Paradiso è raccontata in F. Fanon, *Pelle nera, maschere bianche: il nero e l'altro*, Tropea, Milano 1996.

Terza parte. Undici.

Dar conto anche delle influenze filosofiche che riverberano nel romanzo eccede senz'altro lo scopo e la natura di queste note. Tuttavia, in questo capitolo ci sono riferimenti talmente espliciti a due testi di Giorgio Agamben, che non ci pare possibile tralasciarli. Si tratta di:
– *Homo sacer. Il potere sovrano e la nuda vita*. Einaudi, Torino 1995.
– *Beyond Human Rights*, in M. Hardt and P. Virno, *Radical Thought in Italy*, University of Minnesota Press, Minneapolis 1996 [trad. it. in G. Agamben, *Mezzi senza fine. Note sulla politica*, Bollati Boringhieri, Torino 1996].

Terza parte. Dodici.

Gli estratti del dattiloscritto originale *Ma gli italiani sono proprio così?* sono stati soltanto leggermente editati e integrati qua e là con le memorie di Isabella. Il brano del duca Alberto Denti di Pirajno è riportato anche in A. Del Boca, *La nostra Africa*, Neri Pozza, Vicenza 2003.

Il libro-intervista di Paolo Pillitteri a Siad Barre è *Somalia '81*, SugarCo, Milano 1981.

Terza parte. Quattordici.

Le donne con i bigodini in testa che osservano passare la processione della Madonna di San Luca si vedono in uno slideshow caricato su YouTube con il titolo *Discesa della Madonna di San Luca*. Altri video analoghi ci sono serviti per riempire di dettagli la nostra descrizione.

Grazie a Maurizio Calamelli per averci fatto notare che la Madonna di San Luca è... una madonna nera.

Terza parte. Posludio.

L'immagine del telefono cellulare come nuova catena di montaggio, ci è finita in testa grazie a Franco «Bifo» Berardi, *Che significa oggi autonomia?*, in «Transversal. Eipcp Web Journal», settembre 2003.

Titoli di coda.

La difficoltà di scrivere allo specchio ci è apparsa evidente grazie a Davide e Sofia e al libro di Delphine Grinberg, *Gioco scienza con gli specchi*, Editoriale Scienza, Trieste 2007.

Terminata questa lunga disamina – che non ci pare inutile, anche se ovviamente avrebbe potuto essere lunga due volte tanto – ci accorgiamo con orrore di non aver menzionato alcune opere fondamentali per la nostra documentazione, che tuttavia non ci sono servite, nel corso della stesura, per prestiti o citazioni dirette. L'idea di ricominciare da capo l'analisi, capitolo per capitolo, ci pare però una vera fatica di Sisifo e pertanto decidiamo, tra tutte, di nominarne soltanto una, la quale, disseminata in piú volumi, costituisce la piú completa storia dei rapporti italo-somali che sia stata pubblicata in lingua italiana:

– A. Del Boca, *Gli italiani in Africa Orientale*, 4 voll., Laterza, Roma 1976.

– Id., *Una sconfitta dell'intelligenza: Italia e Somalia*, Laterza, Roma 1993.

– Id., *La trappola somala: dall'operazione Restore Hope al fallimento delle Nazioni Unite*, Laterza, Roma 1994.

Archivio fotografico.

– p. 12, Giorgio e Isabella Marincola all'inizio degli anni Trenta (Archivio famiglia Marino).

– p. 34, cattedrale della Vergine Consolata di Mogadiscio, in C. M. De Vecchi di Val Cismon, *Orizzonti d'impero*, Mondadori, Milano 1935.

– p. 49, Giorgio Marincola e Ashkiro Hassan, circa 1925 (Archivio famiglia Marino).

– p. 101, Ashkiro Hassan, 1927 (Archivio famiglia Marino).

– p. 153, Eugenio Bonvicini e Giorgio Marincola presso il Castello di Mongivetto (Biella), autunno 1944 (Archivio Antar Mohamed).

– p. 162, Mogadiscio, panoramica dal mare, cartolina spedita nell'ottobre 1952 (Edizioni Fotocine, Mogadiscio, scansionata sul sito http:// mogadishuimages.wordpress.com).

– p. 170, Isabella Marincola, 1944 (Archivio Antar Mohamed).

– p. 217, Isabella Marincola insieme ad altre mondine in una foto di scena sul set di *Riso amaro*, luglio 1948 (Photo 12 / Olycom).

– p. 248, Isabella Marincola e Alberto Sordi nella casa di Andreina Pagnani in via del Tritone, Roma, dicembre 1951 (Archivio Antar Mohamed).

– p. 338, passaporto di Isabella Marincola, rilasciato il 27 marzo 1992 (Archivio Antar Mohamed).

– p. 348, passaporto di Isabella Marincola, rilasciato dal consolato generale d'Italia a Mogadiscio il 28 febbraio 1972 (Archivio Antar Mohamed).

– p. 416, Somalia, El Gorum, un esemplare di trampoliere, 1930-40 (Archivio TCI / Contrasto).

– p. 499, Isabella Marincola, Bologna 2009 (Foto Giuliana Fantoni).

Siamo grati a Rosella Marino, che ci ha permesso di pubblicare alcune delle foto conservate nel suo archivio privato.

Ringraziamenti.

Questo libro deve molto anche al lavoro e all'amicizia di persone che ci hanno aiutato a scriverlo e a terminarlo.

Roberto Santachiara, *comandante en jefe*, camminatore indefesso e agente letterario.

Severino Cesari, che ha letto, corretto e consigliato, con una cura che va ben oltre il suo ruolo professionale.

Luca Briasco, per le impagabili annotazioni, al telefono e via sms.

I *compadres* Luca di Meo, Wu Ming 1, 4 e 5.

Valentina Pattavina, che ci ha aiutato a sterminare le ultime brutture.

Rosella Postorino, che ha curato alcuni fondamentali paratesti.

Monica Aldi e Yara Mavridis dell'ufficio iconografico Einaudi, per la ricerca delle illustrazioni.

Riccardo Falcinelli, per la grafica di copertina.

L'avvocato Alberto Mittone, per la sua consulenza sul testo.

I *giapsters* e i commentatori del nostro blog (www.wumingfoundation/giap), che con i loro interventi finiscono sempre per suggerirci testi, riflessioni, approfondimenti, pensieri.

Carlo Costa e Lorenzo Teodonio, che ci hanno incoraggiato, sostenuto, ospitato e nutrito (di mozzarelle fresche e introvabili documenti).

Questo romanzo fa parte di un progetto narrativo piú ampio, con autori e media diversi, aperto al contributo di chiunque voglia partecipare al suo approfondimento. Finora (gennaio 2012), i principali tasselli del mosaico sono:

1. C. Costa e L. Teodonio, *Razza Partigiana. Storia di Giorgio Marincola*, Iacobelli, Pavona (Roma) 2008.

2. *Quale razza*, video-intervista girata da Aureliano Amadei con Isabella Marincola (reperibile solo su YouTube).

3. Wu Ming 2, *Basta uno sparo. Storia di un partigiano italo-somalo nella Resistenza italiana*, Transeuropa, Massa 2010 (libretto con Cd audio dello spettacolo *Razza partigiana*, reading con testi e voce narrante di Wu Ming 2, musiche di Federico Oppi, Paul Pieretto, Stefano Pilia, Egle Sommacal).

4. Il sito internet *www.razzapartigiana.it*, con foto e documenti d'archivio.

Ultimi ma non ultimi ringraziamo i lettori, e a essi affidiamo il significato, futuro e imprevedibile, di questa storia.

La posta del lavoro letterario è quella di fare del lettore non piú un consumatore ma un produttore del testo. La nostra letteratura è segnata dal divorzio inesorabile mantenuto dall'istituzione letteraria tra il fabbricante e l'utente del testo, tra l'autore e il lettore. Questo lettore si trova allora immerso in una sorta di ozio, di intransitività, e, per dir tutto, di serietà: invece di essere lui a eseguire, di accedere pienamente all'incanto del significante, alla voluttà della scrittura, non gli resta in sorte che la povera libertà di ricevere o di respingere il testo: la lettura si riduce a un referendum (Roland Barthes, *S/Z*, 1970).

Senz'altro ci sarà qualcuno, qualcosa che abbiamo dimenticato. Ce ne scusiamo fin d'ora.

Bologna, primavera 2003 - 8 marzo 2012

Indice